WILHELM VOSSKAMP

Romantheorie in Deutschland

Von Martin Opitz

bis Friedrich von Blanckenburg

MCMLXXIII

J. B. METZLERSCHE VERLAGSBUCHHANDLUNG

STUTTGART

GERMANISTISCHE ABHANDLUNGEN 40

ISBN 3 476 00255 1

© J. B. Metzlersche Verlagsbuchhandlung und Carl Ernst Poeschel Verlag GmbH
in Stuttgart 1973

Satz und Druck: Gulde-Druck, Tübingen

Printed in Germany

INHALTSVERZEICHNIS

Inhaltsverzeichnis

Die fortwährende Wandelbarkeit des Romans bedingt eine stete Herausforderung für die Romantheorie. So wenig der Roman unter ein allgemeingültiges poetologisches Gesetz gestellt werden kann, so sehr erzeugt die Vielgestaltigkeit seiner Ausprägungen immer neue Versuche theoretischer Rechtfertigungen und ästhetischer Selbstvergewisserungen, die Theoretikern und Kritikern um so nötiger erscheinen, als dem Roman eine historisch verbürgte Legitimation altehrwürdiger, durch die klassische Kunsttheorie geheiligter Gattungen fehlt. [1] Die poetologische Situation des Romans ist daher auf eine notwendig paradoxe Weise gekennzeichnet durch den Widerspruch zwischen prinzipieller Theorielosigkeit (im Sinne verbindlicher, transgeschichtlicher Normen) und unendlicher Theorieproduktion (im Sinne historisch stets neuer Versuche um ästhetische Selbstverständigung). Historisch vollzieht sich dieser Prozeß in erster Linie als ein Vorgang der permanenten literarischen Opposition: Jeder Roman möchte möglichst »neuer« Roman sein, und die Kampfansage an den überlieferten »alten« gehört zur stets wiederkehrenden romantheoretischen Argumentation. Es ist deshalb auch nicht übertrieben, wenn man die Geschichte des Romans und seiner theoretischen Reflexion als eine Kette immer neuer »Krisen« und Krisendiskussionen interpretiert. Der Roman lebt, so widersprüchlich dies klingen mag, von seiner eigenen Krise, weil die kontinuierliche Kritik herkömmlicher Formen Voraussetzungen schafft, unter denen immer neue Ausprägungen zu entstehen vermögen. [2]

Das spiegelt sich nicht nur in Bezeichnungen wie »Anti-Roman« oder »Nouveau Roman«, sondern auf mannigfache Weise auch im konkreten Verlauf jener geschichtlichen Phase, von deren Romantheorie die folgenden Untersuchungen handeln: Der höfisch-historische Roman wendet sich gegen den mittelalterlichen Versroman, bzw. gegen den spätmittelalterlichen Prosaroman und die Volksbücher, die theologisch-erbauliche Variante des hohen Romans (Camus, Buchholtz) gegen den *Amadis*. Der »roman comique« begründet sich im Gegenentwurf zum heroisch-galanten Roman, der psychologische Kurzroman im Widerspruch zum barocken Großroman, der »politische Roman« Weises in der Polemik gegen Grimmelshausens Simpliciaden; und schließlich sucht der bürgerliche Roman als Geschichte von Privatbegebenheiten (»innerer Begebenheiten«) sich programmatisch zu verständigen in der Kritik und radikalen Abwendung vom Roman »öffentlicher« (»äußerer«) Begebenheiten. Das einzige romantheoretisch konstante Merkmal scheint auch im 17. und 18. Jahrhundert das der Inkonstanz und Wandelbarkeit im Prozeß kritischer Selbsterneuerung zu sein. [3]

Der vorliegenden Arbeit geht es indes nicht darum, den historischen Vorgang

sich ablösender Romanformen in einzelnen Phasen nachzuzeichnen — dies wäre
vornehmlich Aufgabe einer Geschichte des Romans, die einmal als dessen »Krisen«-
Geschichte geschrieben werden könnte —, sondern um den Versuch, den Prozeß der
theoretischen Emanzipation des Romans in Deutschland im 17. und 18. Jahrhundert bis zu Friedrich von Blanckenburg darzustellen. »Emanzipation« bedeutet dabei die sich in einzelnen historischen Etappen abzeichnende poetologische Selbstverständigung des Romans in theoretischen Dokumenten und Aussagen zeitgenössischer Poetiker, Kritiker, Philosophen und Historiker mit dem Ziel, jenes ästhetische Eigenrecht zu erlangen, das dem Roman zunächst aus künstlerischen und
nichtästhetischen (theologischen oder moralischen) Gründen weitgehend verweigert
und erst allmählich zugebilligt wird. Die Geschichte der Romantheorie in Deutschland von den Übersetzungen der spanischen Picaroromane und der Opitzschen
Argenis-Übersetzung bis zu Blanckenburgs *Versuch über den Roman* kann als Geschichte dieser Emanzipation verstanden werden, wobei noch die radikalste, nicht-
literarische Kritik des Calvinismus und Pietismus auf mittelbare Weise den Prozeß des Mündigwerdens des Romans als eigenständige Kunstform befördert. [4]

Die romantheoretischen Quellen vor Blanckenburg, auf die sich die folgenden
Untersuchungen stützen, liegen insgesamt auch in Deutschland in weit größerer
Zahl vor, als bisher allgemein angenommen wurde. [5] Dabei kann nun allerdings nicht übersehen werden, daß die romantheoretische Bedeutung einzelner
Texte und ihre »historische Dichte« in bestimmten Jahrzehnten recht unterschiedlich ausfällt; hinzu kommt, daß die deutsche Romantheorie sich zeitweilig eindeutig im Schatten und Einflußbereich französischer bzw. englischer Romantheorie
befindet und keine Originalität entfalten kann. Deutsche Romantheorie ist daher
streckenweise auch nur als Rezeptionsgeschichte zu beschreiben. [6] Versucht man
die dieser Arbeit zugrunde gelegten romantheoretischen Dokumente im Hinblick auf ihren Fundort zu klassifizieren, ergeben sich bei einer groben Einteilung
drei große Textgruppen. Zur ersten gehören romantheoretische Abhandlungen, die
»außerhalb« der einzelnen Romane entstanden sind (beispielsweise in Poetiken,
Rhetoriken, Traktaten, Diskursen, Gesprächen oder Briefen); zur zweiten Gruppe
können vor allem die Fülle der romantheoretisch wichtigen Romanvorreden gerechnet werden, aber auch theoretische Passagen in den Romanen selbst; und
schließlich bilden die Romanrezensionen eine eigentümliche dritte Gruppe theoretisch bedeutsamer Texte, die ebenso wie Vorreden (oder Postscripta) in der Regel
im unmittelbareren Zusammenhang mit dem einzelnen Roman stehen als eigenständige ästhetische Abhandlungen. [7] So wichtig nun aber der Fundort für den
theoretischen Stellenwert eines Textes sein kann, so wenig lassen sich strenge
Grenzziehungen vornehmen. Alle drei genannten Gruppen liefern Beiträge für eine
Theorie des Romans, ohne daß sichere Prioritäten der Theoriebildung bei der einen
oder anderen Gruppe ausgemacht werden könnten. Das gilt entsprechend für die
Romanpraxis; eine abstrahierende poetologische Interpretation der Romandichtung vermag Modelle werkimmanenter Poetik herauszuarbeiten, die Aspekte einer
Entwicklung der Romantheorie ebenso zu zeigen vermag, wie die Analyse spezi-
fisch theoretischer Texte. Da unter werkimmanentem Gesichtspunkt eine Reihe

wichtiger Untersuchungen und Einzelanalysen zum Roman vorliegen, geht diese Arbeit darauf nur in einzelnen Fällen ein, stattdessen versucht sie, eine historische Dokumentation und Analyse möglichst vielfältiger theoretischer Quellen und Hinweise aus den drei genannten Textgruppen zu geben, die die Geschichte des Romans begleiten. Eine strenge Abtrennung von Theorie und Praxis ist allerdings auch hier unmöglich. Es wird sich zeigen, daß gerade eine Arbeit, die sich ausschließlich der Theorie widmen möchte, die Dichtung stets im Auge behalten muß, weil eine theoretische Betrachtung ohne Berücksichtigung der mit ihr korrespondierenden Dichtungspraxis blind bliebe. [8]

Bei der Interpretation romantheoretischer Quellen haben sich zwei übergeordnete (Rahmen-)Gesichtspunkte ergeben, die den folgenden Untersuchungen als Hauptfragestellungen zugrunde liegen: die nach dem Erfindungsbegriff des Romans (Wahrheit und Wahrscheinlichkeit der Fiktion, geschichtsphilosophische Grundlagen und ästhetische Struktur) und die nach dem postulierten Endzweck des Romans (Wirkungsabsicht und pragmatische Applikation im Hinblick auf jeweils unterschiedliche Lesererwartungen).

Die erste Hauptfrage steht einerseits im Zeichen einer bei fast allen Romantheoretikern versuchten Rechtfertigung oder Kritik der Romanfiktion im Zusammenhang mit der Diskussion des Nachahmungsbegriffs und andererseits im Zeichen einer Tendenz zur theoretischen Partizipation des Romans an anderen literarischen (dichterischen oder historischen) Formen. Verweist die Diskussion des Nachahmungsbegriffs auf europäische Gemeinsamkeiten der neoaristotelischen Literaturtheorie und ist Romantheorie geschichtlich daher nur zu erhellen im Kontext dieser Auseinandersetzungen, ermöglicht die prinzipielle theoretische Offenheit des Romans ihm wechselnde Übernahmen aus der Epen-, Geschichts-, Opern-, Brief- und Dramentheorie. Dem Eingebettetsein romantheoretischer Probleme in den Zusammenhang der allgemeinen Literaturtheorie (Modifikationen, Kritik und Wandlungen des Nachahmungsbegriffs bis zu Ansätzen einer Illusionstheorie) korrespondiert der romantheoretisch noch bedeutsamere Sachverhalt, daß der Roman ästhetische Eigenständigkeit nur erlangt auf dem Weg über verschiedene Adaptionen aus anderen literarischen Gattungen. Die naheliegende Orientierung am Epos ist dabei nur *ein*, allerdings zentraler Faktor; die Bedeutung einer eschatologisch oder pragmatisch interpretierten Geschichte, einer als soziologisch mittlere Form eingestuften Oper oder einer auf unmittelbare Vergegenwärtigung abzielenden Brief- und Dramenform suchen die vorliegenden Untersuchungen zu erörtern. In allem (darauf wurde bereits kurz hingewiesen) kann die Entstehung und Entwicklung der Romantheorie in Deutschland nicht isoliert betrachtet werden. Die Vorbildfunktion Frankreichs in einer ersten (Mlle. de Scudéry, Huet) und die Englands in einer zweiten Phase (seit etwa 1740: Richardson, Fielding) muß in einer historischen Darstellung der deutschen Romantheorie sichtbar bleiben.

Der zweite übergeordnete Gesichtspunkt, der in den theoretischen Quellen von Opitz bis Blanckenburg unter wechselnden Perspektiven kontinuierlich auftaucht, ist der einer stets hervorgehobenen Wirkungsabsicht des Romans. Im Zeichen einer

»Ästhetik der Rhetorik« (Dockhorn) gehört die Thematisierung des Nutzens und
Endzwecks zu den Konstanten der romantheoretischen Diskussion des 17. und 18.
Jahrhunderts — vielfach ist es noch diese Fragestellung, die im Vordergrund der
Kritik und Überlegung steht. Gilt diese Frage jedoch als entscheidend für eine
mögliche Rechtfertigung oder Ablehnung der neuen literarischen Gattung, muß die
Beziehung zum Adressaten des Romans zum zentralen Problem einer Romantheorie werden, deren außerästhetische zwecksetzende Maßstäbe sich nur vom Erwartungshorizont wechselnder Lesergruppierungen her bestimmen lassen. Anders
formuliert: Der Roman erfüllt solange eine *unmittelbare* gesellschaftliche Funktion, solange sein Endzweck von nicht autonom ästhetischen (theologischen, moralischen, politischen oder emanzipatorischen) Zielvorstellungen entscheidend bestimmt wird. [9] Für eine Untersuchung über die Geschichte der Romantheorie
ergibt sich daher die Notwendigkeit, den Roman als Zweckform auch in seinem jeweiligen gesellschaftlichen Funktionscharakter zu betrachten, wobei die literatursoziologischen Zuordnungsmöglichkeiten von Roman und Gesellschaft aufgrund
häufig krasser regionaler Unterschiede gerade in Deutschland besonders schwierig
sind. Die Arbeit möchte hier im Vergleich mit französischen und englischen Tendenzen deutsche Besonderheiten charakterisieren, soweit sie sich aus den romantheoretischen Quellen erschließen lassen.

Bei den analysierten theoretischen Texten zum Roman zeichnen sich insgesamt
drei historische Schwerpunkte ab, denen die folgenden Untersuchungen in jeweils
drei Einzelkapiteln gerecht zu werden versuchen. Den ersten Schwerpunkt charakterisieren vor allem Betrachtungen zur Theorie des deutschen »Barockromans«
aufgrund seiner Vorreden. Dabei wird eine verengende Interpretation der deutschen Romantheorie dieses Jahrhunderts zugunsten einer ausschließlich am hohen,
höfisch-historischen Roman orientierten Poetik vermieden, indem auch theoretische
Texte zum niederen Roman und zu unterschiedlichen Spielarten des Schäferromans
berücksichtigt sind. [10] Birkens *GeschichtGedicht,* dessen geschichtstheologische
Bedingtheit im einzelnen zu analysieren sein wird, kann daher zwar als exemplarisch für einen Romantypus, nicht aber als allgemeinverbindlich für *den* Roman
des 17. Jahrhunderts angesehen werden.

Der zweite Schwerpunkt betrifft die vor Huet entstandenen deutschen romantheoretischen Abhandlungen, die Rezeption der Huetschen Vorstellungen in
Deutschland und die neuen, ins 18. Jahrhundert vorausweisenden Ansätze bei
Christian Weise und Thomasius. Den einzelnen Untersuchungen geht es hierbei vor
allem darum, die poetologischen Voraussetzungen aufzuzeigen, unter denen der
Roman allmählich in der Lage ist, sich als eigenständige Kunstform zu emanzipieren. Huets *Traité* spielt dabei gerade für die deutsche Romantheorie eine entscheidende Rolle, weil er den Roman theoretisch aus seiner moraltheologischen Befangenheit befreien hilft und ihm Möglichkeiten aufklärender Intentionen eröffnet,
die die Theoretiker des »galanten« und »politischen« Romans unmittelbar appli-
zierend oder mannigfach modifizierend aufnehmen. Die Huet-Rezeption in
Deutschland wird ausführlich dargestellt, um den Übergang der Romantheorie
vom 17. zum 18. Jahrhundert zu dokumentieren und um gleichzeitig den Stellen-

wert der deutschen romantheoretischen Versuche bei Weise und Thomasius zu verdeutlichen und angemessen zu würdigen.

Der dritte Hauptteil der vorliegenden Untersuchungen stellt die deutsche Romantheorie im 18. Jahrhundert vor Blanckenburg in den Mittelpunkt der Überlegungen und entfaltet sie unter drei Aspekten: Inwieweit schafft erst eine radikale, theologisch motivierte Fiktionskritik die Voraussetzung für den neuen bürgerlichen Roman? Wie vollzieht sich der Prozeß der Anerkennung des Romans in den deutschen Poetiken und Ästhetiken des 18. Jahrhunderts? Welche Spannungen liegen einem Romanbegriff zugrunde, der sich als ein »bürgerlicher« versteht und zugleich Anspruch auf kausalanalytische Genauigkeit und moralphilosophische Nützlichkeit erhebt? Alle drei Gesichtspunkte zielen auf die Frage, ob die Geschichte der Romantheorie vor Blanckenburg als eine Vorgeschichte zum *Versuch über den Roman* betrachtet werden kann. Inwieweit bildet Blanckenburgs Theorie eine Summe jener Tendenzen, die vor allem seit der Einwirkung des englischen Familienromans in Deutschland virulent sind. Die beiden Schlußkapitel möchten darüber hinaus prinzipielle Probleme aufwerfen, die sich bei einer kritischen Betrachtung der Konzeption des bürgerlichen Romans vor Blanckenburg ergeben.

Es ist erstaunlich, daß zur Geschichte der deutschen Romantheorie vor Blanckenburg keine ausführliche neuere Darstellung vorliegt, während dem Roman selbst in einer ganzen Reihe wichtiger Arbeiten gebührende Aufmerksamkeit zuteil geworden ist. [11] Die älteren, materialreichen Untersuchungen von M. L. Wolff (1911) und K. Minners (1922) [12], auf die an einzelnen Stellen dieser Arbeit zurückzukommen sein wird, gehen über eine weitgehend bloß referierende, historisch-sammelnde und dabei keineswegs vollständige chronologische Darlegung nicht hinaus; sie verzichten auf detaillierte systematische Analysen und eine kritische Reflexion, die sowohl den Zusammenhang mit der allgemeinen Literaturtheorie als den Prozeß wechselnder Partizipationen des Romans an anderen Literaturgattungen im einzelnen berücksichtigte. [13] M. Sommerfeld, auf dessen Aufsatz bereits kritisch hingewiesen wurde [14], hat die wichtige Beziehung von Theorie und Praxis des Romans im 18. Jahrhundert erörtert, aber die theoriebildende und theorieauslösende Funktion der englischen Romandichtung für die deutsche Romanpoetik übersehen; er kommt deshalb (bei einer Überbewertung der Dramentheorie) zu einem verzerrten Bild der romantheoretischen Situation vor Blanckenburg. B. Markwardt [15] stellt die Romantheorie der Intention seiner Geschichte der Poetik entsprechend zwar in ihrem Zusammenhang mit der allgemeinen Literaturtheorie dar und gibt dazu wertvolle Hinweise, die Bedeutung der Romantheorie kann aber insgesamt kaum genügend sichtbar werden.

Ein gänzlich anderes Bild zeigt die Forschungslage zur Romantheorie Friedrich v. Blanckenburgs. Hier sind neben einer älteren Dissertation von A.-L. Flörsheim [16] gerade in den letzten Jahren eine Reihe wichtiger Abhandlungen erschienen (vor allem von P. Michelsen, E. Lämmert und K. Wölfel) [17], die insgesamt die bedeutende Rolle des *Versuchs über den Roman* hervorheben. Die vorliegende Untersuchung kann in den beiden letzten Kapiteln unter einzelnen Aspekten an die Ergebnisse dieser Arbeiten anknüpfen. Sie sieht ihre Aufgabe aber nicht

in einer Fortsetzung der Blanckenburg-Diskussion, sondern versucht, die schon angedeutete Frage zu klären, inwieweit die Überlegungen dieses Romantheoretikers
als Abschluß einer Epoche der Romantheorie in Deutschland gelten können, deren
einzelne Tendenzen in der Mitte des 18. Jahrhunderts bereits ausgebildet sind.

Insgesamt verdankt diese Untersuchung wichtige Anregungen den Arbeiten zur
deutschen Romandichtung (deren Ergebnisse sie von der Analyse der Romantheorie
her in einzelnen Punkten teils bestätigen teils modifizierend ergänzen kann) und
Abhandlungen zur französischen und englischen Romantheorie. [18] Sie versucht
eine Entstehungsgeschichte der Theorie derjenigen literarischen Gattung, die erst
im Verlauf eines komplizierten Prozesses ihre ästhetische Mündigkeit erlangen
kann und in Deutschland zudem besondere, historisch bedingte Schwierigkeiten zu
überwinden hat: »Die Romane entstanden nicht aus dem Genie der Autoren allein;
die Sitten der Zeit gaben ihnen das Daseyn.« Dieser Satz Friedrich v. Blanckenburgs [19] könnte auch für die Romantheorie gelten.

Der Deutschen Forschungsgemeinschaft möchte ich auch an dieser Stelle für die
Gewährung eines zweieinhalbjährigen Habilitandenstipendiums vielmals danken.
Den Bibliotheken, vornehmlich in Göttingen, Kiel, Köln und Wolfenbüttel bin ich
zu Dank für ihre Unterstützung bei der Suche nach schwer auffindbaren romantheoretischen Quellentexten verpflichtet. Für Anregungen in Gesprächen und Diskussionen danke ich meinen früheren Kieler und Kölner Kollegen, vor allem Herrn
Dr. Uwe-K. Ketelsen.

Mein besonderer Dank gilt Herrn Prof. Dr. Karl Otto Conrady und Herrn
Prof. Dr. Erich Trunz, die diese Untersuchungen mit ständigem Rat und freundlichen Hinweisen wohlwollend gefördert haben.

Das Manuskript dieser Arbeit ist im Wintersemester 1971/72 von der Philosophischen Fakultät der Universität zu Köln als Habilitationsschrift angenommen
worden.

I. Der höfisch-historische Roman als repräsentatives »GeschichtGedicht«

Daß »jeder Roman [...] eine Art für sich« ist [1], gilt im 17. Jahrhundert (noch) nicht in Friedrich Schlegels Auslegung einer vollkommenen Emanzipation jedes einzelnen Romans von jeglicher gattungstheoretischen Fixierung, vielmehr nur im Sinne einzelner Modifikationsmöglichkeiten innerhalb bestimmter durch die rhetorische Tradition und Romanpraxis entwickelter Formen. [2] Diese sich herausbildenden Formen sind Spielarten des »hohen«, höfisch-historischen, heroisch-galanten Romans, des Schäferromans (der mit dem hohen Roman verknüpft oder in ihn verwoben sein kann) und des »niederen« Picaroromans bzw. des roman comique. [3] Die Dominanz der Romanpraxis und die Verbindlichkeit dieser nicht nur rhetorisch und gattungsmäßig begründeten Zwei- bzw. Dreiteilung [4] bestimmt auch die theoretische Reflexion. Die unterschiedliche Eigenart der Romangattungen bedingt ein je verschiedenes romantheoretisches Selbstverständnis, das sich vor allem in den einzelnen Romanvorreden dokumentiert. [5] Das schließt Parallelen oder Gemeinsamkeiten in bestimmten Grundpositionen z. B. zwischen dem hohen und niederen Roman nicht aus [6], verhindert andererseits aber eine für alle Spielarten des Barockromans verbindliche gemeinsame Theorie. Auch wenn theoretische Aussagen zum hohen Roman die zeitgenössische und zukünftige Diskussion bestimmen und insgesamt vorherrschen, und dies ist nicht verwunderlich, da fast nur dem hohen Roman von gelehrten Kritikern und Poetologen Anerkennung zuteil wird, darf die Theorie des höfisch-historischen Romans nicht mit der Theorie *des* Barockromans gleichgesetzt werden. [7]

Wenn Novalis die Vorrede als einen »subtilen Büchermesser« oder als »die echte Rezension« eines Werkes bezeichnet [8], trifft das in dreierlei Weise nicht nur für die Vorrede allgemein, sondern speziell für die Romanvorrede zu, insofern sie den Blick sowohl auf das Werk, als auf den Autor und Leser lenkt. [9] Alle drei Funktionen der Vorrede (dies gilt auch für Barock*titel*) sind bedeutsam für eine Analyse ihres theoretischen Gehalts: während die »Werkfunktion« über Namen und Begriff, ästhetische und moralische Kategorien eines Romans Auskunft gibt, beziehen sich Autor- und Leserfunktion auf die Relation des Werks zum Publikum und machen dies zu einem wichtigen Faktor des theoretischen Selbstverständnisses eines Verfassers.

1. Name und Selbstcharakterisierung: »Helden- und Liebes-Geschichte«;
   »christliche Wundergeschichte«; »GeschichtGedicht«

Seinen Namen erhält der Roman weder bei seiner Geburt in der Antike noch
(zunächst) bei seiner Wiedergeburt in neuerer Zeit. [10] Die »neue Art zu schreiben«, welche »die Kriege / die Fälle / die Gefährligkeiten der Königreiche / vnd
die Liebesgeschichte der keuschen Jugend / [....] begreiffet« [11], firmiert in
Titeln und Vorreden des höfisch-historischen Romans unter der Bezeichnung »Hel-
den- und Liebesgeschichte«, damit die Doppelheit eines »erotischen Modells« und
»heroischen Exempels« [12] umschreibend, die an jene Vermischung eines »heldenhaften« Verhaltens mit konstitutivem Liebesgeschehen erinnert, die schon das
mittelalterliche Ritterepos und noch die spätmittelalterlichen Rittergeschichten,
einschließlich des *Amadis* [13], charakterisiert. Im Unterschied zum spätantiken
Liebesroman (und Heliodor gilt im 17. Jh. als ein Homer des Romans) [14],
der als reine Liebes- und Abenteuergeschichte konzipiert ist, nimmt der höfisch-
historische Roman schon in seiner selbstcharakterisierenden Benennung den Gedanken des Heroischen in der gattungsdeterminierenden Version des »Helden-Ge-
dichts« auf. Erst am Ende des 17. Jhs. verlagert sich der Schwerpunkt mehr und
mehr zugunsten eines reinen (»galanten«) Liebesromans, der *Liebes-* und Helden-
Geschichte« [15], in dem Historie lediglich »unter diese hierinnen aufgeführten
Liebes-Händel / [...] eingemischet und gar artig eingeflochten zu finden
ist / «. [16]

Neben der Bezeichnung »Helden- und Liebesgeschichte«, die sich noch in Ziglers
Asiatischer Banise und für Lohensteins *Arminius* (»Staats-Liebes- und Helden-
Geschichte«) findet [17], sind zwei theoretische Spezifikationen des höfisch-historischen Romans von besonderer Bedeutung: die einer erbaulich-»*Christliche[n]
Wunder-Geschichte*« (A. H. Buchholtz, *Herkules und Valiska*) oder »*Heilige[n]
Stahts-Lieb- und Lebens-Geschicht*« (Ph. v. Zesen, *Assenat*) [18] und jene den
hohen Roman im Begriff des »*GeschichtGedicht*« in Deutschland erst auf ein
romantheoretisches Reflexionsniveau hebende Charakterisierung Sigmund v. Birkens in der Vorrede zu Anton Ulrichs *Aramena*. [19]

Andreas Heinrich Buchholtz stellt seinem *Teutschen Herkules* »eine kurtze Vermahnung« [....] »An den Christlichen Tugendliebenden Leser« voran, in der er
seinen neuen Typus des Romans interpretiert:

Es hat der Uhrschreiber dieses Buchs vor eine Nohtwendigkeit erachtet / dem gewogenen
Leser /bald im ersten Eingange den Zweg seines Vorhabens vorzustellen / was gestalt seine
Andacht in diesem Wercke eigentlich dahin gerichtet sey / daß des Gemühts Erfrischung /
so man im durchlesen anmuhtiger Geschichte suchet / allemahl mit gottfürchtigen Gedanken
vermischet seyn möge / und die Erkäntniß der himlischen Warheit auch daselbst befodert
werde / [...]. [20]

Parallel zu den schon in den zwanziger Jahren des 17. Jhs. in Frankreich erhobenen Forderungen des Bischofs von Belley und produktiven Romanautors Jean-
Pierre Camus [21] möchte Buchholz den überkommenen und die Romanliteratur
bestimmenden Staatsroman eines Barclay und Sidney ergänzen und ersetzen durch

einen Romantypus, welcher mit der »anmuhtigen Geschichte« zugleich »christliche Andacht« verbindet. Camus' Gegenüberstellung der »Histoires fabuleuses ou profanes« (Éloge des histoires dévotes pour la défence et intelligence d'Agathonphile [1621] [22]) mit den zu schreibenden »histoires dévotes«, seine kritische Bestandsaufnahme der vorhandenen Romane, auch der zeitgenössischen »nouveaux Romans« *(Dilude de Pétronille* [1626]) [23], und die scharfe Ablehnung des *Amadis* (»ceste horrible pile d'Amadis«) [24] finden sich unter protestantischem Vorzeichen ebenso in den theoretischen Bestimmungen des A. H. Buchholtz. Zwar möchte er jene »sinreiche[n] Köpfe«, die die *Argenis, Arcadia* oder *Ariana* hervorgebracht haben, »und andere dergleichen züchtige ehrliebende Geschicht Schreiber« nicht tadeln, sie sind »ihres Lobes wert«, »aber die wahre Gottesfurcht (Camus: »craindre Dieu et garder sa loy«) [25] ist in [ihren Werken] nicht eingeführt / viel weniger des Christlichen Glaubens einige Meldung geschehen; [...]« [26]. Schärfer und gänzlich ablehnend ist die Kritik am »schandsüchtige[n] Amadis Buch«. Hier zeigt sich eine bezeichnende Akzentuierung der frühen Romantheorie, insofern gerade (oder nur) im Zusammenhang eines radikal ablehnenden Urteils Poetologisches konkreter und ausführlicher formuliert wird. Während für Buchholtz im zeitgenössischen hohen Staatsroman lediglich christliche Andacht und Erbauung fehlen [27], kann der Amadisroman zum Gegenstand einer zumindest negativ bezeichneten Kategorisierung des Romans sowohl unter moralisch-theologischen als auch ästhetischen Gesichtspunkten werden. Wo jene die zukünftige, außerästhetische Verdammung des Romans vorwegnehmen [28] (Ansporn »zur unziemlichen Frechheit«, »unzüchtige Kitzelungen [...]« dieser »teuflische[n] Kunst« mit »teils närrischen / teils gotlosen Bezäuberungen«) [29], umschreiben diese im Wahrscheinlichkeits- und Glaubwürdigkeitspostulat einen entscheidenden Grundsatz der romantheoretischen Diskussion. Getadelt werden am *Amadis* unter künstlerischen Aspekten die »handgreiflichen Contradictionen und Widersprechungen / womit der Tichter sich selbst zum offtern in die Backen häuet; samt den ungläub-scheinlichen Fällen und mehr als kindischen Zeitverwirrungen / deren das gantze Buch durchgehend vol ist.« [30] Ins Positive gewendet: Wahrscheinlichkeit und Widerspruchsfreiheit der Erfindungen im Einhalten glaubwürdiger Zeitumstände und -verwicklungen machen einen Roman mit »Geschmack« aus. Damit wird eine allgemeine poetologische Forderung sichtbar, die, Gemeingut aller humanistischen Poetiken der Zeit [31], Birken zehn Jahre später im Zusammenhang seiner Theorie des »GeschichtGedicht« für den Roman detailliert begründet und ausführt.

Bevor darauf im einzelnen eingegangen wird, sei noch ein kurzer Blick auf jene zweite Spielart des christlich-erbaulichen Romans gerichtet, den Philipp v. Zesen in der Vorrede seiner *Assenat* charakterisiert. [32] Auch Zesen möchte einen neuen Romantypus entwerfen, der sich von den vorhandenen Romanen der Heliodor-Tradition unterscheidet [33]: »Mit nicht-heiligen / ja unheiligen Liebesgeschichten, hat man sich lange genug belustiget; mit weltlichen übergenug ergetzet«; stattdessen werde nun mit der *Assenat* eine »heilige Stahts-Lieb- und Lebens-geschicht« vorgelegt, die deshalb »heilig« genannt werden könne, »weil sie

aus dem brunnen der heiligen Geschichte Göttlicher Schrift geflossen«. [34] Die
Christlichkeit des Romans beruht also nach Zesen auf seiner durch biblische Quellen beglaubigten, nicht erdichteten Historizität: »Aber diese meine Geschichte ist /
ihrem grundwesen nach / nicht erdichtet. Ich habe sie nicht aus dem kleinen finger
gesogen / noch bloß allein aus meinem eigenen gehirne ersonnen.« [35] Die »Ge-
schichtsverfassung« seines Romans, den die »nakte Wahrheit dieser sachen« be-
gründe, unterscheide ihn prinzipiell von jenen »mit erdichteten wunderdingen ausgezieret[en] / ja oft im grundwesen selbst erdichteten[en], oder auf dichterische
weise verändert[en]« Liebesgeschichten, in denen »die wahrheit mit einer andern
gestalt vermummet / und mit wahrscheinlichen / auch oftmahls kaum oder gar nicht
wahrscheinlichen erdichtungen vermasket / ja selbsten verdrehet« werde. Diesen
seiner Meinung nach Wahrscheinliches und Unwahrscheinliches vermischenden Romanen stellt Zesen seine auf biblischen Quellen basierende »heilige« Geschichte als
neuen Typus gegenüber, allerdings nicht im Sinne eines dokumentarisch-historischen
Bibelromans:

> Hier siehestu dan klahr genug / daß ich diese Geschicht nicht unbillich heilig nenne: die
> ich noch über das / in ihrem gantzen grund-wesen / wie ich sie in der heiligen Schrift /
> und in den besten unter den andern gefunden / heil und unverrückt gelaßen; wiewohl ich
> ihr zu weilen / nach dieser ahrt zu schreiben / einen höhern und schöneren schmuk und
> zusatz / der zum wenigsten wahrscheinlich / gegeben. [35a]

Zesens Definition umschreibt den Roman also nicht als vollkommen quellenmäßig
belegbare Geschichte, vielmehr wiederum als Mischung, die in ihrem einen »zusätzlichen« (»schmückenden«) Teil wahrscheinliche Erfindungen zuläßt und gerade
dadurch erst »diese ahrt zu schreiben« ausmacht. Geschichte (als durch Quellen
dokumentierbare Historie) und Fiktion (als »zum wenigsten wahrscheinliche« Erfindung) vereinen sich nach Zesens Vorstellung im *Assenat*-Roman. Nicht die vom
Autor betonte »Heiligkeit« (»heilig« bedeutet vor allem biblisch) macht das Besondere dieser Romankonzeption aus, sondern die konkrete Anwendung einer
Theorie der Verbindung von Historie und Fiktion als Grundlage des Romans.

2. Theoretische Bestimmung der Fiktion: Der Roman als »GeschichtGedicht«; inhaltliche Grenzen des Wahrscheinlichkeitspostulats

Zesens Theorie ist 1670 im Erscheinungsjahr der *Assenat* kein Novum mehr.
Französische Autoren des heroischen Romans (Gerzan, Gomberville, Mlle. de
Scudéry, La Calprenède) entnehmen schon in der ersten Hälfte des 17. Jhs. ihre
Stoffe vorzugsweise der Geschichte und begründen in Vorreden und Exkursen einen
Typus des »historischen Romans« [36], der Fiktives und Historisch-Überprüf-
bares mehr oder minder kunstvoll vermischt. George de Scudéry faßt diese Ten-
denzen 1641 in der Vorrede zum *Ibrahim ou l'illustre Bassa* zusammen, bringt sie
auf einen romantheoretischen Begriff und entwirft darüberhinaus im Ansatz das
System einer klassizistischen Romanästhetik [37], der die Romane der Scudéry
zwar noch nicht gerecht werden (diese praktische Bestätigung liefert erst Mme. La-

fayette), die aber theoretisch auch Huet später nur um weniges ergänzt und übertrifft. Die klassizistischen Maßstäbe der Geschwister Scudéry (sie werden im 10. Bd. ihres Romans *Clélie, Histoire romaine* [1654—60] wiederholt und in einer Diskussion weiter ausgeführt): Regelhaftigkeit auch des Romans wie in jedem literarischen Kunstwerk; Vorbild des griechischen und lateinischen Epos: Homer und Vergil als Gesetzgeber des Romans; Wahrscheinlichkeit und Schicklichkeit (»vraisemblance« und »bienséance«) als unabdingbare Forderungen jeder guten Schreibart, also auch der des Romans; Moralität der Handlung zur Verbesserung der Tugenden und zum Tadel des Lasters für ein bildungsfähiges Publikum; psychologische Zeichnung der Charaktere um der intensiveren Wirkung und Identifikationsmöglichkeit des Lesers willen; mittlerer Stil, weder zu hoch noch zu niedrig, »un juste mediocrité« der »honnestes gens«, sind zur Zeit ihrer ersten Formulierung (1641) noch ein isoliertes Phänomen, der weder die allgemeine zeitgenössische Romanpraxis entspricht noch die parallel geführte romantheoretische Diskussion.

Zesen läßt 1645 in seiner deutschen Übersetzung des *Ibrahim* [38] die vorangestellte romantheoretische Vorrede weg und ersetzt sie stattdessen durch eine eigene: »Schuz-räde An die unüberwündlichste Deutschinne«, obwohl seine Romanpraxis (und hier vor allem die im gleichen Jahr erschienene *Adriatische Rosemund*) durchaus Einwirkungen der Scudéryschen Ideen zeigt, z. B. in der für den deutschen Roman dieser Zeit ungewöhnlichen psychologischen Zeichnung der beiden Hauptcharaktere. [39] Auch die 1664 von Johann Wilhelm von Stubenberg vorgelegte Übersetzung der *Clélie* [40] mit ihren ausführlichen Dialogen über die Kunst des Romans im 8. Buch [41] scheint in Deutschland insgesamt noch keine unmittelbare, der Scudéryschen Ideen angemessene romantheoretische Resonanz gefunden zu haben. Dies geschieht erst, nachdem sie 1681 in den Scudéryschen *Conversations* (deutsche Übersetzung 1682 und 1685) gesondert erscheinen [42] und Huet den romantheoretischen Horizont dafür inzwischen vorbereitet hatte. Erst Huets Romantheorie, die sich in allen wesentlichen Punkten auf die Scudéryschen Postulate stützt [43], macht eine intensivere Rezeption dieser Ideen in Deutschland möglich. Daß die Vorstellungen der Geschwister Scudéry gänzlich ohne Auswirkungen für die Diskussion in Deutschland vor 1680 geblieben sind, ist jedoch höchst unwahrscheinlich, zumindest in zwei Punkten bestehen wichtige Verbindungslinien: zum Problem von »Geschichte« und Erfindung und zum Tugend-Laster-Schema bzw. zur Frage der Moralität der Handlung. [44]

Bezeichnenderweise wird *der Begriff des »Geschicht-Gedicht«*, der für die deutsche Romantheorie des 17. Jhs. eine zentrale Rolle spielt, zum ersten Mal im Zusammenhang mit der *Clélie*-Übersetzung 1664 von Johann Wilhelm v. Stubenberg — also nicht erst 1669 von Birken — verwandt. [45] Stubenberg charakterisiert den Scudéryschen Roman als Verbindung »wahre[r] beglaubte[r] Geschichten« und »mögliche[r] / wahrscheinige[r] / vernunftmässige[r]« Erfindung:

Dann dieses treffliche Geschwister-Paar / schreibet keine blosse Heldengedichte / von denen Italiänern und Spaniern Romanzi genant / die vielen / als klare und meistentheils unmögliche Erdichtungen und Mährlein / eben darum verwerflich vorkommen / weil sie unwahr sind: sondern sie behandeln lauter wahre beglaubte Geschichten vor und an sich selbst /

denen sie aber solche mögliche / wahrscheinige / vernunftmässige Zufälle beydichten / die ihnen Anlaß und Fug geben / ihre Sitten- und Tugendlehren / nach jetziger eckeler Welt Beschaffenheit und Gewonheit / schicklich anzutragen / [...]. [46]

Damit sind drei Hauptgesichtspunkte der 1669 von Birken entwickelten Romantheorie des hohen Romans vorweggenommen: einmal die Betonung des Geschichtlichen im Gegensatz zum *bloß* Erdichteten, dann die Vermischung der »wahren« (d. h. beglaubigten) Geschichte mit frei erfundenen und »wahrscheinlichen Zufällen« und schließlich das Hervorheben der Fiktion als Instrument möglicher Tugendvermittlung. Im Unterschied zur Scudéryschen These der mischenden »Verwirrung« von Geschichte und Fiktion (»es muß so schicklich verwirrt werden / daß man keines vom andern könte erkennen / auser daß das / was man erfindet / fast allezeit warscheiniger scheinen muß / als die Warheit«) [47] betont Stubenberg die Abgrenzung und Unterscheidbarkeit von »Wahrheit« und Erfindung, wie sie sie später etwa die Herausgeber von Lohensteins *Arminius*-Roman noch pointierter hervorheben. [48] Die Annäherung des Romans an die »Geschichte« bei gleichzeitiger Betonung der Fiktion rückt Stubenberg in die unmittelbare Nähe der Birkenschen Bestimmungen.

Der Widerspruch, der darin zu liegen scheint, daß die Rolle der Geschichte *und* der Fiktion bei Sigmund von Birken gleichermaßen hervorgehoben ist, erhellt aus der besonderen Beziehung zwischen Geschichte und Fiktion, deren Klärung erst die Voraussetzung für ein angemessenes Verstehen der Romantheorie schafft. In der »Vor-Ansprache zum Edlen Leser« des *Aramena*-Romans unterscheidet Birken drei Arten von »Geschichtschriften«:

Erstens, die »gemeinste art [...] / welche man Annales oder Jahrbücher zu nennen pfleget« [49], beschreibt »die Geschichten in ihrer angebornen ordnung / mit benennung der personen / zeit und orte / « (S.)(iijˇ). Hier handelt es sich also um Geschichtsschreibung im überlieferten Sinne der chronologischen Darstellung historischer Fakten und Abläufe; »wissenschaftliches« Indiz für diese »Geschichtschriften«, deren Nutzen und Würde durchaus anerkannt werden (Moses und Cäsar gelten als solche trefflichen »Geschichtschreiber«), sind ihre Richtigkeit, Zeit, Ort und Personen betreffend. Ausgeschlossen bleiben poetische Fiktionalisierung und ästhetische Modifikationen, wodurch sich die beiden anderen »arten der Geschichtschriften«, »GedichtGeschicht« und »GeschichtGedicht«, auszeichnen.

Mit dem Begriff »GedichtGeschicht« versucht Birken (zweitens), das Epos zu umschreiben: »Die Gedichtgeschicht-Schriften / behalten zwar die warhafte Historie mit ihren haupt-umständen / dichten aber mehr neben umstände hinzu / und erzehlen die sachen nicht in der ordnung / wie sie sich zugetragen.« (S.)(iijˇ) Homer (als Verfasser der »allererste[n]« und »älteste[n] Historie« überhaupt) und Vergil (»dessen Eneis / die Begegnise des Trojerfürsten Eneas / in einer unvergleichlichen Gedichtschrift gleichfalls poetisch vorstellig machet« [S.)(iiijʳ]) haben nach Birkens Auffassung Geschichte dichterisch »erzählt«, nicht nur aufgrund der »gebundenen rede« und einer nicht-chronologischen, vielmehr Medias-in-res-Darstellungsweise ihrer Werke, sondern vor allem der Erfindung von »nebenumständen« wegen, die die historischen »hauptumstände« der Geschichte ergänzen und übertreffen. Historische Tatsachen bilden lediglich das Grundgerüst — poetische Fiktionen machen den Hauptanteil des »GedichtGeschichts« aus; obwohl den *Geschicht*schriften zugeordnet, verschiebt sich der Schwerpunkt zugunsten der »Erfindungen«.

Von da aus ist es (drittens) nur ein Schritt zu den »GeschichtGedichten«, denen Birken zehn Jahr später in seiner Poetik auch den inzwischen eingebürgerten Namen »Roman« beilegt. [50] Parallel zur Charakterisierung des hohen Romans als »Heldengeschichte« oder »Heldengedicht« in den übrigen Vorreden des 17. Jhs. und seiner Orientierung am Epos vom Beginn seiner Entstehung an [51], die entsprechende spätere Zuordnung in den Poetiken ist nur die Konsequenz eines sich im Zusammenhang mit der Romanpraxis herausbildenden Konsensus, nimmt auch Birken den Weg von der Geschichte (»Annales«, »Jahrbücher«) zum Roman über das Epos. Und in der zuerst gegebenen der beiden Definitionen des Romans scheint die zuvor formulierte Bestimmung des Epos unmittelbar weiterzuwirken:

[. . .] die Geschichtgedichte / tragen entweder eine warhaftige Geschicht unter dem fürhang erdichteter Namen verborgen / sind in ihren umständen anderst geordnet / als sie sich begeben / und ihre Historie ist mit andern umständen vermehret / die sich war-scheinlich begeben können; oder es sind ganz-erdichtete Historien / welche der Verfasser erfunden / seinen verstand und sich in der Sprache / darinn er schreibet / zu üben / auch andere / durch lehrhafte beispiele / von lastern ab / und zur Tugend anzumahnen. (S.)(iiij').

Unter dem Gesichtspunkt von Fiktion und Geschichte sieht Birken also zwei mögliche Ausformungen des Romans: während die erste, entsprechend der für das Epos gegebenen Formulierung, Historie und Erfindung »trennt« und vereint, postuliert die zweite den ausschließlichen Fiktionscharakter, wobei zugleich die instrumentale Funktion »ganz-erdichteter Historien« betont wird, von der im einzelnen noch zu sprechen ist. Für beide Spielarten des Romans gilt in ihren erfundenen Partien, d. h. für die Fiktion, das Gebot der Wahrscheinlichkeit im Rahmen des Geschichtlich-Möglichen. Wenn es sich auch nicht um historisch überlieferte Geschehnisse handelt, »so sind es doch begebenheiten / die einmal und irgendwo mögen geschehen seyn / oder noch geschehen möchten« (S.)(iiij'). Fiktion wird damit vom Inhaltlichen her zu bestimmen versucht und zurückverwiesen auf das Reich der Geschichte: Die Grenzen dichterischer und wahrscheinlicher Erfindung erscheinen als die Grenzen der historisch denkbaren Welt. [52] Die Struktur einer bestimmten Geschichtsauffassung (im Rahmen des ›decorum‹) determiniert den Möglichkeits- und Wahrscheinlichkeitshorizont der Fiktion. Eine vorformulierte Geschichtsinterpretation bestimmt also die poetischen Gesetze des Romans bei Birken nicht nur, indem sie ihm seinen Namen gibt (»Geschichtschrift«), sondern darin in seinem Kern, daß sie die *inhaltlichen* Maßstäbe für das Wahrscheinliche und Mögliche der Fiktion festlegt. Die Gesetzmäßigkeiten einer »wahrscheinlichen« Erfindung sind bestimmt von Gesetzen einer theologischen Auslegung der Geschichte. Diese ist gekennzeichnet durch fünf Faktoren, die miteinander verbunden ein geschichtsphilosophisches System ergeben, das zugleich die materiale Bedingung der romanpoetischen Erfindung und Struktur ausmacht: [53]

1. »Die Welt / ist eine Spiel-büne / da immer ein Traur- und Freud-gemischtes

Schauspiel vorgestellet wird: nur daß / von zeit zu zeit / andere Personen auftreten« (S.)(iij^r): Geschichte gilt als Spiel-System politischer Wiederholungen
entsprechend Eccl. I, 9: »Es geschihet nichts neues unter der Sonne« (S.)(iij^v).
2. »Wir lernen auch daraus [aus der Geschichte] / die Tugend lieben und die
Laster hassen: weil wir lesen / wie es mit beiden endlich wol und übel abzulaufen
pflege« (S.)(iij^r): Geschichte wird als Exempelreihe im Schema von Tugendlohn
und Sündenstrafe betrachtet; die zeitweilig verwirrenden Geschehnisse können über
eine sich am Ende wiederherstellende moralische Ordnung nicht hinwegtäuschen.
3. »[...] weil Gott und Satan auf Erden zugleich ihr Reich und Kirche haben /
so muß folgbar eine Geschichtschrift von beiden Reichen und Kirchen zugleich reden: welches um soviel unsträfflicher geschiehet / wann die Erzehlung auf jenes Rei-
ches erbauung und dieses zerstörung [...] hinauslaufet.« (S. [ )()(iij^r]): Die in der
lutherischen Tradition weiterwirkende augustinische Zwei-Reiche-Lehre deutet Geschichte als den Antagonismus von »civitas dei« und »civitas terrena«, wobei das
eschatologische Zu-Sich-Selbst-Kommen der Geschichte im Zeichen der »civitas dei«
von vorneherein feststeht.
4. Die »bekehrung der Heiden zum wahren Gottesdienst« (S. [)()(iij^r]), die bei
Buchholtz und Anton Ulrich »mit eingerücket worden« ist, zeigt die theologische
Konsequenz einer heilsgeschichtlichen Notwendigkeit im Sinne der Zwei-Reiche-
Lehre.
5. »So müssen / unter allen Schriftarten / die bästen seyn / die uns zur Gottes-er-
kentnis füren« (S.)(iij^r): Die Bekehrungsgeschichte der *Durchleuchtigsten Syrerinn* liefert das »anmuthige« Romanmodell für den vom Leser zu leistenden Er-
kenntnisprozeß, der im nachvollziehenden Lesen der »erdichteten Historie« das
Wirken Gottes in der Geschichte Schritt für Schritt zu enträtseln aufgefordert ist.

   Birkens Geschichtsbegriff, das geht aus diesen Charakterisierungen mit Deutlichkeit hervor, ist nicht der der chronologischen Annalen, die als eine Art der »Geschichtschriften« von ihm ausgesondert werden; vielmehr handelt es sich um eine
theologisch begründete geschichtsphilosophische Grundkonzeption, die der faktischen Geschichte als ein geschlossenes System unterlegt wird. Das poetologische Interesse an Geschichte ist ein Interesse an Geschichtsphilosophie bzw. Geschichts-
theologie, nicht eines an Geschichte als Geschichte. Der inhaltliche Spielraum
»wahrscheinlicher« Erfindungen ist deshalb nur zu einem Teil bestimmt durch die
Mannigfaltigkeit tatsächlicher Historie, zu einem andern und wesentlichen jedoch
determiniert durch einen rhetorischen Regelkanon und den Möglichkeitshorizont
einer geschichtstheologischen Systematik. Erst die heilsgeschichtliche Interpretation
des historischen Materials macht den geschichtlichen Stoff brauchbar für die »wahrscheinliche« Fiktion, und diese Fiktion ist es, die dann sogar auf historische Genauigkeit und »Wahrheit« verzichten kann zugunsten einer angemessenen geschichtsphilosophischen Auslegung und ästhetischen Formung. Nur von daher ist
auch der scheinbare Widerspruch auflösbar, daß »Geschichte« und Fiktion in der
Romantheorie des 17. Jhs. und vor allem bei Birken gleichermaßen betont sind und
der Fiktion trotzdem ein Vorzug vor der Geschichte eingeräumt wird. In der Romanfiktion kann Geschichte geschichtsphilosophischer angelegt und entfaltet wer-

den [54] als in der chronologisch verfahrenden Geschichtsschreibung, die sich an die Fakten halten muß und keine der tatsächlichen Genauigkeit abträgliche Abweichung erlaubt:

Dergleichen Geschicht-mähren [Romane] / sind zweifelsfrei weit nützlicher / als die warhafte Geschichtschriften: dann sie haben die freiheit / unter der decke die warheit zu reden / und alles mit-einzufüren / was zu des Dichters gutem absehen und zur erbauung dienet, [...] (S.)(iiij').

Fiktion ermöglicht also jenes »Mehr« gegenüber der tatsächlichen Geschichte, das aufgrund rhetorischer Verbindlichkeit und geschichtsphilosophischer Auslegung zugleich die Grenzen der Wahrscheinlichkeit und die Prinzipien des Nutzens und Endzwecks bestimmt. Die poetische Erfindung erreicht diesen Endzweck vollkommener, weil sie die geschichtsphilosophischen Ansprüche allgemeiner und pointierter auf angenehme Weise zur Geltung und Wirkung bringen kann als die Faktenhistorie:

Das Gedicht ist viel schicklicher eine Sache vor- und anzubilden / als die waare Geschicht; gleich wie das weiche Wachs gefolgiger ist / in des Künstlers Hand / als der harte Marmol [...] Nein / die Warheit ist nicht die stärckeste / und hat sehr wenig die ihr folgen / wann sie nicht mit einem holdseligen Schertze verkappt ist. [55]

Damit wird zugleich ein Fiktionsbegriff sichtbar, der sich noch nicht durch sich selbst allein rechtfertigen kann, sondern seine Legitimation über einen geschichtsphilosophisch determinierten Endzweck bezieht. Welchen *konkreten* Sinn und Zweck die Theoretiker des Romans formulieren, bleibt im einzelnen zu erörtern, zuvor sind strukturelle Konsequenzen einer geschichtsphilosophischen Grundierung der Poetik des Romans anzudeuten.

3. Geschichtsphilosophie und Romanstruktur

Den geschichtsphilosophischen Voraussetzungen der Romanfiktion unter dem Aspekt der »Wahrscheinlichkeit« (theologisch-philosophische Auslegung des in der Geschichte Möglichen) entsprechen poetologische Konsequenzen für die Struktur des Romans. Die (nicht gerade ausführlichen) Hinweise in den Vorreden des hohen Romans in Deutschland lassen immerhin eine doppelte Tendenz erkennen, insofern einerseits ein deutlicher Zusammenhang zwischen geschichtsphilosophischer Grundierung und Erzählstruktur und andererseits eine erst durch die Geschichtssystematik mögliche historisch-politische Figuration hervorgehoben sind.

Der Zusammenhang von Geschichtsphilosophie und Romanstruktur ist vornehmlich Gegenstand der poetologischen Reflexion im Umkreis von Anton Ulrichs Romanen; Birken, Catharina von Greiffenberg und Leibniz [56] sind es, die die geschichtsphilosophische Bedingtheit der poetischen Gesetzlichkeit des Romans hervorheben. Catharina v. Greiffenberg und Leibniz betonen dabei den Modellcharakter und die Vergleichbarkeit des Romans mit einer universalen Weltdeutung und Geschichtsauslegung am entschiedensten. Im Widmungsgedicht zum 3. Bd. der *Aramena* rühmt Catharina den Anton Ulrichschen Roman als einen »Spiegel« des

»göttlichen« Spiels; analog zum allumfassenden und schicksalsmächtigen Wirken
Gottes in der Geschichte ahme der Romancier das Spiel des »Schickungs-Schickers«
nach, er liefere das artifizielle »Nachbild« zum universalen göttlichen »Ur Bild«:

> Du Wunder aller Zier / und Schönheit aller Wunder! Du Himmel-volles Bild! des Höch-
> sten Ehre-zunder / ein Spiegel seines Spiels! ein klarer Demant-Bach / in dem man schick-
> lich siht die Himmels-Schickungs Sach / [...]. (S.)(iijʳ)

Die Greiffenbergsche Metapher umschreibt das Analogon von Geschichte und Roman mit den Vokabeln »Spiel« und »Spiegel« auf jeweils doppelte Weise: *Spiel*
bedeutet einerseits das Handeln Gottes (das dem unwissenden menschlichen Beobachter als »Spiel«, aber eben doch als Spiel, d. h. als an bestimmten Regeln orien-
tiertes Geschehen erscheint) und andererseits die erzählerische Entfaltung der Romanfiktion unter bestimmten Kunstregeln und ästhetischen Gesetzen. Die *Spiegel*-
funktion des Romans (indem sie das göttliche Spiel in und mit der Geschichte offenbart) korrespondiert darüber hinaus mit jener Widerspiegelungsmöglichkeit der Geschichte selbst, die in ihren scheinbar verwirrenden Abläufen als Bild des göttlichen
Spieles erscheint. Beide Begriffe, »Spiel« und »Spiegel«, bestätigen die dialektische
Verschränkung von Roman und Geschichte unter geschichtstheologischem Aspekt,
und Leibniz faßt diesen Sachverhalt nur bündig zusammen, wenn er an Anton
Ulrich schreibt: »[...] niemand ahmet unsern Herrn beßer nach als ein Erfinder
von einem schöhnen Roman.« (24. 4. 1713). [57]

Für die poetologischen Konsequenzen der erzählerischen Struktur ist der Gedanke des »*schönen*« Romans ebenso wichtig wie der der Parallelisierung von gött-
lichem »Herrn« und poetischem »Erfinder«. Impliziert jener Gedanke die Konzeption einer »dichterischen Theodizee« [58], verweist dieser auf die Notwendigkeit ästhetischer Gesetze der Romanfiktion, die ihre abbildende Spiegelfunktion
nur erfüllen kann, wenn sie unter Gesichtspunkten artifizieller Kunstfertigkeit angelegt ist. Vollkommenes »Nachbild« [59] des universalen Geschichtssystems vermag deshalb nur ein Roman zu sein, der sich entsprechender Kunstmittel bedient;
Theodizee und »schöne« Erfindung sind wechselseitig aufeinander bezogen. Das
Grundgesetz dieser »schönen« (Roman-)Erfindung hat Leibniz zusammenfassend
und prägnant formuliert: »Es ist ohne dem eine von der Roman-Macher besten
künsten, alles in verwirrung fallen zu laßen, und dann unverhofft herauß zu wik-
keln« (26. 4. 1713). [60]

Verrätselung und Enträtselung, kunstvolle Verwirrung und endliche Entwirrung haben zeitgenössische Kommentatoren des hohen Romans in Anlehnung an
Heliodors theoriebildendes Modell immer wieder als das zentrale Moment der erzählenden Romankombinatorik hervorgehoben; Birken etwa spricht am Schluß
seiner »Vor-Ansprache« von der »noch — hinterstellige[n] Schönheit« der *Aramena*, die dem Leser nun zu zeigen »und / das [das] in diesem Ersten Theil ein-
gewirrte Rätsel ihrer Geschichte / in den folgenden Büchern wieder zu entwicke-
len« sei. [60a] Das Heliodorsche Modell der abenteuerlichen Verwicklung und
am Ende glücklichen Auflösung erhält in den Interpretationen der Theoretiker des
Anton Ulrichschen Romans eine geschichtsphilosophische Komponente, insofern
ihm heilsgeschichtliche Deutungen die Funktion einer universalen Welt- und Ge-

schichtsauslegung zuschreiben. Erzählerische Verwicklungen der Romanhandlung sind nicht nur Instrument zur Spannung des Lesers, sondern »Nachbild« jenes »Lebens-Labyrinths« (Catharina), das die Wirkungen der unbeständigen Fortuna offenbart; und die endliche Auflösung aller Verwirrungen am Schluß fungiert nicht nur als ein dem Leser Vergnügen und Befriedigung verschaffendes Happy-End, sondern zugleich als Apotheose einer immer schon, wenn auch verborgen wirkenden Macht Gottes, die am Ende ihr verbrieftes Recht siegreich bestätigt. Der stetige Prozeß der Aufhellung aller fiktiven Rätsel beim Lesen des Romans entspricht einem Prozeß der »geschichtlichen« Erkenntnis, der am Ende zur Einsicht in die bis dahin versteckte, aber unsichtbar immer vorhandene wunderbare Ordnung Gottes führt. Gilt schon bei Heliodor die »weise Lenkung der Gottheit« [61] als Garant für eine sinnvolle »Entknotung« des fiktiven Geschehens am Ende des Romans (»So laßt uns das wunderbare Walten der Götter verstehen und das Unsrige zur Erfüllung ihres Willens beitragen!«) [62], ermöglicht die Vorstellung einer Spiegelfunktion der geschilderten Romanabläufe für den Theoretiker der Neuzeit einen unmittelbaren Vergleich mit den Abläufen der geschichtlichen Welt. Die Erzählkonstruktion des Romans ist ein Abbild des historischen Geschehens, der Roman eine Metapher für die Geschichte:

»Ich hätte zwar wünschen mögen«, schreibt Leibniz an Anton Ulrich, »daß der Roman dieser Zeiten eine beßere entknötung gehabt; aber vielleicht ist er noch nicht zum ende. Und gleichwie E. D. mit Ihrer Octavia noch nicht fertig, so kan Unser Herr Gott auch noch ein paar tomos zu seinem Roman machen, welche zuletzt beßer laufen möchten.«(26. 4. 1713). [63]

Die Parallelisierung von Geschichte und Roman bestätigt seine geschichtsphilosophische Ausdeutbarkeit. Roman und Geschichte werden durch ein gemeinsames Strukturprinzip bestimmt, dem die Polarität von Verwicklung und »Entknotung« zugrunde liegt, und diese »Entknotung« ist in der Geschichte wie im Roman erst ganz am Ende möglich nach dem Durchlaufen aller scheinbar chaotischen Vorgänge und Erzählepisoden. J.-B. Bossuets geschichtsphilosophischer Satz: »Wenn ihr den Punkt zu finden wißt, von wo aus die Dinge betrachtet werden müssen, so werden alle Ungerechtigkeiten berichtigt sein, und ihr werdet nur Weisheit sehen, wo ihr zuvor nur Unordnung saht« [64], gilt uneingeschränkt auch für die Erzählstruktur des Romans. Daß es die Möglichkeit der endgültigen Überschau am Schluß des Romans gibt, garantiert ein durch Fatum (»Verhängnis«) oder Providenz (»Vorsehung«) bedingtes sittliches und gottgewolltes Ordnungsgefüge, das das Geschehen der unbeständigen Fortunawelt im Roman »überwölbt«. [65] Das Erkenntnisziel des Romans steht also für den Leser immer schon fest: es ist die schließlich gewährte Einsicht in die Vollkommenheit der göttlichen Ordnung, die der Roman »nachbildend« ästhetisch vermittelt. Von daher erklärt sich auch jene »Märchenstruktur« des Romans (Lugowski) [66], die ihr Spannungsmoment nicht einem offenen Ende, sondern der kunstvollen Verrätselung und Enträtselungstechnik im Ablauf eines Romangeschehens verdankt. Die ästhetische und moralische Neugier des Lesers richtet sich daher in erster Linie auf das »Wie« einer Wiederherstellung von »Ordnung«, vor allem auch deshalb, weil das Schema von Tugendlohn und Sündenstrafe ebenso »Spannung« in einem modernen Sinne nicht erlaubt. [67]

Die *Moralität der Handlung* ist ein Konstituens jeden Romans, dessen philosophische Begründung sich auf den Antagonismus von gut und böse in der Geschichte beruft. Theologisch hat diese Polarität ihr Fundament in der bei Birken wieder aufgenommenen augustinisch/lutherischen Zwei-Reiche-Lehre, moralphilosophisch lebt sie säkularisiert im Roman des 18. Jhs. weiter. Die poetologischen Konsequenzen eines theologisch begründeten moralischen Dualismus liegen auf der Hand; nicht nur, daß »das Böse« am Ende bestraft und »das Gute« belohnt werden muß:

Wer von einem laster liset / findet / in erfolg der Geschichte / auch dessen Straffe: deren er sich ebenfalls zu versehen hat / wann er auch selbigem laster sich ergeben wolte [68],

auch die handelnden Figuren des Romans sind immer schon Repräsentanten des einen oder anderen Prinzips. Wandlungen sind nur möglich im Sinne von »Bekehrungen«, nicht aber als »Entwicklungen«. [69] Der prinzipielle moralphilosophische Antagonismus spiegelt sich in der Typik und Gegenüberstellung der Romanpersonen; so wird Buchholtz' *Herkules* als »ein Ebenbilde eines nach Vermögen volkommenen Christen der im weltlichen Stande lebet / vorgestellet / und [als jemand] der durch getrieb seiner vernünftigen Seele zu allen löblichen Tugenden / auch nach empfangener gnädigen Erleuchtung / zur Gottesfurcht sich ernstlich hinwendet / [...]. Ladißla / Fabius / und andere / zeigen auch Tugend und nach ihrer Bekehrung Christergebene Hertzen«. [70] Die Vollkommenheit dieser Figuren kann desto vollkommener erscheinen, je schärfer sie mit den Repräsentanten der »Untugenden« konfrontiert sind:

Gleich wie aber eines Dinges Eigenschafft und Art am besten und volkommensten erkennet wird / wann man sein Widerwärtiges zugleich betrachtet und dagegen stellet / also hat der Meister dieses Werks an unterschiedlichen Mannes- und Weibesbildern die schnödesten Untugenden / wiewol unter Zuchtliebender Rede-Art / einführen wollen. (S. (o)(o)iijʳ).

Aus der im Text folgenden moralischen Etikettierung »lasterhafter« Figuren und den dabei verwendeten Epitheta läßt sich ex negativo das geltende normative stoisch-christliche Tugendsystem ablesen.

Es kommt also nicht so sehr darauf an, Romanpersonen »einzuführen«, sondern Tugenden und Untugenden *»an«* unterschiedlichen Figuren zu demonstrieren. [71] Die Priorität des moralischen Prinzips und seine geschichtsphilosophisch begründete Polarität erlauben noch keine psychologische Charakterisierung der Romanpersonen und ihrer möglichen »Entwicklung«, vielmehr müssen umgekehrt »nur die Laster vnd Tugenden ihre gewisse Personen haben«. [72] Von daher erfährt auch die immer wieder betonte und später heftig kritisierte »Idealisierung« der Romanfiguren im hohen Roman ihre einsichtige Begründung:

Also machen solche Helden-Gedichte allezeit die Personen klüger und tugendhaffter / als sie vermutlich gewesen / damit sie desto eher dem Leser zum Muster vorgestellet zu werden verdienen möchten. [73]

Lohenstein, so kommentieren die Herausgeber des *Arminius*, habe

lieber seine eigene vollkommene Gedancken seinen Helden und Heldinnen in den Mund
legen wollen / ehe daß er sie etwas reden liesse / so zwar ihr wahrhafften natürlichen
Fähigkeit gemäß / nicht aber einen nach vollkommeneren Dingen begierigen Leser völlige
Genüge zu leisten tüchtig wäre. [74]

»Wahrheit« und »natürliche Fähigkeit« der Personen und ihrer Redeweisen können vernachlässigt werden, wenn es um die Dokumentation »vollkommener« Tugenden und Gedanken und um eine gesteigerte Wirkung auf den Leser geht. Die
moralphilosophische Rechtfertigung des Schreibens erfährt ihre Bestätigung im vor-
geprägten Erwartungshorizont des »begierigen« Lesers.

Das Prinzip der Erklärung jeden Geschehens als Wiederholung (»es geschiht
nichts Neues unter der Sonne«) bedingt nicht nur eine Möglichkeit der allgemeinen
moralischen Kategorisierung, sondern auch die einer politischen Applikation. Gelten die Geschichte und die Geschichten des Romans als Reservoir (Material) möglicher Abstraktion im Sinne eines normativen Wert- und Exempelsystems, ist *das
Vergangene als andere (zeitlich zurückliegende) Gegenwart und die Gegenwart als
verlängerte Vergangenheit* interpretierbar. Vergangenheit erscheint nicht als eine
»Vorgeschichte der Gegenwart« [75], sondern als die Projektion des Gegenwärtigen ins Vergangene. Die das aktuelle politische Geschehen des absolutistischen
17. Jhs. in die geschichtlichen Vorlagen des hohen Romans projizierenden Autoren
ziehen deshalb nur die Konsequenz eines nicht geschichtlich-historischen, sondern
historisch-figurativen Denkens. Die Vorliebe für historische Epochen, die der gegenwärtigen zu entsprechen scheinen (etwa die römische Kaiserzeit oder die by-
zantische Periode) [76], erleichtert nur die geschichtstheoretisch prinzipiell vorhandene Möglichkeit, Zeit-Analogien herzustellen und historisch-politische Ent-
sprechungen zu konstruieren. Das gilt sowohl für die geschilderten Ereignisse des
Romans als auch für deren handelnde Personen. Gegenwärtige politische Konstellationen (etwa Intrigen eines regierenden absolutistischen Hofes) können unter den
fiktiven oder quellenmäßig belegbaren Hofgeschichten weit entfernter Historie
versteckt oder zeitgenössische politische Figuren unter den Romanpersonen verborgen sein. [77] Der »Schlüsselroman« des 17. Jhs. bedient sich strukturell einer
artifiziellen Möglichkeit, die ihm das figurative, historisch-politische Denken seiner
Autoren und zeitgenössischen Leser erst liefert. [78] Vom Beginn an (mit der
Argenis des John Barclay) [79] bis zu seinem Höhepunkt (etwa in Lohensteins
Arminius) [80] gehört die politische Verschlüsselung des hohen (höfisch-historischen) Romans mit zu seinem konstitutiven Moment. Die Vorreden geben
Hinweise auf das Suchen oder Finden eines möglichen Schlüssels, die *»Ent-*
schlüsselung« ist Teil jenes Erkenntnisprozesses, der dem Leser aufgegeben wird.
Die notwendige Dechiffrierung erhöht nicht allein die politische Neugier, vielmehr
bereitet sie dem Leser jenes ästhetische Vergnügen, das der endlichen »Entknotung«
des »gänzlich verwirreten« Geschehens entspricht. Das Schema von Verwicklung
und Entwirrung hat sein Pendant in einer Chiffrierung und Dechiffrierung politischer Figuren und Ereignisse. Im Wiedererkennen zeitgenössischer Figuren erhöht
sich für den Leser die Glaubwürdigkeit der poetischen Fiktion; in der Projektion

politischer Gestalten in einen durch die Historie verherrlichten oder verklärten
Kreis »unsterblicher Helden« vermag das Ansehen oder die politische Macht des
absolutistischen Herrschers ideologisch untermauert und gerechtfertigt zu werden.

Auf die konkrete politische »Nutzanwendung« im Rahmen des »utile« des Romans bleibt noch hinzuweisen; das Prinzip der Verschlüsselung, soviel sei hier nur
abschließend vermerkt, kann als Musterbeispiel jener zu beobachtenden Verschränkung geschichtsphilosophischen bzw. geschichtstheoretischen Denkens mit romanästhetischen Strukturen gelten. Die Verschlüsselungstechnik ist prinzipiell nur
denkbar als Ergebnis einer figurativen Geschichtsauslegung; diese Auslegung wird
im Roman jedoch nur evident in ihrer künstlerischen Realisation.

4. Wirkungsabsicht und Endzweck

Jede geschichtsphilosophische oder -theologische Auslegung der Geschichte oder
Fiktion impliziert immer zugleich die Frage nach ihrem Sinn und Ziel; deshalb war
schon bei der Erörterung des Geschichtsbegriffs und der geschichtsphilosophischen
Grundierung der Romanfiktion davon die Rede. Zu klären bleibt die konkrete
Zielsetzung und Wirkungsintention des hohen Romans, insofern seine Vorreden
oder theoretische Texte im Roman selber darüber Auskunft geben. Hier ist es auffallend, daß die Vorreden zu diesem Problemkreis ausführlicher Stellung nehmen,
als dies etwa zu strukturellen Fragen geschieht. Die mangelnde Reputation und die
damit notwendig scheinende Rechtfertigung veranlassen den Autor des Romans
ähnlich wie seine Theoretiker Sinn und Nutzen seines Schreibens zu begründen.
Vielfach leiten sie, so z. B. Buchholtz und Birken, ihre theoretischen Reflexionen
nicht mit einer Definition oder Umschreibung ihres Romanbegriffs oder -typus,
sondern mit dem Rechtfertigungsversuch seiner moralischen Intention ein oder
machen diese Frage zum zentralen Punkt romantheoretischer Diskurse (etwa in der
Opitz-Übersetzung der Barclayschen *Argenis*). [81] Dichtung, die ihr Selbstverständnis noch nicht aus einer sich selbst rechtfertigenden Konstituierung des
Textes bezieht, orientiert sich an Zwecken, die ihr durch die Erwartung und Vor-
bestimmtheit der Leser gesetzt sind. Sie vermag »nicht seinsgerichtet« [82] zu
sein; Literatur wird vielmehr in Beziehung gesetzt zur »affektiven, intellektuellen
und moralischen Existenz dessen, der sie aufnehmen soll«. Mit anderen Worten: sie
ist »in ihrem Kern rhetorisch«. [83] Nur von daher wird auch die Wirkungsintention, wie sie in den Roman-Vorreden immer wieder formuliert ist, verständlich; die Zweckgebundenheit des Romans zielt auf eine Realisation des literarischen
Textes, die auf größtmöglicher Wirkung beruht. Wirkung auf den Verstand und
die Sinne des Lesers erreicht aber nur jene poetische Ausformung, deren Autor sich
im hohen Roman des historischen Materials mit einer Freiheit bedient, die der
Zweckerwartung des Lesers entspricht. Die Erfüllung und Bestätigung dieser Erwartung bedeutet für den Autor oberstes Gesetz und einzig mögliche Aufgabe.
Korrelativ zu einer Romanfiktion, die Geschichte unter dem Aspekt einer geschichtstheologischen Deutung *reproduziert,* aber noch keine (ästhetische) Realität
produziert, kann der Roman des 17. Jhs. seine Zwecke weder von sich aus setzen

noch als Instrument der Wahrheitsfindung fungieren; vielmehr bleibt er auf vorformulierte Zwecke und auf die Vermittlung und Bestätigung vorher immer schon
gefundener (und erwiesener) Wahrheiten fixiert. [84]

In den allgemeinen Zielsetzungen und der Forderung einer überzeugenden Darstellungsweise der Sachen (»persuasio«) unterscheiden sich deshalb die Formulierungen der Romanvorreden nur in Nuancen von denen der zeitgenössischen Literaturtheorie. [85] Die Dreiheit des (rhetorischen) »movere«, »delectare« und
»docere« ist hier ebenso zu finden wie die immer wiederkehrende horazische Formel einer Vermittlung des »delectare« mit dem »prodesse«: Romane »vermälen den
Nutzen mit der Belustigung« (Birken). Auffallend scheint mir die vorherrschende
Betonung des »docere« in seinen verschiedenen Spielarten und unterschiedlichen
Akzentuierungen: einerseits im Herausarbeiten des Schemas von Tugendlohn und
Sündenstrafe, andererseits in der Pointierung einer theologischen Erbauungsfunk-
tion und schließlich im Hervorheben politischer Lehr-Aufgaben (»Staats- und Tu-
gendlehren«) im Sinne eines höfischen Fürstenspiegels. Der Gedanke des »movere«
tritt insgesamt in seiner emotionalen, den Leser (Zuhörer) »entflammenden« Kom-
ponente zurück. Bis auf eine allerdings bedeutsame Ausnahme in der Opitzschen
Übersetzung der *Argenis,* in der die aristotelische Katharsisformel in modifizierter
Weise aufgenommen und zur Bezeichnung des Wirkungszieles verwandt wird
(»Also werde ich durch Vorbildung der Gefahr Barmhertzigkeit, Forcht und
Schrecken bey jhnen [den Lesern] erregen [. . .]«) [86], scheint das »Bewegen«
des Romanlesers mehr den ästhetisch-rhetorischen Mitteln der »delectatio« als
äußersten Mitteln affektiver Wirkungsmöglichkeit überlassen zu sein. [87]

Die *»Ergetzlichkeit«* des Romans wird immer in Verbindung mit seiner Nützlichkeit apostrophiert; ganz allgemein in der horazischen [88], metaphorisch um-
schrieben vor allem in der Pillen- und Arzt-Formel: »Der kluge Artzt muß die
Pillulen übergulden / und das bittere Träncklein versüssen [. . .]« (Harsdörffer,
Eromena-Vorrede) [89]; ins Christlich-Erbauliche gewendet: »Bekehrungs-Pil-
len [. . .] in frischer Erdbeer-kost! Lust-Lilien beleben mit Andacht stralen-
Schmuck / [. . .]« (Catharina v. Greiffenberg) [90]; selbst der politischen Lehre
vermögen literarische Mittel der »delectatio« einen angemessenen Eingang zu verschaffen; es geht darum: »unter dem Zucker solcher Liebes-Beschreibungen auch
eine Würtze nützlicher Künste und ernsthaffter Staats-Sachen [. . .] mit ein[zu]-
mischen«. [91] Die instrumentale Funktion des »delectare« bestätigt die didaktische Intention des Romans, aber der moralische Endzweck unterscheidet ihn darin
von der Philosophie und Historie, daß er nicht nur durch pragma und Exempel,
sondern aufgrund seiner angenehmen »Einkleidung« zu wirken vermag.

Über die Mittel und Affekterregung dieser »Ergötzung« bewirkenden Einkleidung (»Verzuckerung«) handeln die Romanvorreden nur sporadisch, während sie
den Lehrgehalten ausführliche Passagen widmen. Zwei Hauptgesichtspunkte des
»delectare« sind immerhin auszumachen: der einer künstlerischen Umgestaltung
des historischen Materials »mit so wol gesetzten Worten / und zierlichen Umständen / [. . .]« wie sie die »Zeitbücher« nicht zu bieten vermögen (Harsdörffer,
Eromena-Vorrede) [92] und der Aspekt einer aufgrund solcher ästhetischer »Ver-

änderung« möglichen »erweckung der verwunderung in den gemütern« der Leser. [93] Die Mittel einer »delectatio« des Romans liegen also in den von den
»Zeitbüchern« (Birken: »Annales«) abweichenden sprachkünstlerischen und erzähl-
technischen Raffinements der Romanstruktur. Die sprachkünstlerischen Intentionen
werden in den Vorreden, vor allem auch der Übersetzungen, besonders betont;
nicht selten gilt die Verherrlichung und Ausgestaltung der deutschen Sprache als
Hauptantrieb der Verfertigung eines Romans. [94] Die Freiheit des Autors gegenüber dem Stoff rückt ihn prinzipiell in die Nähe des Malers, und so kann der
Romancier bei den Nürnbergern die horazische »ut pictura poesis«-Formel aufnehmen, um damit den Bereich der »delectatio« zu illustrieren:

Ist also der Dichter seines Wercks Meister / der Geschichtschreiber aber der Warheit
Knecht. Wie durch ein Rautenweiß geschnittenes Glaß alles vielfärbig und lieblich zu
sehen kommet; also bildet ein solches Getict vielerley denckwürdige Begebenheiten /
und belustiget den Leser mit so wol gesetzten Worten / [. . .] (Harsdörffer, Eromena-Vor-
rede, S. bvjʹ). [95]

Vielfalt und Abwechslungsreichtum im Stofflichen (»Seltenheiten [. . .] in grosser
mäng: die doch verlieren nie / durch vielheit / ihren Preis«) entsprechen der labyrinthischen Verwirrung und dennoch »juste[n] Ordnung-art« der Erzählkompo-
sition; »Verwunderung« beim Leser erzeugt deshalb die beschriebene dualistische
Romanstruktur, deren »künstliches zerrütten / voll schönster ordnung ist«. [96]
»Die Verwirrungen so Ordenlich! auch die Selttenheiten so überflüssig! [= im
Übermaß] Kurz: Alles so Verzukbar [. . .], daß Mann Es Vor Entzukkung
nicht genug betrachten, viel weniger Außsprechen kann.« [97] »Verwunderungs-
würdige Zufälle«, Täuschungen und Vertauschungen, verwirrende Verrätselungen
und deren überraschend mögliche Auflösungen innerhalb der Kombinatorik des
Romangeschehens zielen auf sinnliche »Gemüths-Ergötzlichkeit« [98] und intellektuelle »Verstands-belustigung«. [99]

Der Begriff der »Belustigung« wird in den Vorreden des hohen Romans wenig
differenziert; Birken stellt die Priorität der (»adelichen«) »Verstands-belustigung«
des Romanschreibens einer »leibes ergetzung« gegenüber, da »das Gemüte und die
himmlische Seele edler [seien] / als der irdische Körper«. Wendungen wie:
»christliche Ergetzlichkeit« (Buchholtz), »erbauliche Ergetzlichkeit« (Birken) machen im übrigen die Tendenz zur erbaulich-christlichen Interpretation deutlich. Das
Spektrum der Romanbelustigung wäre nur vollständig beschreibbar als Komple-
ment zu einer genauen Analyse der affektpsychologischen Gegebenheiten; für beide
Faktoren finden sich in den Vorreden nur spärliche Ansätze.

Die konstitutive Bedeutung des »docere« erhellt im hohen Roman, wie gezeigt
wurde, aus seiner geschichtsphilosophischen Grundierung, Romanbegriff und didaktische Intention gehören zusammen. Schon bei der Entstehung des »roman héroique« in Frankreich wird dieser Zusammenhang deutlich; als Pendant zur Kritik
am »abenteuerlichen«, angeblich nur der »delectatio« huldigenden Amadis setzt
sich die »moralisch-rationale Bindung des Romans allgemein durch«. [100] In den
Vorreden der deutschen Romane der zweiten Jahrhunderthälfte wird die prinzipielle Forderung des moralisch-didaktischen Endzwecks in zweierlei Weise modi-

fiziert und verengt, insofern der theologische und politische Aspekt besonders betont sind. Das ist nicht verwunderlich, wenn man sich die geschichtstheologische Interpretation der Romanfiktion etwa bei Birken und die geschichtstheoretische Bedingung einer historisch-politischen Figuration im Schlüsselroman vergegenwärtigt.

Soll der Roman per definitionem Einsicht in den durch göttliches Wirken determinierten Geschehenszusammenhang liefern, kann nur »Gotteserkenntnis« und »Tugendanweisung« sein didaktisches Wirkungsziel sein:

Wann wahr ist / wie es nicht kan geläugnet werden / daß in dieser sterblichkeit nichtes bässer sei / als die Seele in ihren ursprung senden / GOtt das höchste Gut recht erkennen / und demselben durch Tugend sich gleichförmig machen: so müssen / unter allen Schriftarten / die bästen seyn / die uns zur Gottes-erkenntnis füren / und zur Tugend anweisen (Birken, *Aramena*-Vor-Ansprache, Beginn).

Ein Roman, der diesem Postulat genügt, vermittelt im theologischen Erkenntnismodell (Wahrnehmung des göttlichen Willens und Handelns in der Geschichte) zugleich eine jederzeit gültige Tugend- und Verhaltensanleitung. Die Didaktik des Romans kann so zu christlicher Unterrichtung verengt werden:

[...] sol der Leser hiemit Christlich vermahnet seyn / dieses Buch nicht dergestalt zu lesen / daß er nur die weltlichen Begebnissen zur sinlichen Ergezlichkeit heraus nehmen / und die eingemischeten geistlichen Sachen vorbey gehen wolte; sondern vor allen Dingen die Christlichen Unterrichtungen wol beobachte / sie ins Herz schreibe / und darnach sein Leben zurichten / ihm lasse angelegen seyn / [...] (Buchholtz, Freundliche Erinnerung An den Christlichen Tugendliebenden Leser, S. (o) (o) iij').

Die Vermittlung des »delectare« mit dem »edificare«, die schon Jean Pierre Camus in der ersten Hälfte des 17. Jhs. als Heilmittel gegen die Fülle der seiner Meinung nach unchristlichen Romane gefordert hatte [101], erhält in Deutschland eine besondere Aktualität: Buchholtz, Birken und auch Grimmelshausen betonen die »Christliche Aufferbawung[s]«-Funktion des hohen Romans. [102]

Neben dieser Theologisierung des »docere« fallen seine Politisierung und erste Ansätze einer historischen »Verwissenschaftlichung« auf. Prinzipiell ist das nicht neu, hatte doch Barclay mit seiner theoriebildenden *Argenis* schon ein Musterbeispiel für die politische Ausdeutbarkeit des »docere« gegeben. Die Verwandtschaft von Roman und Fürstenspiegelliteratur (Barclays Dedikation enthält in nuce ein Programm und die literarische Rechtfertigung des Absolutismus) [103] nehmen die deutschen höfischen Romane auf, ihre Vorreden weisen immer wieder auf die im Roman enthaltenen Staatslehren hin [104]: Die *Aramena*

[...] stellet auf / einen Hof und Welt Spiegel / darinn die / so sich selber nicht kennen / ihre Gestalt ersehen können. Sie setzet einen Staats-Lehrstul [...] (Birken).

»Ein Staates-Dädal treibt Politikspiegel-Spiel / [beschreibt] Regierungskünste [...]« (Catharina über Anton Ulrichs *Aramena*); deshalb gibt es »auch keine bässere Staats-Lehrschriften« (Birken), und »dergleichen Bücher« können als »stumme Hofemeister« (über Lohensteins *Arminius*) charakterisiert werden. [105] Der theologisch-religiösen Ausdeutung des »docere« entspricht in Deutschland eine der praktisch-politischen, beide können in den Vorreden gleichzeitig betont werden (etwa bei Birken), wenngleich die Interpreten Lohensteins den politischen Aspekt des *Arminius* in der Nachfolge Barclays zu Recht stärker hervorheben.

Lohensteins Roman beurteilen die Zeitgenossen nicht nur unter literarischen, sondern zugleich unter historisch-politischen Gesichtspunkten in viel intensiverem Maße als dies bei anderen Romanen der hohen Gattung geschieht (und möglich wäre). [106] Die im Ansatz immer schon vorhandene Tendenz zur Verselbständigung einzelner philosophischer oder politischer Diskussionen, bzw. Konversationen, oder die zur Ausbreitung umfangreichen Bildungsstoffes im höfischen Roman erreicht hier einen Höhepunkt; das »docere« dominiert in einem Ausmaß, daß schon die zeitgenössischen Kritiker die Sonderform des Romans hervorheben. Sie bezeichnen »die Geschichte vom Arminius [...] [als] bey nahe nur ein Vorwand / die allgemeine teutsche Geschichte aber [...] [als den] rechten Zweck unsers Lohensteins«. [107] Bemerkenswert an dieser Verschiebung des Fiktiven zugunsten eines Historisch-Belegbaren ist unter dem Blickwinkel des »docere« ein doppelter Vorgang: Lieferte eine geschichtsphilosophische, theologische Interpretation des historischen Materials der Romanfiktion bisher die »besseren« Argumente für eine Moralisierung der Handlung, insofern sie reduzierbar war auf Schemata von Tugenden und Untugenden, übernimmt nun bei Lohenstein das historische Faktenmaterial selbst mehr und mehr die ehemals philosophisch oder theologisch begründete Lehr- und Moralisierungsfunktion; an die Stelle einer Moralisierung durch Geschichtsphilosophie tritt die Moralisierung durch »Geschichtsschreibung«. Der Roman erreicht auf diese Weise eine erste Stufe der Verwissenschaftlichung, die bezeichnenderweise wiederum über die Historie erfolgt. [108] Begründet Geschichts*philosophie* die Fiktion des hohen Romans im Zeichen inhaltlicher Perspektiven der »Wahrscheinlichkeit«, deutet sich bei Lohenstein eine Möglichkeit der theoretischen Begründung des Romans auf dem Weg über eine angeblich »wahrheitsgemäße« »*Historiographie*« an. [109] Damit ist der Übergang zu einem anderen Romanbegriff sichtbar, der auf parallele Tendenzen im niederen Roman (»roman comique«) verweist und einen Ausblick auf Intentionen der frühen Aufklärung gestattet. [110] Die politische Ausprägung des »docere« im hohen Roman deutet am offenkundigsten auf den sozialen Kontext, in dem der Roman zu sehen ist und noch zu interpretieren bleibt.

5. Leser und Autor; Roman als Ausdruck der repräsentativen Öffentlichkeit

Aussagen zur Werkfunktion in den Vorreden des hohen Romans implizieren vielfach auch Hinweise auf die Leser- und Autorfunktion; der politisch-moralische Endzweck und die Wirkungsintention des Romans sind nur verständlich im Erwartungshorizont der Leser, die Techniken einer historisch-politischen Verschlüsselung von Ereignissen und Figuren nur sinnvoll unter dem Gesichtspunkt ihrer möglichen Dechiffrierbarkeit. Die stillschweigende Verwendung der Attribute »höfisch« und »hoch« (»hoher« Roman) charakterisiert die Selbstverständlichkeit, mit der diese Prädikate jenen Romanen verliehen werden, deren Vorreden diesem Kapitel zugrunde gelegt worden sind. »Höfischer« bzw. »hoher« Roman meint in der Regel nicht nur Stillage und Stoffbereich, sondern zugleich *auch* den vornehmlich angesprochenen Leserkreis dieser Werke:

Wül sich der Fürstliche Stand ergäzzen / wollen sich Helden belustigen / so dürfen sie nuhr diese Helden-geschichte / darinnen sich gleichsam als in einem Schau-plazze fast nichts als lauter Helden-würdige und Fürstliche Mänschen-bilder sähen laßen / ansprächen. (Zesen zur *Ibrahim*-Übers.). [111]

Jene politisch dominierende soziale Schicht vermag sich in den Romanen wiederzuerkennen, deren »Thaten und Geschichte« der Gegenstand dieser Werke sind: »der Könige- Fürsten- und Herren Ehrstand«. [112] Den dargestellten Ereignissen und Figuren des Romans entspricht potentiell eine Lesergruppe, die sich in dieser Darstellung porträtiert, kritisiert, bestätigt oder utopisch projiziert sieht. Soziologisch bedarf dies allerdings der Differenzierung im Hinblick auf unterschiedliche »Typen [von] Adelsformationen« [113], historischen Konstellationen und »struktur- bzw. funktionsverwandten Schichten« (etwa des bürgerlichen Patriziats). So läßt sich d'Urfés *Astrée* einer »spezifischen Art der Erfahrung, auch der Selbsterfahrung adliger Menschen in [. . . einer] Phase des Übergangs zur endgültigen Verhofung des französischen Spitzenadels« zuordnen [114]; Barclays *Argenis* korrespondiert mit der Etablierung des französischen Absolutismus zur Zeit Ludwigs XIII. nach Beendigung der Religions- und Bürgerkriege; die Romane der Scudéry sind Ausdruck einer Opposition des Feudaladels vor deren endgültiger Niederwerfung durch Ludwig XIV. [115]; Anton Ulrichs *Aramena* und *Octavia* charakterisieren die Adelssituation eines nicht zentralen, aber bedeutenden absolutistischen deutschen Territorialhofes in seinen Verflechtungen mit dem Landadel und bürgerlichem Patriziat; Buchholtz' und Lohensteins Romane zielen bei einer intensiven politischen Bindung (gerade des letzteren) an das österreichische Kaiserhaus nicht nur auf einen adligen Leser, sondern auf »Hohe- *und* Mittel-Standes Personen«. [116]

Insgesamt richten sich die romantheoretischen Aussagen der Vorreden »hoher« Romane auf eine soziologisch abgrenzbare, höfisch-feudale oder in ihrem Bann befindliche patrizische Leserschicht, die das Romanlesen als »recht-adelichen und darbei hochnützlichen zeitvertreib« (Birken) betrachtet, wobei die Leserinnen schon im 17. Jh. eine besondere Rolle spielen. [117] Sie sind es, die der fiktiven Selbstdarstellung der höfischen oder Adels-Gesellschaft etwa in den Konversationen des französischen »roman héroique« das Gepräge geben. Auf die inhaltlichen Affinitäten zwischen höfisch-aristokratischen Wert- und Verhaltensmustern und entsprechenden Darstellungen im hohen Roman ist zu Recht hingewiesen worden. Die Vorreden bestätigen diese Parallelen, die ein Sich-Wiedererkennen des Lesers erst ermöglichen: die mangelnde Sekurität des Hoflebens, das im fortunabestimmten Handlungsgeschehen seinen sinnadäquaten Ausdruck findet; die Notwendigkeit einer genauen Menschenbeobachtung im Zusammenhang vollkommener gesellschaftlicher Verflochtenheit des höfischen Individuums, der eine Kombinatorik streng kalkulierter psychologischer und politischer Abläufe des Romans entspricht, während jene höfische Rationalität, die vor allem eine »Bändigung der Affekte um bestimmter lebenswichtiger Zwecke willen« bewirkt [118], mit der Moralität einer fiktiven Handlung des Romans korrespondiert, dessen Figuren Exempel einer Affektmodellierung (im Positiven) oder -potenzierung (im Negativen) darstellen.

Die Parallelen zwischen höfisch-aristokratischen Verhaltensnormen bzw. Wertsystemen und entsprechend wahrnehmbaren fiktiven Darstellungen im hohen Roman können allerdings nicht darüber hinwegtäuschen, daß es sich um »keine einfache Widerspiegelung eines gegebenen, empirischen Kollektivbewußtseins, sondern um den äußerst kohärenten Ausdruck« [119] des Bewußtseins eigentümlicher Tendenzen einer zudem sehr differenzierten sozialen Gruppe handelt. Darüberhinaus muß der von Lucien Goldmann entwickelte Kohärenzbegriff eine bloße »Hilfskonstruktion« bleiben, solange weder der Begriff des Kollektivbewußtseins, bzw. die Zuschreibung dieses Bewußtseins zu einer sozialen Gruppe, genügend präzisiert, noch die »Umsetzung praktischer Probleme der sozialen Gruppe in geistige Strukturen« überzeugend nachgewiesen ist. [120] Das aber kann nur von den einzelnen Romanen aus geschehen, deren sorgfältige Analyse erst die Voraussetzungen für genauere Zuschreibungsmöglichkeiten von Werk und sozialer Gruppe liefert. [121]

Auffallend ist eine in nahezu allen Vorreden des hohen Romans ausgesprochene pädagogische Tendenz. Wenn Birken die Romane als »rechte Hof- und Adels Schulen« bezeichnet, die

»[. . .] durch vorstellung des unbestands menschlichen glückswesens / der liebes- und lebensgefärden / der gestrafften tyranney und untugend / der vernichtigten anschläge / und anderer eitelkeiten« lehren sollen, »wie man das gemüte / von den gemeinen meinungen des adel-pöbels läutern / und hingegen mit Tugend und der wahren Weißheit adeln müsse« (*Aramena*-Vor-Ansprache, S.)(v˙),

so liegt dieser Intention weniger eine abbildende als vielmehr pädagogische Dimension zugrunde, die ihr oberstes Ziel im didaktischen Endzweck erblickt. Der Roman formuliert eine Idealität der Werte, die die angesprochene soziale Schicht jedenfalls nicht (mehr) oder (noch) nicht in toto »tatsächlich verkörpert und vertritt«. [122] Der Roman kann deshalb ebensowenig im Sinne einer pauschalen Spiegel- oder Abbildungsfunktion interpretiert werden, wie auch die Identifikation des zeitgenössischen Lesers mit dem Geschehen oder den Figuren im Roman nur bedingt möglich gewesen sein dürfte. Es kann sich immer nur um ein partielles und »projektives« Wiedererkennen und um partielle, utopisch-didaktisch intendierte Leseridentifikationen handeln.

»Diese art Historien« [die Romane] sind nach Birkens Interpretation in der *Aramena*-Vor-Ansprache nun aber eine »recht-adeliche« Beschäftigung nicht nur für den Leser, sondern auch für »den / der sie schreibet«. [123] Der Mitarbeiter Anton Ulrichs kommentiert hier nicht allein das Außergewöhnliche, welches darin besteht, daß sich ein regierender Fürst dem Romanschreiben widmet, vielmehr möchte Birken einen generellen Zusammenhang zwischen Literatur und politischer Praxis herstellen:

Wann nun / dergleichen Bücher / der Adel mit nutzen liset / warum solte er sie nit auch mit ruhm schreiben können? Und wer soll sie auch bässer für den Adel schreiben / als eine person / die den Adel beides im geblüt und im gemüte trägt? Wer / von der weise zu regieren / weißlich schreiben kan: der weiß zweifelsfrei auch wol zu regiren / oder zur löblichen regirung zu helfen. Ja / er lernet solches im lehren / und schreibet ihm selber ins herze / was er auf das papier schreibet (*Vor-Ansprache*, S.)(vᵛ). [124]

Roman und politisches Amt werden im Verhältnis von Theorie und Praxis, Schreiben und Regieren als ein notwendig Zusammengehörendes interpretiert. Schreiben bedeutet darüberhinaus eine didaktische Selbstanleitung zu besserem politischen Handeln, das »Lernen im Lehren« bezeichnet jene utopisch-projizierende Funktion der Literatur, die, an konkrete Praxis gebunden, zugleich über sie hinausweisen will. Der eher didaktisch-pädagogischen Interpretation des Romanschreibens fügt Birken eine eminent politisch-absolutistische hinzu:

Nun sollen die Edlen / als die grösten unter den Menschen / auch die Bästen / und folgbar die Verständigsten seyn; und wann sie es sind / sollen sie sich als solche der Welt zeigen: welches nicht anderst geschehen kan / als durch reden und schreiben. (*Vor-Ansprache*, S.)(vᵛf.).

Abgesehen vom Gedanken des Nachruhms (»Wer ein gutes Buch schreibet / der schreibt seinen namen in das Buch der Ewigkeit« [Birken]), erscheint Literatur hier in der Rolle eines Instruments der höfischen und feudalen Selbstdarstellung und einer Untermauerung des absolutistischen Herrschaftsanspruchs. Schreiben vermag Mittel und Medium einer kulturpolitischen Intention des Absolutismus zu sein, die sich in den Vorreden des höfisch-historischen Romans von Barclay bis zu Anton Ulrich spiegelt.

Lesen, schreiben und »regieren« deuten die Vorreden des hohen Romans nicht als getrennte Bereiche, vielmehr als wechselseitig vermittelten Zusammenhang: Die Romanlektüre erfordert Fähigkeiten des schnellen Überblicks kompliziertester Handlungszusammenhänge, genaues Unterscheidungsvermögen, konzentrierteste Aufmerksamkeit zur Entwirrung eines labyrinthischen Geschehens, Fähigkeiten, die auch dem Handelnden für die praktische Politik notwendig gegeben sein müssen. [125] Schreiben bedeutet eine Potenzierung des Lesens, insofern erforderliche Qualitäten bei der Lektüre des Romans (etwa die Notwendigkeit eines schnellen Sich-Hineinfindens in rätselhafte Situationen oder die der Überschau über eine verwirrende Personenfülle) vom Romanschreiber in noch viel intensiverem und ausgeprägterem Maße verlangt werden. Das intellektuelle Spiel des Romanciers bildet jenes Korrelat zum politischen Handeln, das den Zusammenhang von fiktiver »Theorie« und realer Praxis herstellt.

Der hohe Roman des 17. Jhs. gehört deshalb zum Kommunikationsbereich einer »repräsentativen Öffentlichkeit«, die sich am Hof des Fürsten konzentriert. [126] schaft«, und der Roman zeigt Attribute ihrer Entfaltung. Dazu zählen nicht allein Repräsentative Öffentlichkeit bedeutet »öffentliche Repräsentation von Herrinhaltliche Momente einer verbindlichen geschichtsphilosophischen Grundierung, eines normativen Tugendsystems und einer dadurch bedingten vraisemblence und bienséance, vielmehr jene strukturhomologischen Korrespondenzen, die den Roman auch unter »formalen« und rhetorischen Aspekten zum Ausdruck repräsentativer Öffentlichkeit machen. Er bildet damit einen absoluten Gegentypus zum bür-

gerlichen Roman des 18. Jhs., der soziologisch primär durch seine »Privatheit« definiert ist. [127] Der Roman des 17. Jhs. ist außerdem noch keiner der »trans-
zendentalen Obdachlosigkeit« (Lukács), sondern einer der theologisch garantierten Wahrheit, der — und damit dem Epos verwandter als der bürgerlichen Epopöe
— seine ästhetische Totalität aus einer geschichtstheologischen Grundlegung ableitet
und dadurch erst als repräsentativ gelten kann, denn jene »Repräsentation« von
Herrschaft, die er (»utopisch«) [128] vertritt, erhält ihre Legitimation eben von
dieser theologischen Begründung.

Im Unterschied zum heroischen, höfisch-historischen Roman, dem bereits im 17. Jh. eine Reihe bemerkenswerter und ausführlicher Reflexionen in Traktaten und Vorreden zuteil wird, ermangelt es seinem Gegenbild oder erklärten Gegenentwurf, dem »niederen« (pikaresken, bzw. komischen) Roman [1], weitgehend an einer theoretischen Selbstverständigung. Die Ursachen dafür sind leicht erklärbar: Dem am höchsten eingestuften und am ehesten anerkannten »hohen« Roman gilt auch (und in Deutschland weithin ausschließlich) das meiste poetologische Interesse, seine Formen und Ausprägungen veranlassen selbst Skeptiker dieser neuen literarischen Gattung zu kritischen und theoretisierenden Stellungnahmen, während der »niedere« Roman wesentlich seltener zum Gegenstand dichtungstheoretischer Reflexionen gemacht wird. [2] Die auffallende Zurückhaltung oder das kritische Ignorieren dieser »Gattung« [3] (in Birkens Aufzählung zeitgenössischer Romane in der *Vor-Ansprache* wird auch nicht ein Beispiel des pikaresken Romans genannt) liegt in den Wertmaßstäben der Literaturtheoretiker des 17. Jhs. selbst begründet. Diese sind primär an den neoaristotelischen Kodex der klassizistischen Ästhetik gebunden, die Wahrscheinlichkeit (vraisemblence) und Schicklichkeit (bienséance) — Prinzipien, an denen, wie gezeigt, auch der hohe Roman gemessen wird — zu Grundaxiomen aller Dichtungsarten erklärt. Ein Literaturkritiker oder -theoretiker, mit diesen Maßstäben ausgerüstet, kann verständlicherweise kein angemessener und gerechter Beurteiler des pikaresken Romans sein, zumal dieser, und das verschärft die literarkritische Situation in entscheidendem Maße, sehr oft eine bewußte Antistellung zur zeitgenössischen Ästhetik bezieht.

Wenn man diesen Sachverhalt notwendigerweise konstatiert, darf man jedoch andererseits nicht in den Fehler eben der deutschen Theoretiker des 17. Jhs. (etwa Birkens) verfallen, die den Roman auf einen heroischen reduziert und eingeengt haben [4]; vielmehr erfordert diese einseitige Fixierung des Romans des 17. Jhs. auf einen bestimmten Typus eine Ergänzung durch die Berücksichtigung theoretischer Zeugnisse auch zum niederen Roman. Diese liegen insgesamt, wie angedeutet, nicht in jener Vielfalt vor, wie es etwa bei Birken für den heroischen Roman zu beobachten ist. Auch zeigt sich hier ein auffallender Unterschied zur romantheoretischen Entwicklung in Frankreich, insofern die Diskussion um den »roman comique« und »Anti-Roman« eine weit stärkere Resonanz als in Deutschland findet. Das ist einerseits bedingt durch die Romanpraxis: vgl. Charles Sorels *L'Histoire comique de Francion* (1623) [5] und *Le Berger extravagant* (1627); Scarrons *Le Roman comique* (1651/57) [6] und Furetières *Le Roman bourgeois«* (1666) [7] — und andererseits vor allem durch die theoretisch-kritischen, bzw.

klassifizierenden Abhandlungen Sorels: *La Bibliothèque françoise* (1664) und *De la Connoissance des bons livres, ou Examen de plusieurs auteurs* (1671) [8]. Im Unterschied zu Frankreich erlangt die Diskussion des satirischen Romans im 17. Jh. in Deutschland, trotz Ansätzen bei Grimmelshausen und Beer (und mit Ausnahme von Christian Weise) [9] nicht jene Intensität, die sie im 18. Jh., seit etwa 1740, auf Grund der cervantinisch-fieldingschen Vermittlung erreicht. [10] Das darf nun allerdings nicht dazu führen, daß man die poetologischen Aussagen zum und im deutschen Roman übersieht; in den Vorreden der Romane oder Romanübersetzungen finden sich eine Reihe literaturtheoretischer Äußerungen, die — auch und gerade bei Berücksichtigung ihres rhetorischen und gattungsbedingten Funktionscharakters — eine Kategorisierung einheitlicher Merkmale und die Differenzierung unterschiedlicher Spielarten des niederen Romans erlauben. Dabei ist das Problem des pikaresken Romans als Umkehrung und Gegenstück [11] zum heroischen theoretisch besonders aufschlußreich.

1. Satirische Schreibart und Normenbewußtsein

Allen vielgestaltigen Ausformungen des niederen Romans im 17. Jh. liegt eine gemeinsame prinzipielle Tendenz zugrunde: die der Satire. [12] Vorreden und Äußerungen zum spanischen Picaroroman (in ihren deutschen Übersetzungen), zur deutschen Mischform von pikaresken und Anti-Roman-Komponenten im *Simplicissimus* [13] und Vorreden des politisch-»realistischen« Romans [14] eines Christian Weise oder Johann Beer betonen in verschiedenen selbstinterpretatorischen Formulierungen ihre Zugehörigkeit zu den »satyrischen Schrifften«. [15] Die Begründungen, die einzelne Romanciers dafür liefern, und definitorische Umschreibungen des Sinnes und Nutzens einer satirischen Schreibart charakterisieren sowohl unterschiedliche Spielarten des niederen Romans als Möglichkeit der Satire im Roman überhaupt. Drei charakteristische Textbeispiele mögen dies verdeutlichen.

Bei dem ersten handelt es sich um einen Abschnitt aus dem 1. Kapitel von Grimmelshausens »Continuatio des abentheurlichen Simplicissimi«. Dieses Kapitel kann als nachgeholte Vorrede bezeichnet werden [16], der *Simplicissimus*-Roman selbst, darin eine ungewöhnliche Ausnahme und zum ersten Mal im komischen Roman überhaupt, enthält keine. Grimmelshausen wendet sich zunächst gegen den möglichen Vorwurf, lediglich als »Schalcks-Narr« und »Possen-Reisser« auftreten zu wollen, »viel lachen« sei ihm im Gegenteil »selbst ein Eckel«, und wer die »edle ohnwiederbringliche Zeit vergeblich hinstreichen« lasse, »der verschwende(t) die jenige Göttliche Gab ohnnützlich, die uns verliehen [...] [sei], unserer Seelen Hail in: und vermittelst derselbigen zuwürcken«. [17] Nach dieser eschatologischen Ermahnung zur rechten Zeitnutzung folgt eine selbstrechtfertigende Begründung für die »Satyrischen Gedichte« [18]:

Ich möchte vielleicht auch beschuldigt werden / ob gienge ich zuviel Satyricè drein; dessen bin ich aber gar nicht zuverdencken / weil männiglich lieber gedultet / daß die allgemeine

Laster Generaliter durch gehechelt und gestrafft: als die aigne Untugenden freundlich corrigirt werden. [19]

Da »der Theologische Stylus beim Herrn Omne« nicht beliebt sei, müsse man die »heilsamen Pillulen« zuvor »überzuckern« und »vergülden«. [20] Als dominierend erweist sich hier die vorherrschende Fragestellung nach der Funktion der Satire, nur von daher scheint diese Schreibart ihre Legitimation zu erhalten. Eine Norm als notwendige Bedingung und Intention der satirischen Tendenz bildet den bestimmenden Faktor einer literarisch-stilistischen Technik der »stachligen Reden« (Opitz). Die bei Grimmelshausen vorgegebene moralische Norm als Voraussetzung, Laster und Untugenden zu »straffen«, kann wiederum geschichtsphilosophisch lokalisiert werden im System einer theologischen Heilslehre.

Anders, und doch vergleichbar, im folgenden zweiten Textbeispiel aus der Vorrede von Christian Weises *Die Drey ärgsten Ertz-Narren* (1672):

DIs buch hat einen närrischen titul / und ich halte wohl / daß mancher meynen wird / er wolle seine narrheit daraus studieren. Doch es geht hier / wie mit den apothekerbüchsen / die haben auswendig satyros oder sonst affen-gesichte angemahlt / inwendig aber haben sie balsam oder andere köstliche artzeneyen verborgen. [21]

Dann folgt ein Seitenhieb auf Grimmelshausens *Simplicissimus,* dem solche nützlichen »artzeneyen« abgesprochen werden:

Es [Weises Buch] sieht närrisch aus / und wer es oben hin betrachtet / der meint / es sey ein neuer Simplicissimus oder sonst ein lederner saal-bader wieder auffgestanden. Allein was darhinter versteckt ist / möchte ich den denenselben in das hertze wünschen / die es bedürfen. (Vorrede, Ed. 1704, S. 2 f.).

Auch in diesem Textstück wird die schon bei Grimmelshausen beobachtete Doppelpoligkeit sichtbar; der »poßierlichen« Schreibart entspricht der nützliche »balsam«, der »auswendige satyros« gilt als die angenehme Schale des moralisch-lehrhaften Kerns. Die gleichen Bilder und Formeln (Arzt, Pille), mit denen der hohe Roman die didaktische Absicht seiner Literaturformen postuliert, werden hier zur Rechtfertigung der satirischen Schreibart verwandt. Im Unterschied zu Grimmelshausen ändert sich bei Weise nun allerdings die inhaltliche Bestimmung der Norm, das heilsgeschichtliche Moment tritt zurück, statt dessen sind Tugend und Laster auf ein innerweltliches, praktisch-politisches Vernunftgebot zu beziehen: Der Leser »dencket Zucker zu lecken / und schlucket die Artzeney mit in die Seele hinein. Er suchet einen Comödianten / und kömmt aus einer Philosophischen Schule zurücke«. [22] Vom konkreten »Lehrprogramm« dieser »philosophischen Schule« bleibt an anderer Stelle noch zu sprechen, wichtig ist hier, zunächst die auch bei Weise vorhandene prinzipielle und wechselseitig bedingte Polarität von satirischer Technik und vorgegebener Norm im Auge zu behalten.

Der dritte Text: »Unterricht an den geneigten Leser« (am Anfang von J. Beers Roman *Zendorii à Zendoriis Teutsche Winternächte,* 1682) bestätigt diese Beziehung von Tugendnorm und Romansatire:

Ehe und bevor wir zu diesem Werk schreiten, ist notwendig zu wissen, daß dieser ganze Entwurf mehr einer Satyra als Histori ähnlich siehet. Der geneigte Leser hat dannenhero Freiheit, nach seinem Belieben davon zu urteilen, wenn er zuvor von mir, als dem Übersetzer, freundlich gebeten wird, sich die angemerkte Tugenden zu einem Wegweiser und die bestrafte Laster zum Abscheu dienen zu lassen, in den Wegen, die einem Weltmann täglich unter die Füße kommen [...] Und obschon durch und durch die ganze Materi satyrisch gehandelt wird, werden doch nur die Laster, nicht aber diejenigen Leute, so damit behaftet sind, gestrafet und auf einen besseren Weg gewiesen, worinnen der Uhrschreiber dieses Buches keinesweges zu tadeln, sondern vielmehr zu loben ist, daß er gleich einem Gärtner das Unkraut ausrauft und herentgegen die guten Pflanzen einsetzet. [23]

Grimmelshausens Merkvers auf dem Titelblatt des »Barock-Simplicissimus«, der den wechselseitig bedingten Zusammenhang von Satire und Wahrheitsnorm prägnant formuliert: »Es hat mir so wollen behagen / mit Lachen die Wahrheit zu sagen« entspricht Beers ins Didaktische gewendeter Hinweis: »Auf eine solche Art wird der Leser gleichsam lachend unterrichtet, was zu seinem Besten dient [...]«. [24]

Alle drei zitierten Beispiele kennzeichnen den prinzipiellen Sachverhalt satirischen Schreibens für den pikaresken Roman: Dem mit komischen Mitteln verschiedener Redeweisen bewirkten Vorgang des Enthüllens und Entlarvens durch Nennen und Zeigen entspricht eine implizit vorhandene normative Wert und Wahrheitsvorstellung. [25] Diese bedarf nicht notwendig einer jeweils expliziten Benennung [26]; im Roman des 17. Jhs. fehlt sie allerdings, wie die Beispiele zeigen, nicht, einem geltenden Normenbewußtsein kann damit besonderer Nachdruck verliehen werden. Opitzens Poetik-Definition der Satire trifft im Prinzip auch die theoretische Intention des pikaresken Romans:

Zue einer Satyra gehören zwey dinge: die lehre von gueten sitten vnd ehrbaren wandel, vnd höffliche reden vnd schertzworte. Ihr vornemstes aber vnd gleichsam als die seele ist / die harte verweisung der laster vnd anmahnung zue der tugend: welches zue vollbringen sie mit allerley stachligen vnd spitzfindigen reden / wie mit scharffen pfeilen / vmb sich scheußt. [27]

In dieser Formulierung spiegelt sich die Priorität eines die satirische Schreibart erst ermöglichenden Wertbewußtseins; die zitierten programmatischen Vorreden und Texte der Romanautoren stimmen mit dieser Tendenz überein. Die auf einem Konsensus mit dem Lesepublikum beruhende Norm als »Fluchtpunkt für das vernichtende, deutende und erkennende Vorgehen des Satirikers« [28] ist deshalb jüngst zu Recht in den Rang einer vierten »Dimension« innerhalb des Relationsgewebes Erzähler-Erzählgegenstand-Leser erhoben worden. Entscheidend ist dabei sowohl unter dem Aspekt romantheoretischer Konsequenzen als unter dem struktureller Ausformungen des einzelnen Romans die Wandelbarkeit des Normenbewußtseins. [29] Wenn »der Moralist und Satyrenschreiber [...] sich beyde mit einerley Gegenstande« beschäftigen [30] und auf diese Weise dialektisch verkoppelt sind, bedingt eine Veränderung oder Differenzierung der (moralischen) Norm gleichzeitige Modifikationen der ästhetischen Form. An der Gegenüberstellung des *Simplicissimus* oder der *Guzman*-Übersetzung des Albertinus [31] mit den Romanen Christian Weises wird dieser Vorgang schlagartig deutlich. Handelt es sich einerseits um literarische Bestätigungen bestehender heilsgeschichtlicher Wertvorstellungen, werden andererseits neue rationale Wertorientierungen demonstriert. Die satirische Schreibart zeigt die ambivalente Fähigkeit, sowohl über-

kommene traditionelle Normen verteidigend und verherrlichend untermauern als
auch erst sich herausbildende Werttendenzen befördernd aufnehmen zu können.
Beides geschieht im Spannungsverhältnis von literarischer Darstellung (als stra-
fende, nennende oder anklagende Satire) und formulierter (oder implizit zugrunde liegender) Wertewelt, die als »Ideal« der »Wirklichkeit als Mangel«
(Schiller) gegenübergestellt ist.

Dem Ideal »als der höchsten Realität« eignet immer ein utopisches Moment;
W. Müller-Seidel [32] und Cl. Heselhaus [33] haben für den *Simplicissimus*
auf zwei verschiedene Aspekte des Zusammenhangs von Satire und Utopie hingewiesen; einerseits handelt es sich um den diametralen Gegensatz von mangelhaf-
ter geschichtlicher Wirklichkeit und einer allegorischen Utopie des Eremiten- und
Insellebens außerhalb des unbeständigen geschichtlich-politischen Bereichs (W. Müller-Seidel), andererseits vermag mit den Mitteln der Umkehrung, in der Darstellung der »verkehrten Welt«, eine Form der »Anti-Utopie« den mangelhaften
Zustand der geschichtlichen Welt zu demaskieren: »[...] immer zeigt die verkehrte Welt die wahre Welt, die wirklichen Zustände oder eine ideale Ordnung«. [34] Prinzipiell gilt für Grimmelshausen die Antinomie einer in ihrer
Grundverfassung (»[...] daß Unbeständigkeit allein beständig sei«, [»Continuatio«-Anfang]) nicht korrigierbaren Welt und einer religiös fundierten absoluten Heilsordnung als oberste Norm; die »Diskrepanz zwischen menschlicher
Narrheit und göttlicher Weisheit« [35] liefert den permanenten Anlaß zur Ver-
spottung; in der Verkörperung des Narren und Naiven (ingénu) kann die »lach-
hafte« Disproportionalität zwischen der extremen Mangelhaftigkeit und der absoluten Norm gesteigert und auf die Spitze getrieben werden. Die heilsgeschichtliche Utopie einer außergeschichtlichen, göttlichen Totalität bedingt eine Satire, die
die »Welt Desillusion« lehrt. [36] Von daher ist die erbaulich-didaktische Tendenz, wie sie Grimmelshausen immer wieder betont, nur konsequent:

Hat er [der Leser] nun darauß gefast / was ich ihm damit habe beybringen wollen / so
ist mirs lieb; noch viel lieber und erfreulicher aber wird mirs seyn / ihme aber sehr nutz-
lich / und GOtt wolgefällig / wann er demselben was ich ihn hierinn zu lehren bedacht /
nachzukommen sich befleist. [...] Ist etwann jemand darinn getroffen / der schweige und
bessere sich / dann deßwegen habe ich diß geschrieben; Ist aber dein Camerad berührt worden / so freue dich deiner Unschuld und dencke was konte der fromme Abel darvor / daß
sein Bruder ein Schalck war! Bitte aber auch darneben GOtt daß Er dich nicht fallen
lasse / sondern auch deinem Bruder wieder auffhelffe; diß war meine Meinung / als ich
diß Wercklein anfienge / und ist sie noch da ichs jetzt hiemit ENDE. [37]

Die heilsgeschichtliche Vorstellung einer möglicherweise schon angebrochenen End-
zeit (»in jetzigen elenden / vielleicht letzten Zeiten«) [38] vermag die didaktische
Intention noch zu verstärken. [39]

Entspringt die verbindliche Norm nicht mehr ausschließlich einer als absolut
gültig geglaubten außerzeitlichen Wertwelt, ändern sich auch Funktion und Form
der Satire. Die Romane vor allem Christian Weises zeigen diese Veränderungen in
aller Deutlichkeit. Zwar bleibt auch hier der Zusammenhang von Satire und
»Utopie« bestehen, insofern dem erstrebenswerten pragmatisch-»politischen« Tu-
gend- und Vernunftideal eine ebenso utopische Dimension zukommt; die Anti-

nomie aber wird dadurch gemildert, daß der utopische Faktor vornehmlich inner-
weltlich begründet ist. Steht die höhere Wirklichkeit (als Ideal der göttlichen Heilsordnung) nicht mehr eindeutig im Vordergrund, erscheint als »normgerechtes Verhalten« eher eine »praktische Bewährung in der Welt«. [40] Satire zielt als Mittel der Analyse und Erkenntnis auf konkrete Verbesserung einer geschichtlichen
Welt, die als nicht mehr prinzipiell unkorrigierbar gilt. Weises Normen gründen
sich zwar noch nicht ausschließlich auf immanente Vernunftprinzipien pragmatischer Zielsetzungen (sich den Himmel zu verscherzen, bedeutet noch größte Narrheit) [41], aber in der »Klugheit das gemeine Wesen wohl zu conserviren« und
der Vorsorge, wie der einzelne »sein Privat-Glück erhalten / und alle besorgliche
Unfälle klüglich vermeiden könte« [42], kündigt sich eine neue nicht-heilsge-
schichtlich gebundene Wertordnung an, die in der Vermittlung des Vernünftig-
Christlichen an spätere Zielvorstellungen des 18. Jhs. erinnert. Dieser neuen Wert-
orientierung entsprechend kennen Weises Romane keine außergeschichtliche Utopie
der Einsiedler- und Inselidylle, aber auch keine Totalität des Romans als eines
ästhetischen Modells heilsgeschichtlichen Denkens.

Für beide Ausprägungen des satirischen Romans, sowohl einer unter moraltheologischen Prämissen als unter modifiziert verweltlichten Voraussetzungen, erfolgt die Bestätigung der Normen prinzipiell ex negativo durch Demonstration
einer mangelhaften Welt, die »die eigentliche« (normative) im Leser provozieren
und hervorlocken soll, und darin ist die Autorität des Romanciers auf den Konsensus mit einem Lesepublikum angewiesen. In der Bestätigung der geltenden
Norm ex negativo bedeutet der satirische Roman »eine genaue Umkehrung« des
heroischen (Alewyn), dessen Normen eine »positive« Darstellung finden in der
Verherrlichung heroischen oder christlich-gültigen Verhaltens. Idealprojektionen
bestehender Wertvorstellungen im »hohen« Roman zeugen ebenso von utopischer
Absicht [43] wie das Evozieren des Normbewußtseins durch Demonstration einer
extremen »Verkehrung«. Die außergeschichtliche allegorische Utopie eines Einsied-
lerlebens findet zudem ihr reziprokes Pendant im roman héroique insofern, als
hier das utopische Moment *in* die Geschichte hineingenommen wird dadurch, daß
sich die glücklichen Auflösungen und Entknotungen zwar am Ende der Geschichte,
aber eben *innerhalb* des geschichtlichen Bereichs vollziehen. [44]

2. Wahrheits- und Fiktionsbegriff: der Wahrheitsgehalt des Dogmatischen und Empirischen

Erweist sich die satirische Schreibart des Romans unter dem Aspekt einer Evokation bestehender Normen als Gegenbild zur »heroischen«, trifft dies, folgt man
den selbstcharakterisierenden theoretischen Aussagen, ebenso für den Wahrheitsbegriff der Romanfiktion zu. Betonen Vorreden und Kommentare zum »hohen«
Roman in der aristotelischen Tradition ihre Wahrscheinlichkeit im Rahmen des
Möglichen, wobei dieser Möglichkeitsbereich durch eine geschichtsphilosophische
Wahrheits-Ausdeutung abgegrenzt werden kann (Birken), pochen entsprechende

Vorreden und Äußerungen zum und im pikaresken Roman auf »Wahrhaftigkeit«; dem Wahrscheinlichkeitspostulat des roman héroique steht ein pointierter Wahrheitsanspruch des »niederen« Romans gegenüber. [45] Das dokumentieren schon Titel und nähere Charakterisierungen beider Ausprägungen; während der »hohe« Roman als »Helden- und Liebes-Geschicht« oder »-Gedicht« bezeichnet wird und bei Stubenberg und Birken den Namen »Geschicht-Gedicht« erhält, verwendet der »niedere« Roman vorzugsweise Charakterisierungen wie »Wahrhafftige vnd lustige Histori«, »Beschreibung deß Lebens« oder »Leben vnd Wandel« [46] des betreffenden »Helden«.

Die intendierte Frontstellung zum hohen Roman wird in solchen Titeln von vornherein sichtbar; theoretische Äußerungen von Autoren niederer Romane präzisieren Vorwürfe und Einwände gegenüber dem »roman héroique«:

Jetziger Zeit findet man viel / die in ihren Poematis sich mit Untermengung der alten Poetischen Grillen dermassen schleppen und versteigen / daß mancher gelehrter und erfahrener Kerl / geschweige ein gemeiner Mann / beinahe nichts daraus verstehet / er habe dann sich zuvor auch in dergleichen Torheiten geübt / und der alten Poeten schrecklich Einfäll und Wundergedichte gelesen / und ihre Phantastische und Närrische Träume im Kopff behalten [...]. [47]

Daß mit den »phantastischen« und »närrischen« Erfindungen auch die »hohen« Romane gemeint sind, bestätigt eine Stelle aus dem *Simplicissimus,* wo Grimmelshausen seinen Protagonisten sagen läßt:

Die unvergleichliche Arcadia, auß deren ich die Wolredenheit lernen wollte / war das erste Stück / das mich von den rechten Historien zu den Liebes-Büchern / und von den warhafften Geschichten zu den Helden-Gedichten zoge. [48]

Die »rechten Historien« und »wahrhaften Geschichten« werden mit den »Liebesbüchern« und »Heldengedichten« konfrontiert. So heißt es etwa bei Johann Beer:

Was hilft es, wenn man dem Schuster eine Historia vorschreibet und erzählet ihm, welchergestalten einer einesmals einen göldenen Schuh gemachet, denselben dem Mogol verehret, und also sei er hernach ein Fürst des Landes worden? Wahrhaftig, nicht viel anders kommen heraus etliche gedruckte Historien, welche nur mit erlogenen und großprahlenden Sachen angefüllet, die sich weder nachtun lassen, auch in dem Werke selbsten nirgends als in der Phantasie des Scribentens geschehen sind. [49]

Die Kritik der dichterischen Phantasie enthüllt bei Beer zugleich die ihr zugrunde liegenden Maßstäbe; Phantasie wird kritisiert unter dem Gesichtspunkt eines Identifikationsanspruchs des Lesers; ins Positive gewendet: »Wahre« Geschichten sind Geschichten, die »uns begegnen können und wir also Gelegenheit haben, uns darinnen vorzustellen solche Lehren, die wir zu Fliehung der Laster anwenden und nützlich gebrauchen können«. [50] Abgesehen vom pragmatischen Moment dieses Wahrheitsanspruchs der Fiktion, zeichnet sich hier im Umriß ein Fiktionsbegriff ab, der jene Kennzeichen des Satirischen hervorhebt, die einem bestimmten Lesepublikum unmittelbare Identifikationen erlauben: »Darum halte ich noch einmal so viel darauf, solche Sachen hören und lesen, die unserem Stande gemäß sind«, läßt Beer »die von Pockau« sagen, nachdem sie die unangenehmen Wirkungen der Lektüre einer »liederlichen Liebesgeschicht« geschildert hat. [51] Beers Wahr-

heitsbegriff der Fiktion korrespondiert mit den Anforderungen einer neuen Lesererwartung, die letzten Endes, im Rahmen einer bestimmten Toleranzfähigkeit
gegenüber der Fiktion, über Wahrheit oder Lügenhaftigkeit einer Geschichte befindet.

Versucht man unabhängig von dieser rezeptionsästhetischen Problematik Kriterien für den von Grimmelshausen und Beer gleichermaßen postulierten Wahrheitsanspruch ihrer »Geschichten« zu ermitteln, stößt man neben der immer wieder
betonten, polemisch formulierten Antihaltung gegenüber dem hohen Roman als
Mittel der Selbstrechtfertigung auf die »soziale Dialektik« beider Romantypen
(Alewyn), die von keinem Theoretiker des 17. Jhs. prägnanter beschrieben und analysiert worden ist als von Charles Sorel. [52] Sorel, der sich wie Grimmelshausen
rühmen kann, in beiden Spielarten des Romans zu Hause und produktiv zu sein,
hat sowohl in dem 1662 zuerst ins Deutsche übersetzten und von Grimmelshausen
und Beer [53] gekannten und gelobten *Francion* als in seinen nur sehr zögernd
und selten in den deutschen Poetiken rezipierten theoretischen Abhandlungen
(*Bibliothèque françoise; De la connoissance des bons livres*) [54] auf die Eigenarten des niederen Romans hingewiesen und seine Unterschiede gegenüber dem roman héroique scharfsinnig herausgearbeitet. Die Rechtfertigung der »bon Romans
comiques & Satyriques« als »wahrhaftigere« und den »Abläufen der Geschichte
angemessenere« Wiedergaben der Wirklichkeit [55], die dabei im Vordergrund
steht, geschieht wiederum unter Zuhilfenahme eines eigentümlichen Geschichtsbegriffs. »Geschichte« bedeutet für Sorel der Bereich und die Beschreibung »aller
Sachen in ihrem natürlichen Wesen / alle Thaten [...] ohne einige Verstellung«
im Gegensatz zur Darstellung in den »ernsthaftigen Büchern« [der romans
héroiques], in denen die »Historien unvollkommen [...] / und mehr mit Lügen
als der Warheit außgefüllet« seien. [56]

Zwei Aspekte dieser Geschichtscharakterisierung haben eine besondere romantheoretische Relevanz: das Postulat einer »natürlichen« Beschreibung der geschichtlichen Figuren und Geschehnisse ohne »Lüge« und »Verstellung« [57] — und das
literarische Interesse an der »Natur« und am »Thun« auch »gemeiner Leute«, von
deren Sprache der Romancier »kein Wort vergessen habe«, das unter ihnen gebraucht werde. [58] Der erste Aspekt betrifft die Frage nach dem Wahrheitsbegriff, der zweite das damit verknüpfte Problem des geschichtlichen Darstellungsobjekts und sozialen Kontextes. »Wahrheit« definiert Sorel als Notwendigkeit
einer »natürlichen« und »vollständigen« Beschreibung aller Bereiche des menschlichen Lebens [59] ohne idealisierende Stilisierung oder auswählende Reduktion
auf nur bestimmte soziale oder ethische Perspektiven. Die damit intendierte Kritik
richtet sich gegen die geschichtliche »Unvollständigkeit« des »roman héroique«,
gegen seine Tendenz zur einseitig-begrenzten Auswahl und Ausklammerung maßgeblicher Bereiche des wirklichen Lebens. »Geschichte« scheint sich für Sorel im
hohen Roman jedoch nicht nur deshalb unangemessen widerzuspiegeln, weil sie in
der Gestaltung heldenhafter Figuren einer ethisch-stilisierten Selektion unterworfen
ist, sondern darin geradezu verfälscht zu sein, daß der Romancier sich anmaßt,
in ihren tatsächlichen Verlauf einzugreifen, um sie unter bestimmten Gesichtspunk-

ten fiktional zu modellieren oder umzuinterpretieren. Die Wahrheit des Romans habe sich dagegen nur am Maßstab der historischen Tatsächlichkeit zu orientieren: Jeder Eingriff in den faktischen Ablauf bedeutet für Sorel deshalb eine unzulässige Korrektur an der Geschichte, und da Geschichte als der göttlichen Vorsehung unterworfen gedacht wird, auch eine vermessene Korrektur an der providentiellen Ordnung. [60] Damit hat Sorel ein entscheidendes Argument in der Hand, um die Fiktionalisierung und ästhetische Strukturierung der Geschichte im roman héroique verurteilen und die Orientierung am Tatsächlichen und Alltäglichen historischer Ereignisse im roman comique rechtfertigen zu können. »Fiktionalisierung« bedeutet vor allem das Zugrundelegen des Schemas von Tugendlohn und Sündenstrafe; die geschichtlichen Abläufe zeigen nach Sorel im Gegenteil sehr oft ein anderes Bild, und Tugend kann auch ohne »l'honneur des triomphes & les dignitez esclattantes« ihren Lohn in sich selber finden. [61] Die strukturierende und theologisierende Um- oder Ausdeutung des historischen Materials verstößt gegen die wahre Historizität der Geschichte selbst. Birkens pointierte Formulierung einer augustinisch-lutherischen Zwei-Reiche-Konzeption und in der Romanpraxis vorhandene, als historisch ausgegebene »Bekehrungsgeschichten« (etwa bei Buchholtz und Anton Ulrich) würden für Sorel unter das Verdikt einer unzulässigen Eigenmächtigkeit des Romanciers fallen. Die historischen Fakten bedürfen keiner zusätzlichen geschichtsphilosophischen bzw. theologischen Auslegung des Autors; sie sollen vielmehr in ihrer originären Geschichtlichkeit unmittelbar zur Basis des Romans dienen.

Überblickt man diese Argumentation Sorels und versucht, die Rolle der antifiktionalen Polemik für die Romantheorie kritisch zu analysieren, ist es erforderlich, noch einmal auf die beiden wichtigsten Gesichtspunkte, den geschichtstheoretischen und gesellschaftskritischen, zurückzukommen. Was den ersten betrifft, so kann die fortwährende Betonung des Historisch-Tatsächlichen und das Hervorheben eines diametralen Gegensatzes von wahrscheinlicher Fiktion (roman héroique) und »wahrhaftiger Historie« (roman comique) natürlich nicht darüber hinwegtäuschen, daß es sich auch bei Sorel (und Grimmelshausen) um eine bestimmte Auswahl und eine der Romanfiktion zugrunde liegende Geschichts*konzeption* handelt, die weder an Geschichtsschreibung in einem modernen noch annalistischen Sinn interessiert ist. »Geschichtsschreibung« ist der roman comique nur darin, daß er sich mehr dem Tatsächlichen und Alltäglichen und auch einer sozialen Sphäre zuwendet, die im roman héroique vollständig ausgeklammert wird. »Dogmatisch« (Alewyn) bleibt die dem Roman intendierte Geschichtsvorstellung, insofern sie sich unter ein göttliches Gebot der Providenz stellt und einem außermenschlichen, außergeschichtlichen Prinzip die Lenkung der Geschichte zuschreibt. Auf diese Weise haben auch der pikareske und komische Roman auf ganz andere Art als der hohe Roman, aber eben doch auch, Demonstrationscharakter im Sinne exemplarischer Anschauung; einem Wahrheitsgehalt im Faktischen entspricht der im Normativen:

So erfordert jedoch die Folge meiner Histori / daß ich der lieben posterität hinderlasse / was vor Grausamkeiten in diesem unserm Teutschen Krieg hin und wieder verübet worden / zumalen mit meinem eigenen Exempel zu bezeugen / daß alle solche Übel von der

Güte deß Allerhöchsten / zu unserm Nutz / offt notwendig haben verhängt werden müssen. [62]

Der niedere Roman ist auch darin eine Umkehrung des roman héroique [63], insofern diesem seine idealisierende Stilisierung zum gleichen Mittel als jenem das satirische Hervorkehren des Alltäglich-Tatsächlichen dient — »bessern« sollen beide Formen des Romans.

Schärfer, unversöhnlich und sich von dieser gemeinsamen normativen Zielsetzung prinzipiell unterscheidend, tritt der Antagonismus beider Romanformen unter dem Aspekt des sozialen Kontextes hervor. Die Orientierung an einer bestimmten Auswahl des Faktischen im spanischen Picaro, französischen roman comique und seinen deutschen Mischformen erhält von daher ihre gesellschaftskritische Brisanz. Indem der Wirklichkeitsausschnitt gegenüber dem hohen Roman ein anderer ist und jene sozialen Gegebenheiten beschrieben werden, die sonst keine Darstellung im Roman finden, vermag der niedere Roman unter Verwendung seiner satirischen »Perspektive von unten« die Aufmerksamkeit gerade auf diese Bereiche zu lenken. Darin ist der nicht- oder antiheroische Roman zumindest partiell der Geschichte verwandter, als er größeren Wert auf die Demonstration und Abfolge der Fakten als auf eine »innere Kontinuität der Geschehnisse« legt. [64] Der Kunstcharakter des pikaresken und komischen Romans, den gerade neuere Arbeiten zu Recht hervorgehoben haben, darf dabei allerdings nicht übersehen werden. Hier zeigt sich eine der Antinomien von romantheoretischem Selbstrechtfertigungspostulat (»wahrhafftige Historie«), das auch ironisch gewendet werden kann, und romanpraktischer Kunstwirklichkeit.

So wenig man einen dogmatischen Wahrheitsbegriff (göttliche Providenz in der Geschichte, desillusionierende Offenbarung des »Widerspruchs zwischen Schein und Sein«) für einen empirischen nehmen darf [65], so wenig läßt sich nun auch übersehen, daß im niederen Roman gerade durch die extreme Betonung oder einseitige Auswahl einer dem höfisch-historischen Roman entgegengesetzten sozialen Sphäre »Wahrheit« nicht nur im Sinne eines heilsgeschichtlichen Dogmas evoziert wird. Die literarische Darstellung dogmatisch-heilsgeschichtlicher und historisch-sozialer Wirklichkeit schließen sich nicht aus; beide Faktoren charakterisieren vielmehr in einer besonderen Weise die zuvor erläuterte prinzipielle Zusammengehörigkeit von Romansatire und Normenbewußtsein. Über die Grade eines empirischen »Realismus« lassen sich aufgrund der Romanvorreden und theoretischen Äußerungen kaum Aussagen machen, dazu bedarf es genauer Analysen der Romane selber; nur sie können erweisen, inwieweit der pikareske und komisch-satirische Roman ein Spektrum sozialer Wirklichkeit liefert, das von karikaturistisch-grotesker Verzerrung bis zur »Geschichtsschreibung mit literarischen Mitteln« reicht. [66] So wie sich der Blickwinkel gegenüber dem Empirischen wandelt, bleibt auch die Wahrheit der Norm nicht unveränderbar; mögliche Wandlungen des Normenbewußtseins und Veränderungen »der empirischen Perspektive« wären jeweils für den einzelnen Roman in Beziehung zu setzen. [67]

3. Satirische Wirklichkeitsbeschreibung als erzählerisches Darstellungsproblem

Die Ursachen für die nur spärlichen Äußerungen, die Vorreden des niederen Romans zu Problemen der literarischen Darstellung aufweisen, liegen einerseits darin, daß es ihren Verfassern, ähnlich wie im roman héroique, mehr um rechtfertigende Begründungen des Schreibens überhaupt als um detaillierte Darlegungen der Schreibtechniken geht, andererseits dürfte die auffallende Zurückhaltung des niederen Romans, Fragen des Erzählens ausführlicher zu kommentieren, ihre zusätzliche Ursache darin finden, daß er sich im Unterschied zum hohen Roman bewußt gegen eine strukturierende Fiktionalisierung des Erzählstoffes wendet. Da der Verfasser des pikaresken Romans eher als »Historiker« und Satiriker denn als »Dichter« angesehen werden möchte, ist das Herunterspielen poetologischer Fiktions- und Erzählprobleme nur die folgerichtige Konsequenz seiner antifiktionalen Polemik.

Gegen das ästhetische und geschichtsphilosophisch begründete Erzählprinzip von vollkommener Verwirrung und endlicher innergeschichtlicher Auflösung, gegen die teleologische Tendenz zur Apotheose im hohen Roman setzt der satirisch-pikareske das Prinzip einer angeblich authentischen »Geschichtsbeschreibung«. Die »wahrhafftige Historie« dient ihm als postuliertes Leitbild für eine Schreibart, die sich (theoretisch!) gegen die Ästhetisierung des »Tatsächlichen« wendet. Das »Tatsächliche« aber liefert das Bild einer »verwirrten ungestalten Welt«, so daß der Beschreiber, will er dieser Wirklichkeit gerecht werden, auch nur »ein verwirretes ungestaltes Muster« davon geben kann. [68] Diese listige Rückbeziehung der Darstellungsweise auf eine bestimmte Weltinterpretation bei Fischart kann als Ausgangspunkt jener Problematik angesehen werden, die sich ergibt, wenn man romantheoretisch die Notwendigkeit einer angeblich »historischen« Schreibart begründen will. Da die geschichtliche Wirklichkeit dem Betrachter ein verwirrendes Bild der Unordnung liefere, solle dieses Bild auch zum Muster des Romans dienen. Damit können zwar einige allgemeine Regeln der pikaresken Erzählweise motiviert werden (das Nacheinander sich in rascher Folge abspielender Episoden, die Offenheit eines nicht mehr nur auf *eine* Lösungsmöglichkeit festgelegten Abschlusses und eine dadurch mögliche Fortsetzbarkeit), die Schwierigkeiten einer theoretischen Begründung satirisch-pikaresker Strukturformen bleiben jedoch bestehen. Es ist auch sehr bezeichnend, daß der Gedanke eines *ungestalten Musters* der heut verwirrten ungestalten Welt« etwa im *Satyrischen Pilgram* von Grimmelshausen *satirisch* aufgenommen wird, wenn er seine Schreibart von einem imaginären Kritiker »durchhecheln« läßt:

Zwar vermercket man in seinem Stylo wohl / was Er weiß und vermag; In deme er nicht recht orthographicè schreiben kan; So ist auch kein Ordnung: viel weniger eine Lieblichkeit in seinem gantzen Buch zu finden; In Summa es mangelt überall ahn Saltz und Schmaltz / nichts ist verhanden als ein wercklichs Mischmasch / von lauter Fähl und Mängeln zusammen gestickelt [69],

und an anderer Stelle wird das literarische »Corpus« als »ein schrecklichs Monstrum« bezeichnet. Die satirische Selbstrezension dieser Vorrede, aus der die Sätze stammen, dokumentiert (in ironischer Weise) die Schwierigkeiten, Romansatire als angeblich »historische« Schreibart zu begründen: Die kompositorische »Unordnung« des Werks wird satirisch mit der Unordnung des Geschichtsverlaufs gerechtfertigt, und noch in der Satire der Werkstruktur als einem angeblichen »Mischmasch« spiegelt sich das theoretische Dilemma. Die »Gegenschrifft des Authors« zu dieser (1.) Vorrede des *Satyrischen Pilgram* geht denn auch auf diese Kompositions- und (fiktionalen) Strukturprobleme gar nicht ein; die Frage bleibt offen und bewußt ironisch in der Schwebe, ohne daß die Problematik in den Vorreden anderer pikaresker Romane theoretisch reflektiert oder gelöst würde.

Damit ist ein entscheidendes Moment im Verhältnis der literarischen Abbildung zum Abzubildenden sichtbar: »Von dem Augenblick an, wo im Roman die Wirklichkeit selbst wiedergegeben wird [70] und nicht mehr deren verschöntes Wunschbild, wird auch die Wirklichkeitserfassung zum Problem und damit zugleich Gegenstand des Werks«. [71]

Das durch die satirische Schreibart gestellte »Realismus«-Problem wirft Fragen einer Erzählweise auf, die der Wirklichkeit näher kommen soll, als die des hohen Romans; das Postulat einer angeblich historisch-tatsächlichen Wiedergabe von Wirklichkeit verlangt literarische Techniken ihrer authentischen Vergegenwärtigung. Nicht die vom erhöhten, gleichsam göttlichen Standpunkt gewonnene Perspektive der vollkommenen Überschau und ordnenden Erfindung aber verbürgt Authentizität, sondern jenes angeblich Selbst-Erlebte und Selbst-Erfahrene, das im nacherzählenden oder protokollarischen Ich-Bericht wiedergegeben wird. Die Ich-Form des pikaresken Erzählens rekurriert auf eine Authentizität des Wirklich-So-Gewesenen, für das, und sei es ironisch gebrochen, der Berichterstatter einsteht: »Guth und Böß zuschreiben wie ich Sie (in Büchern befunden und) selbsten gesehen und erfahren habe« (*Satyrischer Pilgram*, An den Leser). [72] Die autobiographische Form des Ich-Erzählens entspringt dem Wunsch einer authentischen Wahrheitsvergewisserung, die das erzählende Subjekt garantieren soll. Der mögliche Rückverweis auf die Tradition der *Confessiones* und die entsprechend motivierte Deutung der »Perspektive von unten« als einer »Travestie der christlichen Lebensbeichte« [73] haben deshalb ihre Berechtigung, weil die Form und der Wahrheitsanspruch des autobiographischen Bekenntnisses erst die Bedingung der Möglichkeit für eine literarische Erzählweise des scheinbar wahrhaftigen imaginativen Lebensberichts liefern. [74] Im Unterschied zu Erzählformen des 18. Jhs., in der die Darstellung eines einzelnen Lebenslaufs als »Form der Individualität« sich auf eben diese Tradition der christlich vermittelten Autobiographie gründet (vgl. die Rolle der Erbauungsliteratur in England) [75], bedient sich die novela picaresca der bekenntnishaften Erzähltechnik noch nicht, um die Entfaltung einer individuellen Lebensgeschichte aufzuzeichnen, sondern um der gebrechlichen Welt satirisch den Spiegel vorzuhalten. Im Bekenntnis der eigenen Sünden entlarvt sich die Schlechtigkeit von Geschichte und Gesellschaft; die Erzählform der Authentizität hat instrumentalen Charakter im Dienst einer Desillusionierung.

Probleme der Erzählperspektive treten unabhängig von verschiedenen Funktionen des authentischen Erzählens auf, und so spielt schon im pikaresken Roman die Beziehung des erlebenden Ich zum berichtenden eine erhebliche Rolle. Wenn es in der Vorrede zur deutschen Übersetzung des *Lazarillo de Tormes* (1614) heißt:

[...] ich wolte [...] das gantze wesen nach der länge beschreiben und erzehlen, so hab ich für gut angesehen, nicht in der mitten sondern gantz von anfang anzuheben, damit man mich rechtschaffen hierauß kennen lerne [76],

wird nicht nur der bewußt formulierte Gegenentwurf zur Medias-in-res-Technik im Betonen des Ab-ovo-Erzählens sichtbar, sondern zugleich der Standort des Berichters fixiert, der sich in der Schreibgegenwart befindet und von da aus auf das in der Vergangenheit spielende Erleben des Ich erinnernd zurückblickt. Im Ansatz zeichnen sich hier die Möglichkeiten des Perspektivenspiels zwischen einem erzählenden und erlebenden Ich ab, das im 18. Jh., etwa bei Marivaux, zum ersten Mal konstitutiv für die Ich-Form des Romans wird. Wichtig bleibt festzuhalten, daß sich prinzipiell mit dem Willen und Anspruch zum wahrheitsgemäßen, an der Realität orientierten, scheinbar authentischen Erzählen der Picaro-Form Möglichkeiten des erzählerischen Perspektivismus eröffnen, die der spätere Roman in virtuoser Weise nutzen wird.

Die Geburt des Erzählproblems aus dem Willen zur Authentizität dokumentiert aber nicht nur die Ich-Erzählung des Picaro. Es ist auffallend, daß in der Spielart des satirischen Romans, in der am heftigsten theoretisch/polemisch gegen den »lügenhaften« hohen Roman opponiert wird, im roman comique, sich ebenfalls Ansätze zu einer Entfaltung des Erzählproblems zeigen, obwohl der roman comique als Anti-Roman [77] die Er-Erzählung des roman héroique beibehält. Der Wahrheitsanspruch des Berichteten scheint auch hier sein Pendant in den ersten Versuchen einer Problematisierung des Erzählens zu finden. Ablesbar ist diese Tendenz zunächst an den Erzählerargumentationen, die in die Romane selber eingefügt sind und die kommentierend den Ablauf des Geschehens unterbrechen; solche theoretisierenden Passagen etwa bei Sorel und in stärkerem Ausmaß später bei Scarron und Furetière bedeuten für den Autor — auch Grimmelshausen und Beer — Möglichkeiten der ästhetischen Selbstverständigung vor allem im Blick auf Fragen der angemessenen Wiedergabe von Wirklichkeit. Darüberhinaus bedingt der Erzählvorgang des Anti-Romans selber eine Rolle des Erzählers, die sich nicht mehr auf die »absolute« Funktion einer scheinbar objektiven Schilderung des hohen Romans berufen kann und will. Der Anspruch, »historisch wahrhaftig« zu berichten, impliziert eine bestimmte Perspektive der Auswahl und Form der Darbietung, für die sich ein (im Ansatz individueller) Erzähler verbürgt. Die angebliche »Wahrhaftigkeit« des Erzählten ist deshalb unmittelbar mit einem bestimmten Selbst-Bewußtsein des Erzählers verknüpft; der vor allem von Booth interpretatorisch hervorgehobene »self-conscious narrator« [78] empfängt seine Legitimation unter dem Selbst-Gebot einer Wahrheitsforderung der satirischen Demaskierung. Es ist also nicht nur die »burleske Verformung der Realität«, die den »Spielraum für die Subjektivität des Erzählers« [79] liefert, sondern der selbst gesetzte Anspruch auf einen wahrheitsgemäßeren Bericht. Die »Geburt des Erzählers« erfolgt deshalb auch nicht nur aus »dem Geist der Burleske« [80], sondern aus der Notwendigkeit des Willens zur Desillusionierung als Ausdruck einer

Tendenz zur Authentizität. Für die »Wahrheit« steht hier statt des Ich-Erzählers
ein Er-Erzähler ein, aber *daß* sich ein Erzähler dafür verbürgt, macht den fundamentalen Unterschied zum roman héroique aus, dessen Erzähltechniken der Anti-
Roman dabei ohne Bedenken variierend oder imitierend spielerisch übernimmt.

Auf die beispielhafte und theoriebildende Rolle des *Don Quijote* in diesem Zusammenhang kann hier nur hingewiesen werden. [81] Es ist ohne Zweifel die
cervantinische Erzählweise (des vollkommen ironischen Erzählers und eines absolut
»naiven«, nicht-ironischen Helden), die die Funktion des »self-conscious narrator«
zum ersten Mal vollkommen zur Entfaltung bringt, und die Kunst der romans
comiques ist ohne das Beispiel des *Don Quijote* kaum denkbar. Bezeichnenderweise
ist diese Tradition in Deutschland im 17. und in der ersten Hälfte des 18. Jhs. (vor
Wielands *Don Sylvio*) nicht von jener Bedeutung wie in Frankreich und in England. [81 a] Grimmelshausens nur partielle romantheoretische Orientierung an
Sorel bei gleichzeitiger praktischer Beibehaltung des Ich-Erzählers nach dem Muster
der spanischen novela picaresca, deren Bedeutung für den *Simplicissimus* im Vordergrund steht, mag dafür als symptomatisch angesehen werden. Wandlungen ergeben sich hier erst gegen Ende des Jhs., als Spielformen des Er-Erzählens bei
Weise und Beer aufgenommen werden; die eigentliche Cervantes-Rezeption erfolgt
aber erst ein halbes Jahrhundert später, als die englischen Romane dafür endgültig
den Weg geebnet haben.

4. Die Schutzfunktion der Vorrede; strukturhomologische Probleme

Den bedingt präzisierbaren »Zuschreibungsmöglichkeiten« zwischen Romanstruktur und Tendenzen einer sozialen Gruppe oder deren funktionsverwandtem
Verhalten auf Grund theoretischer Äußerungen im hohen Roman entsprechen nur
sehr geringe Möglichkeiten solcher »Zurechnungen« im niederen Roman. [82]
Während Vorreden des roman héroique auf Konfigurationen zwischen seiner
Werkstruktur und dem soziologisch abgrenzbaren Adressaten einer höfisch-aristokratischen Leserschicht verweisen, erheben Vorreden des pikaresken Romans bis in
die 70iger und 80iger Jahre des 17. Jhs. den pauschalen Anspruch, »die Historie«
für »*allen vnd jeden* Stands Personen zur nachrichtung vnd gutem« zu schreiben. [83] Da, so lautet die Selbstinterpretation, »allerley Zustand / wie es in
unterschiedlichen Ständen / deß Menschlichen Lebens / pfleget zuzugehen / vor
Augen gestellet« wird [84], wendet sich der pikareske Roman an ein bewußt
nicht weiter differenziertes Publikum »aller Stände«, ohne direkte Hinweise für
eventuelle genauere Zuordnungsmöglichkeiten zu geben.

Daß sich gerade in solchen Aussagen der Vorreden ein vortreffliches Mittel bietet,
gezielte satirische Gesellschaftskritik des Romans etwa am Adel, Klerus oder reich
gewordenem Bürgertum zu tarnen, bzw. theoretisch zu rechtfertigen, ist ohne Zweifel. Indem der Vorredner programmatisch verkündet, *allen* nach Maßgabe des Guten zu dienen, kann er *einzelnen* gesellschaftlichen Gruppen und Erscheinungen mit
um so mehr Recht den Spiegel vorhalten. Die jedermann einleuchtende »gute« Ab-

sicht »legitimiert« die konkrete Kritik; nirgendwo wird die ironisch wahrgenommene Schutzfunktion der Vorrede deutlicher als hier.

Der große Erfolg, den Bücher wie Sorels *Francion* und Grimmelshausens *Simplicissimus* erzielten, läßt andererseits darauf schließen, daß ein mehr als des bloßen Lesens kundiges Publikum mit bestimmten Bildungsvoraussetzungen die Lektüre des niederen Romans als sehr willkommene Abwechslung goutiert hat. [85] Vorreden und theoretische Äußerungen im niederen Roman können allerdings auf Grund ihres angedeuteten gattungsspezifischen Schutzfunktionscharakters kaum Hinweise zur Rezeptionsweise, bzw. zum Lesepublikum liefern, hier kann nur die Analyse der Romane selber genauere Perspektiven vermitteln. [86]

Auf zwei Fragestellungen mag hier hingewiesen werden: einmal auf die einer »Umkehrungsfunktion« satirisch-pikaresker Romane gegenüber dem roman héroique und zum andern auf eine »Verbürgerlichungstendenz« der Picaro- und roman comique-Formen, die in Frankreich schon in der ersten Hälfte, in Deutschland jedoch erst seit den 70iger Jahren des 17. Jhs. zu beobachten ist. [87] Beide Fragenkomplexe wären unter dem Gesichtspunkt gesellschaftlich relevanter Faktoren romantheoretisch problematisierbar. So könnte im ersten Problemkreis die Dialektik der »gesellschaftlichen Inhalte« (einerseits Vorherrschen eines Adelsmilieus — andererseits des nichtbürgerlichen, Bauern-, Soldaten-, Bedienstetenmilieus) und die ihrer ästhetischen Formen (überhöhende Stilisierung eines »repräsentativen« Ideals — extreme Steigerung bestimmter Bereiche der sozialen Wirklichkeit) auf eine strukturelle Verwandtschaft mit zeitadäquatem Denken befragt werden, das in dieser wechselseitig aufeinander bezogenen Gegensätzlichkeit eine Bestätigung normativ gültiger ständischer Gesetze sieht. Idealisierende Adelsverherrlichung im hohen und satirische Adelskritik im niederen Roman beispielsweise zielen trotz ihrer gegensätzlichen Artikulation auf eine gesellschaftliche Ordnung, die dem Adel, wenn er seine Rolle »adelig« spielt, eine konstitutive Funktion zuweist. Die Hierarchie wird auch in der »verkehrten Welt« noch bestätigt.

Die extreme Spannung zwischen der Heroisierungstendenz eines hohen Romans und der Tendenz zur satirischen Desillusionierung in den Picaroformen wird abgemildert in dem Augenblick, und das ist von R. Alewyn angedeutet und von A. Hirsch im einzelnen dargestellt worden, als sich ein Ausgleich »stofflich auf dem Boden des Bürgertums« anbahnt. [88] Welche romantheoretischen Konsequenzen sich auch aus den damit korrespondierenden strukturellen Veränderungen der niederen Romanform ergeben (z. B. veränderte Funktion der Episodentechnik oder der Hauptfiguren, die nicht mehr aktiv oder passiv das Geschehen bestimmen oder erleiden, vielmehr beobachtend reflektieren [89]; »Reise zur Weltorientierung« [90] statt als Heilsweg), bedürfte weiterer Untersuchungen.

Dem Willen zur satirisch desillusionierenden Authentizität, darauf mag abschließend hingewiesen werden, korrespondiert der Rekurs auf die »eigene« Erfahrung und das »eigene« Erleben. [91] Indem die Vorreden des niederen Romans diesen, dem hohen Roman fremden Gedanken artikulieren, verweisen sie nicht nur auf die Entstehung des Erzählproblems aus dem Anspruch zur Authentizität und auf die beginnende Emanzipation eines selbstherrlichen Erzählers, für dessen »Wahrheit« der Erzähler sich dann auch verbürgt, sondern zugleich ist damit ein Selbstbewußtsein des Erzählers möglich, der sein subjektives Vergnügen am Schreiben eingesteht und artikuliert:

[...] daß ich meine Lust am schreiben gehabt / daß ich Sachen geschrieben / so mich angehen / [...] [92].
Im übrigen gehet dich nichts an / auß was ursach ich schreibe / dann ich dir kein Rechenschafft darumb zu geben schuldig bin. [93]

III. Modifikationen des Schäferromans und ihre theoretischen Begründungen

Spannungen im Begriff eines »höfisch-historischen« (heroischen) oder »satirisch-pikaresken« (niederen) Romans — die eine romantheoretische Beschreibung und Systematisierung im Sinne bestimmter Idealtypen charakterisieren — kennzeichnen in auffallender Weise auch den Schäferroman des 17. Jahrhunderts. Eine poetologische Typisierung ist nur sehr bedingt möglich, auch wenn das gemeinsame und verbindende Charakteristikum der »Schäfferey« dem zu widersprechen scheint. Aber selbst diese Bestimmung offenbart verschiedene Deutungs- und Ausformungsmöglichkeiten des Arkadischen; in den Vorreden spiegelt sich latent eine theoretische Vieldeutigkeit, die in den Spielarten der Romanpraxis sichtbar ist.

Diesen Sachverhalt demonstrieren schon die Titel der einzelnen Schäferromane. Sie sind charakterisiert durch den grundsätzlichen Hinweis auf eine Schäferdichtung (»Schäfferey«) [1], die Ankündigung einer Liebesgeschichte (»Liebes-Beschreibung«) [2] und vielfach durch die Namensnennung der Liebespartner oder eines Partners (Astrée, Diana, Rosemund, Macarie; Amoena und Amandus, Damon und Lisille, Leoriander und Perelina). [3] Der Begriff der »Schäfferey« verweist auf die Zugehörigkeit zur Tradition der arkadischen Literatur, die seit Theokrit und Vergil und der Wiederaufnahme und -belebung in der Renaissance (Sannazaro, Tasso) eine je verschiedene Rolle innerhalb der einzelnen literarischen Gattungen spielt. [4] Möglichkeiten unterschiedlicher Funktionen des Arkadischen zeigen in besonderem Maße die Schäferromane des 17. Jhs., die der »Schäfferey« eine jeweils unterschiedliche Rolle zuweisen. Parallel dazu ist die in Vorreden und Titeln betonte Charakterisierung des Schäferromans als »Liebes-Beschreibung« zu klären; auch hier wird die besondere Spannung sichtbar: »Liebe« ist zwar das Thema des Schäfer- (und höfisch-heroischen) Romans, doch welche Modifikationen sind innerhalb dieses Begriffs aufgrund der Vorreden zu unterscheiden? Was bedeutet der Hinweis auf eine »historische« (Liebes)»Beschreibung«? [5]

Von daher ergeben sich drei Gesichtspunkte, unter denen die Aussagen der Vorreden zum Schäferroman romantheoretisch befragt werden können: die Beziehung von »arcadischem *Gedicht*« und »historischer Beschreibung« [6], der Aspekt verschiedener Ausdeutungen einer *Liebes*-Geschichte und der einer unterschiedlichen Funktion des Arkadischen als »Schäfferey«. Zu diesen drei Fragebereichen nehmen die Vorreden auf verschiedene Weise Stellung; einig sind sie sich wie im höfisch-historischen und satirisch-pikaresken Roman über den zugleich »anmuthigen« und nützlichen Endzweck der Romane, wobei der Gedanke des »utile«, entsprechend den beiden anderen Idealtypen des Romans, auch im Schäferroman besonders hervorgehoben wird. [7]

1. »Arcadisches Gedicht« und »Geschichts-Beschreibung«

Die unterschiedliche, selbstinterpretatorische Kennzeichnung des Romans einerseits als »Gedichte« (unter der Bedingung des Wahrscheinlichen) — in Vorreden des hohen Romans — und andererseits als »historische Beschreibung« (mit dem gattungsbedingten Anspruch auf »Wahrhaftigkeit«) — in Vorreden und Texten des niederen Romans — scheint eine bemerkenswerte Parallele in theoretischen Äußerungen zu zwei verschiedenen Ausprägungen des Schäferromans zu finden. [8]

Der dem höfisch-historischen Roman verwandte oder mit ihm unmittelbar verknüpfte höfisch-aristokratische, heroische Schäferroman eines d'Urfé, Sidney oder Monte-Major orientiert sich auch theoretisch an Maßstäben, die der »roman héroique« in der Nachfolge und Ausformung Heliodors gesetzt hat. G. Ph. Harsdörffer, der in der Vorrede zur *Eromena*-Übersetzung die Kriterien dieser hohen Romangattung angibt, formuliert dem entsprechend auch die des »hohen« Schäferromans, wenn er in der Vorrede zu Monte-Majors *Diana* die Vorzüge der Fiktion (der »Gedichte«) vor der »waaren Geschichte« herausstellt:

Die Gedichte sind viel dienlicher / eine Sache auszubilden als die waaren Geschichte / welche keine andere als ihre Umbstände leiden wollen: Solte aber deswegen aus einem Trauer- oder Freudenspiele nichts zu erlernen seyn / weil keine rechte Könige und Fürsten auf den Schauplatz tretten? das folget nicht. [9]

Motiviert wird der Vorzug der Fiktion vor der wahren Geschichte mit dem größeren Grad von Genauigkeit »eine Sache auszubilden«; d. h. bestimmte Gesetzmäßigkeiten, »Wahrheiten«, können gerade deshalb mit Hilfe der Fiktion viel besser und eindringlicher (wirksamer) veranschaulicht werden, weil sie nicht an den tatsächlichen Ablauf der Historie gebunden sind. Der Gewinn zusätzlichen Vergnügens durch die poetische Ausgestaltung der Sprache korrespondiert daher auch hier unmittelbar mit dem moralischen Nutzen: Aus mangelnder historischer Tatsächlichkeit folgt keine Unmöglichkeit des exemplarischen Lernens. Zu diesem Doppelten von »delectare« und »prodesse« kommt noch ein drittes, wenn Harsdörffer hinzufügt:

Zu dem werden unter dem Vorhang der Gedichte auch in diesem Wercke warhaffte Geschichte / so sich mit Fürsten und Herren in Hispanien begeben / verborgen / und die Schönheiten der Tugenden / beneben den abscheulichen Lastern / mit lebendigen Farben ausgemahlet. (S.)( )(jᵛf.).

Der didaktischen Tendenz im Kontrastieren von Tugenden und Untugenden entspricht also ein (im Zusammenhang mit dem höfisch-historischen Roman beschriebenes) Spielmoment von Maskierung und Demaskierung politisch-historischer Fakten und Figuren, das einer eingeweihten Lesergesellschaft Zeitvertreib und Vergnügen bereitet; das exklusive Spiel von Verschlüsselung und Entschlüsselung gehört in noch dominierenderer Weise als im höfisch-historischen konstitutiv zum »heroischen« Schäferroman.

Die Rechtfertigung der Schäferromanfiktion geschieht bei Harsdörffer mit den gleichen Motiven wie bei der für den hohen Roman überhaupt. Ganz anders und der Harsdörfferschen Argumentation entgegengesetzt klingt dagegen die Rechtfertigung eines Schäferromans etwa bei Heinrich Arnold Stockfleth:

Es hat mir aber / zu solchem meinen Vornehmen / nicht wenig gedienet / diese gegenwärtige Geschichts-Beschreibung / die ich auf mein Vorhaben geschickt befunden / auch um desto lieber angenommen / weil mir wissend / wie die Gemüther dieser Zeit bewandt / daß sie gerne was neues lesen oder hören / sonderlich von solchen Sachen / die / mit selbster Erfahrung / bekräfftiget sind. Lebe demnach der gevesteten Hoffnung / es werde diese leßwürdige Geschicht / nicht bloß eine Historische Wissenschafft / sondern die Kunst- und Sitten-Lehr / dem fleissigen Leser entdecken. [10]

Abgesehen von der *bewußt gemachten* Beziehung zu einem bestimmten Erwartungshorizont der Leser (der ja auch bei Harsdörffer vorhanden ist, von dem aber gar nicht erst gesprochen zu werden braucht, weil Roman und Lesergesellschaft unmittelbarer aufeinander bezogen sind) und unabhängig von der am Schluß des Zitats artikulierten moralischen Intention, die auf eine Parallele zu Harsdörffer hinweist, unterscheidet sich Stockfleths Argumentation durch zwei zentrale Aspekte von der Harsdörffers: durch den Anspruch auf eine angeblich »Historische Wissenschaft« und den nachdrücklichen Hinweis auf die eigene »Erfahrung«. Beide Gesichtspunkte erinnern an entsprechende ähnliche Formulierungen in Vorreden und Texten zum pikaresken und komischen Roman, und doch sind diese Äußerungen aufgrund verschiedener Gattungszugehörigkeit (Schäferroman — niederer Roman) nur sehr bedingt vergleichbar. Es erweist sich sehr schnell die Gattungsbedingtheit theoretischer Texte und jene interpretatorische Schwierigkeit, die darin besteht, daß gleichlautenden Forderungen in unterschiedlichen kontextuellen Zusammenhängen divergierende Antriebe und Absichten zugrunde liegen.

»Geschichts-Beschreibung« und der damit verbundene, selbstrechtfertigende Anspruch auf »Wahrhaftigkeit« zielen im niederen Roman auf den Versuch, in der literarischen Eroberung einer sonst ausgeklammerten sozialen Sphäre sich diesem Ausschnitt der Wirklichkeit im Berichten von Tatsächlichem anzunähern, diese Methode des Schreibens aber in den Dienst einer satirischen Entlarvung zu stellen. Im Schäferroman eines nicht-höfischen Typs, dem Stockfleths *Macarie* zugehört [11], zielt der Hinweis auf die »geschichtliche Wahrheit« vornehmlich auf die »Historische Beschreibung etlicher vor kurtzer Zeit sich begebenden Liebes Zufälle(n)«. [12] Der Wahrheitsgehalt bezieht sich nicht auf Heilsgeschichtliches oder auf die Dekouvrierung bestimmten sozialen oder politischen Zeitgeschehens, sondern auf die Schilderung von Privatbegebenheiten in Liebesdingen. Der Gedanke der Selbsterfahrung, wie ihn Stockfleth hervorhebt, ist deshalb auch romantheoretisch wesentlich wichtiger als der einer »Historischen Beschreibung«, der auch im höfisch-aristokratischen Schäferroman auftauchen kann [13] oder spielerisch modifiziert wird, indem zwar ausdrücklich alle »Fehler« der Romanfiktion nicht »einem Erfindungs-Fehl sondern de[m] Geschichts-Fall« zugeschrieben werden, andererseits aber eine Poetisierung der »Historischen Wahrheit« mit der Notwendigkeit einer künstlerischen »Färbung« entschuldigt zu werden vermag. [14]

Zentral bleibt der Rekurs auf die persönliche Erfahrung, nun allerdings nicht im Zusammenhang einer politisch-sozialen Spiegelung anhand einer einzelnen Figur

wie im Picarogenre oder im roman comique, sondern im Kontext vielfach auto-
biographisch nachweisbarer Liebesbegebenheiten [15] als »privatwerck«, damit
sich bewußt vom »öffentlichen«, höfisch-aristokratischen Schäferroman unterscheidend:

Weil aber solches / als ein kleines Privat-werck / etlicher wenig darinnen interessirten Personen wegen in der Eyl vnd kürtze [...] verfertigt zu seyn angegeben worden [...];
wie es an jhm selbst kein public, sondern privat-werck ist vnd bleibt. [16]

Der Begriff des Privaten umfaßt zwei Bedeutungen: Er weist einmal auf den Gegensatz zum Öffentlichen hin in dem Sinne, daß es sich um dargestellte Gesche-
nisse handelt, die ursprünglich nur für einen kleinen begrenzten Freundes- und Leserkreis bestimmt sind, und zum andern auf die Tatsache des Selbst-Erfahrenen
als Vehikel eines Wahrheitsanspruchs des Authentischen. Hier zeigt sich — unter
verschiedenem Aspekt — eine Parallele zum Authentizitätsanspruch des Erzählers
im niederen Roman, der sich auch auf »eigene Erfahrung« beruft, ohne jedoch die
private »historische Beschreibung zweyer Liebhabenden« [17] im Auge zu haben;
der Wille zur Authentizität impliziert unterschiedliche Zwecksetzungen.

Der Schäferroman als »privatwerck« kann außerdem nur bedingt verglichen
werden mit jener »Privatheit«, die das entscheidende soziologische Charakteristikum des bürgerlichen Romans im 18. Jh. darstellt, weil jener an eine Gesellschaftsschicht des Landadels gebunden bleibt, die sich als Zwischenschicht sowohl vom
höfischen Adel als auch von einem sich erst langsam entwickelnden mittleren Bürgertum abgrenzt. Im Rückzug ins Private beim Landadel [18], bzw. bei einer
»großbürgerlich-kleinadlige[n] Schicht« [19] zeigt sich jedoch eine Parallele zur
späteren »bürgerlichen Privatheit«, insofern beide Reaktionen aus einer gesellschaftlichen Mittelstellung erfolgen, die sich sowohl gegen eine ständisch-hierarchisch höher stehende Gruppe richtet (dem repräsentativen Hofadel) als sich zugleich von einer hierarchisch niedriger eingestuften Gesellschaftsschicht ab-
setzt. [20]

2. Liebe als repräsentative Tugend und Liebe als privates Problem

Betrachtet man die selbsttheoretisch artikulierte Intention jener Gruppe von
nichthöfischen Schäferromanen, die H. Meyer und A. Hirsch der »Individualdichtung« zuordnen [21], wird der fundamentale Abstand sichtbar, der sich gegenüber den höfisch-aristokratisch orientierten Schäferromanen ergibt. Die gemeinsame Bezeichnung »Liebes-Beschreibung« täuscht über ihre grundsätzliche Verschiedenheit hinweg, die nur vollends offenbar wird bei einer Analyse der »Liebeshandlung« in den Romanen selbst. Die Vorreden und theoretischen Äußerungen
deuten diese Unterschiede eher an, als daß sie sie im einzelnen und genauer formulieren. [21 a] Auffallend und erhellend jedoch ist der Kontext, in dem jeweils die
Art und Weise der Liebesgeschichte annonciert und dadurch definiert wird:

Nun ist [...] in diesem Werck nichts gemeines oder nidriges / sonder[n] alles sehr hoch
vnd prächtig / ja mit einem Wort / Fürstlich / wir sehen gleich an das Argument oder

Materia selbst / darinn von reiner / tugendthaffter vnd beständiger Liebe zwischen sehr Edlen Persohnen / (wiewol vnter verdeckten Nahmen der Schäffer) bey denen alles Ruhmwürdig vnd Löblich zugehet / gehandelt wird / [...] (M. Merian, Vorrede zur *Arcadia*-Übers.). [22]

Damit wird die »Liebesgeschichte« im Roman einer bestimmten sozialen Sphäre zugeordnet, und deren höfisch-aristokratische Wertvorstellungen dienen auch den Geschehnissen im Bereich der fiktiven Liebesabläufe zur verbindlichen Norm. »Der Poet handelt von der Liebe als von einer Tugend« heißt es zutreffend in Harsdörffers *Diana*-Vorrede [22 a], d. h. Liebe ist definiert durch ein normatives System festumrissener Maßstäbe des Verhaltens. Diese Maßstäbe gelten in gleicher Weise für die Figuren des höfisch-historischen wie des »hohen« Schäferromans; die Liebesthematik ist der zentrale Punkt, in dem spiegelgleich Tugenden und Laster exemplarisch vorgeführt werden können. Im Spannungsverhältnis von Standhaftigkeit, Treue und Affekt, Verführbarkeit und Lasterhaftigkeit werden deshalb nicht nur eine Beziehung und die verwickelten Abenteuer zweier Liebespartner vorgeführt, sondern damit zugleich jene verbindlichen Wertmaßstäbe demonstriert und »anmutig« bestätigt, die dem hohen Roman überhaupt zugrunde liegen. [23] Dazu gehört als konstitutives Gesetz die endliche Entwirrung allen labyrinthischen Geschehens am Schluß des Romans, die harmonisierende Schlußapotheose, die in den Hochzeiten der Liebespaare ihren Ausdruck findet.

Im Gegensatz dazu fehlen in den Vorreden des nicht-höfischen Schäferromans Hinweise auf Zuordnungsmöglichkeiten der angekündigten »Liebes-Beschreibung«, abgesehen von der Tendenz, ihre Wahrhaftigkeit und »historische« Eigenart zu unterstreichen. Daß es sich dabei um Hervorhebungen ihrer Nähe zum Autobiographischen und eine Versicherung des Authentischen handelt, wurde bereits betont; und nur darin liegt auch ein Hinweis auf die Art der Liebes-Begebenheiten wie sie in den nicht-heroischen Schäferromanen geschildert sind. Das Nichtvorhandensein einer normativen Fixierung im Sinne eines höfischen Tugendsystems bedeutet Offenheit gegenüber psychologischen Problemen von Liebesbeziehungen, die ihren Abschluß nicht im alles aufhebenden und versöhnenden Romanende finden. Die Vorreden sparen konkrete Hinweise auf den Ablauf der »Liebes-Beschreibungen« aus [23 a]; in der Ankündigung einer »neuen Lehr- und Schreibart« (Stockfleth) verbirgt sich der Hinweis auf die in den Romanen einer *Jüngst-erbaweten Schäfferey* (1632), *Verwüstete[n] vnd verödete[n] Schäferey* (1642) [Titel!] oder auch in Zesens *Adriatische[r] Rosemund* (1645) unmögliche teleologische Harmonie; statt dessen ist Trennung das dominierende Merkmal. Der Antagonismus zum hohen Roman könnte künstlerisch nicht schärfer ausgebildet sein.

3. Arcadia oder Utopia

Allen Schäferromanen gemeinsam ist ihre Zugehörigkeit zur Tradition des Arkadischen, in den Schäfereien höfisch-heroischer wie nichthöfisch-privater Spielart. Der Roman bietet Möglichkeiten der Projektion utopischer Wunschräume, in der

sich Sehnsuchts- und Traumvorstellungen historisch-politischer Wirklichkeit ausdrücken. [24] Im Rückgriff auf den antiken Topos vom Goldenen Zeitalter und
den christlichen eines verlorenen Paradieses zeugen auch die Schäferromane von jener »zeitbedingten Phantasie«, die das menschliche Bewußtsein als Wunsch und
Hoffnung zu verschiedenen Zeiten artikuliert hat. [25] Der utopische »Tagtraum« aber schließt immer zugleich die Möglichkeit zur rückwärtsgewandten
Utopie einer zurückliegenden Ideallandschaft (locus amoenus) und eine der ins Zukünftige projizierenden und antizipierenden utopischen Vorwegnahme des »Noch-
nicht« ein. Handelt es sich im Schäferroman lediglich um literarische Ausdrucks-
formen der ersten Möglichkeit des »Nicht-mehr« oder auch um solche des »Noch-
nicht«? [26]

Die Vorreden der Schäferromane geben dazu insgesamt nur geringe Auskünfte,
für eine Beantwortung dieser Frage wären detaillierte Analysen einzelner Schäferromane unumgänglich. Einzig Harsdörffer hat in einer Roman-Vorrede (zur
Diana-Übersetzung) ausführlicher zur Theorie und Geschichte der Schäferdichtung
Stellung genommen und sowohl den Zusammenhang des Schäferromans mit der
arkadischen Tradition als auch die verschiedenen zeitbedingten Faktoren der utopischen Schäfereien hervorgehoben. Nachdem er die ständische Zuordnung der verschiedenen literarischen Gattungen vorweg postuliert hat (Trauerspiele und epische
Gedichte entsprechen dem »Könige- Fürsten- und Herren Ehrstand«; »Freuden-
spiele« dem »Bürgerliche[n] Haus- oder Mehrstand«; »Wald-Gedichte von dem
Feldleben / vom Ackerbau / von der Ruhe des Gemüts / von der Liebe / von der
Viehzucht / Schäfereyen / Fischereyen und was dergleichen mehr ist« dem »Bauer-
oder Nehrstand«) [27], betont Harsdörffer die Nähe des »Göttlichen« sowohl
zum Landleben als zur Poesie »nach Verlust [... der] Zufriedenheit / durch das
Städteleben«. Damit wird ein erster Hinweis auf das verlorene Paradies eines
Goldenen Zeitalters durch die geschichtliche Zivilisation gegeben, ein Gedanke, den
Harsdörffer für die Zuordnung der Schäferpoesie zum gegengeschichtlichen Bereich
einer »unschuldigen Natur« im einzelnen weiter ausführt:

Durch so beliebte Dicht-Art [Schäferdichtung] wird die guldene Zeit der ersten Welt
ausgebildet / in welcher die Menschen von der Vieh-Zucht / ohne Ehr- und Geldgeitz /
mit höchster Vergnügung ihr Leben hingebracht [...] Fürwar es ist des Menschen einge-
borner Eigenschafft viel gemässer / von dem ruhigen und unschuldigen Feldbau als dem
Landverderblichen Kriegswesen / oder den Städt- und Hoflastern seine Nahrung aberhal-
ten: Daher viel lieblicher erschallet ein ungezwungenes Feld-Liedlein / als ein prächtiges
Gedicht von grossen Helden-Thaten: viel freyer erklinget das schlürffende Dudeln der
Sackpfeiffen und der Schalmeyen / als die mordtönenden Trommel und Trompeten. [28]

Der Charakterisierung einer rückwärtsgewandten Utopie des Goldenen Zeitalters
entspricht die Kritik am Bestehenden; der Entwurf einer Ideallandschaft kennzeichnet ex negativo die Wirklichkeit dessen, wovon sich die Projektion abhebt.
Die Kritik zielt auf eine Verurteilung des »landverderblichen Kriegswesens« und
der »Städt- und Hoflaster« und damit im Gegenentwurf auf einen geschichtsfreien
friedlichen Wunschraum, in dem Erscheinungen und Gesetzmäßigkeiten der realen
politischen Wirklichkeit außer Kraft gesetzt sind zugunsten eines »hortus conclusus«

mit »natürlichen« Beschäftigungen, zu denen vor allem die ungehinderte Entfaltung von Liebesbeziehungen gehört. Bezeichnenderweise richtet sich Kritik nicht nur gegen die »Laster« des Hofes, sondern auch gegen die der »Städte«; die Geißelung von »Ehr- und Geldgeitz« impliziert sowohl Adels- als Bürgerkritik. Es zeigt sich darin der Totalitätsanspruch eines arkadischen Ideals, das der schlechten Zivilisation (und der Krieg gilt als ihre exemplarische Inkarnation) absagt. Dem korrespondieren die Entgegensetzungen im Bereich literarischer Formen; statt eines politisch-historischen Heldengedichts (als Verherrlichung heroischen Kampfes) entspricht der arkadischen Traumlandschaft die Lieblichkeit von »Schalmeyen und Sackpfeiffen«. Die Kontrastierung von »eisernem« und Goldenem Zeitalter, Geschichte und Natur, Krieg und Frieden, geschichtlich-unbeständiger, vergänglicher und geschichtsfreier, dauernder Zeit fordert eine Gegenüberstellung und »Reinheit« literarischer Gattungen heraus, die der Schäferroman in der Praxis niemals erreicht. Er partizipiert zwar am utopischen Ideal und schafft Inseln geschichtsloser Schäfereien; mit der gedanklich konzipierten Systematik und Konsequenz utopischer Staatsroman-Entwürfe (eines Plato oder Thomas Morus, Campanella oder Bacon) kann er jedoch nur sehr bedingt verglichen werden. Arkadien ist vielmehr eingelassen in eine geschichtlich vermittelte artifizielle Romanwelt, die sich aus Gründen des Utopischen bedient, die eher in einer Fluchtbewegung als in antizipierender Projektion zu finden sind.

Die in Harsdörffers Vorrede genannten Kriterien des Schäferromans scheinen diese Fluchtbewegung in einen Bereich des Quasi-Goldenen Zeitalters zu belegen, ohne daß damit schon Genaueres und Konkretes über einen bestimmten Typus des Schäferromans gesagt wäre. Am ehesten treffen Harsdörffers Hinweise noch auf jene höfisch-aristokratische Form des Schäferromans zu, zu deren einer Ausprägung, Monte-Majors *Diana,* die Vorrede verfaßt ist. Für eine Poetik dieses Romantyps und anderer Ausformungen des Schäferromans wären vor allem der Zusammenhang von arkadischem Ideal und historisch-politischer Praxis zu beachten. Inwieweit bedingt das entworfene Gegenbild eine jeweils unterschiedlich strukturierte gesellschaftliche Situation des Adels? Spielen »bürgerliche« Moralbegriffe und Wertvorstellungen eine Rolle, und ändert sich damit die Funktion eines arkadischen Wunschraums?

Darauf läßt sich präzise nur aufgrund von Analysen einzelner Romane antworten; die Vorreden liefern dazu nur Hinweise, die in groben Umrissen eine poetologische Dreier-Klassifikationsmöglichkeit des Schäferromans andeuten, wobei zu der ersten Gruppe jene aristokratisch-heroischen Romane d'Urfés, Sidneys und Monte-Majors gehören würden, die, so hat N. Elias im Hinblick auf die *Astrée* hervorgehoben, der »Sehnsucht« des Adels entspringen, einer zunehmenden »Verhofung« im Sinne des zentralistischen Absolutismus ein Gegenbild des verklärten Landlebens entgegenzustellen. Die Flucht aus der Gebundenheit komplizierter hierarchischer Zwänge des Hofes, die immense Anforderungen an das Vermögen zur politischen Selbstkontrolle und Beherrschung stellen, findet ihren literarischen Ausdruck in einer Schäferwelt, in der man sich eine von der politischen Realität ausgesparte literarische Spielwelt erschafft. [29] Die Rolle des

Adels konfiguriert dabei aber auch hier mit jener in der sozialen Welt; es ist die der Dominanz einer feudalen Gesellschaftsschicht, wobei sich die Schäferwelt jedoch als eine »Enklave des Rückzugs für politisch Besiegte oder vom politischen Handeln Abgeschnittene« erweist, da das Ideal einer noch nicht der zentralistisch-absolutistischen »Verhofung« unterliegenden Adelsgesellschaft der freien sorglosen Grundherren bereits nur noch verklärendes Erinnerungsbild einer stilisierten Vergangenheit darstellt. [30]

Für eine zweite Gruppe von Schäferromanen, auf deren Vorreden mehrfach hingewiesen wurde, und deren Ausformungen gerade in Deutschland zu beobachten sind, wäre vornehmlich die Rolle des mittleren und kleineren Landadels und die einer großbürgerlichen Schicht zu untersuchen, auf die A. Hirsch und H. Singer bereits nachdrücklich aufmerksam gemacht haben. [31] Inwieweit handelt es sich bei den von H. Meyer der »Individualdichtung« zugeordneten Romanen (*Jüngsterbawete Schäfferey, Verwüstete vnd verödete Schäferey, Damon und Lisille*) unter soziologischen Gesichtspunkten ebenfalls um den Ausdruck von Fluchtbewegungen in einen Bereich privater Entfaltungsmöglichkeit persönlicher Liebesbeziehungen? Die Schäferei stellt dabei eine literarisch-artistische Verkleidungsmöglichkeit dar für jene Themen, für die eine offene Darlegung noch unmöglich ist. [32] Wichtig ist, daß Schäferromane dieser Gruppe sich deutlich vom Kodex höfisch-normativen Verhaltens distanzieren. [33]

Davon könnte schließlich eine für den deutschen Schäferroman zu beobachtende dritte Tendenz unterschieden werden, auf die vor allem A. Hirsch an Hand der *Macarie* Stockfleths hingewiesen hat. Hier gilt der arkadische Wunschraum als der »einzige positiv bewertete« Lebensbereich: »Die Schäferwelt weist sich hier deutlich als eine moralische Provinz aus, als Geltungsbezirk der antihöfischen, dem Mittelstand entstammenden Tugendnormen.« [34] Indem der höfischen Sphäre in polemischer Absicht ein bürgerliches Tugend-Ideal entgegengestellt wird, ändert sich die Funktion der Schäferei: Arkadien erhält eine antizipatorische Rolle und damit jene (utopischen) Qualitäten, die der an einer glücklichen Vergangenheit oder privaten »Innerlichkeit« orientierte »Adels-Schäferroman« nicht entfalten kann. Bezeichnend und wegweisend (für das 18. Jh.) ist dabei die Funktion eines neuen Moralbegriffs als Instrument sowohl einer antihöfischen Adelskritik als der bürgerlichen Selbstverständigungsmöglichkeit. Die Geschichte des Wandels von der arkadischen (vergangenheitsbezogenen) Schäferei zur utopischen (Zukunft antizipierenden) bleibt noch zu schreiben.

IV. Romantheoretische Voraussetzungen und Ansätze in
deutschen Poetiken und Abhandlungen des
17. Jahrhunderts bis zu Huet

In der ersten Phase seiner Entstehung wird dem Roman kritische oder theoretische Würdigung in den zeitgenössischen Poetiken und literarischen Traktaten nur
selten und zögernd zuteil. Während die Romane selber, wenigstens bedingt, poetologische Hinweise in Vorreden und romanimmanenten Reflexionen liefern, zeigen
literaturtheoretische Zeugnisse, die unabhängig von der Romanpraxis entstehen —
und prinzipiell an der humanistischen Poetik-Tradition orientiert sind — vielfach
jene bezeichnende kritische Unsicherheit und literaturtheoretische Ratlosigkeit, die
in der Regel einer neu entstehenden literarischen Gattung begegnet. Das ist sowohl
bedingt durch die nichtvorhandene gattungspoetologische Legitimation in der klassisch-antiken Literaturtheorie als durch die literarische Form des Romans selbst.
Kriterien zur Beurteilung dieser »neuen« prosaischen Dichtart liefern höchstens
Beispiele der antiken Romanpraxis (vor allem Heliodors *Aethiopica*) [1], nicht
aber die traditionellen Gattungsmuster der überkommenen Theorie.

Darüber hinaus wird dem Roman aufgrund seiner ungebundenen Schreibart zu-
nächst ein Platz in der Rhetorik, nicht aber in der Poetik zugewiesen. [2] Vergegenwärtigt man sich dabei die Tatsache, daß »der Reim und die Behandlung des
Verses« als »einziges Kriterium« angesehen werden können, »durch das sich beide
Künste (Dichtung und Rhetorik) wesentlich unterscheiden« [3], werden die
Schwierigkeiten um so deutlicher, die dem Roman entgegenstehen, um sich als
poetische Disziplin theoretisch zu emanzipieren. Das Zurücktreten des alleinigen
Unterscheidungsmerkmals gebundene — nichtgebundene Rede (vornehmlich in der
zweiten Hälfte des 17. Jhs.) ist eine der Voraussetzungen für die poetologische
Rechtfertigungsmöglichkeit der neuen Schreibart:

Dichte-Kunst bestähet nicht blos in Reimen und Silbekünstlen / sondren in ganz Ungebundener Schrift auch wol / derer unterschidene vile Wärke heraus / und unter andren
die Nüzliche Romainen, [...] —
Andere [im Gegensatz zu denen, die diese Frage verneinen] haben kein bedencken / dergleichen Gedichte unter die Poetischen Sachen zu rechnen / weil der vornehmste Theil da-
voon / als die Erfindung und der Inhalt / Poetisch ist. [4]

Im Verzicht auf eine bloß metrisch-formale Beurteilung spiegelt sich das Hervortreten eines ästhetischen Arguments, das den Roman aufgrund der poetischen
Qualität seiner »Erfindung« und seines »Inhalts« zur Poesie rechnen möchte. Die
Beispiele, die in diesem Zusammenhang angeführt werden, etwa Romanübersetzungen der *Diana* und *Eromena* deuten auf eine Entwicklung der Prosa in der
Schreibpraxis hin, die von den Poetiken nicht mehr ignoriert oder mit dem Argument der nichtgebundenen Schreibart abgetan werden kann. [5] Gerade die Ro-

manciers und Romanübersetzer berufen sich auf den poetischen Gehalt und die »kunstzierlichen Erfindungen« ihrer Werke. Die postulierte Poetizität in der Romanpraxis erfordert deshalb neue Kriterien der Beurteilung auch in der Literaturtheorie.

Vorbereitet und wesentlich begründet werden diese neuen Maßstäbe verschiedener Ausdeutungen mit Hilfe des Fiktions- und Mimesisbegriffs, der auf die »romanische Schreibart« angewandt und ihr zugrundegelegt werden kann. Der (traditionelle) durch die klassische Literaturtheorie vorformulierte und sanktionierte Fiktionsbegriff liefert auch die Basis, von der aus der Roman als Erfindung seine theoretische Rechtfertigung erfährt. Das setzt allerdings ein Fiktionsbewußtsein voraus, das zu erreichen sich die Poetiken des 17. Jhs. in verschiedenen Stufen und Etappen erst bemühen [6]; die Emanzipation der poetischen Fiktion als Fiktion nimmt gewissermaßen den Emanzipationsprozeß der Prosa- und damit der Romanfiktion innerhalb der Poetiken vorweg, bzw. bereitet diesem überhaupt erst den Weg. Umgekehrt fördert die Romanpraxis eine Erweiterung und Neuorientierung des Fiktionsbegriffs, so daß von einer wechselseitigen Beziehung gesprochen werden kann; einerseits liefert der neoaristotelische »Fiktionalismus« (W. Krauss) vornehmlich den »Rahmen«, innerhalb dessen auch ungebundene Dichtung poetologisch reflektiert und legitimiert werden kann [7], andererseits erhält dieser Fiktionalismus seine weitreichende Bedeutung mit der Entstehung einer Prosagattung, deren Poetizität mit dem Fiktionsbegriff unmittelbar verknüpft ist. [8]

Bevor einzelne Faktoren dieses Fiktionalismus in ihrer Bedeutung für die Romantheorie beschrieben und mit den Aussagen der Poetiken zum Roman selbst in Beziehung gesetzt werden, ist noch ein Hinweis auf die verbindliche rhetorische Tradition, innerhalb derer sich die literaturtheoretischen Diskussionen abspielen, erforderlich. Prinzipiell, und darüber können auch bestimmte Aussagen einzelner Poetiken, etwa bei Harsdörffer, nicht hinwegtäuschen, bleibt das Selbstverständnis der Literaturtheorie des 17. und weitgehend auch des 18. Jhs. von der Rhetorik bestimmt. [9] Das spiegelt sich vor allem im gemeinsamen Sinn- und Wirkungsziel von Rhetorik und Dichtung; beide betonen das horazische Prinzip des prodesse und delectare in der Notwendigkeit, den vergnüglichen Zweck mit dem ethischen Ziel zu verbinden. Hierin stimmen die Forderungen an den Historiker überein; auch dieser vermag den exemplarischen Nutzen mit der angenehmen »Belustigung« zu »vermählen«.

Gemeinsames Ziel des Redners und Poeten ist weiter das »Glaubhaftmachen« (persuasio) des Vorgebrachten im Blick auf die intendierte Wirkungsabsicht: »Bewegung der Gemüter, Aufreizung des Verstandes und Herzens«. [10] Neben dem »prodesse« und »delectare« kann diese Forderung des »movere« als das zentrale Postulat einer »Ästhetik der Rhetorik« (Dockhorn) angesehen werden; für den Roman, worauf bei der Erörterung seiner Vorreden hingewiesen wurde, gilt dies ebenso wie für alle anderen literarischen Formen und Gattungen. Ist der Grad der erreichten Wirkung oberster Maßstab des literarisch-rhetorischen Endzwecks, taucht zugleich die Frage nach dem Mittel zum Erreichen solcher Wirkung auf, und es ist einleuchtend, wenn deshalb das für die Dichtung zentrale Wahrscheinlichkeitspostulat als »Fundament der angestrebten Überzeugung« auch innerhalb der Möglichkeiten des Redners liegen kann. [11] Doch obwohl sich die Poetik von der Rhetorik »nährt«, gilt nicht diese, sondern jene als die »erhabene Kunst«. Das beruht nicht auf einer Verschiedenheit ihres postulierten Endzwecks, sondern auf dem unterschiedlichen Gebrauch von Kunstmitteln der Darbietung und einem »Mehr« der Erfindungs- und Dichtkunst (»Fiktionalismus«), welches sich nicht ausschließlich auf die metrische Gebundenheit der Rede bezieht. [12]

1. Übergeordnete Gesichtspunkte des »Fiktionalismus« als allgemeine Voraussetzungen für eine literaturtheoretische Diskussion der Romanfiktion

Unabhängig vom Vers-Kriterium bilden eine Reihe grundsätzlicher Faktoren die Basis für eine theoretische Begründung und Rechtfertigung der dichterischen Fiktion, auf die hinzuweisen auch für eine Erörterung des »Romans als Erfindung« nützlich ist. Dazu gehören vor allem Fragen einer Abbildbarkeit von Wirklichem (Mimesisproblem, Ut-pictura-poesis-Vorstellung) und die besondere, von jeder (praktischen) Realität unterschiedene Struktur des Kunstwerks (Vergegenwärtigungsmöglichkeit der Fiktion, ästhetische Differenz zur Realität, Wahrheitsgehalt). Der unmittelbare Zusammenhang von allgemeinem Begriff der Fiktionalität und Romanfiktion wird unter diesen Aspekten besonders deutlich.

a) Die literaturtheoretische Begründung der Fiktion entspringt dem prinzipiellen Anspruch auf einen *Akt des Erschaffens* im Unterschied zu dem des Erforschens:

Denn ein anders ist schaffen / ein anders erkundigen. Schaffen ist etwas wesentliches machen / Erkundigen ist dessen verborgene Natur / Ursach und Eigenschafften erforschen. [13]

Den schöpferischen Eigenschaften und notwendigen Fähigkeiten eines Poeten wird in den Poetiken des 17. Jhs. immer wieder Ausdruck verliehen:

[...] weil er [der Dichter] nicht allein ein ding / das da ist / wie es ist / beschreibet / sondern auch das / was nicht ist / durch seine Göttliche Kunst machet / vnd wie es seyn köndte / oder solte / fürstellet [...]. [14]

Die Parallelisierung mit dem göttlichen Schöpfungsakt darf allerdings, worauf gerade in neueren Arbeiten wiederholt hingewiesen worden ist [15], noch nicht als selbstschöpferischer Prozeß der aus dem individuellen Subjekt hervorgegangenen Emanation, bzw. als eine »creatio ex nihilo« verstanden werden, vielmehr handelt es sich um Findungskunst im Sinne einer »inventio«, deren Grenzen durch einen in der aristotelischen Tradition festgelegten Wahrscheinlichkeits- und Möglichkeitsbegriff gezogen sind:

Es ist aber Dichten nicht / aus einem Nichts etwas machen / welches allein Gott zustehet / sondern aus einem geringen / oder ungestalten Dinge / etwas herrlich / ansehnlich / geist- und lobreich ausarbeiten. [16]

Damit ist das zweite Moment der dichterischen Erfindung angedeutet; außer der Findungskunst wird vom Poeten kombinatorische Fähigkeit des zusammensetzenden Machens und künstlerischen Auszierens verlangt.

Grundlage jeder poetischen Erfindung im 17. Jh. ist das *Prinzip der Nachahmung* (Mimesis, imitatio naturae), das in verschiedenen Ausdeutungen und Modifikationen die Beziehung von Abgebildetem und Abbildung bestimmt:

Denn die Nachahmung betrachtet dasselbe / wornach wir etwas machen / die Erdichtung aber siehet auf das jenige welches gemacht wird. [17]

Die aristotelische Unterscheidung von Dichtung und Geschichte [18] dient als Basis zur Begründung des poetischen Anspruchs und Spielraums. Wie weit oder eng der Wahrscheinlichkeits- und Möglichkeitsbegriff gefaßt wird, hängt von unterschiedlichen Ausdeutungen der Theoretiker und Autoren und von dem einzelnen poetischen Gattungen zugebilligten Erfindungs-Spielraum ab, wobei allgemein die Tendenz zu beobachten ist, den Nachahmungsbegriff entweder mehr im Sinne einer idealisierenden Imitatio (als »Darstellung des in den Dingen enthaltenen Universalen«) oder als kopierende Nachahmung (im Versuch einer »naturgetreuen Abbildung der Wirklichkeit«) zu interpretieren. [19] Unabhängig davon ist der Mimesisbegriff des 17. Jhs. als ein »regulatives Prinzip« zu verstehen, d. h. er bleibt gebunden an Gesetze des »decorum«, indem er festgelegt ist auf »Regeln, die für den Poeten zugleich Anschauungs- und Darstellungsformen sind und zwischen ihm und dem Leser oder Zuschauer Verständigung vermitteln«. [20] Solche Anschauungs- und Darstellungsweisen liegen in der Unterscheidung »hoher« und »niederer« Literatur- (und Roman)formen vor, deren poetologisch fixierte Barrieren theoretisch nicht übersprungen werden können. Daß den formalen und gattungsdeterminierenden Regeln einer weitgehend rhetorisch bestimmten Literatursystematik geschichtsphilosophische Implikationen entsprechen, ist bei der Erörterung der Vorreden zum hohen Roman (Birkens »GeschichtGedicht«) gezeigt worden. Der rein formal definierte Wahrscheinlichkeitsspielraum der Fiktion kann inhaltlich bestimmt sein durch eine geschichtstheologische Ausdeutung, die die Möglichkeiten und Grenzen der Erfindungsfreiheit genauer anzeigt, als es die bloß formalen Hinweise der Poetiken vermögen. Darauf wird bei der Besprechung von Harsdörffers Romandiskussion in den *Gesprächspielen* noch zurückzukommen sein. Das generell formulierte Gesetz der Mimesis in den Poetiken des 17. Jhs. gilt auch für die Romanfiktion, ohne daß damit schon Genaueres über die poetologischen Konsequenzen des mimetischen Prinzips beim Roman sichtbar würde. Dasselbe gilt für die Wiederaufnahme und das Hervorheben des horazischen *»Ut pictura poesis«*. [21] Die Parallelisierung von Malerei und Dichtkunst auf der verbindlichen Grundlage des Nachahmungsprinzips (häufig wird die aristotelische mit der horazischen Formel verknüpft) bedeutet ein ästhetisches Postulat sowohl des 17. als auch des 18. Jhs. [22] Deshalb sind Differenzierungen im Vergleich des Malers mit dem Poeten gerade für eine theoretische Begründung der Romanfiktion wichtiger als das prinzipielle Betonen ihrer Parallelität. Das zeigt schon eine Gegenüberstellung im 17. Jh. etwa bei Buchner und Harsdörffer; bei beiden wird der unmittelbare Zusammenhang mit dem Nachahmungsprinzip deutlich, aber auch ein entscheidender Unterschied in der Beurteilung der vom Maler, bzw. vom Dichter darzustellenden »Sachen«; so heißt es bei Buchner:

Wird genug seyn / daß der Poet sein Thun darstelle / wie es entweder ist / seyn soll / oder mag / das übrige aber andern befehle. Gleich einem Mahler / der seinem Ambte gnug gethan / wann er etwas so abbildet / daß mans erkennen kann / was es sey / ob gleich die innerliche Beschaffenheiten / und sein gantzes Wesen *nicht* angedeutet ist. Dann es gehet der Poet nicht auf eine volkommliche Wissenschafft / wie der Philosophus / sondern nur auff eine äusserliche Erkänntnis derer Dinge / davon Er Ihme zu handeln fürgenommen / anderen zu Nutze. [23]

Dagegen bei Harsdörffer:

Die Poeterey ist eine Nachahmung dessen / was ist / oder seyn könte. Wie nun der Mahler die sichtbarliche Gestalt und Beschaffenheit vor Augen stellet / also bildet der Poet *auf das eigentlichste die innerliche Bewantniß* eines Dings. Ein Mahler muß natürliche Farben gebrauchen / wann er Lob von seiner Arbeit haben will: Der Poet muß eigentliche und den Sachen gemässe Wort führen / wann er in seinem Gedicht bestehen soll. [24]

Einig in der notwendigen Abbildungsfunktion von Malerei und Dichtkunst und der unabdingbaren Verpflichtung zur angemessenen Redeweise, entsprechend den rhetorischen Regeln der »genera elocutionis«, unterscheiden sich beide Aussagen im Hinblick auf die abzubildenden Objekte. Während sich Buchner theoretisch streng an der »äußeren« Wiedergabe der Malerei orientiert und die »inneren« Vorgänge der Philosophie überlassen möchte, sieht Harsdörffer gerade hier die der Dichtung gestellte Aufgabe. Poetische Sprache hat die Fähigkeit, über die künstlerischen Darstellungsmöglichkeiten des Malers hinaus als »Dolmetscherin« des Verstandes und »waares Bild« des menschlichen »Gemüts« die »innerliche Bewantniß eines Dings« vorzustellen. [25] Dem Autor sind mit diesem Instrument philosophische und psychologische Bereiche zugänglich, die dem Maler in dieser Intensität verwehrt bleiben. Harsdörffers Hinweis auf sprachliche Möglichkeiten zur Darstellung innerer Vorgänge bleibt selbstverständlich im Rahmen einer vorsubjektiven Ästhetik, nimmt aber Tendenzen vorweg, den psychologischen »Innenraum« zum Hauptthema der dichterischen Erfindung zu machen. Die romantheoretische Bedeutung dieser Akzentuierung der Fiktion im Zusammenhang der Mimesis- und Ut-pictura-poesis-Lehre liegt auf der Hand. Bestimmte Ansätze zur Psychologisierung der Charaktere etwa in den Romanen der Mlle. de Scudéry oder Philipp v. Zesens könnten mit der Harsdörfferschen Charakterisierung theoretisch bezeichnet werden. Allerdings bleiben hier die Bestimmungen des Theoretikers Harsdörffer allgemeiner und weniger konkret als etwa die Vorrede zu Mlle. de Scudérys *Ibrahim-Roman.*

b) Neben den beiden Grundfaktoren des Fiktionsbegriffs (Mimesis- und Ut-pictura-poesis-Lehre) und deren unterschiedlichen Auslegungen spielen noch zwei weitere Gesichtspunkte der allgemeinen Definitionen dichterischer Erfindung eine besondere Rolle für die theoretische Erörterung der Romanfiktion: die Frage einer Vergegenwärtigungsmöglichkeit durch Dichtung und die der Ausprägung eines spezifischen Fiktionsbewußtseins im strengen Abtrennen von Abbild und Urbild.

Im Unterschied zum Historiker und Redner schreibt Harsdörffer dem Poeten aufgrund seiner Mittel zur künstlerischen Aus- und Umformung des vorgegebenen

Materials die spezifische *Fähigkeit* zu, *Gegenstände als unmittelbar »gegenwärtig«
vorzustellen:*

Der Poet beschreibt / was würklich ist / und was seyn könte und der Wahrheit ähnlich ist.
Der Geschichtschreiber erzehlet den Verlauf seiner Sachen / der Poet gleichfals / ist aber
befugt allerhand künstliche Umstände beyzubringen / welche die Sachen als gegenwärtig
vor Augen stellen / und in diesem leistet er mehr als der Redner / dessen Absehen nur in
einer gewissen Sache zu bereden: (wiewol er sich zuzeiten der Poetischen Kunststüklein
auch bedienen darf) der Poet aber beweget mit vielmehr Belustigung / und handelt von
allen denen Sachen / die sind / und auch nicht sind. [26]

Abgesehen von einer betonten Abgrenzung der res fictae gegenüber den res factae
macht diese Textpassage die besondere Rolle der dichterischen Erfindung als Mittel
möglicher Vergegenwärtigung anschaulich; während der Historiker lediglich »erzählt«, gelingt nur dem Dichter jener Grad an Unmittelbarkeit der Darstellung,
der ihm eine besondere Wirkungsmöglichkeit auch im Unterschied zum rhetorischen
Instrumentarium des Redners sichert. Der Begriff der dichterischen Vergegenwärtigung verweist dabei einerseits auf den prinzipiellen Zusammenhang mit der an
tiken Nachahmungsvorstellung, insofern »der Mimesisbegriff mit dem Mythos und
der Art seiner Vergegenwärtigung zusammenhängt. Mimesis bedeutet Erneuerung
des Ereignisses, deshalb können sich die Historiker nicht auf Mimesis und ›imitatio‹
berufen« [27]; andererseits zeigt die Tendenz zur Vergegenwärtigung — und dies
ist ein für die Romantheorie zukunftsweisendes Moment — eine Nähe zum Drama
und seiner Technik der aktualisierenden Unmittelbarkeit, die der Roman in voll-
endeter Weise erst im 18. Jh. nutzt. [28]

Der andere, noch zu berücksichtigende, übergeordnete Gesichtspunkt des Fiktionsbegriffs, der sich im 17. Jh. beobachten läßt und für die Emanzipation auch
der Romanerfindung als Fiktion eine zentrale Rolle spielt, ist der Versuch einer
begrifflich klaren *Abgrenzung des Realen von jeder künstlerischen »Abbildung«.*
Zwar kann sich dichterische Fiktion im 17. Jh. noch nicht durch sich selbst aufgrund einer Vorstellung vom immanenten Kunstcharakter des Werks legitimieren,
sondern nur mittels eines didaktisch fixierten, geschichtsphilosophisch begründeten
Endzwecks [29]; dennoch kündigt sich theoretisch jenes Fiktionsbewußtsein an,
das die Kunstprodukte in ihrem Eigencharakter erkennt. Die Einsicht in die grundlegende Differenz von Fiktion und Praxis hat Harsdörffer auf den Begriff gebracht, wenn er formuliert:

Die Abbildung ist niemals dem gleich / von welchem es ersehen worden. Es wirke gleich
die Kunst so natürlich als es immer seyn mag; so muß es im Ende doch ein Gemähl / oder
ein Bild / und kein Mensch genenet werden; und solchergestalt ist die Kunst eine Affin /
welche alles nach- aber niemals gleich thut. [30]

Damit ist der ontologische Abstand, der Kunst und Wirklichkeit trennt, präzise
beschrieben. Fictio poetica und Realität sind durch eine Grenze getrennt, die Kunst
zugleich von Praxis abhebt und mit ihr verbindet: Fiktion gleicht niemals praktischer Wirklichkeit, sie gilt aber als deren sehr vermittelte »Abbildung«.

Wie steht es dann aber mit ihrer *»Wahrheit«?* Wenn Dichtung und Kunst nur
Reproduktionen der Wirklichkeit sein können, handelt es sich dann nicht um se-

kundäre Wirklichkeit, bzw. in der platonischen Denkweise sogar um eine tertiäre
Existenz? [31] Damit ist eine Frage aufgeworfen, die sich dem Literaturtheoretiker des 17. Jhs. grundsätzlich für jede dichterische Erfindung und im besonderen
für die Romanfiktion stellt: Inwieweit kann Dichtung vom prinzipiell möglichen
Vorwurf der Lüge befreit werden. »Wahrheit« und »Lüge« spielen deshalb im Ar-
gumentationssystem der Romantheoretiker eine ebenso wichtige Rolle wie in den
Vorreden und romanimmanenten Texten der »Praktiker« und Kommentatoren.
Der Wahrheitsbeweis der Fiktion kann hier wie dort nur geschichts- und moralphilosophisch, noch nicht ästhetisch angetreten werden.

2. Diskussionen und Erörterungen des Romans in deutschen theoretischen Texten vor der Huet-Übersetzung und -Rezeption

In der ersten Phase der Entstehung der deutschen Romantheorie beziehen sich
entsprechende Zeugnisse in Traktaten, Poetiken oder literarästhetischen Abhandlungen fast ausschließlich auf den hohen, »heroischen« Roman, während der niedere
Roman, bis zu den Überlegungen Christian Weises und Thomasius' in den 80iger
Jahren des 17. Jhs., in Deutschland kaum einer literaturtheoretischen Aufmerksamkeit gewürdigt wird. [32] Dieser auffallende Sachverhalt bestätigt eine Beobachtung, die bei der Erörterung der Vorreden und romanimmanenten Texte bereits gemacht wurde. Die Ursachen liegen nicht so sehr im Mangel an praktischen Beispielen in Deutschland vor dem Erscheinen von Grimmelshausens *Simplicissimus* (vor
allem die spanischen Vorbilder bzw. ihre Übersetzungen hätten theoretisch eine
Diskussion ermöglichen können), vielmehr verhindert die Normativität ästhetischer
Maßstäbe, die von »hohen« Dichtarten abgeleitet sind, eine den »niederen« Literaturformen adäquate, wirklich gerecht werdende Beurteilung. Wie ausschließlich
die hohen Formen des Romans die romantheoretischen Diskussionen in Texten, die
unabhängig von praktischen Beispielen entstehen, bestimmen, zeigen sowohl die
Erörterungen in Deutschland vor Huets Romantheorie, als diese selbst. Auch Huet
spart ebenso wie seine deutschen Vorläufer den roman comique aus, obwohl
gerade in Frankreich Sorel für die theoretische Behandlung auch dieser Romanform
die Basis gelegt hatte.

Zur Kennzeichnung der Entstehungsgeschichte der Romantheorie (und gleichzeitigen Vorgeschichte zur Huet-Übersetzung und -Rezeption) in Deutschland
werden im folgenden vier charakteristische Dokumente vorgestellt und analysiert,
die jeweils einen bestimmten Aspekt betonen und darin auf die Entwicklung am
Ende des 17. und frühen 18. Jhs. vorausweisen: das Problem der Romanfiktion,
Wahrheit und Wahrscheinlichkeit (Harsdörffer); der Versuch einer Romandefini-
tion unter Anlehnung an eine bestimmte Auffassung von der Komödie (Daniel
Richter); Kritik und Stadien der Romanentwicklung in Deutschland (Johann
Rist); der Roman als epische Dichtkunst, seine poetologische Klassifizierung (Sigmund v. Birken). Die Fundorte der einzelnen Aussagen sind so vielfältig wie die ge-
nannten Schwerpunkte; Gesprächsspiel, Rhetorik, dialogische »Unterredung« und

Poetik sind Medien romantheoretischer Reflexion, die auch in Zukunft eine bedeutende Rolle spielen.

a) Georg Philipp Harsdörffer: »Das Verlangen« (Fravenzjmmer Gesprechsspjele / [. . .] Erster Theil [1644; 1. Aufl. 1641]) [33]

Nirgends in der ersten Hälfte des 17. Jhs. werden Probleme des Romans als Erfindung in deutscher Sprache scharfsinniger und vorausweisender diskutiert als in Harsdörffers Gesprächsspiel über »Das Verlangen«. In den Argumentationen der Kombattanten, einer »klugen Matron« (Julia von Freudenstein [»Beständigkeit«]) und eines »gereist- und belesenen Studenten« (Reymund Discretin [»Kühnheit«]), sind die beiden grundlegenden Positionen der theoretischen Auseinandersetzung über den Roman in seiner Entstehungsphase sichtbar: die der scharfen und unnachsichtigen Kritik und die ihrer ästhetisch-moralischen Verteidigung. Die »kluge Matron« vertritt die »Klagrede«, der »gereist- und belesene« Student formuliert »Des Beklagten Antwort«; den Schiedsrichter spielt (mit einem salomonischen Schlußurteil) »Vespasian von Lustgau / ein alter Hofmann«. Bezeichnenderweise ist das Streitgespräch über den Roman (der »Lust- und Liebsgedichte«) [34] eingebettet in eine allgemeine Diskussion über das Bücherlesen und den Wert jeder dichterischen Erfindung überhaupt, nicht das Kriterium des Verses gilt als Angelpunkt einer theoretischen Aufmerksamkeit von Dichtung, sondern die spezifischen Eigenschaften eines literarischen (fiktiven) Werks.

Das Streitgespräch kreist um vier Gesichtspunkte, die den angedeuteten Zusammenhang von »Fiktionalismus« und Romanfiktion unmittelbar evident werden lassen: Lüge und mögliche Wahrheit der Erfindung; Wahrscheinlichkeit als Kunstkriterium; Endzweck und Nutzen von Historie und Fiktion; Kunstcharakter der Erfindung. Schließlich zeigt der abschließende Schuldspruch und die Aufzählung übersetzens-, d. h. lesenswerter, guter Bücher die Orientierung Harsdörffers am antiken Roman und vor allem an Spielarten des außerdeutschen roman héroique.

Die »Klagrede« der »klugen Matron« gegen die »Lust- und Liebsgedichte« wird eröffnet mit dem fundamentalen Einwand, daß es sich bei jenen »Fabeln« eher um Lügen als um Wahrheit handele, und es wird der Verdacht formuliert, daß eine »Geschicklichkeit [dazu] auf der Unwahrheit / und eines oder des anderen müssigen Traumschreiben gegründet seyn« könnte (235). Der Vorbehalt gipfelt in der Kennzeichnung jeder Fiktion als trügerischem und verderblichem Schein:

Verfluchte Feindin / die du mit der Vielheit deiner Missethaten dich für gesegnet schetzest / was kanst du doch für einen Schein (so falsch er auch immer seyn mag) meinem Liecht entgegen stellen? Deine unnbedachtsame Kühnheit ist nur ein nichtiger Schatten / dein Wesen ist ein abgekürtzte Blickung / und du bist der Zunder der Sünden / der Schwefel des Vbels / der Stein des Anstossens. (246)

Die Artikulation eines absoluten Wahrheitspostulats impliziert die Verdammung jeder Erfindung, und scheinhafte Erfindung kann, da sie der Wahrheit vollständig entbehrt, auch unter moraltheologischen Gesichtspunkten nur der gänzlichen Verurteilung anheimfallen. Der antifiktionale Affekt, der hier sichtbar ist, wird in den weiteren Untersuchungen dieser Arbeit noch eine erhebliche Rolle spielen. Schon an dieser Stelle zeigt sich die Vielschichtigkeit eines Wahrheitsbegriffs, bei dem im Rahmen der Romandiskussion drei wichtige Problemkreise zu bedenken sind: einmal der bereits angedeutete ontologische Abstand zwischen den vorgefundenen Objekten (›Realität‹) und dem wahrnehmenden und reproduzierenden Bewußtsein davon (als sprachliche Fixierung in der Literatur, Geschichtsschreibung oder Redekunst); zweitens der Versuch einer wissenschaftlichen Abgrenzung historischer Wahrheit (als durch Quellen belegbarer Tatsachen) oder »philosophischer [logischer, moralischer] Wahrheit« von imaginativen Erfindungs-Produkten (res fictae), deren geschichtliche Faktizität zumindest nicht in allen Stücken nachweisbar oder im ganzen philosophisch relevant ist und schließlich drittens, das Problem einer möglichen (»allgemeineren«) Wahrheit [35] der »wahrscheinlichen« Erfindung, die in einem geschichtsphilosophisch begründeten Rahmen gerade dadurch zum Instrument der Wahrheitsvermittlung werden kann. [36]

Alle drei Aspekte spielen in den Argumentationen der Anklägerin bzw. des Verteidigers der Romane in Harsdörffers Gesprächsspiel eine charakteristische Rolle; während sich die Vertreterin der Anklage folgerichtig auf die prinzipielle Scheinhaftigkeit der literarischen Erzeugnisse beruft oder gegenüber der Erfindung die Tatsächlichkeit der Geschichte ins Feld führt (vgl. S. 251), vermag der Fürsprecher des Romans zu dessen Legitimierung (in der aristotelischen Tradition) die allgemeinere Wahrheit der »wahrscheinlichen« Dichtung zu reklamieren:

[...] die Gedichte [...] erstrecken sich über alles / was Geistlich und Weltlich heist / sie verfasset das / was ist / und auch das / was nicht ist / wie es seyn könte. (253 f.)

Wichtig ist, daß der prinzipielle Erfindungscharakter anerkannt und der Unterschied zwischen der »realen« Wirklichkeit und der »scheinhaften« Fiktion nicht verwischt wird. Diese »Scheinhaftigkeit« (»Schatten der Wahrheit«) bedeutet für den Verteidiger der Romanfiktion nun aber nichts Negatives, sondern im Gegenteil gerade jene spezifische Möglichkeit der Dichtung, die nur dieser kraft künstlerischer Fähigkeit zur »verhüllenden« Darstellung zukommt:

Ich bin nicht die von dir verfluchte Finsterniß: Ich bin auch nit das Liecht der Wahrheit / sondern der selben Schatten. Ich / ich halte die Tugendstelle zwischen jener Tunkel- und dieser Klarheit / und will / in besagtem Mittelstande / noch jener Lob / noch dieser Schande mich theilhaftig machen. Welche die hellen Strahlen der Wahrheit nicht ertragen / und die Hoheit vieler Sachen nicht erlangen können / lernen selbe aus meinem Schattenbilde: Daher ist mir von Altersher anvertrauet worden die Wissenschaft Göttlicher / Natür- und künstlicher Dinge / ihre Würdigkeit ist durch mich verhüllet / von der Vergessenheit gerettet / und in ihrer Schätzbarkeit erhalten worden. (252 f.)

Die Erkenntnis des fiktiven Charakters jeden Dichtwerks schließt für den Verteidiger dichterischer Erfindungen zugleich das Bewußtsein ihrer der Philosophie und Historie überlegenen Möglichkeiten ein. Hat »die Geschichte [...] ihr beschrenkt gebiet« (253) und erreicht die strenge Wahrheitsvermittlung durch Philosophie nur einen begrenzten Leserkreis, vermag Dichtkunst Wahrheiten auf angenehme Weise verrätselnd-enträtselnd zu verkünden (vgl. 240). [37] Der Primat der Fiktion (vor der Philosophie und Historie) wird also auch hier moralphilosophisch begründet; sie hält sich in jenem »Mittelstande« zwischen »Licht« und »Schatten«, der durch eine »Tugendstelle« markiert ist.

Welche konkreten Inhalte Harsdörffer dem Tugendbegriff zuordnet, bleibt allerdings offen; von »Weißheit und Erkäntniß natürlicher Sachen« (240) und einem nützlichen Zweck weltlicher Frauenbildung durch Romane ist zwar die Rede [38], widerlegt werden müßte aber der Vorwurf der Anklägerin, daß die Erfindungen nicht nur nicht wahr, sondern auch nicht »tugendhaft« und (mit dem Hinweis auf »heidnische« Mythologie) nicht christlich und das Lesen unwahrer Geschichten ohnehin nur Zeitverschwendung sei. Außer dem Lügenverdacht ist diese unter christlich-theologischem Vorzeichen erhobene Anklage für die Diskussion des Romans in der Folgezeit ein entscheidender Punkt, an dem sich die Geister scheiden. Der Roman muß sich gewissermaßen einem doppelten eschatologischen Vorwurf erwehren, insofern einerseits seine Inhalte als nicht heilsgeschichtliche charakterisiert, zumindest einzelne Momente als unchristliche Anreizung der Sinne kritisiert werden können, und andererseits Romanlektüre Zeit erfordert, die unter streng eschatologischem Aspekt unwiederbringlich dahin ist, wenn sie nicht fortwährend zum Nutzen des eigenen Heils verwandt wird. Harsdörffer formuliert in den Argumentationen seiner Anklägerin, die »geistreiche Gebet- Lehr- und Geschichtbücher« (251) als ungefährliche Gegenmittel gegen den Roman empfiehlt, jene später bei Gotthard Heidegger [39] pointiert vorgetragene calvinistisch-pietistische Position der Romankritik, die die Entstehung (und Verzögerung) der deutschen Romantheorie in der ersten Hälfte des 18. Jhs. weitgehend mitbestimmt. Den Verteidiger der fiktiven Romane läßt Harsdörffer bezeichnenderweise nicht unmittelbar auf diese theologische Problematik eingehen, vielmehr verschiebt er die Antwort auf eine moralphilosophische Ebene, indem er sich auf das vertraute Schema von Tugendlohn und Sündenstrafe beruft:

[...] daß solche Lust- und Liebsgedichte einen annemlichen Vnterscheid / zwischen dem Guten und Bösen vorstellen. Sie erweisen ja mit vielen Beyspielen / wie glükselig der würckliche Tugendruhm / wie gefährlich und besorglich der Lasterschein / und wie selbe endlich nach langer Gewissensplage mit Schand und Spott am Tag / ihre Nachfolgere in eusserstes Verderben stürtzen. (243)

Der Gedanke des prodesse im exemplarischen Veranschaulichen wird ausdrücklich festgehalten, aber nicht in dogmatischer Verengung des Tugendbegriffs.

Der Versuch zur Verteidigung von »Lust- und Liebsgedichten« im Sinne des horazischen prodesse und delectare gegenüber einer rigoristischen bzw. theologisch akzentuierten Wahrheitsforderung spiegelt sich im Plädoyer für eine dichterische Sprache und einer den res entsprechenden künstlerischen Auszierung:

Belangend aber der Poeten Wolredenheit und hohen Gutthaten / so sie den Sprachen erweisen / ist ausser Widerrede / daß deroselben besondere Gedanken und hohe Gemühtsregungen mit gemeinen Worten nicht ausgedruckt werden können. (241)

Dichterische Fiktion bewirkt mit sprachkünstlerischen Mitteln der »Wolredenheit« jene so nur der Dichtung allein mögliche und ihr konstitutiv zugehörende »Gemüthsbelustigung«, die Historie und Redekunst nur unvollkommen gewähren. Der

Hinweis auf darzustellende »hohe Gemühtsregungen« kennzeichnet den Umkreis
der angeführten »positiv« bewerteten Roman-Beispiele, die fast ausschließlich dem
hohen Genre angehören; zu den Werken »wundersame[r] Geschichtfügnisse(n)
und hohe[r] Erfindungen« (267) zählen antike Liebes- und zeitgenössische hö-
fisch-heroische Staats- und Schäfer-Romane, »Helden- Liebs- und Lustgedichte«,
die ein hohes Stilideal verkörpern und im Sinne des Harsdörfferschen Schlußurteils
die horazische Forderung einer vollkommenen Verbindung von prodesse und delectare erfüllen. [40]

b) Daniel Richter: »Von Romanen« (Thesaurus oratorius novus [1660]) [41]

Rhetorikanleitungen und -handbücher gehören so lange zu den Fundorten romantheoretischer Aussagen, solange das Kriterium des Verses als Maßstab für die
Poetizität von Dichtkunst entscheidendes Gewicht hat. Das ist, wenn auch unter
dem Eindruck der Romanentwicklung im 17. Jh. bereits vermindert (vgl. K. v.
Hoeveln und G. Neumark), noch im 18. Jh. zu beobachten (vgl. J. J. Eschenburg). [42] Im Rahmen der Rhetorik konnte es dem Roman aufgrund seiner
Prosaform verständlicherweise zunächst leichter fallen, einen Platz zu erobern als
innerhalb der strengen Systematik der Poetiken.

Daniel Richters kurzer Abschnitt »Von Romanen« fällt denn auch nicht durch
seinen Fundort auf, sondern durch eine eigentümliche Parallelisierung von Roman
und Komödie, die auf die tendenzielle Neigung des Romans verweist, sich in der
Annäherung und Anlehnung an andere Literaturformen theoretisch selbst zu verständigen und zu emanzipieren. Dieser Prozeß, dessen Beschreibung einzelner
Phasen einen wichtigen Aspekt der vorliegenden Untersuchungen darstellt, vollzieht sich im 17. Jh. vornehmlich im theoretischen Umkreis des Epos [43]; im
18. Jh. wandelt sich die Orientierung am Epos mehr und mehr zu einer am Drama,
worauf im einzelnen zurückzukommen sein wird. Trotz der prinzipiellen theoretischen Ausrichtung des Romans am Epos im 17. und frühen 18. Jh. gibt es jedoch
einzelne Tendenzen, auch die Möglichkeiten dramatischer Dichtkunst für eine romantheoretische Diskussion fruchtbar zu machen. Dazu gehört neben der bereits
angedeuteten grundsätzlichen Frage einer Vergegenwärtigungsfunktion der Dichtung (etwa bei Harsdörffer und Birken) [44] oder einer Übernahme szenischer
Darstellungsweisen in der Romanpraxis [45] die Parallelisierung mit der Komödie, die, in der Praxis des »Komödienromans« (H. Singer) zu Beginn des 18.
Jhs. evident, theoretisch erheblich früher und unter anderen Gesichtspunkten reflektiert wird.

Daniel Richter urteilt über den Roman:

DIeser Art Gedichte werden itzund in allerding Sprachen gar viel geschrieben. Es ist aber
derselbigen Zweck fast gleich als wie der Comoedien / indem man auf eine angenehme und
artliche Manir die Laster des Seculi straffen und hergegen die Leute zur Tugend anmahnen
wollen. Und ist also quoad Inventionem alles dieses darbey zu mercken / was von
Comoedien gesagt ist / nur daß dieses wie eine Histori und nicht wie Colloquia gemachet
und meistentheils mit Erfindungen von Liebessachen verzuckert werden. Die Dispositio
wird gemachet artificial, [...] dergleichen Exempel ist die Argenis Barclaji und andere
dergleichen Schriften. [46]

Der Hinweis auf den gemeinsamen didaktischen Endzweck, von dem Richter ausgeht, entspricht der normativen Zielsetzung aller Dichtarten ebenso wie der Historie und ist deshalb nicht überraschend; auffallend ist dagegen der Vergleich zwischen Roman und Komödie, was die Inventionsregeln betrifft. Nur durch die dialogische Form unterscheide sich die Komödie vom Roman — also aufgrund des Rede-
verteilungskriteriums —, nicht aufgrund seiner Erfindungen und deren Inhalt und
Struktur, wenn man von der Möglichkeit, zusätzliche »Liebessachen« in den Roman aufzunehmen, absehe. Die Parallelisierung von Komödien- und Romanin-
ventionen überrascht deshalb, weil Richter als Musterroman Barclays *Argenis* angibt, ein exzeptionelles Modellbeispiel des hohen Romans, während die Komödie,
im 17. und frühen 18. Jh. durch die Ständeklausel an die Darstellung eines »niederen« sozialen Milieus gebunden, gerade als literarischer Gegenpol der hohen Romangattung angesehen werden kann. [47] Nach dem Vergleich mit der Komödie
denkt man deshalb zunächst an den niederen Roman und erwartet einen entsprechenden Hinweis auf den pikaresken Roman oder den roman comique, der sich
als Pendant zum hohen Roman gerade der Darstellung des von diesem ausgeklammerten Realitätsbereichs zuwendet. Die zu erwartende Parallelisierung zwischen
Komödie und roman comique findet sich jedoch nicht, statt dessen verweist Richter
auf das berühmte Vorbild des roman héroique. [48]

    Klären läßt sich dieser für das 17. Jh. als poetologische Paradoxie anmutende
Sachverhalt, wenn man die Komödiendefinition Richters genauer untersucht. Im
Kapitel »Von Lust- und Trauerspielen«, in dem zunächst die traditionelle Unterscheidung von Tragödie und Komödie im Hinblick auf die verschiedenen »Materi«
und den »Stylus« wiederholt wird, heißt es dann:

> Jedoch kan ich nicht sehen / warum man nicht auch in Comoedien hohe Personen auf die
> Scen einführen möge / wie vor Alters bey den Israëliten bräuchlich / und nunmehr auch
> in der Gewohnheit ist. [49]

Die verbindliche Ständeklausel, wonach die Komödie »in schlechtem wesen vnd
personen« besteht und das Auftreten hoher Personen als Verstoß gegen die Regeln
der Komödien gilt, modifiziert Richter mit einem literarhistorischen Argument und
dem Hinweis auf die zeitgenössische Praxis. Ob die gegebenen Begründungen zu-
treffen (zu einer Vermischung von hoher Tragödie und niederer Komödie kommt
es in Deutschland vor allem um die Jahrhundertwende im Schauspiel der Wander-
bühne) [50], mag dahingestellt sein, wichtig ist die theoretische Feststellung Richters, daß gegen eine Vermischung von hohem und niederem Personal in der Komödie prinzipiell nichts einzuwenden sei und die Tatsache einer damit verbundenen
Verschiebung der poetologisch bedeutsamen sozialen Grenzlinie, die auf das 18. Jh.
vorausweist. [51] Hinzu kommt eine literatur- und publikums-soziologische Betrachtungsweise Richters, die die sinnvolle Notwendigkeit hoher und niederer Figuren in der Komödie damit begründet, daß unterschiedliche Gesellschafts- und
Verfassungsformen entsprechend unterschiedliche Modifikationen der Komödie erforderlich machten:

> Weil nun die Athenienser und auch die Römer / wie Plautus und Terentius gelehrt / li-
> beram Rempublicam gehabt / welche Democraticè regiret worden / und also die gemei-

nen Bürger die Oberhand gehabt; so haben sie auch billich auf sie nur gesehen / und nur Bürger und Bürgerliche Sachen darinnen eingeführet; nachdem aber wir itzo und vornemlich im Teutschland sub Monarchico statu leben / so ist es / wie ich meine / billich / daß wir auch in den Comoedien denselbigen Personen / so ihn verwalten / gute Lehren mitgeben / und deßwegen die Comoedien so einrichten / daß sie sowol von hohen als nidrigen Personen handeln. Ein jedweder muß sich nach dem bono publico achten / und deme gemäß etwas ändern oder verbessern. [52]

Dieser Hinweis auf die gesellschaftliche Bedingtheit poetischer Gattungsformen und -ausprägungen ist ebenso zukunftsweisend wie das davon abgeleitete und gerechtfertigte Überspringen der orthodoxen Ständeklausel; erst im 18. Jh. werden aus diesen Einsichten auch entsprechende Konsequenzen innerhalb der Literaturtheorie (etwa in Blanckenburgs *Versuch über den Roman*) gezogen.

Die Feststellungen Richters zur Komödie auf seinen Vergleich mit dem Roman projiziert und angewandt, zeigen Auffassungen, die romantheoretisch offen sind für eine Annäherung, wenn nicht sogar für eine Vermischung des niederen und hohen Romantyps. Wenn Richter nur Beispiele des hohen Romans zitiert, aber romantheoretisch — entsprechend seiner Komödiendefinition — für eine Vermischung hohen und niederen Personals eintritt, kündigt sich auch darin ein Vorgriff auf Probleme der ersten Hälfte des 18. Jhs. an, insofern der hohe Roman hier eine Interpretation erfahren kann, die weder ausschließlich von Maßstäben der hohen Gattung noch von Kriterien einer scharfen Abtrennung hoher und niederer Literaturformen bestimmt ist. Vereinfachend formuliert: Richter gibt bereits 1660 theoretisch den Rahmen an für eine im 18. Jh. gängige »mittlere« (bürgerliche) Auslegung des hohen (höfischen) Romans. Seine Bemerkungen zur »artificialen Disposition« des Romans sind vergleichsweise konventionell und der rhetorischen Tradition, bzw. ihren Modifikationsmöglichkeiten verpflichtet, obwohl Richters Hinweis, daß »nicht leicht eine Regul gegeben werden [könne], sondern es muß hierüber, nach Befinden der Sache, der Orator selbst ein Judicium ansprechen« [53], eine Offenheit auch in strukturellen Fragen andeutet, die bei anderen zeitgenössischen Theoretikern nur selten zu finden ist. Wichtig sind unter diesem Aspekt zwei auch von den übrigen Romanpoetikern immer wieder betonte Momente: das des kunstvollen Abschlusses und, damit verbunden, die Frage der Spannung im enträtselnden Verrätseln oder verrätselnden Enträtseln. In beiden Fällen kann Richter ohne Schwierigkeit auf Parallelen zur Komödie verweisen:

[. . .] kan er sich [der Komödienschreiber] bedencken / wie er die Scenen also inventire / daß der Spectator nicht bald im Anfang sehen und dencken kan / wie solche werde hinausgehen: Dieses geschihet aber / wenn er sich auf das Ende der Scen zum Ersten bedencket / und also im Anfang etwas setzet / dadurch einer nicht leichtlich meinen kan / daß dieses darauf folgen würde. [54]

c) Johann Rist: »Die alleredelste Zeit-Verkürtzung Der Gantzen Welt [. . .]« [1668] [55]

In der dialogischen Technik des Gesprächs bei Harsdörffer ist eine Grundform romantheoretischer Reflexion modellhaft vorweggenommen, die im 17. und 18. Jh. wiederholt zum Medium der Darlegung kontroverser Standpunkte über den Ro-

man gemacht wird. Abgesehen von Rhetoriklehrbüchern erlaubt diese undogmati-
sche Form neben dem Traktat oder Diskurs und jenseits der strengen Systematik
der Poetiken eine der Schreibart des Romans besonders angemessene Spielart poetologischer Selbstreflexion. Die Verwendung des Dialogs kündigt darüber hinaus jene
Offenheit der diskutierenden Gedankenentfaltung an, die, mit Thomasius' »Monatsgesprächen« beginnend, als ein Indiz für aufklärerische Tendenzen angesehen
werden darf. [56]

   Johann Rists Gespräch über den Roman unterscheidet sich in seinem Grundtenor
nicht wesentlich von der Vorliebe deutscher Theoretiker des 17. Jhs. für den höfisch-historischen Roman; in der Akzentuierung einzelner Momente zeigen sich jedoch bemerkenswerte Nuancen der Beurteilung und Schwerpunktbildung. Während
Richter eine eigenwillige Romaninterpretation über den Komödienbegriff versucht
und Harsdörffer die grundsätzliche Konfrontation von Historie und Fiktion, bzw.
die Frage einer moralisch-ästhetischen Legitimierung der Romanfiktion in den Mittelpunkt rückt, begnügt sich Rist mit einem prinzipiellen Hinweis auf »wahrscheinliche Geschichten / oder Fabelhaffte Historien / die man ins gemein Romans
nennet /« [57], ohne auf das für ihn verbindliche Wahrscheinlichkeitskriterium
weiter einzugehen. Auffallend ist lediglich der schon in Birkens Vorrede zum
Aramena-Roman beobachtete Versuch einer Annäherung und Verbindung von
Fiktion und Historie — im Unterschied zu Harsdörffers theoretisch scharfer und
sorgfältiger wechselseitiger Abgrenzung. Rist geht es außerdem um keine literaturtheoretische Definition wie bei Richter oder eine Kritik der Fiktion, sondern um
Beurteilung und Klassifizierung einzelner Romanbeispiele. In dieser literaturkritischen Methode wird eine weitere Tendenz späterer romantheoretischer Texte
sichtbar, die auf eine systematisierende Romanpoetik verzichten und statt dessen
von Romanbesprechungen ausgehend allgemeine Reflexionen und Bemerkungen
anknüpfen.

   Rists Romandiskussion besteht neben einem kürzeren einleitenden Dialog zwischen »Kleodor« und dem »Rüstigen« (Rists Name in der »Fruchtbringenden Gesellschaft«) und einem abschließenden Dreiergespräch zwischen diesen beiden und
»Nobilidor« im wesentlichen aus einem Diskurs »Kleodors«, der von dem »Rüstigen« nur geringfügig relativiert, im ganzen aber zustimmend als »wolaußge-
sonnen« aufgenommen wird. [58] Darin sind vier Romantypen kritisch-rezen-
sierend unterschieden und nacheinander charakterisiert. Zur ersten gehören mittelalterliche Versepen, Prosaromane und Volksbücher [59], »die man weder Historien / noch Romans kan nennen« und die als »albern und kindisch« und als
»elende Saalbadereyen« bezeichnet werden, »welche zusammen hängen / als eine
Rispe Garn / so die Mäuse zernaget« (167 f.). Die pauschale Abwertung des mittelalterlichen Vers- und Prosaromans erfolgt unter Wertkategorien, die sich vor allem
auf strukturelle Momente ihrer angeblichen Kunstlosigkeit beziehen. Belegt oder
erläutert wird dieser Vorwurf nicht, vielmehr offenbart die appellative Nennung
allgemein verdammender Urteile (»Narrenpossen«, »Saalbadereyen«) die Tatsache
fehlender differenzierender Beurteilungsmaßstäbe. Kennzeichnend ist die (oben zitierte) Alternative von Historie und Roman, wobei den mittelalterlichen Vers- und

Prosadichtungen und Volksbüchern weder ein Platz in der einen noch der anderen Gruppe zugebilligt wird: in dieser nicht aufgrund mangelnder künstlerisch-struktureller Geschlossenheit, in jener nicht aufgrund fehlender historischer Wahrheit als überprüfbarer oder quellenmäßig belegbarer Tatsächlichkeit.

Hinzu kommt der Versuch einer literaturtheoretischen Standortbestimmung des zeitgenössischen Kritikers, der den Roman des 17. Jhs. als »neuen Roman« von dem des »alten« abgrenzen und begründen möchte. Diese Zweiteilung läßt den Roman des 17. Jhs. als den originellen »nouveau roman« erscheinen, der sich bewußt von seinen älteren Ausprägungen abgrenzt. [60] Als Prüfstein und ausführlich diskutiertes Romanbeispiel zwischen dem alten und neuen Roman (und den letzteren eigentlich einleitend) gilt der *Amadis*. Rist widmet ihm wie andere Autoren des 17. Jhs. seine besondere Aufmerksamkeit. Im Unterschied zu scharf ablehnenden Kritikern (Camus, Buchholtz, Birken) oder wohlwollend-lobenden Beurteilern (Opitz, Schottel, später etwa auch Huet, Morhof) [61] erörtert Rist vor allem die außerordentliche Wirkung und Faszination, die von diesen »anmuthigen Fabulen« gerade beim jugendlichen und weiblichen Lesepublikum ausgehe. Die moraltheologische Frage (Vorwurf der »Sittenverderbnis«), die die schärfsten Kritiker (Camus, Buchholtz) immer wieder aufwerfen, spielt bei Rist keine Rolle; er hält sich vielmehr an die rühmenden Argumente Opitzens, der schon im *Aristarchus* die fesselnde Wirkung auf den Leser mit der »einzigartigen Geschichte« dieses »witzigen Werkes« begründet hatte. [62] Kritisch zu bedenken bleibt das Wahrheitskriterium dieses »schönen Lügenbuchs« (169); aber auch hier scheint Opitz eine Betrachtungsweise zu ermöglichen, die sich salomonisch auf das Sowohl-als-auch zurückzieht:

Es ist in der gantzen Welt kein Buch so schlim oder geringe / antwortete [...] der Rüstige / in welchem nicht etwas gutes zu finden; [...], (169)

außerdem hätten zu Opitz' Zeiten noch keine anderen Romane vorgelegen, so daß man den *Amadis*

[...] so lange für gut halten und passiren lassen müssen / biß hochbegabte und Sinnreiche Gemüther etwas besser herfürbrächten / welches auch nach und nach / reichlich und überflüssig ist geschehen. (170)

Die hier apostrophierte Romanproduktion, deren Charakterisierung durch Kleodor den größten Raum in Rists »Unterredung« einnimmt, bezieht sich ausschließlich auf den heroischen Roman, wobei eine Gruppe exemplarischer Übersetzungen (Sidneys *Arcadia*, Desmarets *Ariana*, Scudérys *Ibrahim*, Francisco Punas *Ritter Ormund*, Biondis *Eromena*, Loredanos *Dianea*) den deutschen Originalromanen *Herkules und Valiska* (1659/60) und *Herkulißkus und Herkuladißla* (1665) des Andreas Heinrich Buchholtz vorangestellt wird. Die Charakterisierungen der einzelnen Romane und Romanübersetzungen verbindet die für alle Beispiele als entscheidend angesehene Frage nach ihrem Nutzen und Endzweck; nicht ästhetische Probleme oder die romanimmanenter Gesetzmäßigkeiten stehen im Vordergrund, sondern Modifikationen und spezifische Ausprägungen der horazischen Forderung des prodesse und delectare. Während im Umkreis des delectare nur allgemeine

Hinweise auf die »sinnreichste« Erfindung, den »wunderschönen Roman« (zur
Eromena-Übersetzung [172]) überhaupt gegeben werden, sind die Auslegungs-
möglichkeiten des prodesse vielfältiger. Prinzipiell grenzt Rists Kleodor die »hochnützlichen Lehren und Unterrichtungen« (171), die die zitierten Romanübersetzungen vermitteln, von der besonderen Erbauungsfunktion der Buchholtzschen Romane ab, die »uber die masse nützlich und bequem seien / unser Christenthumb
zu erbauen und fortzusetzen« (174); dem eher politisch-pragmatischen Nutzen
ausländischer Romanvorbilder entspricht der »Allerchristlichste Roman« Buchholtz', in dem »alles / was zu Erbauung deß Christenthumes / und Erlangung
unserer Seelen ewigen Seeligkeit dienlich wird gefunden« (175).

In dieser Charakterisierung und im Hervorheben der Besonderheit der Buch-
holtz-Romane läßt Rist seinen Romanrezensenten Kleodor die Argumente Buchholtz' selber (wie er sie in der Vorrede zum *Herkules* [1659] formuliert) und
Schottels Kurzcharakterisierung in dessen *Haubt-Sprache* (1663) vortra-
gen. [63] Der unverlierbar »hohe Wert« (175) wird gerade in der christlich-erbaulichen Tendenz gesehen, und die schon in der Vorrede zum *Herkules* ausgesprochene Warnung, die »Geistlichen Sachen« beim Lesen nicht auf Kosten des reinen
Vergnügens an Amadisischen Verwicklungen und »Liebeshändeln« zu übergehen,
findet sich auch bei Rist (vgl. S. 175).

Die Kennzeichnung des »politischen« Tugend- und Nützlichkeitskatalogs der
ausländischen hohen Romane bei Rist geht ebenfalls über das, was in entsprechenden Vorreden der Romane selbst postuliert wird, nicht hinaus: Vermittlung »hoch-
nützlicher / Politischer / Staat- und Welt-Regulen« (170), Kenntnis des »Welt
Lauffs / sonderlich wie es in Regimentern und bey Hofe zugehet« (171) und Verweis auf den Schlüsselcharakter (»worunter [unter den erdichteten] auch viele
wahre Geschichte verborgen stecken« [172]). Bemerkenswert scheint mir allerdings ein Hinweis darauf, daß die hohen (höfischen) Romane »so wol im Hofe als
auch im gemeinen Leben / hochnützliche Lehren und Unterrichtungen [...] geben« könnten (171). Der Exklusivität des höfisch-aristokratischen Romanmilieus
entspricht keine Exklusivität ihrer möglichen pragmatischen Belehrungsfunktion.
In der bürgerlichen Nutzanwendung höfischer Verhaltensregeln besteht die Möglichkeit, den hohen Roman aus seiner bloß höfisch-hermetischen Sphäre herauszu-
nehmen und zum Lesestoff eines neuen Publikums werden zu lassen. Die Tendenz
der Ristschen Argumentationen, den hohen Roman bewußt auch für bürgerliche
Leser zu reklamieren, die eine Parallele zu Richters theoretischem Versuch darstellt, könnte man in der Vorliebe für die Romane Buchholtzens bestätigt finden,
die im Vergleich mit anderen Beispielen des hohen Romans ohnehin eine Sonder-
stellung einnehmen, aufgrund derer eine »bürgerliche« Rezeption auch noch im
18. Jh. besonders intensiv möglich gewesen ist. [64]

Beachtenswert erscheint mir das Romangespräch Rists nicht unter dem Gesichtspunkt eventueller neuer romantheoretischer Beurteilungsmaßstäbe (die Romanvorreden sind hier teilweise wesentlich perspektivenreicher), sondern unter dem
Aspekt einer Vorstellung bestimmter Stadien der deutschen Romanentwicklung.
Nach der scharfen Ablehnung einer möglichen Vorstufe des Romans in den mittel-

alterlichen Prosawerken und Volksbüchern und der zwiespältigen Beurteilung des Amadis gelten die Übersetzungen der hohen Romane vor allem aus dem Italienischen und Französischen als eigentlicher Beginn der Romangeschichte in Deutschland, als deren Höhepunkt die Originalromane des Andreas Buchholtz betrachtet werden.

d) *Sigmund von Birken: »Das XI Redstuck. Von den Feld- Helden und Straff-Gedichten. De Eclogis, Epicis & Satyris.« (Teutsche Rede- bind- und Dicht-Kunst [1679]) [65]*

In der 1679 erschienenen, aber schon mehr als zwanzig Jahre früher handschriftlich vorliegenden *Dicht-Kunst* S. v. Birkens erhält der Roman zum ersten Mal einen Platz in einer deutschen Poetik. Nicht der Inhalt der hier vorgetragenen Theorie des Romans ist das eigentlich bedeutsame, Birken hatte seine Vorstellungen in der Vorrede zur *Aramena* bereits ausführlich dargelegt, sondern die Tatsache, daß dem Roman nun ein bestimmter Stellenwert innerhalb der traditionellen literaturtheoretischen Systematik zugebilligt wird. Dieser Stellenwert, durch zeitgenössische Hinweise und die Entwicklung der französischen Literaturtheorie vorbereitet und für die weitere Entwicklung romantheoretischer Reflexionen von zentraler Bedeutung, ist die poetologische Zuordnung zum Epos. Die Annäherung und Anlehnung des Romans an das Heldengedicht, wie es Romanautoren in Vorreden, Titeln und selbstrezensierenden Lesehinweisen selbst verkünden, ist ein erster — die legitimierende Bestätigung der Poetiken der zweite und entscheidende Schritt. In Deutschland gebührt Birken das Verdienst, noch vor der Rezeption Huets (und seiner außerordentlichen Wirkung auf die deutschen Literaturtheoretiker am Ende des 17. und in der ersten Hälfte des 18. Jhs.) den Roman in den Kreis der altehrwürdigen Dichtformen aufgenommen und ihm etwas vom Glanz der hohen Gattung des Epos verliehen zu haben.

Den Ausgangspunkt von Birkens »Redstuck« zum Heldengedicht bildet die Hirtendichtung (»als die älteste und edelste«), die mit dem Ursprung der Dicht-Kunst unmittelbar verknüpft ist und von daher eine besondere theologisch begründete Wertschätzung und »Ruhmwürdigkeit« verdient. [66] »Mit diesen Hirten Gedichten / vergleichen sich die Helden Gedichte / oder Carmina Heroica« (301), insofern sie einerseits, ebenso wie die Eklogendichtung, dem genus mixtum zugehören und andererseits in gebundene und ungebundene Literaturformen aufgeteilt werden können; darüber hinaus weist Birken bei der ungebundenen epischen Dichtform, dem Roman, auf eine in der Dichtungspraxis häufig zu beobachtende Vermischung von Schäfer- und Heldendichtung hin:

Daß die Schäfergedichte dieserlei Schriften verwandt seyen / erhellet / weil sie mit denselben gewönlich vermänget werden. Also findet man / im lezten Theil der Aramena / die Mesopotamische Schäfere und Schäferinnen / in der Arcadia die Diana und ihre Hirten Gesellschaft / im Amadis die Silvia mit dem Darinel: gleichwie hingegen die Diana ein Schäfergedicht ist / und gleichwol von vielen HeldenGeschichten redet. (304) [67]

Zur näheren Charakterisierung und theoretischen Abgrenzung dient für die »neuen GeschichtGedichte / welche ingemein Romanzi oder Romains genet werden«

(303), das Redekriterium des Epos in der Vermischung von Dichterrede und Personenrede. [68] Im Unterschied zum Epos »in lauter Versen« (302) — »sie können bei uns GrosGedichte heißen« (303) —, wozu außer den antiken Vorbildern Homer, Vergil, Ovid *(Metamorphosen)*, Lucan *(Pharsalia)* und Heliodor [!] auch die zeitgenössischen Versepen Helmhards von Hohberg *(Ottobert, Proserpina)* [69], die »Carmina Secularia oder JubelJahrGedichte / und die Panegyrici oder offentliche LobReden« (303) gezählt werden, erhält der Roman die schon in der *Aramena*-Vorrede verwendete Bezeichnung und wird als Mischform »in ungebundener Rede / die mit Versen untermängt ist« (302), definiert.

Zur genaueren Bestimmung der Romanfiktion bedient sich Birken einer zusätzlichen Differenzierung, die unmittelbar an die Einteilung der *Aramena*-Vorrede in »GedichtGeschichte« (= Epen) und »GeschichtGedichte« (= Romane) erinnert, ohne diese jedoch unverändert zu rekapitulieren:

Wer nun endlich diese Feder [zum Schreiben eines Romans] ansetzen will / der muß ihm erstlich einen Helden oder eine Heldenthat erwehlen / davon er schriebe / und so eine Schrift / heist ein GeschichtGedichte: oder er muß einen Helden und Heldenthat erdichten / welches man eine GedichtGeschicht nennen kan. (305)

Der in der Roman-Vorrede für das *Epos* verwandte Terminus »GedichtGeschichte« wird in der Poetik zur Kennzeichnung einer bestimmten Ausprägung der *Roman-fiktion* benutzt; derjenigen, die in allem (nach den Regeln der Wahrscheinlichkeit) »erdichtet« ist, d. h. auf Historie als Materialfülle und Möglichkeit des dichterischen Auswählens verzichtet. Die theoretische Zweiteilung in einen Romantypus der vollkommen erfundenen Handlung als reine Fiktion und einen, in dem Historie und Erfindung verbunden (»Helden oder Heldenthat *erwählt*«) sind, unterscheidet sich zwar grundsätzlich nicht von der in der *Aramena*-Vorrede gegebenen Charakterisierung — neu und gewandelt ist dagegen die Benennung: während in der Vorrede beide Ausprägungen des Romans (Historie und Erfindung / »reine« Erfindung) als »GeschichtGedichte« bezeichnet werden, wendet Birken diesen Begriff in der Poetik nur auf den ersten Romantyp (Historie und Erfindung) an, während der zweite Typus, der der »reinen Erfindung« (»Helden und Heldenthat *erdichtet*«) den in der Vorrede für das Epos reservierten Namen »GedichtGeschicht« erhält. In dieser akzentuierenden Verschiebung der Begriffe wird eine poetologische Aufwertung des Romans über eine terminologische Annäherung an das Epos sichtbar.

Im Unterschied zu dieser Akzentverschiebung stimmen die Aussagen der Poetik über strukturelle Fragen [70] und zum Wirkungs- und Endzweck der Romane mit denen der *Aramena*-Vorrede überein, so daß an dieser Stelle das im Zusammenhang mit der Analyse der Vorrede Gesagte nicht wiederholt zu werden braucht. Auffallend ist die auch in der Poetik hervorgehobene Erbauungsfunktion der Romane entsprechend Birkens genereller Forderung an die »christliche« Dichtkunst, neben dem »heidnischen« »Nutzen und Belusten / prodesse & delectare, wie Horatius redet /« (184) auch »den dritten Zweck der Poesy / vielmehr den ersten / die Ehre Gottes« (185) im Auge zu behalten und das pointierte Betonen des wirkungsästhetischen Moments, immer »bedacht [zu] seyn / wie man bei dem

Leser Mitleiden / Freude / Furcht / Hoffnung / Verwunderung und dergleichen
Regungen erwecken möge« (307). [71] Die Wirkungsabsicht verweist immer zu-
gleich auf den, wie gezeigt wurde, für Birken geschichtstheologisch begründeten
Endzweck.

Für die weitere Geschichte und Entwicklung der Romantheorie ist Birkens
Poetik nur von geringer Bedeutung [72], obwohl die poetologische Orientierung
des Romans am Epos und seine differenzierenden Beobachtungen zur Typik und
Struktur der Romanfiktion Bestimmungen in jener Abhandlung über den Roman
nicht unähnlich sind, mit dem, zumindest in Deutschland, eine neue Epoche in der
Romantheorie beginnt: Pierre Daniel Huets *Traité de l'origine des romans*.

V. Huets Romantheorie und ihre Rezeption in Deutschland

Pierre D. Huets 1670 als Einleitungsbrief zum *Zayde*-Roman erschienener und 1682 von Eberhard Werner Happel ins Deutsche übersetzter und in den Roman *Der Insulanische Mandorell* eingefügter *Traité de l'origine des romans* gehört zu den wichtigsten romantheoretischen Dokumenten des 17. und 18. Jhs. überhaupt. [1] Seine Wirkungs- und Ausstrahlungskraft beruht auf einer zugleich retrospektiven und prospektiven Tendenz; retrospektiv, insofern Huet die zurückliegenden romantheoretischen Ansätze in Italien (im Zusammenhang mit der Romanze: Cinzio, Pigna) [2] und Frankreich (etwa bei de Scudéry und Chapelain) [3] aufnimmt, an sie anknüpft und zusammenfassend systematisiert — prospektiv, insofern neben dem Versuch einer begrifflichen Präzisierung der Romanästhetik zugleich eine Apologie und Geschichte dieser Literaturform gegeben wird [4], die ihrerseits die Legitimierung und poetologische Klassifizierung des Romans eigentlich erst ermöglicht. Darüber hinaus zeigt Huets Romantheorie jenen Doppelcharakter von Abschluß und Neubeginn darin, daß die definitorische Allgemeinheit der ästhetischen Aussagen zukunftsträchtige Ausdeutungen erlaubt, die über den »Aktualitätswert« zum Zeitpunkt seines Entstehens weit hinausgehen. Dieser zeitgeschichtliche Augenblick ist allerdings nicht unwichtig, markiert er doch jene Wende, die mit dem Höhepunkt der klassizistischen Kunstperiode in Frankreich zusammenfällt und insofern auch literaturgeschichtlich und literatursoziologisch einen Einschnitt bedeutet, der gerade für das Weiterwirken Huets und seine Rezeption in Deutschland bis zu Gottsched folgenreich ist. Wollte man es vorweg und sehr verkürzend auf eine Formel bringen, so könnte man Huets Position im Blick auf seinen theoretischen Standort und die Möglichkeiten seiner Wirkung in Deutschland als die eines am »Barock« orientierten Klassizisten bezeichnen, der das Fundament für eine Romantheorie der »Aufklärung« legt. [5] Diese Formel bleibt zu begründen und im einzelnen zu erläutern; sie weist pointiert hin auf die zuvor angedeutete vermittelnde Stellung Huets im Übergang von einer literarhistorischen Vergangenheit in eine literaturtheoretische Zukunft des Romans.

Schon die Ausgangsdefinition: »was man aber heut zu Tage Romans heisset / sind auß Kunst gezierte und beschriebene Liebes Geschichten in ungebundener Rede zu unterrichtung und Lust des Lesers« [6] kennzeichnet Huets Fähigkeit, sowohl zur theoretischen Umschreibung eines romanhistorischen Sachverhalts seiner Vergangenheit und Gegenwart, als auch die zur systematisierenden, aber damit auch verengenden Formulierung eines romanästhetischen Gesetzes, das für zukünftige, modifizierende oder erweiternde Auslegungen offen ist. Und obwohl eine genauere Eingrenzung der Vorstellungen des *Traité* möglich ist, und davon wird auch bei der folgenden Charakterisierung seiner Rezeption auszugehen sein, läßt die projektive Allgemeinheit vieler Charakterisierungen diese zugleich zum Ausgangspunkt für vielfältige Interpretationen in den ersten Jahrzehnten des 18. Jhs. werden. Diese Offenheit korrespondiert auf eigentümliche und die Spannung in vielen Bestimmungen Huets andeutende Weise mit jenem enzyklopädisch-historischen Vermögen, Ergebnisse und Tendenzen der Vergangenheit aufzunehmen, die vielfach an anderen Stellen bereits formuliert sind und etwa auch in den besprochenen deutschen Romanvorreden und romantheoretischen Abhandlungen auftauchen. Daß jedoch Huet als »Historiker« nicht nur eine enzyklopädische, sondern dabei stets auch kritische Fähigkeit eignet, vermag gerade die romantheoretische Entwicklung in Deutschland zu zeigen. Von daher ergibt sich in den folgenden Überlegungen deshalb eine jeweils doppelte Fragestellung, insofern Huet einerseits auf dem Hintergrund des bereits Vorhandenen und andererseits im Lichte des Zukünftigen gesehen werden soll.

Die zitierte zusammenfassende Definition Huets liefert dafür schon andeutungsweise die einzelnen Aspekte; ausgehend von der prinzipiellen Charakterisierung des Romans als »Liebes Geschichte« wird der ihr zugrunde liegende Begriff der Fiktion analysiert werden müssen im Zusammenhang der angegebenen Kunstregeln: »Sie [die Romane] müssen mit Kunst / und nach gewissen Regeln geschrieben sein / sonsten würde es ein verwirretes Misch-Masch ohne Ordnung und annehmlichkeit sein« (574); der zweite Teil der Definition (»unterrichtung und Lust des Lesers«) bezieht sich auf den wirkungsästhetischen Endzweck und impliziert bei Huet und seinen Nachfolgern sowohl die Frage nach dem privaten als dem gesellschaftlichen Nutzen des Romans:

Solcher gestalt ist der Luste des Lesers / welchen der Romanschreiber zu seinem ziel setzet / nicht anders alß ein nothwendiger zweck zu unterweisung des Geistes und unterweisung der Sitten. (575)

Die Verengung des Romanbegriffs bei Huet auf einen bestimmten Typus ist nicht nur das Ergebnis einer historiographischen Deduktion, die den hellenistischen Liebesroman zum vollkommenen Muster erklärt, sondern zugleich Kennzeichen einer an literatursoziologischen Voraussetzungen gebundenen Theorie des »hohen« Romans, dessen repräsentative Funktion zwar im Verlauf der Huet-Rezeption zwischen 1670 und 1720 gemindert wird, dessen literarästhetische Verbindlichkeit aber noch weitgehend gewahrt bleibt.

1. Der Roman als Liebesroman

Keine andere Bestimmung der Huetschen Definition hat für deren Aufnahme und Weiterwirken eine größere Bedeutung erlangt als jene, daß »die Romanen [...] die Liebe zu ihrem vornehmsten Object« (576) haben. In allen Versuchen der folgenden Jahrzehnte, den Roman zu definieren (oder zu denunzieren) [7], kehrt diese Formel wieder; man kann sie darüber hinaus als Ausgangspunkt für eine Charakterisierung ansehen, die ein spezifisches und kontinuier-

liches Moment dieser Literaturform überhaupt beschreibt: »Diese Art von Schriften, wo die Liebe immer das vornehmste Triebrad ausmachet« [8], sind vielfach
noch im 19. und 20. Jh. durch jenes Haupt-Moment charakterisiert, das den Roman seit seiner Entstehung in der Spätantike und seiner »Wiedergeburt« in der
Neuzeit auszeichnet. Entscheidend ist dabei allerdings die Verschiedenheit geschichtlich wechselnder Liebesauffassungen und der Stellenwert, der der Liebesthematik theoretisch oder praktisch innerhalb des Kontextes unterschiedlicher Ro-
manstrukturen eingeräumt wird. Beide Aspekte bestimmen auch jene romantheoretischen Probleme, die sich im Zusammenhang mit der Huet-Definition und
ihren Auslegungen stellen.

Huet grenzt mit dem Hervorheben der »Liebeshandlung« den Roman vom Epos
(»Heldengedicht«) ab, dessen »Fundament eine Kriegs oder Staatsverrichtung«
(575) sei und das »nicht anders / als bey gelegenheit von Liebes sachen« handele,
während umgekehrt beim Roman »nur ohngefehr und zufälliger weise von
Estats und Kriegs-sachen« (576) gesprochen werde.

Die in den Vorreden des deutschen höfisch-historischen Romans immer wiederkehrende Doppelheit von »Helden- und Liebes-Gedicht«, »Staats-Liebes- und
Helden-Geschichte« ersetzt Huet durch eine jeweils das Epos und den Roman
wechselseitig charakterisierende Gegenüberstellung, indem diesem die »Liebessachen« und jenem die »Estats und Kriegs-sachen« zugeordnet werden. Die vermittelnde Einheit von »erotischem Modell« und »heroischem Exempel« (J. Huizinga), die den höfisch-historischen Staatsroman kennzeichnet und die seine Autoren
in selbstcharakterisierenden Äußerungen betonen, wird theoretisch aufgehoben im
Zusammenhang eines Versuchs, dem Roman ästhetische Eigenständigkeit zu verschaffen. Ein Schritt auf dem Weg der ästhetischen Emanzipation einer bisher literaturtheoretisch wenig geachteten Gattung ist ihre Fixierung auf das Vorherrschen der Liebesthematik in der Abgrenzung vom heroischen Heldengedicht.

Das erscheint zunächst verwunderlich, wenn man sich die literaturgeschichtliche
Situation, in der der *Traité* veröffentlicht wird, vergegenwärtigt (Verbindlichkeit
normativer literarästhetischer Kriterien der französischen Klassik) oder wenn man
jene Beispiele berücksichtigt, die Huet als vollkommene Muster am Schluß seines
Essays hervorhebt: d'Urfés *Astrée* und die Romane der Mlle. de Scudéry. [9]
Zwar spielt in diesen Romanen das Liebesthema eine entscheidende Rolle, aber
doch in einem »heroischen Rahmen«, der die Maßstäbe des personalen und ethi-
schen Handelns bestimmt. Huet gibt dem hohen Roman also eine neue theoretische
Interpretation, die mit der Kritik und Ablehnung der heldenhaften Haupt- und
Staatsaktionen jene »antiheroische Tendenz« ankündigt [10], die den zukünfti-
gen Roman der französischen Klassik und den des beginnenden 18. Jhs. auch in
Deutschland charakterisiert.

Schon in dieser Neuorientierung an der »Liebes-Geschichte« spiegelt sich Huets
Fähigkeit zur literarhistorischen Kritik und literaturtheoretischen Projektion: Der
Ausgangspunkt bleibt der »preziöse«, zumindestens der Praxis nach vorklassische
roman héroique, der dem als vorbildlich geltenden hellenistischen Typus des Liebesromans am verwandtesten zu sein scheint. Die Betonung und Verselbständigung

des Liebesthemas jedoch verweist schon auf den klassischen Roman einer Mme. de Lafayette [11], und schließlich eröffnet die antiheroische Interpretation einer Liebesgeschichte dem »galanten« Romantyp die Möglichkeit einer am heiteren Spiel der Komödie orientierten Ausdeutung der Liebe. [12]

Kennzeichnend für die variable, aber zugleich auf die Romanpraxis bezogene und von dieser mitbestimmten Ausdeutbarkeit der Huetschen Formulierung ist ihre Rezeption in Deutschland. Prinzipiell berufen sich alle Theoretiker, die als Hauptquelle den *Traité* angeben, vor allem auf dessen Definition zum Liebesroman. [13] Sie übernehmen sie jedoch in einer die literarische Situation des deutschen Romans charakteristischen Weise, indem sie einerseits die kontrastierende Gegenüberstellung des heroischen Heldengedichts mit dem »Liebessachen« enthaltenden Roman mildern und damit den deutschen höfisch-historischen Roman theoretisch zu fassen und zu rechtfertigen versuchen, und indem sie andererseits Huets Definition auf den Typus des sich in den ersten Jahrzehnten des 18. Jhs. herausbildenden »galanten Romans« projizieren.

Eine Ausdeutung im Sinne des französischen klassischen Romans, die Huet unter bestimmten Gesichtspunkten (vgl. Liebesthematik) antizipierend vorwegnimmt, fehlt bezeichnenderweise in Deutschland — der romantheoretische Mangel koinzidiert hier mit dem romanpraktischen. Theoretische Dokumente, die das Liebesthema als individuelles Problem interpretieren, wie es einige deutsche Schäferromane zeigen [14], fehlen ebenso; literarästhetische Verbindlichkeit und damit romantheoretische Würdigung wird im Bereich der Huetschen Liebesroman-Definition in Deutschland lediglich den hohen und galanten Formen des Romans zuteil. [15]

Das theoretische Festhalten an der Doppelheit von Heroischem und Erotischem im Roman läßt sich dabei mit Daniel Georg Morhof beginnend (»eine andere Art Getichte / aber in ungebundner Rede«) [16], bis zu Wilhelm Ernst Tentzel und Magnus Daniel Omeis am Ende des Jhs. beobachten: »so daß eine solche Liebes-Fabel [...] wohl nichts anders heissen mag / als eine ungebundene Vermischung zufälliger Begebenheiten aus verliebten und heroischen Historien«. [17] Diese oder ganz ähnlich lautende Formulierungen scheinen vor allem von den 1684 erschienenen *Reflexions sur les Romans* der Susanne Elisabeth Prasch abgeleitet zu sein, die von Huet inspiriert und von diesem ausgehend, Romane als »Fictae historiae amatoriae heroicis permixtae, ad voluptatem & utilitatem legentium compositae« definiert [18] und damit im Unterschied zu Huet die Zusammengehörigkeit von heroischen- und Liebes-Geschichten ausdrücklich betont. Hierin bezeugt sich nicht nur die praxisorientierte Umformung der Huetschen Intention, um auf diese Weise die deutschen Musterromane eines Anton Ulrich, Lohenstein und Zigler v. Kliphausen theoretisch klassifizierbar zu machen, sondern zugleich eine apologetische Tendenz, deren Ziel es ist, möglichen Angriffen den Wind aus den Segeln zu nehmen mit dem Argument, bei den Romanen handele es sich keineswegs um leichtfertige »Liebessachen«, sondern um exemplarisches, der Historie entnommenes oder ihr verwandtes heldenhaftes Geschehen, worin Liebe eine Art von Tugendverhalten darstelle: Der Hinweis auf die Nähe zur Historie und zu den heroischen Themen des Epos erscheint dabei gleichermaßen nützlich, den »Liebes-verdacht« zu entkräften.

Dieser Verdacht nun wird vor allem von den Gegnern und Kritikern des Romans ausgesprochen, die sich, um die verhaßten Liebesgeschichten zu treffen, vorzugsweise (und aus dieser Sicht nur zu verständlich) auf die originären Aussagen Huets berufen. Huet liefert ihnen jenes Argument, mit dem sie die angebliche Unmoral und Unnützlichkeit beweisen zu können glauben. Ein Buch, das vornehmlich von der weltlichen Liebe handelt, kann unter calvinistisch/pietistischen Gesichtspunkten nur als Teufelswerk und Zeitverschwendung gelten. Das Ausmaß und die Funktion dieser Kritik bei Heidegger, Serpilius, Freyer und anderen, die sich alle auf Huet als Gewährsmann stützen, wird im einzelnen zu analysieren sein [19]; vorweg sei hier nur auf diese »negative« Rezeption der Huetschen Liebesroman-Definition hingewiesen und auf die Tatsache, daß diese vornehmlich theologisch orientierten Kritiker sehr genau die »Gefahr« einer Definition des Romans erkannt haben, die im Kern den weltlich-säkularen Charakter der Fiktion hervorhebt.

Unmittelbar und zustimmend übernehmen jene Theoretiker in Deutschland die Huetsche Definition, die den »galanten« Roman zu beschreiben versuchen. Für sie scheint der Roman als Liebesroman definiert zu sein in dem Sinne, daß Historie und heroisches Verhalten nur noch Kostüm, der Roman aber eigentlich »von Verliebten handelt«. [20] Abgesehen von der kopierenden Übernahme bei Albrecht Christian Rotth, der die Übersetzung Happels einfach in seine Poetik übernimmt (» [...] in den Romanen wird eine Liebes-Geschichte zu erzehlen vorgenommen«) [21], kann man eine genauere Orientierung theoretischer Texte an der Formel Huets vor allem seit der Jahrhundertwende in Deutschland beobachten. Die ausführlichen Darlegungen bei Jacob Volckmann (1703), Georg Pasch (1707), im *Raisonnement über die Romanen* (1708) und schließlich bei Christian Friedrich Hunold sind dafür besonders charakteristisch. Sie alle betonen den Gedanken Huets, wonach der Roman eine erfundene Liebesgeschichte vorzüglich zum Vergnügen des Lesers sei: »sunt fictae casuum inprimis amatoriorum historiae, ad voluptatem & utilitatem legentium prosa« [22] — »Liebes-Geschichte [...] um die menschlichen Gemüther zu belustigen«, mit denen ausführliche Diskurse und Disputationen sich »gar nicht zusammen [...] schicken« und in denen häufige »Morgensegen« unangebracht sind, indessen »vernünftig seyn / und lieben gar wohl zusammen stehen« kann [23]. Nimmt man Hunolds Parallelisierung von Oper und Roman unter dem Aspekt von »Liebesbegebenheiten« hinzu [24], wird die in diesen Hinweisen offenkundige Intention sichtbar, den Roman als unheroische, neue unterhaltende Literaturform — ausgehend von der Autorität Huets — theoretisch zu beschreiben und zu legitimieren.

In einer Romanform, in der an Stelle der Fortuna Amor die »unumschränkte Gewalt« [25] einnimmt und in der das »Welttheater« in einen »Schau-Platze der Liebe« (Hunold) verwandelt ist, wird die Liebesthematik aus ihrem stoisch-christlichen Beziehungssystem von Standhaftigkeit (constantia) und Affekt (passio) gelöst und stillschweigend zum literarischen Sujet eines heiteren komödiantischen,

gänzlich verweltlichten Spiels. Indem die vielfältigen und verwirrenden Liebes-
verwicklungen immer eindeutiger in den Vordergrund rücken und der »theologische Horizont des barocken Romans [gleichzeitig] verblaßt« [26], kündigt sich
jener Prozeß einer »Säkularisierung« an, den Huet romantheoretisch in Deutschland mit vorbereiten hilft: Aufklärerische Tendenzen im deutschen Roman werden
in einer ersten Phase u. a. sichtbar in einer neuen Interpretation der Liebesauffassung und einer diesem Thema zugewiesenen dominierenden Rolle. Die Theoretiker
können sich dabei immer mit dem Hinweis auf die auch im höfisch-historischen Roman konstitutive Funktion der Liebesthematik absichern, indem sie den neuen Begriff »Liebe« so allgemein wie vieldeutig formulieren. Von daher ist es auch nicht
verwunderlich, wenn beide Formen des Romans, der höfisch-historische neben dem
galanten, nebeneinander oder miteinander von apologetisch vorgetragenen Argumenten zugunsten des (Liebes)-Romans zehren können. J. Volckmann und G.
Pasch besprechen etwa nach einer allgemeinen Einleitung für das nützliche Lesen
von Liebesromanen sowohl die berühmten deutschen »Barockromane« (der Buchholtz, Anton Ulrich und Lohenstein) als die »neuen« galanten eines Happel,
August Bohse, Joachim Meier und Hunold. [27]

Daß das Votum für die galanten Romane in anderen theoretischen Zeugnissen
weniger positiv ausfällt oder vielfach sogar kritisch zurückgenommen und dagegen
der höfisch-historische Roman (vornehmlich mit erbaulichem oder gelehrtem Charakter: Buchholtz, Prasch — Happel, Lohenstein) kanonisiert wird [28], hängt
mit der vor allem moraltheologisch orientierten Kritik zusammen, die sich parallel
zur theoretischen Emanzipation des weltlichen Liebesromans ausbildet und deren
Argumente sich gerade auf diese Säkularisierung beziehen.

2. Der Begriff der Fiktion und die Kunstregeln des Romans

Der Charakter des Huetschen *Traité* als literarästhetisches Dokument eines
romantheoretischen Übergangs und einer mehrdeutigen Interpretierbarkeit wird in
besonderer Weise sichtbar unter dem Gesichtspunkt des kodifizierten Fiktions- und
Strukturbegriffs. Die mannigfache und unterschiedliche Rezipierbarkeit ist zu
einem Teil Ursache der bei Huet angelegten theoretischen Ambivalenz, die wiederum grundsätzliche Schwierigkeiten der Romantheorie spiegelt: Will sich die bisher literaturtheoretisch vernachlässigte oder verachtete Gattung rechtfertigen und
einen Platz im System der übrigen Literaturformen erlangen, steht sie vor der doppelten Notwendigkeit, sich einerseits von bereits ausgebildeten literarischen Erscheinungen zu unterscheiden und als eigenständige Form zu behaupten und andererseits ihr verwandte und schon »etablierte«, als vorbildlich geltende literarische
Modelle zum Muster zu nehmen, gewissermaßen als gesichertes Fundament, von
dem der Sprung ins poetologisch Ungewisse gewagt werden kann.

Diese Grundproblematik der Romantheorie, die in der Phase ihrer Emanzipation paradoxe Formen annehmen kann, zeigt Huets *Traité* in exemplarischer
Weise und faßt wie in einem Brennspiegel Tendenzen und Schwierigkeiten zu-

sammen, die auch in anderen zeitgenössischen Reflexionen, etwa der deutschen im letzten Drittel des 17. Jhs., zu beobachten sind: Es gilt die Eigenständigkeit des Romans zu erweisen bei gleichzeitiger Distanzierung und Orientierung gegenüber dem Epos und der Historie. Alle definitorischen Hauptprobleme der Romantheorie entspringen in ihrer Entstehungsperiode diesem verzwickten Sachverhalt. Bei Huet wird das besonders deutlich, weil einerseits die Erfindungsstruktur des Romans ganz entschieden von der des Epos abgegrenzt und die Historie dem Roman als unterschiedliche literarische Bewußtseinsform konfrontiert, andererseits aber die Formalstruktur des Romans nach den Regeln des Epos bestimmt wird. Strukturelle Kunstregeln des Epos erheischen Verbindlichkeit für die Kunstregeln des Romans, obwohl dieser doch gerade dem Epos als neue Form gegenübergestellt wird. Unter beiden Gesichtspunkten (den Begriff der Fiktion und die artifizielle Regelhaftigkeit des Romans betreffend) folgt Huet zudem verbindlichen Maßstäben der »doctrine classique«, wodurch die dialektische Verschränkung nicht aufgelöst wird, sondern eher noch pointierter hervortritt.

Betrachtet man zunächst Huets Auffassung der Romanfiktion, so gilt das im Zusammenhang mit der Liebesthematik Gesagte generell auch für die prinzipielle Bestimmung der Romanerfindung: Die heroische (und mythologische) »Höhe« des Epos wird abgelehnt und der Roman auf einer Grundlage neu definiert, die man zusammenfassend als eine der literarästhetischen Mediatisierung und Säkularisierung bezeichnen könnte; d. h. Epos (und Geschichtsschreibung) bleiben als Darstellungsformen »großer« bzw. »göttlicher Taten« zwar Ausgangspunkt einer Neuformulierung der Romanfiktion, diese aber begibt sich des Heroischen und Mythologischen, indem sie zugleich einen vorgegebenen neoaristotelischen Wahrscheinlichkeitsbegriff, der durch die klassische Kunstdoktrin sanktioniert ist, für sich reklamiert und ihn zum Grundgesetz einer sowohl im Literaturtheoretischen wie Literatursoziologischen »mittleren« Gattung bestimmt.

Nachdem Huet parallel zu anderen zeitgenössischen Romantheoretikern das Verskriterium als einziges Dichtungskriterium abgewiesen hat, beginnt er im einzelnen seine charakterisierenden Gegenüberstellungen mit der zukunftsweisenden Differenzierung von »mythologischem« Epos und »profanem« Roman:

[...] daß man sie [die Epen] gleichsam mehr vor außsprechung der Götter halten könte / die da entspringen von einem rasenden Geiste / alß vor ein curieuse und getreue Erzehlung: Die Romans hergegen / sind einfältiger / weniger erhoben / gebrauchen nicht so viel Umbschweiff in der Findung und Außdruckung. (575)

Diese wechselseitige Zuordnung nimmt außer einer stiltheoretischen Abgrenzung andeutungsweise die von Hegel und Lukács beschriebene und geschichtsphilosophisch begründete fundamentale Differenzierung zwischen Epos und Roman vorweg, die die Entstehung des »modernen« Romans eben aus dieser »Ablösung« der einen durch die andere Gattung erklärt. [29] Indessen definiert Huet weder die »Totalität« einer »Lebensimmanenz«, der das Epos, noch die Offenheit einer »Suche nach Totalität«, der der Roman bei Lukács geschichtsphilosophisch zugeordnet wird. Der Gedanke einer »gegebenen«, bzw. »aufgegebenen Totalität« muß Huet selbstverständlich noch fremd bleiben; dennoch kann in der Gegenüberstellung eines vornehmlich durch den Mythos charakterisierten Epos und der »curieusen und getreuen Erzehlung« im Roman eine Andeutung jenes Prozesses gesehen werden, der schon am Beginn auf die »transzendentale Obdachlosigkeit« der neuen Literaturform hinweist.

Huets Intention wird genauer sichtbar in seiner zweiten Bestimmung:

> Die Gedichten sind angefüllet mit wundern / doch jederzeit mit warscheinlichen. Die Romanen haben mehr wahrscheinlichkeit / wiewohl bißweilen auch etwas verwunderliches. (575)

Die romantheoretische Frage stellt sich für Huet nicht als geschichtsphilosophisches Problem, sondern als Versuch einer Fixierung angemessener ästhetischer Regeln im Rahmen einer neoaristotelischen Vorstellung von Wahrscheinlichkeit. Die »Entmythologisierung« der Literatur ist, wenn man so will, für ihn eine ästhetische Notwendigkeit, deren geschichtsphilosophische Implikationen erst seine späteren Nachfolger erkennen. »Wahrscheinlichkeit« als Hauptforderung (und Gemeinplatz) der zeitgenössischen Ästhetik dient als Hilfsmittel, den Roman vom Epos abzugrenzen, dem ein Maß von Wundererzählungen zugeschrieben wird, das dem Roman nicht zukommt; zwar kann auch er »bißweilen« auf »etwas verwunderliches« nicht verzichten, aber im Ganzen ist »Wahrscheinlichkeit [...] denen Romanen gleichsam angeerbet« (574).

Das gilt auch für die Abgrenzung von der Historie. Huet knüpft an die traditionelle und verbindliche aristotelische Unterscheidung von Dichtung und Geschichtsschreibung an, indem er den Fiktionscharakter des Romans deutlich herausstellt:

> Ich kan wohl sagen daß in angeregten Historien die Warheit die Oberhand behält und daß die Falschheit dergestalt in den Romanen herschet / daß sie falsch heissen mögen im gantzen wesen / Und zertheilet. (576)

Die vor allem in einigen deutschen theoretischen Texten versuchte Anlehnung der Romanfiktion an die Geschichte wird hier konsequent vermieden und das Erfundene, wie bei Harsdörffer, auf der Basis der Wahrscheinlichkeit zum konstitutiven Moment des Romans erklärt. [30] Huet geht außerdem einen erstaunlichen Schritt weiter, wenn er darauf aufmerksam macht, daß umgekehrt die als Historien ausgegebenen Darstellungen (etwa Herodots) »in Genere wahr / aber in gewissen Stücken falsch« seien (576). Im Zusammenhang romantheoretischer Fragestellungen wird damit auf das Problem des Fiktiven innerhalb der Historie hingewiesen, das für die Frage einer möglichen Annäherung von Dichtung und Geschichtsschreibung von großer Bedeutung ist. [31]

Daß die Romanerfindung strikt unter ein neoaristotelisch begründetes Wahrscheinlichkeitspostulat gestellt wird, bestätigt schließlich Huets Gegenüberstellung mit der Fabel:

> Endlich schliesse ich auch alle Fabeln auß der zahl der Romanen / dan die Romanen sind außgezierte Sachen [32] / welche nicht vermöglich gewesen / sondern sich wohl hetten zutragen können / dannach nicht also geschehen sind / die Fabeln hergegen sind Verzierungen der Dinge / die nicht gewesen sind / noch haben sein können. (577)

Dem allegorischen (nichtrealistischen) Charakter der Fabel steht der an der
Empirie orientierte Roman wahrscheinlicher Erfindungen als Geflecht möglicher
Begebenheiten gegenüber. [33] Fabel, Historie und Epos gelten als Darstellungsformen, von denen der Roman aufgrund seiner Wahrscheinlichkeitsstruktur zu
unterscheiden ist. Huet geht von einem literarästhetisch kanonisierten Postulat
aus, um das Neue theoretisch rechtfertigen zu können; die Anwendung dieses Postulats dient ihm als Vehikel der romantheoretischen Deduktion.

Versucht man diesen Wahrscheinlichkeitsbegriff zu konkretisieren, wird man generell auf die verbindlichen Prinzipien der französischen klassizistischen Ästhetik
verwiesen. [34] Im Formalästhetischen: Orientierung an den antiken Kunstregeln und vorbildlichen Mustern — unter dem Aspekt der Abbildungs- und Nachahmungsästhetik: enge Verknüpfung mit dem Prinzip der »bienséance« als Maßstab artifizieller Stimmigkeit und gesellschaftskonformer Koinzidenz von Werkstruktur und Publikumsgeschmack. [35] Was als wahrscheinlich gelten kann, bestimmt letzten Endes die an klassisch-antiken Vorbildern orientierte »opinion
commune« (Le Bossu) [36] einer gebildeten aristokratischen Leserschicht, deren
ästhetische Harmonie- und gesellschaftlich gesellige Schicklichkeitsvorstellungen
allgemeine Verbindlichkeit beanspruchen. Diese literatursoziologische Bindung begründet andererseits eine relative Offenheit des Wahrscheinlichkeitsbegriffs, insofern Veränderungen des Lesepublikums und Lesergeschmacks Wandlungen der literaturkritischen und -theoretischen Maßstäbe zur Folge haben können, von denen
im Bereich einer Nachahmungsästhetik vor allem die Wahrscheinlichkeitsauffas-
sung betroffen wird. Das Dilemma einer äußerst schwierigen, genaueren Präzisierung der Wahrscheinlichkeitsforderung ist deshalb u. a. auch der notwendige
Reflex permanenter lesersoziologischer Verschiebungen. [37]

Als romantheoretischer Ausdruck solcher Umschichtungen [38] mag auch
Huets, neben der Liebesromandefinition, wohl folgenreichste Bestimmung angesehen werden, wonach der Roman (auf der Basis der Wahrscheinlichkeit) jene literarische Gattung sei, die im Unterschied zum Epos und zur Historie die »an-
nehmlichere« sei, und deren Personen nicht der ständisch-hierarchischen Spitze an-
zugehören brauchten:

[...] daß die gantze Verzierung des Inhalts annehmlicher ist in den Romanen / deren
Personen mittelmässigen Standes sind / alß die da handeln von vornehmbsten Printzen /
und herrlichen gedenckwürdigen Thaten [...]. (577) [39]

Damit ist zweierlei vollzogen: einmal wird dem neoaristotelischen Wahrscheinlichkeitsbegriff im Horizont einer Gattung »mittlerer« Personen die »heroische« Exklusivität genommen (Wahrscheinlichkeit wird auch zur Maxime einer nicht-
heroischen »bürgerlichen« Literaturgattung), zum andern soll »Wahrscheinlichkeit«
dem Roman jene ästhetische Würde verleihen, der es ihm zuvor theoretisch er-
mangelte. Huets Wahrscheinlichkeitsbegriff unterscheidet sich dabei grundlegend
von einer geschichtsphilosophischen Ausdeutung, wie sie Birken gibt, dessen theologisch begründete Romanfiktion als System heilsgeschichtlich interpretierter Hi-

storie Huet fremd ist, und es kann kein Zweifel sein, daß die ganz unterschiedliche Rezeption beider am Ende des 17. und Beginn des 18. Jhs. auf diese diver-
gierenden Ansätze zurückgeht. Auf Huet vermögen sich »verweltlichte« und bürgerlich erweiterte Romane zu berufen — auf Birken nur vereinzelte Theoretiker,
die an der geschichtstheologischen Grundierung des Romans festhalten möchten. [40]

Eine der neuen soziologischen Zuordnung des Romans entsprechende Konsequenz im Bereich des Formalästhetischen zieht Huet allerdings nicht, vielmehr ver-
harrt er im Umkreis überkommener, durch die antike Tradition geheiligter Kunstregeln, auch hierin ein Grundproblem der Romantheorie des 17. und 18. Jhs.
spiegelnd: Der Emanzipation der Romanfiktion als einer immer dominierender
hervortretenden bürgerlichen Kunstform entspricht keine Emanzipation eigen-
ständiger Roman*regeln;* artifizielle Techniken des kanonisierten Epos bleiben das
normative Muster auch des Romans. [41] Das mag überraschend erscheinen, bei
näherer Betrachtung jedoch zeigt sich gerade hierin wiederum eine der zuvor angedeuteten »notwendigen« Widersprüchlichkeiten seiner theoretischen Entwicklung. Will sich der Roman als eine von zeitgenössischen Literaturtheoretikern
ernstzunehmende Gattung etablieren und nicht — wie im theoretisch verachteten
»roman comique« mit der neoaristotelischen Tradition in der Form klarer Absage, Parodie oder Travestie brechen — bleibt ihm nichts anderes übrig, als eben an
die Tradition anzuknüpfen, die er, geschichtsphilosophisch betrachtet, eigentlich
verläßt. Hinzu kommt ein literarhistorisches Faktum, insofern eine Fülle vorlie-
gender historischer und zeitgenössischer Romane auch nicht im mindesten den
künstlerischen Voraussetzungen einer neoaristotelischen Ästhetik entsprach. Die
Abgrenzung, die gegenüber solchen »regellosen« Romanen vorgenommen wird,
spiegelt sich unmittelbar in Huets Unterscheidung von »regulirten« und »unregu-
lirten« Romanen, wobei die Maßstäbe des Regulierten eben denen des Epos entstammen: »Regulirte nenne ich / die sich halten in den Regeln der Helden-gedichten« (604). Überspitzt könnte man formulieren, daß die »orthodoxe Regelgläubigkeit« [42] als Moment einer theoretischen Absicherung gegenüber jenen de-
mokratischen (und anarchischen) Tendenzen fungiert, die der Gattung prinzipiell
eigen sind. Das, was dem Roman in einer ersten Phase allein zur literaturtheoretischen Reputation verhilft (strukturierende Ordnung und tektonische Geschlossenheit), stellt er allerdings in einer späteren (»modernen«) Phase gerade zur Diskussion.

Zu dem jeden Roman anempfohlenen epischen Grundgesetz gehört vor allem
der Organismusgedanke in der klassisch aristotelischen Ausprägung: [43]

[...] daß ein Roman gleich sein müsse einem wohl gemachten Cörper / und zusammen
gesetzet auß verschiedenen unter einem eintzigen Haupt geebeneten Theilen [... und] /
daß die vornehmste That oder Handelung / welche gleichsam das Haupt des Romanes ist /
einig / und in Vergleichung der andern / durchleuchtig muß seyn / und das die unterhörige
Thaten oder Handelungen / so gleichsam die Glieder sind / sich nach diesem Haupt richten / demselben in schönheit und würdigkeit weichen / es zieren / sich ihm unterwerffen /
[...] sonsten würde es ein Leichnamb von vielen Haupern / ein Monstrum und garstig
sein. (597 f.)

Auch für den Roman sind es die Griechen, die »einen vollkommern Leib machten
auß den Theilen / welche bey den alten [orientalischen] ohne eintzige Ordnung
und über einkunfft gesetzet waren« (604). Außer dieser Zu- und Unterordnung
von Haupt- und Nebenhandlung, die schon die Geschwister Scudéry nach dem
Beispiel Homers, Vergils und Tassos gefordert hatten (*Ibrahim*-Vorrede [1641]),
spielt die Übernahme der klassischen Einheiten (vornehmlich der Einheit der
Handlung) eine besondere Rolle. Auch hier faßt Huet ähnlich wie bei der Medias-
in-res-Forderung für den Romananfang nur Bestrebungen anderer Theoretiker des
17. Jhs. zusammen. Wichtig und für die Romanpraxis und konträre Rezeption in
Deutschland bemerkenswert bleibt dagegen seine dezidierte Ablehnung ausführlicher Diskurse und Exkurse im Roman und, unter dem Aspekt eines romantheoretischen Mangels, die fehlende Übernahme der vor allem für den zukünftigen
Roman zentralen Problematik einer Psychologisierung des Romangeschehens. Huet
knüpft hier seltsamerweise nicht an die diesen Fragenkreis bereits andeutenden Bemerkungen der Geschwister Scudéry an, die im Nachzeichnen von »Bewegungen
der Seele« schon eine besondere Aufgabe des Romanautors (unter Berufung auf
Homer, Heliodor und d'Urfé) gesehen hatten. [44]

   In der deutschen Rezeption Huetscher Bestimmungen zum Fiktions- und Struk-
turbegriff des Romans spiegelt sich insgesamt das im *Traité* Formulierte und
Ambivalente — im Betonen der Eigenständigkeit der Romanfiktion bei gleichzeitiger Adaptierung der Epos-Regeln — wider; eine komprimierte Zusammenfassung, wie sie etwa Volckmann und Pasch geben, trifft die Intention Huets sehr
genau. Nachdem sie den Charakter des Romans als Liebesgeschichte zum Vergnügen
und Nutzen betont haben, heißt es unter Berufung auf Renatus Rapins *Observationes in poëmata Homeri & Virgilii* [44a]:

[...] fabula nascitur ex tribus 1. ex naturali connexione actionis principalis, & justa
partium illam componentium proportione. 2. ex legitimo verisimilium & admirabilium
temperamento. 3. ex apta circumstantiarum convenientia cum actione principali. Exclu-
duntur igitur hinc fabulæ seu commenta mythologorum, id est earum rerum, quæ nec
fuerunt, nec esse potuerunt, cum fabulæ Romanenses sint rerum quæ esse potuerunt,
nec tamen fuerunt. [45]

In dieser zusammenfassenden Formulierung finden sich die wichtigsten Faktoren
der Huetschen Romantheorie: Verbindung von Haupt- und Nebenhandlung den
epischen Kunstregeln entsprechend, Mischung des Wahrscheinlichen und Bewun-
dernswerten [46] bei gleichzeitiger Ablehnung der Mythen, bzw. die zentrale
Wahrscheinlichkeitsforderung als Basis einer im ganzen »falschen« (d. h. erdichteten) Romanfiktion. [47]

   Andere theoretische Texte der Huet-Nachfolge in Deutschland zeigen eine solch
präzise Rezeption und kenntnisreiche Exegese freilich nur bedingt, und hier wird
eine Parallele zur Aufnahme der Liebes-Romandefinition sichtbar, insofern auch
unter dem Aspekt der Romanerfindung die deutschen Theoretiker enger als Huet
am Epos und an der Historie orientiert bleiben. Dementsprechend finden sich, was
die Beziehung zum Epos betrifft, dort die unmittelbarsten Übernahmen und Ver-

wandtschaften zwischen dem *Traité* und seinen deutschen Interpreten, wo von den verbindlichen formalen epischen Kunstregeln die Rede ist:

Weil aber die Romaine in der Ordnung mit den Epicis gantz überein kommen / so ist nicht nöthig / daß man hier Exempel wolte einführen / wie in den vorigen aus dem Homero geschehen. [48]

Das bezieht sich sowohl auf die teleologische Einheit der epischen Fabel in ihrer Beziehung von Haupthandlung und Einzelepisoden:

[...] daß zu einem wohlgesetzten Romain fürnemlich vonnöthen / daß er erstlich in einer ungezwungenen connexion und Vortrag des Hauptwercks / wie nicht weniger in einer vollkommenen Proportion aller darzu bedürffenden Theile bestehe [...] [49],

als auf den Medias-in-res-Anfang und das erzählerische Einfügen vorausgegangener Ereignisse:

In diesen ungebundenen Helden Gedichten oder Romans muß der Poet nicht von vornen / wie der Historicus, sondern mitten aus der Geschichte von einer namhaften Begebniß anheben / und das vorhergegangene hernach / bei guter Gelegenheit / durch eingeführte Personen erzehlen laßen. [50]

Wichtiger als diese, den allgemeinen Konsensus epischer Darstellung auch für den Roman bestätigenden und Huet als Autorität zitierenden Zeugnisse ist die vorsichtig differenzierende Aufnahme jener Bestimmung, wonach — im Unterschied zum Epos und zur Historie — die Personen im Roman »mittelmässigen Standes« seien. Hier zeigt sich gerade bei einem Huet im übrigen einfach übernehmenden Theoretiker wie Albrecht Christian Rotth, daß die neue soziologische Zuordnung von Roman und nicht-heroischem, mittlerem Personal in Deutschland noch keine uneingeschränkte Zustimmung findet. Obwohl Rotth (wie Morhof) unter stilistischen Gesichtspunkten die »Mittelstraße« empfiehlt [51] und sich prinzipiell für einen Roman »mittelmäßiger« Personen einsetzt [52], bleibt der Hinweis auf den möglichen Vorzug jener Romane, die dem heroischen (und historischen) Umkreis entstammen:

Wiewohl nicht zu läugnen / daß vornehmer und bekanter Leuthe Liebes-Geschichte vielleicht auch in dieser Art Gedichte den Vorzug dürffen behalten. [53]

Kennzeichnend und den Unterschied schlagartig erhellend ist in diesem Zusammenhang das Beibehalten und Wiederaufnehmen der aristotelischen Katharsisformel (wie sie Birken formuliert hatte) bei Omeis, der, sich im übrigen auf Huet berufend, in diesem Punkt abweicht. Während es bei Huet/Happel heißt:

Sie [die Romane] verunruhigen unsere Affecten nicht anders / alß umb dieselbe wieder zu befriedigen / Sie erwecken bey uns *keine Furcht noch Mitleyden* / daß sie nicht bald diejenigen / vor welche wir Bekümmert sind / oder welche wir Beklagen / wieder ausserhalb aller Gefahr sehen solten (621),

schreibt Omeis, der Romanautor solle »stets bedacht seyn / wie man bey einem Leser Furcht / Hoffnung / Freude / Mitleiden / Verwunderung / und dergleichen Gemütes-Bewegungen / erwecken möge«. [54] In dieser, Huet um eine bezeichnende Nuance verändernden Rezeption spiegelt sich ein charakteristischer

Vorbehalt der deutschen Romantheorie, der einerseits bedingt ist durch die literaturgeschichtliche Praxis des »höfisch-historischen« Romans in Deutschland und andererseits jene absichernde theoretische Vorsicht deutlich macht, die dem Roman einen Legitimitätsanspruch erhalten möchte, den ihm die Nähe zum Epos und zur Historie zu gewährleisten scheint.

Bezeichnend für diese poetologische Schutzfunktion theoretisch sanktionierter literarischer Formen ist die Tatsache, daß selbst ein der klassizistischen Position eng verbundener und Huet in den Grundzügen folgender Theoretiker wie Morhof sich bei seiner Klassifizierung des Romans nicht nur an das Epos (»Dann sie sein von den andern nicht unterschieden / als nur bloß an dem metro«) [55], sondern auch an die Historie hält. Im X. Kapitel einer *Dissertatio de Historia, ejusque Scriptoribus* behandelt Morhof unter dem Titel *De Varietate Historiae ejusque Scribendae ratione* die Romane innerhalb einer Geschichtssystematik, die nach einer grundsätzlichen Dreiteilung in Historia Naturalis, Historia Divina und Historia Humana, die letztere (wie bei Justus Lipsius) [56] noch einmal in die »mythische oder gleichsam wahre« und »wahre« (»Mythicam vel quasi veram & Veram«) [57] unterteilt und die Romane in die Kategorie der »gleichsam wahren Geschichten« einordnet:

Quasi vera Historia est, veri quae similitudinem pro fundamento habet, ut vera historia veritatem, quo quidem nomine vocari possunt libri illi, qui Romanei dicuntur (Die Romanen). [58]

Die Charakterisierung der Romanfiktion, wie sie Morhof gibt, unterscheidet sich dabei auch in den folgenden Bestimmungen kaum von der Huets; doch während dieser den Roman in einem eigenen literaturtheoretischen Traktat behandelt, versucht ihn jener in einer »wissenschaftlichen« Systematik einzuordnen, von der der Roman schon aufgrund solcher klassifizierenden Zuordnung theoretisch profitieren kann. Das Einbeziehen in ein polyhistorisches System verleiht dem Roman theoretische Würde.

Hatte Huet das Einfügen längerer Exkurse in den Roman aus Gründen der organisch-artifiziellen Tektonik abgelehnt, ist die Meinung seiner deutschen Rezipienten in dieser Frage geteilt. Während z. B. Volckmann und der Autor des *Raisonnement* Huets Forderung akzeptieren und dem Roman zwar durchaus einen gesellig-gesellschaftlichen Nutzen, aber keine Fähigkeit zur ausgedehnten Vermittlung umfangreichen Wissens zubilligen [59], betont demgegenüber etwa Omeis die Möglichkeit des Romans zur belehrenden (oder kulinarischen) Amplifizierung seiner Grundstruktur:

Sonsten kan man auch hier allerhand Neben-Gedichte und Erweiterungen / als zierliche Person- Ort- und Zeit-Beschreibungen / lange Unterredungen / Sermocinationes, erbauliche Lehr- und Lob-Sprüche / schickliche Gleichniße / Schlachten / Ludos Circenses & Comicos, annehmliche Carmina, Liebes- und andere Briefe / mit einrucken [...]. [60]

Daß hier unmittelbar Bezug genommen wird vornehmlich auf die deutschen Romane am Ende des 17. Jhs., steht außer Frage, und so ist das allgemeine Lob für den enzyklopädischen Roman Lohensteins auch nicht verwunderlich:

[...] vor denen allen [61] aber nun zu recommendiren ist Caspars Arminius / welcher dem aufmerksamen Leser nicht allein wegen der zierlichsten Red-Arten und tiefsinnigen Poësie / sondern auch ratione Historiæ veteris Germanicæ herrlich nutzen und ihn ergetzen kan. [62]

Bei der Frage möglicher Erweiterungen und Ausformungen des Romans geht es einem Teil der deutschen Theoretiker insgesamt weniger als Huet um das Problem der künstlerischen Gesamtstruktur und mehr um den enzyklopädischen (oder »politischen«) Aspekt. Die Romane Lohensteins, Happels und Christian Weises zeigen hier ihre theoretischen Korrespondenzen.

3. Der aufklärende und pragmatische Endzweck des Romans

Dem Vorwurf der Lügenhaftigkeit begegnen die Romantheoretiker des 17. und beginnenden 18. Jhs. mit dem Postulat der Wahrscheinlichkeit, dem Vorwurf mangelnder Kunstfertigkeit des Romans setzen sie geheiligte Epos-Regeln entgegen, den Vorwurf der Unmoral suchen sie zu entkräften, indem sie — gemäß der horazischen Maxime — Moralität und Lehrhaftigkeit neben dem Vergnüglichen als eigentlichen Endzweck postulieren. Das apologetische Bemühen ist ein Moment der Romantheorie, diese entspringt häufig erst aus einer Verteidigungssituation; und es bedarf keiner Frage, daß auch das stärkste Argument zur ästhetischen Rechtfertigung der neuen literarischen Form zu einem wichtigen Teil apologetischer Natur ist: Solange der Roman nicht auch den moralisch-bildenden Anspruch (docere, instruere) erfüllt, kann er den Rang einer ernst zu nehmenden Gattung niemals erlangen. Die Moralität des Romans zu erweisen, gilt deshalb auch für Huet als romantheoretische Notwendigkeit.

Im Konstatieren eines moralisch-lehrhaften Endzwecks:

Solcher gestalt ist der Luste des Lesers / welchen der Romanschreiber zu seinem ziel setzet / nicht anders alß ein nothwendiger zweck zu unterweisung des Geistes und unterweisung der sitten (575),

faßt der Traité allerdings nur jene mannigfach vorhandenen Aussagen zur Nützlichkeit des Romans zusammen, von denen bereits ausführlich die Rede war. Auch die Aufnahme des Tugendlohn- und Sündenstrafe-Schemas (» [...] da man dan allemahl die Tugent rühmen und das Laster straffen muß« [574]) samt methodischer Anleitung zur möglichst geschickten Vermittlung (Pillenmetapher) [63] unterscheidet sich nicht von anderen zeitgenössischen Formulierungen.

Neu dagegen, und auch für die deutsche Rezeption zumindest von partieller Bedeutung, ist der Versuch, eine Theorie anthropologischer und psychologischer Bedingungen der Erkenntnis und Moralvermittlung im Roman zu geben und den Roman gleichzeitig als gesellschaftliches Instrument in seiner öffentlichen Funktion zu beschreiben. Damit sind zwei Fragen aufgeworfen, die für das Problem einer »aufklärenden« Rolle des Romans überhaupt von zentraler Bedeutung sind.

Die erste zielt auf die nach den Bedingungen einer Wissensaufnahme und Wissensvermittlung im Prozeß des (privaten) Lesens: Wodurch ist die Vermittlung von Wissen als Bedürfnis des Lesers gerechtfertigt? Worauf gründet sich dieses Bedürfnis? Die zweite Frage impliziert den soziologischen Aspekt, indem moralische- und Wissensinhalte definiert werden, die einen unmittelbaren gesellschaftlichen Nutzen versprechen: In welcher Weise können Romane als »stumme Lehrmeister der Galanterie« dienen (vgl. S. 628)? Die allgemeinere, theoretische Frage, die sich vornehmlich auf den Romanleser bezieht, verbindet Huet mit einer besonderen, pragmatischen, die nach dem instrumentellen Charakter des Romans fragt. Das formale Problem des Wissenwollens wird verknüpft mit dem Hinweis auf die konkreten Inhalte des Wissensollens.

Huet leitet seine Bestimmungen mit einer Prämisse ein, die der gesamten Erörterung zugrunde liegt:

Diese Meinung / die den Menschen zu den Fabeln angebohren ist / kompt nicht durch Nachfolgung / übung oder gewohnheit / Sie ist den Menschen angebohren / und hat ihr Lokaaß in der geschicklichen Stellung / welche ihr den Geist und die Seele giebet. Dan die Begierde zu wissen und zu lernen ist der Menschen eigen / und unterscheidet sie nicht weniger / alß die Sprache / von den unvernünfftigen Thieren. (619) [64]

Als anthropologischer Sachverhalt gilt eine »wissensbegierige Lust« (619), die dem Menschen so eigentümlich ist wie Sprache und Vernunft; Neugierde ist Ausdruck jenes Erkenntniswillens, wodurch der Mensch sich vom unvernünftigen Tier unterscheidet. Ein elementares Lern- und Wissensbedürfnis wird als Grundrecht des vernünftigen Menschen anerkannt, der Roman vermag dieses Bedürfnis in seinen ihm durch die literarische Form gesteckten Grenzen zu befriedigen. Neugierde ist dem Menschen als Fähigkeit zum Wissenserwerb »angeboren«, sie wird nicht mehr als »Laster eines erlösungsbedürftigen Individuums« verstanden [65], sondern gerechtfertigt als spezifische Qualität des menschlichen Seelenvermögens.

In der Rechtfertigung dieser elementaren Neugierde des »vernünftigen« Menschen wird ein Moment von Aufklärung sichtbar, ohne das diese undenkbar ist. Das Prozeßhafte des Erkenntniswillens richtet sich gegen einen (antiken) Wirklichkeitsbegriff der momentanen Evidenz (Blumenberg). Die prinzipielle Offenheit menschlicher Neugierde sprengt die dogmatische Befangenheit theologischer Denk- und Geschichtssysteme. Eine »vom Heilsinteresse regulierte Ökonomie des Erkenntniswillens« [66] wird abgelöst durch ein auf unabgeschlossene Zukunft gerichtetes, intentional nichtgebundenes Erkenntnisinteresse. Gegenüber einem heilsgeschichtlich determinierten Wert- und Erkenntnissystem (etwa bei Birken) wird so der offene Horizont eines möglichen Erkenntnisfortschritts sichtbar, der begründet ist im prinzipiellen Anerkennen der menschlichen Neugierde.

Huet formuliert damit im Zusammenhang seiner romantheoretischen Reflexion (und auf die Verknüpfung von Roman und »Aufklärung« kommt es hier an) jenen Sachverhalt, den Blumenberg (als Ergebnis seiner Untersuchung über die Entwicklung des Wissenschaftsbegriffs im 17. Jh.) die »Vorbereitung der Aufklärung als Rechtfertigung der theoretischen Neugierde« nennt. Allerdings geht es Huet nicht um eine »theoretische« (wissenschaftliche) Neugierde im Sinne Bacons, sondern um die Rechtfertigung eines elementaren Erkenntnisinteresses, um die »wissensbegierige Lust« des Menschen, wie sie beim Romanlesen angespornt und (oder) befriedigt werden kann.

Bezeichnend für den Analytiker ist nun, daß sich Huet mit dem bloßen Konstatieren dieser Tatsache nicht begnügt, vielmehr nach deren Ursachen fragt und sie in einer psychologisch motivierten Grundverfassung des Menschen findet, die er einerseits unter dem Aspekt einer Theorie der Imaginationsfähigkeit und andererseits am Bild des platonischen Mythos von Poros und Penia beschreibt. In beiden Fällen geht es um die »unruhige Begierde / von welcher der Geist des Menschen ohnaufhörlich geplaget und angetrieben wird / Erkänntnissen vor sie zu suchen« (619 f.). Die erste Begründung, die dafür gegeben wird, beruht auf einer Vorstellung der menschlichen Seele, die

[...] von allzugrosser Außstreckung / und allzuweitläufftigen Capacität ist / von den gegenwärtigen Objectis erfüllet zu werden / die [die] Seele in dem Vergangenen und Zukünfftigen / in der Warheit und in den Lügen / in dem Eingebildeten und in dem Unmöglichen selbst suchet / womit sie sich in Arbeit halten und üben möge. (619)

Im Gegensatz zum »unvernünftigen Thier« findet die menschliche Seele keine vollständige Befriedigung an den konkreten Dingen der indikativischen Gegenwart, ihre Einbildungskraft zielt vielmehr auf jene Vorstellungs- und Imaginationsbereiche von Vergangenheit und Zukunft, Wahrheit und Erfindung, die außerhalb des (augenblicklich) real Vorhandenen liegen. Dem menschlichen Seelenvermögen kommen Qualitäten eines erinnernden und projizierenden Bewußtseins zu, die unmittelbar mit dem Spielraum poetischer Erfindungen korrespondieren. Auch diese begnügen sich nicht mit dem Fixieren dessen, was ist, sondern treiben die imaginative Phantasie in Bereiche des Konjunktivischen oder gar Unmöglichen vor. Für die Romantheorie besonders wichtig erscheint mir dabei Huets Hinweis auf eine sowohl erinnernde als auch entwerfende Fähigkeit des menschlichen Bewußtseins, könnten sich doch darin zwei Möglichkeiten eines rückwärtsgewandten (arkadischen) und Zukunft antizipierenden (utopischen) Romans andeuten. Insofern handelt es sich in Huets Beschreibung um keine bloße Analyse des rezipierenden (und durch Lektüre aktivierten) Bewußtseins, sondern zugleich um einen Ansatz zur Phänomenologie von Voraussetzungen, unter denen Romane geschrieben werden können; der anvisierten Rezeptionspsychologie entspräche eine »Psychologie« des Schöpfungsvorgangs.

Bei der zweiten Begründung für die beim Romanlesen erfüllbare Lern- und Wissensbegierde beruft sich Huet auf den Mythos von Poros und Penia, indem er den geistigen Bildungsprozeß des Menschen als stufenweise erreichbare Vereinigung von »Reichtum« (Wissen) und »Armut« (Unwissenheit) beschreibt. [67] Die jeweilige »Vereinigung« bewirkt das Vergnügen:

Die Armuth oder besser zusagen / die Vnwissenheit ist ihr [der menschlichen Seele] angebohren und natürlich / Sie säufftzet aber ohne unterlaß nach Wissenschafften / welches der Reichthumb ist / und wann sie diese besitzet / so ist sie schon vergnüget. (620)

Nun bereitet nicht jedes Lernen gleiches Vergnügen, und hier sieht Huet eine besondere Möglichkeit des Romans, dessen belehrende und anregende Intention weniger die intellektuellen Fähigkeiten des Menschen als seine Einbildungskraft zu aktivieren vermag. Diese ist es, die der Roman vornehmlich anspricht, und diese ist es auch, die ohne »schwere Speculationibus und tieffsinnige Wissenschaften« (621) vom Roman am besten befriedigt werden kann. Die aufklärende, Wissen vermittelnde Funktion des Romans vollzieht sich daher über eine möglichst angenehme Befriedigung der Einbildungskraft. Erkenntnisse lassen sich leichter vermitteln, indem die Sinne mobilisiert werden, zumal »diese Erkäntnisse[n] unsere Trifften / welche die grossen Anspohrer sind in allen Handlungen unseres Lebens / auffmuntern. Das ist es aber eben / welches die Romanen thun /« (622). Der Roman geht auf die verzeihliche Schwäche des Menschen ein und befriedigt mit möglichst wenig Anstrengung (»Weil uns [...] die Arbeit von Natur verdrießlich« [621]) möglichst vollständig jene Wissensbegierde, die dem menschlichen Geiste angeboren ist. Dabei stehen dem Roman artifizielle Möglichkeiten zur Abwechslung und Veränderung und Mittel zur Verwunderung stiftenden Aufmerksamkeit in den Darbietungsweisen zu Gebote (vgl. S. 618), die den strengen Wissenschaften verwehrt sind. [68] Aufklärung ist gewissermaßen »spielend« möglich — prodesse und delectare sind nicht getrennt; das Gebot des »prodesse« wird *im* »delectare« erfüllt.

Seiner psychologisch begründeten Theorie einer aufklärenden, Erkenntnis vermittelnden Funktion des Romans läßt Huet Hinweise auf dessen konkreten gesellschaftlichen Nutzen folgen. Die theoretische Rechtfertigung der menschlichen Neugierde als Faktor einer ästhetischen Rechtfertigung des Romans bleibt im Blick auf die vermittelbaren Erkenntnisse zunächst notwendigerweise rein formal, sie liefert aber die Voraussetzung für je verschieden definierbare pragmatische Zwecksetzungen. In dem Augenblick nun, wo eine materiale Bestimmung des Endzwecks erfolgt, begibt sich die aufklärende Rolle des Romans des bloß formalen Charakters und wird funktional, d. h. sie hat die gesellschaftlich vermittelten und auf einen konkreten geschichtlichen Zeitpunkt bezogenen Wertvorstellungen nicht nur zu benennen, sondern diese wirken ihrerseits auf die historisch-gesellschaftliche Situation zurück.

Der Idee eines »aufklärenden« Romans (als intentionale Möglichkeit zur Befriedigung elementarer Wissensbegierde) muß daher noch kein »Roman der Aufklärung« im Sinne bürgerlich-emanzipatorischer Vorstellungen entsprechen. Es ist vielmehr möglich — und in der Romanpraxis evident — daß der psychologisch motivierte, universale Anspruch zwar theoretisch gerechtfertigt, aber in der Programmatik der postulierten Inhalte eingegrenzt wird. Auf den *Traité* bezogen: Die generelle Rechtfertigung der menschlichen Neugierde als Erkenntnisantrieb des vernünftigen Lesers ist eine Grundvoraussetzung für jede aufklärerische Funktion des Romans — der gesellschaftliche Nutzen, der dem Roman nach Huet zukommt, bleibt ein Reflex der zeitgebundenen »filosofia cortesana«.

Diese Zeitgebundenheit verdeckt Huet nicht, er hebt sie dadurch sogar hervor, daß er von der nützlichen gesellig-gesellschaftlichen Funktion im Zusammenhang mit dem zeitgenössischen französischen Roman des 17. Jhs. spricht, nachdem er die Herkunftsgeschichte des Romans im einzelnen beschrieben hat. Allerdings bedeutet dieser Endpunkt zugleich den Höhepunkt der Romanentwicklung, und über die Vorbildlichkeit der »heroisch-galanten« Romane, vor allem von d'Urfés *Astrée,* besteht kein Zweifel: » [...] dieser Roman ist wohl das vernunfftigste und best gesetzte Werck von allen / die von dieser Arth jemahlen an den Tag sind kommen« (628). Von daher ist die Charakterisierung solcher Romane als »Handbücher der guten Lebensart« nicht verwunderlich, liefern sie doch jene Kompendien psychologischer Einsichten, geistreicher Konversationen, galanter Korrespondenzen und kluger Regeln der Lebenskunst, deren Kenntnis und Beherrschung sowohl dem adeligen Hofmann als einem im Dienst des Hofes stehenden bürgerlichen »Mann von Welt« abverlangt werden.

Der praktische Nutzen des Romans zielt auf eine angenehme Vermittlung gesellschaftsnotwendiger Regeln für eine aristokratisch/großbürgerliche Führungsschicht, deren »Haupt-Regul der honneteté« [69] zum Muster und Vorbild für ganz Europa werden sollte: [70]

[...] daß nichts ist / welches den Verstand so sehr schärffet / noch so wohl dienet die Menschen zu formiren und bequem zu machen / der Welt zu dienen und sich darin zu schicken / alß die guten Romanen / [...]. (628)

Was in dieser Formulierung einerseits als affirmative Bestätigung des gesellschaftlich Geforderten und Praktizierten erscheint, darf andererseits nicht darüber hinwegtäuschen, daß das Inanspruchnehmen des Romans für rein weltlich-pragmatische Zwecke eine konsequente und folgenreiche Abkehr von geschichtstheologisch determinierten moralischen Zielsetzungen bedeutet. [71] Darüber hinaus kann nicht übersehen werden, daß die Kunst der psychologischen Menschenbeobachtung und Menschenschilderung im Roman eine Vorstufe jener analytischen Fähigkeiten darstellt, an die der »bürgerliche« Roman des 18. Jhs. anknüpft.

Huets *Traité* zeigt auch unter dem Aspekt einer »moralischen« Zielsetzung des Romans seinen Übergangscharakter: Die theoretische Rechtfertigung der prinzipiell ungebundenen, »nonkonformistischen« Neugierde zielt auf eine aufklärende Funktion des Romans, die intentional mehr als nur zeitbedingte Konsequenzen hat — seine konkreten Bestimmungen verweisen auf einen geschichts- und gesellschaftsgebundenen Pragmatismus rationaler Weltklugheit.

Bei der Rezeption dieses ebenso formal-theoretischen wie konkret-pragmatischen Ansatzes in Deutschland kann man eine bemerkenswerte Verschiebung zugunsten des letzteren beobachten. Während Huets Theorie einer Rechtfertigung der Wißbegier als Rechtfertigung des Romanlesens mit Ausnahme bei Christian Weise nur in der modifizierten Form einer »Verwunderungstheorie« aufgenommen wird, spielt der pragmatische Aspekt eine erheblich größere Rolle. Hier vereinigen sich mehrere Traditionsstränge, wie sie auch in den deutschen Romanvorreden des 17. Jhs. sichtbar sind; Huets Vorstellungen wirken dabei vornehmlich im Umkreis einer Theorie des »galanten« Romans weiter.

Dieser ist es auch, der den Hintergrund für eine »Theorie der Verwunderung« liefert, die im *Raisonnement über die Romanen* als Voraussetzung für die Lust am Historien- und Romanlesen bezeichnet wird:

Wir Menschen alle sind von Natur zur Verwunderung geneigt / wir finden unser Vermögen an derselben / und lieben sie weit mehr / als alle Wissenschafften / die Historie aber ist derselben Seug-Amme / sie erhält und nähret sie / ja sie gebühret sie / und ist derhalben nicht zu verwundern / wenn wir Menschen / die wir die Verwunderung lieben / auch Historien gerne zu hören pflegen [. . .] So sehr stecket die Verwunderung in der Historie, und so sehr lieben wir die Verwunderung. [72]

Im Unterschied zu Huets theoretischer *Rechtfertigung* der Neugierde als Wissens- und Erkenntnisinteresse konstatiert der zitierte Text lediglich die »Ursache dieser Liebe zum [!] Historien« (10) als einer aufgrund von »Natur und Gewohnheit« begründeten »Zuneigung«, ohne diese psychologisch oder anthropologisch zu beschreiben oder zu analysieren. Als Ursache dieser Lust an den »Historien« wird (tautologisch) die Neigung »zur Verwunderung« angegeben, weil die Historien »Verwunderung« enthielten; das Vergnügen am Romanlesen beruht gewissermaßen auf einer partiellen Koinzidenz des »verwunderungsfähigen« Lesers mit der »Verwunderung« enthaltenden Lektüre. Reflexionen über mögliche romantheoretische Konsequenzen (wie sie der *Traité* anstellt) fehlen in den deutschen Texten der Huet-Nachfolge; dagegen wird die Verwunderung stiftende und Aufmerksamkeit erregende Funktion abwechslungsreicher Episoden als geeignetes Mittel interpretiert, praktische Lehren zu vermitteln, die den Leser (oder die Leserin) auf anderem Wege nur schwerlich erreichen. »Verwunderung« bedeutet ein psychologisches Instrument (unter dem Aspekt des Lesers) und erzähltechnisches Vehikel (unter dem Blickpunkt des Romans) zur Wissens- und Moralvermittlung, aber keinen Ausgangspunkt für eine Theorie der Erkenntnisbefriedigung aufgrund anthropologisch gerechtfertigter Neugierde. Fragen der materialen Bestimmung des Endzwecks und Probleme pragmatischer Applikationsmöglichkeiten stehen deshalb, wie in den Vorreden, auch im Umkreis der an Huet orientierten deutschen theoretischen Texte im Vordergrund.

Dabei lassen sich — vergleichbar zu anderen Gesichtspunkten der Huet-Rezeption in Deutschland — deutlich die beiden Ausprägungen des höfisch-historischen und galanten Romans in ihrer theoriebildenden Funktion erkennen. Parallel zu den Aussagen in den Vorreden zielen die postulierten Zwecksetzungen einerseits auf eine christlich-erbauliche (S. E. Prasch, Omeis) [73], moralisch-offene (Morhof, Volckmann, Pasch) [74], bzw. enzyklopädische Tendenz (Morhof, Rotth, Pasch) [75] und andererseits auf den Versuch zur Vermittlung »galanter« Lebensregeln der Weltklugheit (Hunold, *Raisonnement*).

Verständlicherweise knüpfen Theoretiker des galanten Romans unmittelbar an Huet an. Während die Vorreden dieser Romanform, im Unterschied zum höfisch-historischen, nur geringe Auskünfte zu diesem Komplex geben, sind die theoretischen Traktate dazu um so ausführlicher; der »Entzweck der Romanen« steht hier vielfach im Vordergrund. [76] Versucht man seine Faktoren zu skizzieren, stößt man auf die bereits von Huet postulierten Zielsetzungen: Kenntnis der (psychologischen) »Natur des Menschen«, Lehre von »Klugheit« und »guter Conduite«: [77]

In Summa / alles / was dem Wohlstande gemäß / und was demselbigen zuwider / gehöret in eine Romane, was wider die Condition, Zeit / Ort / und Gelegenheit gemeiniglich von den Menschen angebracht wird / muß darinnen deutlich gewiesen / und wie man sich nach allen diesen fein vernünftig accommodiren müsse / das muß vollkommlich beygebracht werden. [78]

Im Hervorheben des »Hauptzweck[s] aller Romanen [...] Eine galante Conduite zu lehren« [79], unterscheiden sich die deutschen Theoretiker des galanten Romans nicht von Huet, und das ist nicht verwunderlich, wenn man an die ganz selbstverständliche Muster- und Vorbildfunktion Frankreichs in allen Bereichen des gesellschaftlich-geselligen und literarisch-kulturellen Lebens am Anfang des 18. Jhs. denkt. Auffallend bleibt eine in manchen Formulierungen sichtbare Intention der Verfasser, die über eine Vermittlung bloßer »Wissenschaft der Lebenskunst« oder »Kasuistik der Weltklugheit« (Buck) hinausgeht, indem auch dem Roman Bildungsfunktionen im Blick auf »das *Amt* eines Politici« [80] zugeschrieben werden. Dieser bedarf zwar selbstverständlich aller Fähigkeiten des geselligen Umgangs, aber darüber hinaus jener spezifisch politisch-pragmatischen Kenntnisse im Staatsdienst, zu deren Erlernen auch der Roman beitragen kann. Hier wird eine Absicht der theoretischen Vorstellungen Christian Weises und Thomasius' virulent, die den Umkreis der Huetschen Intention überschreitet; auf sie wird daher im nächsten Kapitel zurückzukommen sein.

4. Huets Geschichte des Romans als Ursache romantheoretischer Einseitigkeit; Korrekturen der Huet-Nachfolger in Deutschland

Huets romantheoretische Aussagen sind eingebettet in eine Geschichte des Romans, und diese ist es, die erst die Basis für romanästhetische Untersuchungen liefert. Sieht man einmal vom aktuellen Anlaß ab, einen Gegenwartsroman (Mme. de Lafayettes *Zayde*) mit einer theoretischen Einführung und Rechtfertigung zu versehen, fällt die Absicht auf, darüber hinaus die bisherige Geschichte des Romans als »Vorgeschichte der Leistungen des französischen 17. Jhs.« zu interpretieren. [81] Das geschieht sowohl unter Zuhilfenahme traditioneller geschichtssystematischer Ausdeutungen als auch unter charakteristischen Prämissen einseitiger Auswahlprinzipien. Der historiographisch-»positivistische« Ertrag (Hinterhäuser) ist deshalb nicht gering zu schätzen; Huet kann das Verdienst in Anspruch nehmen, nicht nur die ersten Ansätze einer Romanästhetik systematisiert und auf den Begriff gebracht zu haben, er hat auch die erste umfassende Geschichte des Romans vorgelegt.

Was die historischen Interpretationsschemata betrifft, so lehnt sich Huet an die überlieferte »Translatio studii«-Vorstellung an [82], um die Geschichte des Romans als Abfolge verschiedener Phasen (die jeweils verschiedenen geographischen und politischen Zentren: Orient — Griechenland — Rom — Europa [Frankreich] zugeordnet sind) zu beschreiben, wobei der Endpunkt in der zeitgenössischen Gegenwart (entsprechend der bis ins 17. und 18. Jh. weiterwirkenden Translatio-Idee) [83] als Höhepunkt verstanden wird. Diese teleologische, geschichtlich-ungeschichtliche Betrachtungsweise spiegelt sich auch in der Frage der Auswahl und

Bewertung. Der hellenistische Liebesroman, modellhaft verkörpert in Heliodors *Äthiopika*, gilt als vollkommenes Muster der gesamten folgenden Entwicklung, und erst in der französischen Gegenwart des 17. Jhs. liegt mit d'Urfés *Astrée* ein Werk vor, das Heliodors Leistung erreicht und — auf die Erfordernisse der Zeit bezogen — übertrifft. [84] Huet übernimmt die typologische Geschichtsbetrachtung also auch weitgehend in der ästhetischen Wertfrage: Dem »alten« (antiken) Liebesroman als klassischem Vorbild entspricht der »moderne« Liebesroman der französischen Literatur als angemessenes Korrelat. Das Besondere liegt daher auch nicht so sehr im Hervorheben Heliodors als »Homer des Romans« (dies ist seit Scaligers Poetik die Regel), sondern in dem Versuch, einen bestimmten Typus des Romans als besonderes, vollkommenes Muster herauszustellen. [85] Von daher wird die Einseitigkeit Huets verständlich, die die romanästhetische Erörterung anderer, sowohl geschichtlicher als zeitgenössischer Spielarten des Romans begrenzt oder verhindert. Zu diesen gehören drei Gruppen: die der wichtigen satirischen Tradition, bzw. des »roman comique«; die eines in der zweiten Hälfte des 17. Jhs. entstehenden psychologischen Kurzromans [86] und die der utopischen Staatsromane, jener »voyages imaginaires«, die gerade im 17. Jh. durch eine Reihe berühmter Beispiele hervortreten. [87]

Von diesen drei Ausprägungen des Romans ist das Fehlen der zuerst genannten Gruppe am gravierendsten, bleibt damit doch ein Grundtypus der neuen literarischen Form ausgeklammert, dem nicht nur in entscheidendem Maße die Zukunft gehören sollte, sondern der auch schon die aktuelle französische Romanlandschaft des 17. Jhs. weitgehend mitbestimmt. Daß die satirische Tradition des Romans, bis auf eine Erwähnung römischer Beispiele (des Petronius und Apuleius), nicht aufgenommen und die Kontinuität »realistischer« Tendenzen bis hin zum Anti-Roman Sorels, Scarrons und Furetières weder diskutiert noch erwähnt werden (der flüchtige Hinweis auf Cervantes bleibt eine Randbemerkung), zeigt die aufgrund der klassizistischen Maßstäbe notwendig begrenzte Perspektive. Hier wiederholt sich jener Vorgang einer bewußten Ausklammerung, auf den bereits im Zusammenhang der Vorreden hingewiesen wurde: Eine unter anderen Gesichtspunkten (als der überkommenen, kanonisierten Maximen) versuchte Rechtfertigung des satirischen, pikaresken oder komischen Romans ist dem neoaristotelischen Literaturtheoretiker fremd und unzugänglich, mehr noch, er muß die Poetik des Picaro- und Anti-Romans für ein In-Fragestellen seiner für verbindlich erklärten Wertkriterien halten. [88] Insofern ist Huets auch historisch einseitige Bevorzugung eines (teilweise modifizierten) hellenistischen Romantyps und die fast vollständige Ausklammerung »niederer« Romanformen die unabdingbare Folge eines literaturtheoretischen Vorverständnisses; der romantheoretische Mangel erklärt sich aus einer Fixierung auf die traditionelle Ästhetik.

Weniger leicht erklärbar dürfte das Nicht-Berücksichtigen der schon zur Zeit der Entstehung des *Traité* sich herausbildenden psychologischen Kurzromane in Frankreich sein. Segrais, unter dessen Namen Mme. de Lafayettes Roman *Zayde* erscheint und für den Huet seinen Essay verfaßt, hatte schon 1657 in den *Nouvel-*

les françoises eine neue Form der konzentrierten Romanerzählung begründet, von der, vor allem bei Mme. Lafayette, Impulse auf den neuen, an der Novelle orientierten klassischen Roman ausgehen. Huet geht darauf auch in späteren Auflagen nicht ein. Er scheint hier an der überkommenen (»barocken«) Großform festzuhalten; das hellenistische Vorbild bewahrt seine prägende, die Romantheorie einengende Kraft.

Anders dürfte es sich indessen bei der Ausklammerung der utopischen Romane verhalten. Die Abneigung gegenüber satirischen oder »abenteuerlichen« Einkleidungen und der Widerspruch gegenüber den vorgetragenen sozialphilosophischen Argumenten und geschilderten Episoden wird der Hauptgrund sein, diese mit klassizistisch-literarischen Maßstäben unmöglich beurteilbaren Werke auch nur zu erwähnen, obwohl Cyrano de Bergeracs *L'autre Monde* bereits 1657 und 1662 erschienen war und von der anhaltenden Diskussion über die Renaissance-Utopien Thomas Morus', Campanellas und Bacons eine Vielzahl von »voyages imaginaires« im letzten Drittel des Jhs. auch in Frankreich angeregt worden sind. [89] Huets ästhetische Abneigung dürfte hier zugleich eine der »konservativen« Überzeugungen sein; gesellschaftskritische Intentionen, wie sie etwa auch dem niederen Roman zugrunde liegen, befinden sich außerhalb seines ästhetischen und moralisch-philosophischen Horizonts.

Bemerkenswert ist die deutsche Reaktion auf die literarhistorische und romantheoretische Einseitigkeit des *Traité*. Sie wird cum grano salis auch in den theoretischen Texten der unmittelbaren Huet-Nachfolger sichtbar, wobei, und darauf ist mehrfach hingewiesen worden, die spezifische Romanpraxis des höfisch-historischen und galanten Romans die Theoriebildung und die Rezeption Huets erheblich mitbestimmt.

Das historische Schema über Ursprung und Herkunftsgeschichte (aus dem Orient), Weiterentwicklung (in Griechenland und Rom) und endlichem Höhepunkt in der zeitgenössischen europäischen Gegenwart findet sich im Prinzip in fast allen historiographisch ausgerichteten deutschen Exkursen zum Roman, bis zu Gottscheds vierter Auflage der *Critischen Dichtkunst*. [90] Diese teleologische Herleitung gehört, durch verschiedene Modifikationen ergänzt und korrigiert, neben Huets Liebesroman-Definition zum immer wiederholten Bestandteil jeder romantheoretischen Diskussion. Dem Anspruch auf eine Dominanz der Romanentwicklung und -produktion in Frankreich wird dabei, schon mit Morhof beginnend, die Tradition einer älteren nordischen Literatur (*vor* der französischen romanhaften Behandlung des Carls- und Artusstoffes) entgegengehalten. [91] Die deutschen Gegenwartsromane eines Buchholtz, Anton Ulrich und Lohenstein gelten, entsprechend den von Huet herausgestellten zeitgenössischen französischen Romanen, noch in der ersten Hälfte des 18. Jhs. als deutsches Pendant und Kulminationspunkt, ohne daß der Anteil der romanischen Literatur an der Romanentwicklung insgesamt geschmälert würde. [92]

Huets romantheoretisch einseitige Fixierung auf einen am hellenistischen Liebesroman orientierten Romantypus wird im Bereich der unmittelbaren Rezeption zwar unter Gesichtspunkten romanpraktischer Notwendigkeiten modifiziert, im

Prinzip jedoch nicht bestritten. Allerdings weisen eine Reihe zusätzlicher Ergänzungen auf neue Tendenzen einer weiterentwickelten deutschen Romantheorie hin,
wie sie dann bei Weise und Thomasius vorgelegt wird. Zu diesen Ergänzungen gehören vor allem die D. G. Morhofs und G. Paschs, die im Unterschied zu Huet
weder den roman comique völlig ausklammern, noch die utopischen Staatsromane
unerwähnt lassen.

Morhof beruft sich mehrfach auf die gegenüber Huet vollständigere Roman-
systematik Sorels, die den satirischen Romanen ihren gebührenden Platz historisch
und romantheoretisch einräumt. [93] Im 16. Kapitel der Morhofschen Poetik
wird darüber hinaus unter den »Satyren« auf Grimmelshausens *Satyrischen Pilgram*
und Weises *Politischen Näscher* hingewiesen [94] — für die deutschen Humani-
stenpoetiken eine ungewöhnliche Ausnahme! Daß aber auch Morhof, wie alle anderen zeitgenössischen Theoretiker, den *Simplicissimus* ignoriert, zeigt bei aller
Offenheit auch wieder seine romankritische Befangenheit.

Auffallend und besonders hervorzuheben ist dagegen die Tatsache, daß sowohl
Morhof als der ebenfalls in Kiel lehrende Georg Pasch die bedeutendsten Utopien
und zeitgenössischen utopischen Romane mit behandeln. Der Zusammenhang, in
dem in beiden Fällen von diesen Werken gesprochen wird, verweist dabei auf eine
charakteristische Zuordnung der Romane in die Reihe moralvermittelnder Literatur; auch poetische Fiktionen und Fabeln sind in der Lage, ethische Vorstellungen
weiterzugeben: »Sunt qui Poetico Modo, per Fictiones & Fabulas, Ethicam doc-
trinam tradiderunt.« Unter dieser von Morhof gebrauchten Kapitelüberschrift im
Polyhistor [95] — nicht in der Poetik — vermögen auch die Utopien Morus',
Campanellas, Bacons, Bidermanns (*Utopia* [1649]) und Joseph Halls (*Mundus
alter & Idem, sive Terra Australis semper incognita* [1643]) zusammengefaßt
zu werden. Noch deutlicher ist diese Tendenz bei G. Pasch, der seine gesamten
literarischen und literaturkritischen Untersuchungen (einschließlich der zum Roman
im allgemeinen und zu den utopischen Romanen seit Plato im besonderen) unter
dem Titel *De variis modis moralia tradendi* veröffentlicht. Nach einer ausführlichen Besprechung romantheoretischer Probleme und einer historisch gerechteren
literaturgeschichtlichen Übersicht (worin sowohl der *Don Quijote* als der *Francion*
eine Rolle spielen) gibt Pasch in den §§ XLII—XLIV [96] eine Charakterisierung zeitgenössischer Utopien, die mit der Erörterung der berühmten Romane
Gabriel de Foignys (*La Terre australe connue* [1676], seit 1692 unter dem Titel:
*Les Avantures de Jacques Sadeur dans la découverte et le voyage de la Terre
australe*) und Denis Veiras d'Alais' (*L'Histoire des Sévarambes* [1677])
schließt. Die erstaunlich hohe Bewertung dieser »Fictae Respublicae« und ihre
kenntnisreiche Kommentierung geschieht im Zusammenhang romantheoretischer
Überlegungen aber unter dem Oberbegriff literarischer Formen der Moralvermittlung. Unter moralphilosophischem Aspekt können auf diese Weise Probleme
einer Romanform diskutiert werden, die für Huet prinzipiell indiskutabel ist; zusammenfassend formuliert: Eine der Paradoxien der Romantheorie ist die, daß der
Spielraum romanästhetischer Erörterungen in Deutschland gerade unter moralisch-
ethischen (enzyklopädisch-wissenschaftlichen) Gesichtspunkten erweitert werden
kann.

Der psychologische Kurzroman findet, ebenso wie bei Huet selbst, in den deutschen Texten, die unmittelbar von ihm bestimmt sind, keine theoretische Resonanz. Hier zeigt sich nun aber gerade eine Möglichkeit derjenigen Autoren, die zwar von Huet gelernt haben, aber nicht in seinem unmittelbaren Wirkungskreis bleiben. In Deutschland ist es Thomasius, der diesem neuen Romantyp theoretisch gerecht wird.

VI. Christian Weises Poetik des »Politischen Romans« und Christian Thomasius' romantheoretische Klassifizierung an der Wende vom 17. zum 18. Jahrhundert

Die romantheoretische Situation am Ende des 17. und Beginn des 18. Jhs. wäre unzureichend charakterisiert, würde man nur die (unbestrittene) Autorität Huets und seine dominierende Ausstrahlungskraft auch auf die deutsche Romanpoetik hervorheben; neben den zu beobachtenden (und beschriebenen) Modifikationsmöglichkeiten des *Traité* gibt es zwei, den historischen Übergang vom »Barock zur Aufklärung« deutlich markierende Neuansätze in Deutschland: bei Christian Weise und Christian Thomasius. Während der eine, noch vor dem Erscheinen der Happel-Übersetzung Huets im *Kurtzen Bericht vom Politischen Näscher* (1680), die schon teilweise in den Vorreden seiner Romane angedeuteten poetologischen Maßstäbe systematisiert und in Form eines praktische Anweisungen liefernden Buches zusammenfaßt, versucht der andere eine dialogische und rezensierende Charakterisierung verschiedener Romanformen und gibt so das vollständigste kritische Panorama möglicher Ausprägungen dieser »newen art zu schreiben« am Beginn der Aufklärung in Deutschland. Beide gehen bei gleichzeitig zu beobachtenden Parallelen in Einzelfragen über Huets Romantheorie hinaus, indem sie auch Einblicke in Probleme jener Romanformen gewähren, die Huet unberücksichtigt gelassen hatte. Dies betrifft vor allem die im *Traité* gemiedene Tradition satirischer Romanformen: Weises Theorie des politischen Romans stellt sich als Problem einer publikumsbezogenen satirischen Schreibart — Thomasius berücksichtigt ausführlich die Gruppe der komischen Romane neben dem psychologischen Kurzroman, dem enzyklopädischen und utopischen Roman. [1]

1. Christian Weises »Politischer Roman« als Moralsatire

Chr. Weises Romanpoetik unterscheidet sich von anderen theoretischen Überlegungen zum Roman im 17. und 18. Jh. durch eine auffallend pragmatische Tendenz: Das pointierte Hervorheben der Zweckgebundenheit steht im Dienst eines praktischen Nutzens politischer Notwendigkeiten. Die allgemein theologisch oder moralisch motivierte Zielsetzung des Romans ist ersetzt durch eine konkrete Funktionszuweisung im Sinne einer »Ausbildungshilfe« für das sich im Dienst des absolutistischen Staates etablierende und emanzipierende gehobene Bürgertum. [2]

Sowohl der konkret-pragmatische Aspekt als die soziologische Zuordnungsmöglichkeit spiegeln sich in beiden Teilen des *Kurtzen Berichts* [3] wider; während der erste, die Theorie entwickelnde Abschnitt mit der Frage nach dem privaten und gesellschaftlichen Nutzen schließt, endet der zweite, der romantechnische Probleme erörtert, mit einer Beschreibung der materialen, »klugen und wohlanständigen Lebensregeln«. Die den beiden Teilen jeweils zugrunde liegenden »Haupt-Fragen«: »Erstlich ob es recht sey / wenn man solche Bücher schreibet? zum andern / was man im Schreiben vor Kunst-Stücke brauchen müsse?« stehen im Dienst einer zweckgerichteten, politisch-pädagogischen Absicht, die eine »Philosophia Satyrica« am besten zu erfüllen verspricht. [4]

Weise verzichtet auf jede Behandlung allgemeiner literarästhetischer Probleme; weder die Frage einer Abbildbarkeit von Wirklichem und Möglichem noch die von Wahrheit und Wahrscheinlichkeit erscheinen ihm im Rahmen romantheoretischer Überlegungen diskutierenswert oder erörterungsnotwendig. Romantheorie bedeutet für Weise vielmehr die Frage nach den Bedingungen der Wirkungsmöglichkeit auf den Romanleser und nach den möglichst wirksamen Techniken des Romanverfertigens zum Zwecke angenehmer »Belustigung« und nützlicher Lehren. Das literaturtheoretische Problem einer satirischen Schreibart spielt unter diesen Gesichtspunkten nur eine sekundäre Rolle. Weise begnügt sich damit, seine von ihm angewandte und gerechtfertigte Technik [5] als »Dictio amoena« (»welches eine Verwunderung/ und ein annehmliches Nachdenken verursachet« [XI]) [6] von einer burlesken Art des Schreibens (»Dictio ludicra«) zu unterscheiden, ohne die romantheoretische Rolle der Satire im einzelnen zu erörtern. Auch hier geht es ihm um die Frage der Wirksamkeit, nicht um eine Definition oder werkimmanente Theorie der Romansatire. Seine Poetik liefert deshalb auch nicht Gründe für eine Rechtfertigung des Romans, sondern Darlegungen über dessen pragmatisch applikable Wirkungsmöglichkeit auf den Leser. Die postulierte Zweckgerichtetheit des Romans verweist auf jenen Leser, der daraus Nutzen ziehen soll. Die Theorie des Romans kann also nur von den Bedürfnissen dieser Leser ausgehen; die Lesererwartung muß zum Maßstab für einen zu schreibenden Roman werden.

a) Daß Weise diesem Grundsatz folgt, beweist der erste allgemeine theoretische Teil des *Kurtzen Berichts,* der zur Hauptsache aus einer *Affektenlehre* besteht, die angibt, unter welchen Bedingungen ein Roman den Leser zu »bewegen« vermag:

Wenn aber die Erzehlung oder das Gespräche recht lustig heraus kommen sol / so pfleget man stracks im Anfange auff gewisse Affecten zu gedencken / welche bey dem Leser müssen erwecket werden. Den wo keine Bewegung vorläufft, / da ist alles einen todten krafftlosen Wercke zu vergleichen. (XIV)

Die Wirkung auf den Leser kann durch Aktivierung seiner »vier sonderliche[n] Affecte(n)« erreicht werden:

Erstlich wünscht man sich das beste Glücke. Zum andern / ist man Curieus und wil allzeit was neues wissen: Zum dritten / bildet man sich grosse Klugheit ein und wil an frembden Sachen was zu tadeln / oder zu verbessern finden. Zum vierdten / wolte man gern ein Richter werden / und nachdem sich die Barmhertzigkeit / oder im Gegentheil der Zorn erreget hat / nachdem belustigen wir uns an des andern Glücke / und an des andern Straffe. (XIV)

Ohne Berücksichtigung dieser notwendig erregbaren Affekte ist das Schreiben einer »Erzehlung« zum Scheitern verurteilt; und wenn die aufgezählten »Begierden«

auch nicht in jedem Falle lobenswert sind, so könne doch nicht geleugnet werden,
daß Gott alle Eigenschaften »dem Menschen zu gute eingepflantzet« habe; »der
Mißbrauch wird nicht mit eingeschlossen« (XV). Die wertneutrale Haltung gegenüber der »Beschaffenheit des innerlichen Gemüthes« (XV) ist die Voraussetzung für eine genaue Analyse der Affekte. Weise geht es nicht um moralische
Schematisierungen, sondern um eine Erklärung leserpsychologischer Sachverhalte,
die das Schreiben lesbarer (d. h. vom Publikum gern und mit Nutzen gelesener)
Romane ermöglicht. Die ausführliche Charakterisierung der einzelnen Affekte
macht das im Detail deutlich.

Der erste zielt auf das Glücksverlangen im Menschen:

> [...] da man sich alles gutes wünschet [...] gefallen uns die Erzehlungen / da von
> grosser Beförderung / von Reichthum / von Ehre [...] viel dicentes gemachet werden /
> ungeacht daß mehrentheils eine fremde Glückseligkeit darin zu betrachten ist. Den
> wir behalten doch zum wenigsten diesen Trost / weil es bey andern möglich gewesen /
> so könne es auch bey uns möglich werden. (XVI)

Dem vorausgesetzten Recht auf Glück entspricht die Frage nach seiner Befriedigung. Daß das »Streben nach Glück als Grundzug der Menschennatur« anerkannt
wird, dokumentiert einen Grad von Aufklärung, die »die Glückseligkeit des Men-
schen« zu ihrem Programm gemacht hat. [7] War die Frage des innerweltlichen
Glücks im 17. Jh. bisher nur von den Sozialutopien thematisiert worden, zeigt die
Selbstverständlichkeit, mit der Weise diesen Gedanken in seine Romantheorie aufnimmt, den Fortschritt im Bewußtsein einer eudämonistischen Moral, die für die
Frühaufklärung charakteristisch ist. [8] Romantheoretisch bedeutsam wird die
Frage des Glücks, indem sie sich als Problem der Einbildungskraft des Lesers stellt.
Dieser vermag sich sein Glück im Bilde der Glückseligkeit des erfundenen vorzu-
stellen: Die Wirklichkeit des Glücks eines anderen erscheint ihm als Möglichkeit
seines eigenen. Weise definiert das Bewußtsein des Lesers als Qualität der Imaginationsfähigkeit; die Befriedigung eines Glücksverlangens entspringt

> [...] der süssen Einbildung / gleich als in einem Traume [...] da wir uns alles Glücke
> mehr als möglich vorstellen. Und wen[n] auch unser unvollkommener Zustand der Ge-
> dancken Lust wiedersprechen wil / so haben wir doch an diesen heimlichen Selbstbetruge ein
> solches Vergnügen / daß wir uns bey der nächsten Gelegenheit gar gern wieder fangen
> lassen. (XVI)

Die Einbildungskraft des Lesers wird als durchaus ambivalent charakterisiert: Sie
vermag einerseits, »utopisches« Vermögen in der Kraft zur Antizipation fremden
fiktiven Glücks anzuzeigen, und sie enthüllt andererseits ihren Funktionscharakter
als Ersatzbefriedigung des »heimlichen Selbstbetrugs«. Weise formuliert damit im
Ansatz ein leserpsychologisches Problem, das prinzipielle Bedeutung für die Rolle
eines aufgeklärten Romanleserbewußtseins hat: In der angedeuteten Doppelpoligkeit spiegeln sich emanzipatorische und affirmative Möglichkeiten des Romans.
Man kann deshalb auch in diesem romangeschichtlich frühen Stadium schon ein
Problem erkennen, das sich in Zukunft als das der »Trivialliteratur« stellen wird.
Orientiert sich der Roman lediglich an den Wünschen und Bedürfnissen eines vom
Autor einkalkulierbaren Publikumsgeschmacks, kann sein Werk zum Instrument

eines »heimlichen Selbstbetrugs« in dem Sinne werden, als dann »Aufklärung« als
Prozeß des selbsttätigen Mündigwerdens und kritischen Mündigmachens unmöglich
ist. Indem Weise auf die imaginativen Möglichkeiten des Leserbewußtseins hinweist, deutet er Fragen an, die erst der Roman des folgenden Jhs. in ganzer
Schärfe und Konsequenz stellt. [9] Daß Weise solche Fragen aufwirft, hängt mit
seinem Versuch zusammen, den Roman theoretisch vom Bedürfnis der Leser her zu
rechtfertigen.

Bei dem zweiten Affekt, den Weise beschreibt, ist das nicht anders: »Curiosität
[ist] nicht böse: den darum haben wir eine vernünfftige Seele / daß wir viel lernen [...]« (XV). Wissensbegierde und Abneigung gegen Unwissenheit sind Kennzeichen einer elementaren Neugierde, deren Recht nicht bestritten, sondern als konstitutive menschliche »Gemüthsbeschaffenheit« anerkannt wird. Im Zusammenhang
des Huetschen *Traité* ist bereits ausführlich auf die zentrale Rolle dieser für die
Vorbereitung von Aufklärung entscheidende These aufmerksam gemacht worden.
Weise unterscheidet sich in diesem Punkt, bei verschiedener romantheoretischer
Ausgangsposition, nicht von Huet. Beide sehen in der den Menschen auszeichnen-
den »vernünfftigen« Lernbegierde einen Hauptantrieb für die Lektüre von Romanen, deren Verfasser diesem »Affekt« eines vernünftigen Wesens genügen müssen: »den man sucht gemeiniglich eine grosse Ehre darinn / daß man mehr als ein
ander wissen wil.« (XVIII)

Der Rechtfertigung elementarer Neugierde gibt Weise einen zusätzlichen Sinn,
wenn er den dritten Affekt des Menschen als einen der Zensierlust charakterisiert:
»[...] daß er an fremden Händeln was zu censiren, daß ist / was zu tadeln
oder zu verbessern finden wil.« (XXXVII) Die Neigung zur Wissensbegierde und
Wissensvermittlung wird ins Kritische gewendet, einer universalen Neugierde entspricht die Absicht zur gezielten Kritik: »die Begierde zu censiren ist auch gut /
weil hiedurch viel böses kan verhütet werden« (XV). Weise geht damit über Huet
hinaus, indem er einem vernünftigen Leser nicht nur die Fähigkeit des sich selbst
bildenden (aufklärenden) Lesens zuschreibt, sondern zugleich das Recht auf Beurteilung und Kritik. Diese verschaffen ebenso Vergnügen wie eine Befriedigung der
Lernbegierde.

Der »Affekt« einer Zensierlust gehört ebenso wie der des Richtenwollens in den
Zusammenhang einer Theorie der satirischen Schreibart, die Weises Überlegungen
zum Roman zugrunde liegt. Die »Philosophia satyrica« ist es, die, vergleichbar mit
der Komödie [10], jene Neigung des Menschen befriedigt, die »gern etwas zu
richten hat/ [...]« (LI). Wenn aber das Bewußtsein des Lesers dadurch aktiviert
werden soll, daß Strafe für *das* Tadelnswürdige und Lohn für *das* Lobenswerte
nicht nur das Grundmuster des Romans bilden, sondern der Leser selbst zum mitbe-
teiligten, stellvertretenden Beurteilen und Kritisieren aufgefordert wird, setzt das
jene Normativität der kritischen Maßstäbe voraus, die nur durch einen Konsensus
mit dem realen Lesepublikum gewährleistet ist. Das zensierende Zurechtrücken und
Wiedereinsetzen der Norm bedingt diese selbst. Es zeigt sich der schon anhand der
Vorreden beschriebene Zusammenhang von Satire und Normenbewußtsein, und es
ist nur folgerichtig, wenn Weise der Charakterisierung der vier menschlichen

Affekte, die mit den beiden die Satire betreffenden (der Lust zur Zensur- und Richterfunktion) schließt, eine im ersten Teil allgemeine und im zweiten besondere Beschreibung der Wertmaßstäbe folgen läßt:

Ich rede aber eigentlich von solchen Büchern / welche gewisse Moralia bey sich führen / und zu Erbauung oder zur Warnung des Lesers geschrieben werden. Die man sonst mit einem bekandten Nahmen Satyrica heisset. (2. Teil. II)

b) Bevor von diesen konkreten »Moralia« und den sie bedingenden Wertvorstellungen die Rede ist, muß ein Blick auf den Passus zur *Romantechnik* (»Was vor Kunstgrieffe zu dergleichen Bücher von nöthen sind?«) geworfen werden:

Und da ist es um drey kurtze Wörtgen zu thun / die man bedencket: das ist / man sol es 1. Heimlich / 2. Ordentlich / 3. Nützlich anfangen und ausführen. (II) [11]

Die beiden ersten Bestimmungen, die sich auf die eigentlichen Kunstregeln beziehen, handeln vom »Prinzip der versteckten Satire« [12] und rhetorischen Aufbauschema eines Romans.

»[...] wie ordentlich / wie nachdencklich / ja wie beschwerlich und arbeitsam dieses Werck müsse angegriffen werden« (I), erweist sich vor allem darin, satirische Kritik »heimlich« zu üben, d. h. ohne jemanden zu kränken oder durch »unbesonnene Rede« (X) zu treffen. Der Romanverfasser muß sich hüten, »etwan einen hohen und vornehmen Patron / welcher dem Auctori aus bösen Verdacht schaden könte« (X), zu beleidigen. Satirische Technik soll vielmehr (»politisch«) so verfahren, daß sie die Laster eines Menschen oder Standes am Beispiel des jeweils ständisch-hierarchisch niederen aufdeckt:

[...] was zum Exempel ein grosser Mann thut das muß so lange ein Kauffmann gethan haben; was ein Politicus fehlet / das erzehlet man von einem Bauer. (VII)

Der Ranghöhere ist kritisierbar im fiktiven Bilde des Rangniederen; nur so entgeht der Autor einer latenten politischen Gefahr oder Zensur. Der Hinweis auf Weises Komödie vom *Bäurischen Macchiavell,* der in diesem Zusammenhang gegeben wird, zeigt die genaue Parallele zwischen satirischem Roman und satirischer Komödie als Möglichkeit zur Stände- und umfassenden Gesellschaftskritik. Der nicht-»einfältige« Leser und Zuschauer entdeckt unter den »eusserlichen Possen« den lehrhaften Kern und wird »weiter denken«; zwischen Autor und Leser besteht eine stillschweigende Übereinkunft: Die »heimliche« Technik des einen wird als »politisches« (d. h. welt- und lebenskluges) Verhalten vom andern verstanden.

Den theoretisch und praktisch konstitutiven Zusammenhang von Literatur und Leser dokumentiert auch Weises allgemeine Anleitung für das Schreiben eines Romans; die angegebenen Themenvorschläge beziehen sich unmittelbar auf gesellschaftskritische Vorwürfe, die rhetorische Behandlungsweise intendiert einen möglichst leserwirksamen Endzweck: Dichtkunst ist in den Dienst einer rhetorisch-pragmatischen Absicht gestellt. [13]

An zwei Beispielen demonstriert Weise das dazu erforderliche prinzipielle Verfahren des Romanschreibens, das, bis auf unterschiedliche Titel und deren Ausdeutung, nach ein und demselben Schema theoretisch durchgespielt wird. Es beginnt mit der Wahl eines Themas, bzw. des Titels, die »entweder propriè oder allegoricè zu verstehen« sind (XII). Weise entscheidet sich in beiden theoretisch vorgeführten Fällen für allegorische Titel, damit den moralistisch-abstrakten Ausgangspunkt seines satirischen Schreibens selbst charakterisierend. Sind Thema und Titel gewählt (»Politischer Quacksalber« bzw. »Politischer Leyermann«, worunter eine Personifizierung »eigennütziger Auffschneiderey« bzw. unangemessener Gefallsucht (»Sordidum & ineptum placendi Studium« [XX] verstanden wird), bedarf es zunächst der genaueren Definition dieser »Laster«, damit, darauf gründend, die Ausarbeitung des Themas im einzelnen vorgenommen werden kann. Eine differenzierende Begriffsbestimmung, »Definitio«, liefert die Basis für eine verschiedenartig mögliche Entfaltung des Themas. Die Disposition, »Divisio«, muß darauf Rücksicht nehmen und beispielsweise nach dem »wie« der Beschreibung von »dergleichen Laster oder Gemüths-Krankheit« fragen (XVIII) oder eine Einteilung nach Personen oder Sachen vornehmen. Da es »Auffschneider unter(n) den Gelehrten / unter den Soldaten / unter den Kaufleuten: Ja wol gar unter solchen Personen / die man deswegen offentlich nicht nennen darff« [!] gibt, und »Auffschneiderey in unterschiedenen Sachen« anzutreffen ist [14], eröffnet sich dem Romanschreiber eine breite Skala satirischer Darstellungsmöglichkeiten.

Entscheidend aber bleibt die Frage, und Weise stellt diesen wichtigsten Punkt an den Schluß seines durch eine tabellarische Übersicht verdeutlichten Schemas, »wie ist dem übel zu steuren?«, also die Frage nach den literarischen »Medicamenta«, die ein Autor anzuwenden hat. Der *Kurtze Bericht* postuliert hier zwei verschiedene Methoden, eine der »negativen« und eine der »positiven« satirischen Darstellung:

Erstlich wen man die nachfolgende Gefahr / den Schimpff und die Verachtung ausführet / die aus solcher Pralerey nothwenig herfliessen muß; darnach daß man durch gewisse Tugend-Reguln weiset / wie sich die Mediocrität erhalten lasse / das man in seinem Ruhme keinen Excess begehet / und gleichwol nichts unterlässet. (XVIII)

Beide Methoden zielen auf ein gemeinsames, verbindliches Ideal der Mitte, dessen Evokation einmal ex negativo und zum andern durch Dokumentation des Normativen geschieht. Dieses formale Prinzip einer angemessenen Mitte in der Tradition der aristotelischen Ethik [15] dient als Leitfaden eines Verhaltens, dessen exemplarisch-pragmatische Fälle der Roman darstellen soll.

c) Welche *materialen Wertbestimmungen* diesem Prinzip zugrunde liegen, deutet Weise in einem dritten Fragenkomplex an, der sich auf Probleme des privaten und gesellschaftlichen Nutzens bezieht:

[...] es solte ein Buch von solcher lustigen Art auch nützlich seyn; [...] Es heißt aber so viel / der Leser sol etliche kluge und wolanständige Lebens-Regeln daraus zu mercken haben. (XXXIV)

Solche Regeln sind Maßstäbe des »politischen« Verhaltens der Weltorientierung, und derjenige, der sie beherrscht, der »Politicus«, gilt als »kluger Werkmeister der zeitlichen Glückseligkeit«. [16] Der Begriff des »Politischen« wird aus der Sphäre des Höfischen sowohl auf den Bereich des »Privat-Glücks« [17] als auch auf den beruflichen Tätigkeitsbereich eines gehobenen (Beamten-)Bürgertums im absolutistischen Staat übertragen. Beide Bereiche lassen sich nicht trennen: Die Aktivität eines aufstrebenden Bürgertums impliziert die kluge Wahrnehmung des eigenen Vorteils im verantwortlichen Mitgestalten des staatlichen Lebens. [18] Betrachtet man den in Weises Abhandlung *Politische Fragen / Das ist: Gründliche Nachricht Von der Politica* [19] aufgestellten Tugendkatalog, wird dieser Zusammenhang unmittelbar einsichtig. Dort sind folgende sieben Kardinaltugenden eines »tätigen Mannes« formuliert:

1. Eine zuversichtliche Freundschafft mit Gott.
2. Ein beständiger Vorsatz gegen alle Menschen redlich und gerecht zu seyn.
3. Ein unverdrossener Fleiß.
4. Eine Bedachtsamkeit in Verrichtungen.
5. Eine Bedachtsamkeit im Reden.
6. Eine höffliche Dienstfertigkeit.
7. Ein kluges und vorsichtiges Mißtrauen. [20]

Abgesehen von der theologischen Rückversicherung (und für Weise bleibt die Spannung zwischen innerweltlichen Maximen und traditionellem religiösen Anspruch ein latentes Problem), zielen alle Forderungen auf ein pragmatisches Ideal der »Mittelstraße« als unabdingbare Forderungen der menschlichen Vernunft und gesellschaftlichen Erfahrung. Innerweltliche Klugheit gilt als Maßstab der »Lebensregeln für die gebildeten Bürger« ebenso wie sie die »Spielregeln des staatlichen Handelns« bestimmt. [21] Politische Romane sind deshalb auch keine bloßen »Handbücher der guten Lebensart« (Huet, *Raisonnement*) oder angenehme Anleitungen zum »Privat-Glück«, sondern gleichzeitig bürgerliche Hilfsmittel zum Erlernen und Vervollkommnen des politischen Geschäfts im gehobenen Staatsdienst:

Denn ein jedweder Mensch / der in der Welt zu einem Amte gelanget / der hat seine eigene Politica, wie er sich in dem Amte gut guberniren soll; es mag einer ein General, ein Cantzler / ein Bischoff / ein Secretarius, ein Amtmann / und was er sonsten will / seyn / so muß er sein gantzes Wesen auff gewisse Regeln grunden / davon er durchaus nicht abweichen darff / wenn er anders dem Amte ein Genügen thun / und sich bey der Charge wol conserviren will. [22]

In Weises Überlegungen zum Roman artikuliert sich das Bewußtsein einer die adligen Lebensformen übernehmenden gehobenen Schicht des gebildeten (Beamten-)Bürgertums, dessen Maximen schon charakteristische Kennzeichen einer vornehmlich auf Nutzen und Erfolg ausgerichteten Moral erkennen lassen. Das wird schlagartig an der Stelle des *Kurtzen Berichts* deutlich, wo Weise selbst noch die Rolle des Vergnügens am Lesen lustiger Bücher im Horizont eines bürgerlichen Arbeitsbegriffs interpretiert:

Gesetzt auch / daß etliche Reden [im Roman] so eigentlich des Nechsten Nutz nicht beförderten / so ist es genung daß er [der Leser] eine Erqvickung des Gemüthes / und eine lustige Ruhe von seiner Arbeit daher empfinden kan. Den solte dieses dem Nechsten nicht nützlich seyn / welches jhn zu der künfftigen Arbeit desto munterer macht? (LXIII) [22 a]

Daß Weise nicht die Gesamtheit des Bürgertums im Auge hat und die Poetik des politischen Romans dementsprechend auch keine Theorie »des« bürgerlichen Romans genannt werden kann, bedarf nach dem zuvor Gesagten keiner Begründung. Weises Romantheorie und Romanpraxis (vgl. seine Satiren gegen das Kleinbürgertum) sind Ausdruck einer ersten Phase bürgerlicher Aufklärung in Deutschland, die im Zeichen einer Orientierung des höheren gebildeten Beamten-Bürgertums an höfischen Verhaltensmustern des Adels steht. [23] Aufklärung vollzieht sich in dieser geschichtlichen Periode gewissermaßen »im Dienst« eines territorialen Absolutismus, aber auch schon in seinem Schutz. [24] Noch richtet sich Kritik nicht gegen die verbindlichen Maximen des Adels, sondern unter dem Aspekt eines weltmännisch gebildeten »politischen« Ideals »gegen die mittlere und untere Schicht des Bürgertums, die [am] öffentlichen Leben noch nicht aktiv teilhat.« [25]

Gleichwohl konstituiert sich damit zum ersten Mal in der Geschichte des deutschen Romans ein theoretischer Versuch, der von den pragmatischen Bedürfnissen eines zeitlich und soziologisch abgrenzbaren Lesepublikums ausgeht und diese zur Basis eines bestimmten Typs des bürgerlichen Romans macht. Weises Romanpraxis, die sich vornehmlich als Summe verschiedener Erzählweisen satirisch-pikaresker Traditionsbestände darstellt, bleibt hinter dem theoretischen Anspruch zurück. Dieser intendiert schon die zukunftsweisende Frage nach den Bedingungen des Romans als einer mit dem Lesepublikum dialektisch verbundenen literarischen Form, während sich jene noch am Vergangenen hält. Darin, daß die Theorie der Praxis vorangeht, wird außerdem ein Faktum sichtbar, das die deutsche Situation am Ende des 17. und in der Mitte des 18. Jhs. charakterisiert. [26]

2. Christian Thomasius und die Möglichkeiten des Romans am Beginn der Aufklärung

Die weitreichendsten Aspekte für die zukünftige Entwicklung der Romantheorie und die vollständigste Klassifizierung aller Romanformen am Ende des 17. Jhs. liefert in Deutschland weder ein Literaturtheoretiker noch ein Romanpraktiker, sondern der Philosoph, Jurist, Publizist und Kritiker Christian Thomasius. [27] Die Dominanz romantheoretischer Überlegungen gegenüber einer Romanpraxis, die diesen Reflexionen zugeordnet werden könnte, spiegelt sich nirgendwo deutlicher als in den Überlegungen dieses »Vaters der deutschen Aufklärung«. [28] Während Christian Weise von einem bestimmten satirischen Typus des Romans ausgeht und ihn zur Grundlage seiner Theorie des »lustigen Buches« macht, bedeutet der Roman für Thomasius ein Vergnügen und Nutzen verbindendes Instrument von Aufklärung als literarische Form der Wissensvermittlung und Aktivierung menschlichen Selbstdenkens. Beiden, Weise und Thomasius, gemeinsam ist eine pragmatische Intention, die den Roman in den Dienst eines praktisch-»politischen«

Nutzens stellen möchte, Literatur damit zuordnend einem bestimmten gesellschaftlichen Prozeß der Herausbildung bürgerlichen Bewußtseins, wovon im Zusammenhang mit Weises didaktischen Postulaten die Rede war. Thomasius hält es hier
nicht anders; das Insistieren auf dem notwendigen Nutzen kennzeichnet den Pragmatismus praxisbezogenen bürgerlichen Denkens:

Es bestehet aber der Nutzen / den ein Liebhaber der Weißheit aus Lesung der Romanen
hat / darinnen / daß er die unterschiedene Neigungen und Arten der Menschlichen Natur
daraus erkennen lernet / seinen Verstand schärffet / und zu der Klugheit sich behutsam
auffzuführen / Anleitung bekommt. [29]

Psychologische Kenntnisse und »politische« Maximen, die der Roman vermittelt,
gehören zu jenen Notwendigkeiten pragmatischen Verhaltens, derer das gehobene
Bürgertum sich in Anlehnung an höfische Verhaltensweisen bedient, um seinen
Platz im absolutistischen Staate zu sichern. Neben dieser deutlich »politisch« orientierten Interpretation des Nutzens, parallel zu der, wie sie Weise gibt, nimmt
Thomasius aber auch den traditionellen Gedanken der verhüllten Wahrheit wieder
auf, wenn er Romanlektüre gerade bei jenen »Schwachen« für nützlich hält,

[...] welche die Heilsamsten und zum Studio der Weißheit gehörigen Wahrheiten eher
vertragen können / wann sie in allerhand Erfindungen und Gedichten gleichsam eingehüllet
seyn [...]. (152)

Zu den »Schwachen« rechnet Thomasius bezeichnenderweise nicht nur Kinder (und
Frauen), sondern »auch die Vornehmen und Gewaltigen / die die nackende Wahrheit nicht vertragen können«. [30] Hinter dem traditionellen Prinzip der ver-
zuckerten Pille steckt also zugleich eine Technik der versteckten Wahrheitsvermittlung, d. h. auch der versteckten (satirischen) Kritik, ein »heimliches« Verfahren,
das Weise als konstitutiv für den »politischen Roman« erklärte. [31] Im Betonen
des praktisch verwendbaren Nutzens unter dem Aspekt eines gewandelten gesellschaftlichen Bewußtseins unterscheiden sich Thomasius und Christian Weise deshalb nicht; an die bei Huet neuformulierte Zwecksetzung des Romans im Horizont
gesellig-politischer Funktionszuweisung können beide unter bürgerlichen Gesichtspunkten anknüpfen.

Auch wenn dieser utilitaristische Pragmatismus des Romans bei jeder Gelegen-
heit betont und zur conditio sine qua non erklärt wird, liegt Thomasius' romantheoretische Bedeutung auf anderem Gebiet. Thomasius ist der erste Theoretiker in
Deutschland, der einer freieren, weniger durch Regeln eingeengten Ausdeutung des
Wahrscheinlichkeitsprinzips Raum gibt, eine vollständigere Klassifikation vorhandener Romane vornimmt, als dies etwa bei Rist geschieht, und der schließlich drei
Sonderformen des Romans charakterisiert, die gerade für die Übergangsphase am
Ende des Jhs. wichtig sind. Eine weder durch theologisch-dogmatische Befangenheit
noch durch orthodox-regelhafte Ausdeutungen festgelegte kritisch-offene Haltung
ermöglicht Thomasius Beobachtungen und Einsichten, die einem philologischen
Fachgelehrten seiner Zeit, etwa auch Morhof, verstellt bleiben müssen. [32]

a) Kritische Reflexion vorgegebener Regeln und Anweisungen

Thomasius bezweifelt die beanspruchte allgemeine Verbindlichkeit und Nützlichkeit traditioneller poetologischer Anleitungen:

So wohl die alten als neuern Autores die hierinnen Regeln geben wollen / häuffen dieselben ohne Noth / und schreiben aus selbst angemaßter Gewalt mehr subtile als nützliche Præcepta zusammen: Allein diese alle kan ein Liebhaber der Weißheit ohne Sorge vorbey gehen. (154)

Regeln bedarf der mit einem »Geschicke« zur Dichtkunst Begabte eher zur Vermeidung von »Thorheiten [...] bey denen Erfindungen« (152) als zur Anleitung des Schreibens: »Die positiven Regeln können in vier Worte gefast werden; Ließ / Beurtheile / versuche / ändere« (153). Poetikhandbücher und Anleitungen werden verworfen und statt dessen »ein Naturell zur Poesie« (aber kein furor poeticus oder »etwas Göttliches«) als primäre Bedingung jeden Dichtens angesehen. Diese produktive Begabung bedarf jedoch der permanenten korrigierenden Kontrolle, sie wird möglich aufgrund einer Anwendung der einzig »positiven Regeln«: lesen, beurteilen, versuchen, ändern. Dichten ist also ein Prozeß spontanen Hervorbringens und kritisch-reflektierender Korrektur. »Regeln« bedeuten für Thomasius keine durch Tradition fixierten Normen (etwa bestimmte Aktzahl oder Einheit der Zeit), sondern offen-kritische Qualitäten der verändernden Verbesserung im Entstehungsprozeß des Kunstwerks. Dieser wird als dynamischer Vorgang interpretiert — nicht als Moment einmaligen Verfertigens und applikativen Anwendens allgemeiner poetologischer Lehrsätze.

Indessen bedeutet die freiere Beziehung zu den überkommenen Regeln (»denn was [...] vortrefflich ist / weicht von der gemeinen Regel ab«) [33] weder individuelle Gesetzgebung des Autors noch vollkommene poetische Freiheit gegenüber den darzustellenden Objekten. Auch Thomasius' Regelkritik vollzieht sich in einem literaturtheoretischen Rahmen, der durch eine (modifizierte) Anerkennung des Wahrscheinlichkeitspostulats bestimmt ist:

Diese Kunst zu dichten bestehet grösten theils darinnen / daß die erdichtete Sachen wahrscheinlich seyn / oder doch der Wahrscheinlichkeit ziemlich nahe kommen. (152)

»Wahrscheinlichkeit« gilt deshalb auch als Kriterium zum Beurteilen eines Romans:

Die Romanschreiber stossen insgemein wieder die Regeln der Wahrscheinlichkeit an; Und diesen Fehler findet man auch bey denen / die sonst sinnreiche und erbahre Erfindungen haben. (159)

Mit der Anerkennung und Bestätigung der aristotelischen Hauptforderung ist allerdings noch wenig über ihre konkreten Bedingungen gesagt. Diese werden vor allem in der Rezension von Eberhard Happels Roman *Africanischer Tarnolast* sichtbar [34], wo sich die Kritik an der Diskussion des Angemessenen (πρέπον, decorum) als einer Grundbedingung der wahrscheinlichen Erfindung entzündet. [35]

Auffallend ist zunächst die Rechtfertigung des Neuartigen und Ungewohnten,

der nicht an die Tradition vorhandener Muster anknüpfenden Momente. Die Happelschen Freiheiten im Einfügen historischer »und sonderlich Juristischer Dinge«
werden verteidigt und Eigenarten des individuellen Ausgestaltens toleriert. Thomasius konfrontiert die traditionelle Position der an historischen Vorbildern orientierten Regelgläubigkeit mit dem Recht des einzelnen,

> [...] nach seinem Gefallen etwas beyzutragen: [...] Wer denn denen andern einen
> Beruff gegeben hätte / daß sie solten andern ehrlichen Leuten Gesetze geben / wie sie
> Comoedien, Emblemata, Liebes-Bücher u. s. w. machen solten. [36]

Damit wird nicht nur die theorie- und regelbildende Funktion historisch und kritisch anerkannter Beispiele relativiert, sondern dem experimentierenden Neuen
gegenüber dem erprobten Alten eine erhebliche Bedeutung zugebilligt. Das Ver-
blassen normativer Verbindlichkeit historisch-exemplarischer Vorbilder macht eine
Neubewertung aktueller Romanformen möglich. Dem Autor würde eine Regle-
mentierung »mit dergleichen Gesetzen« das Schreiben nur unnötig erschweren.

Das geforderte πϱέπον im Roman ist damit aber nur erst »negativ« angedeutet: als Lockerung des durch die Tradition Geheiligten und als Anspruch auf
eine Eigenständigkeit des Neuen; die »positive« Charakterisierung entspringt der
konkreten Kritik an einem imaginären (und sicherlich auch realiter existierenden)
Kritiker Happels. Dieser bemängelt eine nicht vorhandene, aber seiner Meinung
nach in einer »Heldengeschichte« wie der des *Africanischen Tarnolast* [37] unbe-
dingt erforderliche kontinuierliche hohe Stil- und Sprechlage. Er argumentiert mit
einem verbindlichen Gesetz der poetologisch-rhetorischen Tradition, wonach soziale Stellung und Stilhöhe einander entsprechen und das decorum der Personen
als zentrale Voraussetzung der Wahrscheinlichkeit gilt. Thomasius stellt diese Forderung nicht prinzipiell in Frage, modifiziert sie aber in charakteristischer Weise,
indem er sie im Blick auf einzelne Romanfiguren oder zeitweilig angenommene
Rollen präzisiert: Er geht nicht mehr von einer postulierten und durchgehend ein-
gehaltenen rhetorisch fixierten Stilhöhe aus, sondern von dem, was jeweils zu den
einzelnen »Characteren« gehört. Das bedeutet konkret, auch die Darstellung des
»printzlichen« Helden hat sich nach dem jeweiligen Zustand zu richten, »[...]
darinnen er lebt. Ist er erkant als ein Printz / so hält er sich auch recht Printz-
lich; Stellet er einen Sclaven / einen Lautenisten / einen gemeinen Soldaten / einen
unbekanten Ritter / einen Liebhaber / einen gelehrten Jüngling / u. s. w. vor / so
wird er allezeit das πϱέπον, das zu diesen Character gehöret / beobachten.«
(730; 52)

Das könnte auf den ersten Blick als genaue Erfüllung der traditionellen rheto-
risch-darstellerischen Forderung, der »Natur der Sache« gemäße Redeweisen anzuwenden, verstanden werden, wenn Thomasius nicht einen wichtigen Schritt
weiterginge und einen vom Gesetz der Stillagen sich entfernenden Begriff der
»historischen Erfindung« (730) postulierte.

Dieser löst sich von der rhetorischen Abtrennung und Isolierung einzelner Stil-
ebenen und erlaubt das Einfügen auch nicht-heroischer Erfindungen und Beschreibungen in einer »hohen« »Helden-Geschichte«. Thomasius sieht

[...] darinnen eben ein[en] allgemeine[n] Irrthumb [...] / der der Wahrscheinlichkeit schnur stracks zuwieder wäre / daß man insgemein in denen Romanen die Helden
und Heldinnen beschriebe / nicht als wenn sie Menschen sondern Engel / ja gar halbe Götter
wären. (730 f.; 52) [38]

Die Tendenz zur übersteigerten Idealisierung von Figuren, die aus dem antiken
Epos übernommen sei, lehnt Thomasius für den Roman ab. Auch die heroische
Ausprägung des Romans kann nicht unter die rhetorische Regel einer ausschließ-
lich »hohen« Sprech- und Redeweise gezwungen werden:

Menschen wären allezeit Menschen / und auch die grösten Helden wären menschlichen
Schwachheiten unterworffen [...]; und sey dannenhero der Herr Happel vielmehr zu
loben / daß er von seinen Helden überall Menschheit vorblicken lassen. (731; 52 f.)

Die Aufhebung der strengen Zuordnung von sozialer Stellung und literarischer
Darstellungsweise (in diesem Fall die akzeptierte Entheroisierung einer heroischen
Gattung) bedingt gleichzeitig eine genauere Orientierung an den darzustellenden
»Sachen«, vor allem im Hinblick auf die Personencharakterisierung. Der Lockerung im Rhetorisch-Normativen entsprechen deshalb erste Anzeichen einer Hinwendung zur nicht mehr ausschließlich durch rhetorische Anschauungsformen vermittelten realen Objektswelt. Thomasius' Begriff der »historischen Erfindung«
könnte deshalb verstanden werden als Hinweis auf eine beginnende »Historisierung« der Fiktion als Annäherung an unverstellte Wirklichkeit. Freilich handelt es
sich noch nicht um eine vollständige »Emanzipation der Objektswelt wie sie die
Philosophie der Neuzeit bestimmt« [39], vielmehr bleibt die Frage (wie später
etwa bei Gottsched) aktuell, inwieweit das Postulat des Seinsollens mit dem des
realen Seins in Einklang zu bringen ist:

Man müste freylich vorstellen qvid fieri debeat, aber zugleich bedacht seyn / quid fieri
possit, und homo perfectissimus wäre nicht perfectissimus, wenn er nicht zu gleich homo
bliebe. (732; 53)

Die mögliche Exemplarität des Romans wird an die Fähigkeit des Autors zur Darstellung im Spielraum dessen, was sein kann, gebunden; als Voraussetzung für eine
Idealisierung der Romanfigur gilt deren Glaubwürdigkeit. Glaubwürdigkeit erhält sie aber, und darin erweist sich der Grad der Abkehr von der Regelpoetik,
nicht mehr aufgrund einer verbindlichen rhetorischen Norm, sondern unter dem
Aspekt einer rational begründeten Kenntnis von Wirklichkeit.

Der Rekurs auf je verschiedene historische Wirklichkeit relativiert nun entschieden die Allgemeinverbindlichkeit des gegenwärtigen »decorum«. Indem Thomasius der jeweiligen geschichtlichen Realität ein Eigenrecht zubilligt und den
Autor auffordert, sich an diese Realität im Rahmen seiner ihm rational zugäng-
lichen Erkenntnis- und Wahrnehmungsmöglichkeiten zu halten, muß auch die
Frage »des Angemessenen« neu gestellt werden. Thomasius geht dabei von der
Beobachtung aus, daß der zeitgenössische europäische Roman vielfach dazu neige,
des Verfassers eigene Vorstellung vom Angemessenen auf die Darstellung historisch
und geographisch fremder Zeiten und Länder zu übertragen. Vor allem französische »Romanisten« begingen diesen Fehler.

Thomasius lehnt dagegen die Übertragung des eigenen Maßstabs auf andere Gegenstände der Darstellung ab; diese verlangen vielmehr eine ihnen angemessene poetische Realisierung:

Der Herr Happel beschreibe einen Africanischen Fürsten / und keinen Europæischen. Derowegen dörffte man auch seine inventiones nicht nach denen Europæischen manieren ausmessen. (737; 55)

Damit wird eine allgemeine überzeitliche Verbindlichkeit des gegenwärtigen πρέπον in Frage gestellt. Je verschiedene historische oder geographische Möglichkeiten des Angemessenen rechtfertigen eine unwahrscheinlich scheinende, aber in Wahrheit wahrscheinliche Darstellungsweise, »ob es gleich unserm decoro zuwieder lieffe« (737; 55).

Mit dieser Relativierung der eigenen zeitgenössischen Norm vollzieht sich eine Erweiterung und Präzisierung des Wahrscheinlichkeitsbegriffs zugleich: eine Erweiterung, insofern der Umkreis gegenwärtiger, »europäischer« Verbindlichkeit überschritten wird — eine Präzisierung, insofern die Beachtung eines unterschiedlichen historisch-geographischen Kolorits erst die Voraussetzung für einen »historischen« Roman schafft, der diesen Namen aufgrund solcher Genauigkeit verdient. Die so mögliche Annäherung an die Objektswelt bei gleichzeitiger Abkehr von rhetorischer Regelgläubigkeit spiegelt sich vor allem im Verdikt gegen eine übersteigerte Idealisierung der Romanfiguren: Daß »Menschen statt Engel« gefordert werden können, bedingt ein neues Verhältnis zu den »Sachen«, das sich von der Normativität des zeitgenössischen ästhetisch-rhetorischen Konsensus zu lösen beginnt.

Gleichwohl bedeutet die Abwendung vom allein verbindlichen »europäischen« decorum noch keine Relativierung des eigenen kritischen Standpunkts. Bei Thomasius wird sehr genau sichtbar, daß die denkbaren Konsequenzen, die aus der Einsicht in die Nichtalleingültigkeit zeitgenössischer Normen für eine Beurteilung auch anderer Romanformen gezogen werden könnten, noch außerhalb seiner literaturkritischen Möglichkeiten liegen. Zwar bedingt ein näher an den historischen Wirklichkeiten orientierter Wahrscheinlichkeitsbegriff und eine unbefangene Einstellung gegenüber neueren Formen des Romans eine kritische Offenheit, die man bei fast allen zeitgenössischen Poetikern vergeblich sucht, aber auch Thomasius' rezensierende Gerechtigkeit hat dort ihre Grenzen, wo die implizit gesetzten Bedingungen jeder Form von Literatur: ein bestimmtes Maß an Glaubwürdigkeit der Erfindung (und hier kommt das eigene zeitgenössische decorum wieder zum Vorschein) und die Nützlichkeit des Geschriebenen außer acht gelassen sind. Nur aus dieser schon freieren und zugleich noch eingeschränkten Perspektive läßt sich Thomasius' Klassifizierung und Beurteilung der Romanformen erklären.

b) Vier Romanklassen

Die ausführlichste Systematisierung findet sich am Anfang der *Arminius*-Rezension. [40] Dort werden vier Romanklassen: Volks- und »Ritterbücher«, »Schäfereyen«, höfisch-historische und satirische Romane und eine Sonderform (Lohensteins Roman) unterschieden. Zuvor hatte Thomasius schon eine weitere besondere Ausprägung hervorgehobenen und sie dem »Großroman« gegenübergestellt: die

»Liebes-Historie eines eintzigen Paares«, »kleine französische Werckgen« (Kurz-romane), die in der gesamten deutschen Romantheorie nur hier bei Thomasius ge-bührende Beachtung finden. [41] Ähnlich ist es schließlich bei einer dritten Son-derform, dem utopischen Staatsroman, den Thomasius in die Nähe der Reise-beschreibung rückt, dem er aber eine ausführliche Rezension (Denis Veiras' *Be-schreibung der Sevarambes*) widmet. [42]

Bevor von diesen wichtigen Sonderformen die Rede ist, mag der Blick zunächst auf die Charakterisierung der vier Hauptromanklassen gelenkt werden. Hier er-weist sich die, oben bereits angedeutete, zugleich offene, aber noch (historisch not-wendig) begrenzte Perspektive der thomasianischen Kritik. Dem enzyklopädi-schen Vorstellen möglichst aller Spielarten des Romans entspricht noch keine jeder Einzelform gerecht werdende Beurteilung; dem kritischen Vermögen kann noch kein historisch-relativierendes Moment zugrunde liegen. Auch verstehende Kritik dokumentiert in einer vor-historischen Phase immer zunächst den eigenen Stand-punkt.

Nur von daher ist Thomasius' klassifizierende Zweiteilung der vier Roman-klassen in eine Negativ- und eine Positivgruppe zu erklären. Zu den kritisch ab-gelehnten Romanen gehören Volksbücher und der *Amadis* einerseits und die »Schäfereyen« andererseits — zur Gruppe der »positiv« bewerteten die als zusam-mengehörig verstandenen höfisch-historischen (heroischen) und satirisch-komischen (niederen) Romane. Dieser negativ/positiv wertenden Aufstellung liegt ein Maß-stab zugrunde, der sich an zwei für verbindlich gehaltenen Grundfaktoren orien-tiert: einem artifiziellen Fiktionsbegriff (in den oben beschriebenen Grenzen des Wahrscheinlich-Glaubwürdigen) und einer pragmatischen Nützlichkeitsvorstellung (als erforderliche Anwendbarkeit des Gelesenen im politischen und privaten Be-reich). Kunstreiche Fiktion und konkrete Applikation gelten als notwendige und auszeichnende Kategorien für den Roman, der sich eben dadurch (und nur da-durch) von der Historie unterscheidet. Thomasius knüpft unter dem Gesichtspunkt einer modifizierten Auffassung von der Rolle der Erfindung an die Wertungen Harsdörffers, Rists und Huets an, aber ohne deren einseitige Festlegung auf einen (den heroischen) Romantypus zu übernehmen, womit er den unterschiedlichen Ro-manformen insgesamt unbefangener gegenübertreten kann. Volks- und Ritter-bücher, der *Amadis* und die »einfältigen Schäfereyen« sind indessen auch für Tho-masius »mehrerentheils« weder hinreichend kunstfertig noch nützlich, so daß sie nur recht pauschale ablehnende Kritik erfahren. Bemerkenswert ist dies nicht so sehr bei den Volks- und »Ritterbüchern«, denen von vornherein ein bestimmtes notwendiges Maß an »Bildung« abgesprochen und deren Leser als »gemeiner Pö-bel« (654) bezeichnet werden [43]; auffallend ist vielmehr eine ähnlich scharfe Kritik auch an den »Schäfereyen«:

Also ist in vielen Romanen viel Aufhebens / viel zierliche Worte / allerhand inventiones, darhinter aber nichts nützliches verborgen / oder aber da keine Wahrscheinligkeit und Leben innen [...]. (654 f.)

Schäferromane verstoßen nach Thomasius gegen die beiden unabdingbaren Prin-zipien von kunstreicher Fiktion (»Unwahrscheinlichkeiten und gezwungene inven-

tiones« [655]) und notwendig erforderlichem Nutzen (»so wenig moralia oder
Politische Klugheiten« [655]); damit aber, daß sehr oft weder das eine noch das
andere zu finden sei, könne man den Wert der »Schäfereyen« nur als gering er-
achten.

    Worauf die Kritik Thomasius' im besonderen zielt, wird dabei an jener Stelle
sichtbar, wo von den Romancharakteren die Rede ist. Thomasius bemängelt ein un-
zumutbares, vom guten Geschmack abweichendes »wunderliches Concept von
honnêten Frauenzimmer[n]«, die in Wahrheit »ertzcoquetten [...], einfältige
Mägdchen / oder verlöffelte Dinger« (656) seien, aber nicht den »character eines
verständigen und tugendhafften Frauenzimmers« hätten (656). Diese Kritik bezieht sich ausdrücklich auch auf Zesens *Adriatische Rosemund* (»die er [Zesen]
einem Wäschermädgen zu Leipzig zu ehren gemacht / ein recht einfältig Buch«
[60 f.]) [44]. Thomasius mißt hier eine bestimmte neue Ausprägung des »bürgerlichen« Romans [45] noch mit den Maßstäben eines an höfischen Maximen gewonnenen honnêteté-Ideals [46], anders formuliert: Den Anforderungen eines
höfisch orientierten aristokratisch großbürgerlichen Bewußtseins kann Zesens Roman ebensowenig entsprechen wie etwa die (eine neue Moral des mittleren Bürgertums repräsentierende) *Macarie* Stockfleths. Thomasius' literaturkritische Unsicherheit ist deshalb zugleich Reflex einer bestimmten Phase in der Entwicklung
bürgerlichen Bewußtseins: Volksbücher und nicht dem aristokratischen honnêteté-
Ideal entsprechende Schäferromane verfallen so lange der bürgerlichen Kritik,
wie das Bürgertum sich nur im Schutz und im Bündnis mit der höfisch-politischen
Führungsschicht des absolutistischen Staates behaupten (und emanzipieren) kann.
Erst in dem historischen Augenblick, als sich dieses (in einer ersten Phase notwendige) Bündnis aufzulösen beginnt, kann die bürgerliche Kritik auch diese (nicht an
höfischen Maximen orientierten) Ausprägungen des Romans voll akzeptieren und
dann auch (mit beginnendem historischen Denken) entsprechend ihrem geschichtlichen Stellenwert angemessen beurteilen. Die Paradoxie, in die eine frühbürger-
liche Kritik dadurch gerät, daß sie bürgerliche Formen ablehnt, die schon auf eine
zweite (oder noch vorabsolutistische) Periode bürgerlichen Bewußtseins verweisen,
spiegelt sich nirgends anschaulicher als bei dem für seine Zeit und seine Zeitgenossen so erstaunlich offenen und unbefangenen Thomasius; dies umso mehr, als er einer
der ganz wenigen deutschen Theoretiker ist, die den ausgesprochen bürgerlich
exponierten französischen »roman comique« (bis auf geringe Einwände) [47]
voll akzeptieren und würdigen.

    Zusammen mit den höfisch-historischen, heroisch-galanten (worin »die Frant-
zosen [...] Meister sind« [46]) bilden die »satyrischen« Romane die Gruppe
der positiv bewerteten »Schrifften«:

Ich meines Orts halte beyde in gleichen aestim, wie ich denn auch ja so lieb eine Tragoedie
als Comoedie vorstellen sehe / deren jene mehr Gemeinschafft mit der dritten Classe [der
heroischen] hat / wie diese mit der vierdten [der satirischen Romane]. (662)

Damit ist der zugleich literaturkritische und romantheoretische Rahmen abge-
steckt: Beide Ausprägungen beanspruchen ihren auf einen je verschiedenen literari-

schen Gegenstand und auf ein unterschiedliches Leserbedürfnis bezogenen eigentümlichen Rang; sie ergänzen sich wechselseitig wie die mannigfachen und »delicaten« Speisen eines vorzüglichen Mahls. [48] Der Gedanke der Komplementarität von hohem (heroischen) und niederem (satirisch-komischen) Roman wird von keinem deutschen Theoretiker des 17. und beginnenden 18. Jhs. so pointiert hervorgehoben wie von Thomasius, der hierin den theoretischen Intentionen Charles Sorels folgt.

Auffallend scheint mir ohnehin Thomasius' Fähigkeit, bei der Charakterisierung der »Romanisten« der dritten und vierten »Classe« sowohl die deutsche als französische romantheoretische Tradition aufzunehmen und zusammenzufassen. Das gilt insbesondere für den hohen Roman, der im Horizont der Harsdörffer-Birkenschen (aber ohne dessen theologische Implikationen) und de Scudéry-Huetschen Kategorien definiert wird. Als entscheidend betrachtet Thomasius die »Kunst etwas zu erfinden« [44]:

Aber derjenige / so einen Roman schreibet / muß nicht allein die Geschicklichkeit eines Historici darthun / sondern er muß auch über dieses das Werck und den Grund der Historie entweder selbst aus seinen Kopff erdencken / oder / wenn er sich ja der wahren Historie mit bedienet / die Umstände derselben mit seinen Erfindungen so genau zu verknüpffen wissen / daß solche nicht alleine dem Leser oder demjenigen / so die wahre Historie weiß / wahrscheinlich vorkömmet / sondern / daß auch einer der der wahren Historien unkündig / nicht mercken kan / das ertichtete von dem wahrhafftigen zu unterscheiden. (44)

Die Kunst der Romanerfindung bedeutet die Fähigkeit des Autors zur möglichst vollkommenen Illusionierung des Lesers. Indem Thomasius im 17. Jh. sichtbare Tendenzen zusammenfaßt und in bestimmter Weise akzentuiert, deutet er zugleich Entwicklungslinien an, die die Romantheorie im 18. Jh. offenkundig werden läßt. Was die strukturellen Probleme betrifft, so überschreitet Thomasius' Interpretation nicht die vorliegenden Bestimmungen zur traditionellen Poetik des höfisch-historischen Typs: Schema von Verwirrung und Auflösung (vgl. Birken); Abbildung des »Welt Lauff[s] als in einem Spiegel« [46] (vgl. Catharina v. Greiffenberg); der Roman als Vehikel »sowol Politische als Sitten Lehren« zu vermitteln (659). [49] Allerdings finden sich zwei wichtige Ausnahmen, insofern einerseits die »Lehre von [den] affecten« als Hauptnutzen des Romans bezeichnet (und damit ein Hinweis auf eine besondere Spielart, den psychologischen Kurzroman gegeben) und andererseits Lohensteins *Arminius* als eigentümliche Sonderform hervorgehoben wird. Die Vorstellung vom Roman als Schule der Psychologie verweist auf Thomasius' Vorliebe für den Roman als Anschauungs- und Lehrform für eine im Privaten und Politischen erforderliche Kenntnis der Affektenlehre. Von daher ist auch Thomasius' besondere Aufmerksamkeit für den französischen Kurzroman zu erklären, dessen lehrhafte Intentionen teilweise schon zur Charakterisierung des höfisch-historischen Großromans dienen. [50] Beide Spielarten sollen eine nützliche Funktion als Erziehungs- und Handbücher der klugen Lebensart erfüllen und die Bändigung der passiones durch die vernünftige ratio dokumentieren.

Das sowohl unterhaltende als didaktische Moment betont Thomasius auch im Blick auf den satirisch-komischen Roman.

Das Negativ-Bild der geschilderten Begebenheiten und komischen Charaktere soll ein positives Gegenbild im Leser evozieren; der konstitutive Zusammenhang von Norm und Satire, didaktisch artikuliertem Wertbewußtsein des Autors und erzählerisch-stilistischen Möglichkeiten des Romans ist auch bei Thomasius evident. Als Musterbeispiele führt er neben dem *Don Quijote* [51] die berühmten französischen romans comiques auf: Sorels *Francion* und *Berger Extravagant,* Scarrons *Roman Comique* und Furetières *Roman Bourgeois.* [52] Die Vorliebe für den komischen Roman bei gleichzeitiger Vernachlässigung der spanischen Picaros (auch Grimmelshausens *Simplicissimus* wird nicht erwähnt) scheint auf eine generell bei Thomasius zu beobachtende Tendenz hinzudeuten, die unter dem Gesichtspunkt einer »bürgerlichen Tugend der Mitte« Extreme des dargestellten Milieus oder der geschilderten Episoden möglichst vermieden wissen möchte. [53] Von daher dürfte sich auch sein Versuch zur strengen Abgrenzung des satirischen Romans von Spielarten unterschiedlicher »Schmäh-Schrifften« ableiten; während diese zu verwerfen seien, verdienten jene trotz mancher Warnungen (z. B. im Vorbericht des *Arminius*) Anerkennung und Lob. Als Muster aller satirischen Schreibarten gilt ihm Erasmus v. Rotterdams *Encomium Moriae,* und damit wird Thomasius' eigene historische Position zwischen Humanismus und Aufklärung auf vortreffliche Weise anschaulich: Zurückgreifend auf die zugleich mitgemeinten Vorbilder der antiken Tradition von Aristophanes bis Seneca, ist Erasmus' satirisches Meisterwerk gleichzeitig ein Fixpunkt für die beginnende Aufklärung und Thomasius' theoretisches und journalistisches Bemühen ihr vorausweisender Brückenschlag.

c) Drei Sonderformen des Romans

Von den drei Sonderformen (psychologischer Kurzroman, enzyklopädischer und utopischer Roman), die Thomasius nicht zu den vier Hauptromanklassen rechnet, spielen der französische Kurzroman und Lohensteins Großroman eine besondere Rolle. Ihnen widmet Thomasius nicht nur eine ausführlich dialogisierende und rezensierende Behandlung, sondern diese sind es auch, an denen die Abkehr von traditionellen Formen als Hinwendung zu neuen bisher unerprobten Möglichkeiten sichtbar wird. Der psychologische Kurzroman: »nouvelle« (27), »nouvelle galante« [54] und Lohensteins enzyklopädischer *Arminius* (der »[...] was sonderliches und irregulaires« hat [664]) bilden dabei zwei charakteristische Ausprägungen unterschiedlicher Intentionen, insofern dieser vornehmlich unter dem Gesichtspunkt seiner lehrhaften Absicht und jener unter dem angenehmer Unterhaltung und Belustigung interpretiert wird.

α) Die Typologie des *kurzen Liebesromans* entwickelt Thomasius in recht genauer Kenntnis der französischen Romanpraxis. [55] Diese bestimmen, neben den idealistisch-heroischen Großromanen La Calprenèdes und Mlle. de Scudérys, nicht nur die satirisch-komischen Spielarten Sorels und Scarrons, sondern in zunehmendem Maße auch novellenartige Kurzformen, deren Hauptcharakteristika den Vorbildern Boccaccios und Cervantes' verpflichtet sind. Schon kurz nach der

Jahrhundertmitte [56] kündigt die Bezeichnung »Nouvelle« (vgl. Segrais, *Nouvelles françoises* [1657]) den bewußten Widerspruch zum kompendieusen roman héroique an, und das Gegensatzpaar: roman (romance) — nouvelle (novel) charakterisiert seitdem auch in England (vgl. schon bei Congreve) ein romantheoretisches Programm. [57] Der »neue« (kurze) Roman wird aus der Opposition gegenüber dem »alten« (langen) definiert, der in Frankreich »spätestens seit den siebziger Jahren bei weiten Teilen des Publikums seinen Resonanzboden verloren hatte und als überlebt galt«. [58]

Kürze (vgl. Novellentradition) [59] und unheroische, auch weniger »labyrinthische« Darstellungsweise (vgl. die theoretischen und praktischen Implikationen des roman comique) [60] gelten auch bei Thomasius als Ausgangs- und Grundbedingungen der neuen Form. In einer Vierer-Diskussion über Roman und Geschichte lobt der welterfahrene und lebenskluge Handelsherr Christoph (der weitgehend den Standpunkt Thomasius' vertritt) [61]

[...] absonderlich die kleinen Frantzösischen [»Romans«] / als wozu man nicht so viel Kopffbrechens gebraucht und Zeit anwenden darff / und mit grosser Begierde den Ausgang einer durch allerhand Zufälle in einander gemischten artigen invention zuwissen verlanget / und aus einen innerlichen Trieb der natürlichen compassion mit anderer Leuten Glück / sich selbsten über den erwünschten Ende / so dergleichen Geschichten zu nehmen pflegen mit freuet. (23)

Angenehmere Lesbarkeit (gegenüber den Großromanen) und teilnehmende Gespanntheit auf den Fortgang der geschilderten Handlung verweisen sowohl auf neue Identifikationsmöglichkeiten des Lesers als auf eine neuartige Technik der »Invention«. Der Annäherung von Lesepublikum und dargestellten fiktiven Figuren und Ereignissen entspricht eine leserwirksamere Erfindungsstruktur, die das besondere Vergnügen erzeugt: »ich suche bloß meine Belustigung in des Autors Klugheit / die er in verfertigung des Wercks hat spüren lassen« (26). Kein inhaltliches Moment gilt als Kriterium des guten Romans [62], sondern ein strukturelles:

[...] ich finde mein Vergnügen in denen artigen inventionen / die von denen Authoren in dergleichen Geschichten mit guter Manier eingemischet seyn / wenn solche etwas sonderbahres und ungemeines mit sich führen / und doch zugleich einige Wahrscheinlichkeit bey sich haben; [...]. (25)

Eine novellentheoretische Forderung (»etwas sonderbahres und ungemeines zu beschreiben«) wird auf den Roman übertragen und dessen normative Repräsentanz zurückgenommen; statt verbindlicher, regelgebundener »vraisemblance« genügt »einige Wahrscheinlichkeit«. Die weitreichenden poetologischen Konsequenzen der neuen Romankonzeption verdeutlichen die von Thomasius angeführten Beispiele. Es sind der Novellenstruktur verwandte Dreiecks- und Ehegeschichten [63] aus der Privatsphäre aristokratischer Personen, und die geschilderten Ereignisse spielen im Rahmen zeitgenössischer oder erst kurz zurückliegender Geschichte. [64]

Damit sind drei für den »neuen« Roman entscheidende Schritte vollzogen. Die Annäherung an zeitgenössische Begebenheiten und Anspielungen auf zeitgeschichtliche Figuren befreien den Roman aus seiner antiken Kostümierung; die Projektion der Gegenwart in eine weit zurückliegende Vergangenheit wird ersetzt durch eine anschauliche Vergegenwärtigung historisch verifizierbarer Ereignisse, und damit sind Leseridentifikationen unmittelbar möglich. Dreiecksgeschichten, die die »Kollision« oder Verwicklungen eines Ehepaares mit einer anderen Figur thematisieren, bedingen eine vom »alten« (roman héroique) grundlegend verschiedene Erzählstruktur, auf die Kompositionstechniken des Epos nicht mehr anwendbar sind. Traditionelle, vom »Heldengedicht« übernommene und bis dahin als verbindlich postulierte Darstellungsschemata, z. B. Medias-in-res-Anfang, labyrinthische Verwirrung — glückliche Auflösung, sind in dem Augenblick untaugliche Mittel des Erzählens, als sich der Roman an der Novellenstruktur orientiert. Nicht nur die Privatheit des Erzählten schließt die Übernahme bisher gültiger Eposregeln aus, auch der thematische Vorwurf macht dies unmöglich. Damit, und hier liegt ein dritter, für den neuen Roman entscheidender Punkt, daß die Ehe selbst Thema des Romans werden kann, also nicht mehr wie im »alten« als Abschluß, sondern als Ausgangspunkt dient, eröffnet sich dem psychologisch orientierten »nouveau roman« ein ganz neues Feld bisher nicht genutzter Möglichkeiten. [65] Auch wenn Thomasius diese Problematik nicht hervorhebt, sondern an Geschichten erinnert, die einen »glücklichen« Ausgang nehmen [66], bleibt sein Hinweis auf Romane, die als Ehe- und Dreiecksgeschichten konzipiert sind, auch unter jenen Gesichtspunkten bemerkenswert.

Indem der Kurzroman einzelne Charaktere in den Vordergrund rückt, knüpft er zwar an bestimmte Intentionen des heroisch-galanten an, aber sowohl die Verminderung des umfangreichen Personals als das Zurücktreten äußerer Begebenheiten machen zugleich den fundamentalen Unterschied zum Großroman sichtbar. Statt der Vielfalt verwirrender Handlungsläufe ist die »besondere Begebenheit« strukturbestimmend; eine Reduzierung der Fülle von Figuren erlaubt die Konzentration auf einzelne wenige. Damit rückt notwendig der einzelne (individuelle) Charakter in den Mittelpunkt des erzählerischen Interesses, charakterisierende Möglichkeiten werden vornehmlich mit psychologischen Mitteln erreicht. Erst die »kurzen Liebes-Historien« liefern eine adäquate Form des Romans, diese Techniken virtuos zu nutzen.

Daß es auch Thomasius um die psychologische Zeichnung von Charakteren geht, dokumentieren die interpretierenden Nacherzählungen seiner von ihm ausgewählten Beispiele. [67] Einzelne Charaktere und deren »Affekte« bedürfen der genauen Beschreibung der Autoren und können dann der teilnehmenden Aufmerksamkeit der Romanleser gewiß sein. Darin aber, daß

[...] in denenselben der Character eines und andern gewissen Affects, er sey nun tugend- oder lasterhafft geschicklich ausgeführt wird / welches nicht allein den guten Verstand und weltkluge Erfahrenheit des Verfertigers andeutet / sondern auch denen Lesenden Gelegenheit giebet die Kunst derer Leute Gemüther zu erforschen [...] (49),

vermag Thomasius zugleich den praktischen Nutzen der Lektüre zu erblicken. Denn obwohl in den »kurzen Liebes-Historien« »keine Discurse so zur Lehre und Unterricht dienen / enthalten sind« (49), bleibt die Kunst der Gemütererforschung

doch »vor den Grund der wahren Politic zu halten«, die auf diese Weise »gleichsam spielende und in Müßiggang zu lernen« ist (50). Kenntnisse zur erforderlichen Weltklugheit und Fähigkeiten zum politisch-praktischen Geschäft oder
Staatsdienst liefern also selbst leicht lesbare Unterhaltungsromane, wenn sie dem
Leser Einblicke in psychologische Konstellationen und Abläufe verschaffen und ihn
so an vernünftige Maximen der rationalen Bändigung unkontrollierter Leidenschaften erinnern. [68]

Auffallend ist es, daß es sich bei den von Thomasius angeführten Romanen um
kaum bekannte Werke der neuen französischsprachigen Kurzform handelt, während deren berühmtere Beispiele unerwähnt bleiben. Literarhistorisch bedeutsamere
und zu ihrer Zeit schon weit bekanntere »nouvelles historiques« — wie etwa
Abbé César-Vichard de Saint-Reals *Dom Carlos* (1672), Mme. de Villedieus
Les désordres de l'amour (1676) und schließlich Mme. de Lafayettes *La Princesse
de Clèves* (1678) — läßt Thomasius unberücksichtigt. Da er mit der Situation des
Romans in Frankreich durchaus vertraut ist [69], dürften ihm diese Beispiele
höchstwahrscheinlich bekannt sein, ohne daß er sie zum Gegenstand seines Roman-
gesprächs macht, und man könnte die hypothetische Frage aufwerfen, ob Thomasius vielleicht ganz bewußt die berühmten Beispiele ausklammert, um eine Rechtfertigung gerade der (im Umkreis des *Mercure galante* situierten) weniger beachte-
ten Unterhaltungsromane in Deutschland zu versuchen. Diese sind ja insbesondere
der zeitgenössischen moral-theologischen Kritik ausgesetzt. Der Versuch zur »Legitimierung« des kurzen Unterhaltungsromans in Deutschland wäre dann gerade
unter diesen Gesichtspunkten ein romantheoretisches Novum und publizistisches
Wagnis.

Die deutsche Literaturgeschichte hat, darauf mag abschließend hingewiesen werden, weder einen dem französischen klassischen Roman (»nouvelle historique«)
noch einen dem unterhaltend-galanten (»histoire galante«) entsprechenden eigen-
ständigen Kurzroman hervorgebracht. Der von H. Singer herausgearbeitete Typus
des »galanten Romans«, auf den eher theoretische Bestimmungen Huets treffen,
kann m. E. nur sehr bedingt zu den Kurzromanen gezählt werden, weil er, obwohl
mit ähnlich unterhaltenden Absichten Ausprägungen des heroischen Großromans
ablösend, schon aufgrund seiner die novellenartige Thematik und Kürze spren-
genden Intention eine Sonderform darstellt. [70] Der Mangel einer eigenständi-
gen Kurzromanliteratur in Deutschland entspricht dem einer an deutschsprachigen
Beispielen orientierten Romantheorie; Thomasius kann sich nur auf Beispiele in
französischer Sprache berufen, darf aber gleichzeitig die Kenntnis solcher Werke
beim französisch lesenden deutschen Romanpublikum voraussetzen.

Bemerkenswert und nicht ohne Folgen für die Entwicklung des Romans in
Deutschland scheint mir vor allem die am Ende des 17. und Beginn des 18. Jhs.
kaum erfolgte Rezeption des französischen klassischen (an Geschichte und Memoirenliteratur orientierten) Romans sowohl in der Praxis als in der Theorie zu
sein. Auch Thomasius, bei dem dies naheläge, nimmt beispielsweise poetologische
Überlegungen, wie sie Du Plaisir 1683 in seiner Abhandlung *Sentiments sur
l'Histoire* formuliert hatte [71], nicht auf, obwohl dieses romantheoretische Do-

kument die wichtigsten Bestimmungen des neuen Kurzromans (ausgehend von der Konzeption Mme. de Lafayettes) prägnant zusammenfaßt. Die Annäherung des klassischen Kurzromans an die zeitgenössische Geschichte kommt in Frankreich seinen realistischen Tendenzen zugute; Geschichte und Psychologie spielen fortan eine konstitutive Rolle. In Deutschland erfolgt die Annäherung von Roman und aktueller Geschichte dagegen vornehmlich in den großen Formen enzyklopädischer oder polyhistorischer Ausprägung (Lohenstein, Happel), jenen Formen, denen keine Zukunft über die Mitte des 18. Jhs. hinaus beschieden sein konnte. [72] Das Fehlen einer dem französischen klassischen Kurzroman äquivalenten theoretischen Konzeption und praktischen Ausformung in Deutschland könnte eine der Ursachen sein, weshalb die Entwicklung realistischer Tendenzen im deutschen Roman erst nach der Rezeption englischer Vorbilder (Defoe, Richardson, Fielding) stärker hervortritt. [73]

β) Die zweite von Thomasius hervorgehobene und ausführlich besprochene Sonderform des Romans, *Daniel Caspers von Lohenstein »Arminius und Thusnelda«* [74], gilt auch bei anderen zeitgenössischen Kritikern und Kommentatoren als exzeptionelle Ausprägung des höfisch-historischen Typs; schon der »Vorbericht« und die »Allgemeinen Anmerckungen« zur posthum erschienenen ersten Ausgabe (1689/90) hatten dazu wichtige Anregungen und Interpretationshilfen gegeben. [75] Thomasius beruft sich auf diese Einführungen, wenn er zunächst den vom Schema des roman héroique hauptsächlich abweichenden Chrakter des *Arminius* bestimmt:

Aber wie der Autor des Vorberichts schon erwehnet / der von Lohenstein hat sich an die leges der Romane so genau nicht gebunden / weil er mehr auff den Nutzen und die Gelahrheit / als auff die Belustigung sein Absehen gerichtet [...]. (683 f.)

Damit verschiebe sich, im Unterschied zu den anderen »Classen« des Romans, das Schwergewicht zugunsten einer »Ausbesserung des Menschlichen Verstandes und Willens« mit der Absicht, »nützliche Dinge vorzustellen / und [...] nur dieselbe ein wenig mit Belustigung zu überzuckern« (Anhang [1144]). Die Dominanz des ausgebreiteten Wissens und die Fülle des verarbeiteten historischen Materials (das zeitlich bis in die politische Gegenwart Leopolds I. reicht) scheint das herkömmliche Modell einer miteinander verflochtenen »Liebes- und Staatsgeschichte« zu sprengen, der neue Enzyklopädismus die traditionelle Erzählkunst des heroisch-galanten Großromans zu überfordern. [76] Aber abgesehen davon, daß Thomasius diese im *Arminius*-Roman durchaus zu beobachtende Spannung nicht betont und sich statt dessen, ähnlich wie der »Vorbericht«, der überkommenen »Pillenformel« (überzuckerte Pille, Arznei statt »Speise und Tranck«) [77] bedient, um den lehrhaften Zweck hervorzuheben, bleibt auch für Thomasius die Beziehung von Roman und historischem Wissen, Erfindung und Enzyklopädie der entscheidende Punkt, an dem die romantheoretische Problematik sichtbar wird.

Die Frage, die sich stellt — auf einen Nenner gebracht — lautet: Kann die nichterfundene (»außerästhetische«) Gelehrsamkeit als ein (ästhetisches) Strukturmoment des Romans erklärt und gedeutet werden? Thomasius sieht hier ganz präzise das Problem des enzyklopädischen Romans nicht nur als eines der »gelehrten Sachen« selbst, sondern als eines ihrer Vermittlung: [78]

Ich kan wohl sagen / daß ich kein Buch in der Welt weiß / darinnen sich soviel Gelahrheit beysammen angetroffen / als in der Thusnelda / und daß ich keinen Roman gelesen / der mehr nachsinnen braucht als der Arminius. Aber hieran ist nicht die Dunckelheit des Schreibers / sondern die Wichtigkeit der entworffenen Sachen schuld / und die Art und Weise / daß der Herr von Lohenstein mehrentheils / nachdem er eine Sache auff beyderley Recht erwogen / nichts determiniret, sondern dem Leser dasselbige zuthun überläst. (667 f.)

Die »Gelahr[t]heit« des »Buches« entspricht den mitgeteilten Materialien, das erforderliche »Nachsinnen« über den »Roman« einer bestimmten Methode der Darbietung. Diese ist es, die beides miteinander verknüpft, die Sachen selbst und die Form der Mitteilung, in der jene die Leser erreichen. Und hier liegt der zentrale Ausgangspunkt einer neuen Poetik, insofern dem Leser zugemutet wird, das zu vollenden oder zu entscheiden, wozu der Roman nur das Material an die Hand gibt. Der Autor des *Arminius,* so bemerkt Thomasius, indem er Vorstellungen des »Vorberichts« weiterentwickelt [79], zwingt seinem Leser keine Meinungen oder Entscheidungen auf, er läßt ihm vielmehr Freiheit zum eigenen Überlegen:

[...] daß er [Lohenstein] zum öfftern bey Uberlegung einer Frage nichts decidiret, sondern nach hin und wieder vorgebrachten Ursachen abrumpiret. (682)

Die »Fortsetzung« des vorgezeichneten Dialogs oder die Vervollständigung der begonnenen Argumentation ist Sache des Lesers, der damit aus seiner passiv-rezipierenden Rolle gedrängt und zum Teilnehmer eines Gesprächs wird, das Roman und Publikum unmittelbar verbindet. Die erforderliche Aktivität des Lesers ist ein neues Moment einer Poetik des Romans, dessen mitgeteilter und dialogisch dargebotener Lehrstoff Anregungen zum Selbst- und Weiterdenken liefern soll. Hierin sieht Thomasius die eigentliche Besonderheit des Lohensteinschen Romans. Sein Nutzen beruht nicht nur auf dem vielfältigen Lehrgehalt in den wiedergegebenen Diskursen und polyhistorischen Darlegungen, sondern auf dem »pädagogischen Sinn der disputatorisch aufgebauten Exkurse«. [80] Thomasius hat damit schon ein Strukturmerkmal des *Arminius* beschrieben, das vor allem D. Kafitz [81] zum zentralen Ausgangspunkt seiner Untersuchung über den Roman gemacht hat, in der zu Recht darauf hingewiesen wird, daß Thomasius zusammen mit Chr. Fr. Hunold und Chr. Gebauer [82] einer Gruppe von zeitgenössischen Kritikern zugehört, die — im Unterschied zu einer anderen, die das Lexikalische und Quantitative des Wissensstoffes betont (*Acta Eruditorum*-Rezension [83], W. E. Tentzel, **Christian Schröter** und Joh. Christoph Männling) [84] — in den Tendenzen des *Arminius* eine »neue Möglichkeit zur Vernunftausbildung der Leser« erblickt. [85]

Die Verknüpfung des Enzyklopädisch-Lehrhaften mit einer bestimmten Romanstruktur, die »Nachsinnen« erfordert, exemplifiziert Thomasius bei Lohenstein noch an einem weiteren Charakteristikum des Romans — seiner Erzähltechnik historisch-politischer Figuration, auf die bereits hingewiesen wurde. [86] Auch

hier werden in besonderem Maße Anstrengungen des Lesers verlangt, da politische
Ereignisse und Figuren der Gegenwart in historische Vorgänge und Personen weit-
zurückliegender Vergangenheit projiziert sind, deren Verweisungscharakter auf
zeitgenössische Realität erst beim kombinierenden Lesen wahrnehmbar ist. Die
Transparenz einer Geschichtssystematik, die Vergangenheit und Gegenwart in
einem geschilderten Ereignis oder *einer* dargestellten Figur verbindet: »[...] denn
der von Lohenstein hat [sich] die Freyheit fürbehalten / unter einer Person auff
zwey gantz unterschiedene Historien zu zielen« (685) [87], setzt Fähigkeiten zur
gleichzeitigen Enträtselung und Kombinatorik voraus, die die intellektuellen Möglichkeiten des Lesers mobilisieren (oder überfordern):

[...] worum dieses schöne Buch von vielen sey verachtet worden / weil nehmlich der Innhalt desselbigen den Horizont ihres Verstandes übersteiget [...]. (684)

Die Herausgeber hatten im Anhang zum Roman (»Von denen Personen / deren
Lohenstein gedenckt«) [88] auf diese Verweisungstechnik aufmerksam gemacht
und detaillierte Hinweise über anagrammatische und historisch-politische Ver-
schlüsselungen gegeben, an die Thomasius anknüpfen konnte. Für ihn bildet die
Synthese aus historischem Sachwissen und seiner poetisch-politischen Verrätselung
Teil jener Gesamtkonzeption, die den Romanleser zur mitdenkenden und selbst-
aufklärenden Aktivität auffordert. Daß Thomasius diese (vorhandenen) Tendenzen des Romans (z. B. unter Berufung auf La Mothe Le Vayers skeptische Dia-
loge) [89] pointiert hervorhebt und damit traditionelle Momente des herkömmlichen heroischen Romans zurücktreten läßt, ist ohne Frage. Thomasius' Interpretation und romantheoretische Deutung weist damit in eine Richtung, die die
Leseerwartung des 18. Jhs., in Abwendung von Mustern des alten roman
héroique, bestimmen sollte.

γ) *Utopien und utopische Romane,* deren moral- und staatsphilosophische Aspekte
Morhof, Volckmann und Pasch erörtern, werden von Thomasius weder zu den vier
Hauptromanklassen noch ausdrücklich zu einer der angeführten Sonderformen
gerechnet. Er schließt aber eine potentielle Möglichkeit anderer Ausprägungen des
Romans nicht aus, vielmehr erlaubt seine Maxime, daß alles Hervorragende die
Regeln überschreite [90], prinzipiell neue poetische Ausformungen literarischer
Gattungen. Es ist deshalb nicht überraschend, daß Thomasius einen der bekann-
testen und meistgelesenen utopischen Romane des 17. Jhs., Daniel Veiras d'Alais'
Histoire des Sevarambes (1677) [91] eine ausführliche Rezension widmet, die sich
zwar vornehmlich mit den inhaltlichen Aspekten einer »glücklichen republic [die]
nach dem Lichte der Vernunft« (962) entworfen sei, beschäftigt, aber zugleich eine
Reihe wichtiger poetologischer Hinweise enthält, die diese Sonderform des Romans
charakterisieren. [92]

Auffallend ist zunächst die gattungsmäßige Zuordnung des Werks, insofern die
Bezeichnung »Roman« oder eine verwandte Kennzeichnung, der Vorrede des
Autors folgend [93], bewußt vermieden und statt dessen von einer »wahrhaffti-
gen Reisebeschreibung« (961) gesprochen wird. Die mit einem völlig unbekannten
Beispiel jenes Genres *([...] eines Englischen Kauff-Herrn T. S. seltsame Bege-*

benheiten und Gefangenschafft in dem innern Africa) zusammengebundene Arbeit [94] bespricht Thomasius also unter dem gattungspoetischen Gesichtspunkt eines Reiseberichts, wobei seine kritische Charakterisierung [95] auf jene Gruppe historisch-geographisch und (oder) abenteuerlich-exotisch bestimmter Reiseliteratur verweist, die, vor allem im späten 17. Jh. einsetzend, bis in die Mitte des 18. in den verschiedensten Spielarten als Robinsonaden, Abenteuerromane, Avanturiers, Lügenromane, utopische- und Reiseromane den Lesehunger und Wissensdurst eines breiteren Publikums stillt. [96] Kennzeichnend für diese in sich sonst sehr differenzierte Gruppe ist der bei allen Ausprägungen formulierte, allerdings verschieden motivierte Wahrheitsanspruch (vgl. die Tradition des »niederen« Romans), der mit mannigfachen Erzähl- und Überzeugungstechniken zu untermauern versucht wird. [97] In Veiras' *Beschreibung der Sevarambes oder des neuerfundenen Sudlands* ist das nicht anders: Der Verfasser bemüht sich, mit immer neuen Mitteln und Argumenten den Leser von der »Wahrheit« der geschilderten Begebenheiten und dem Nicht-Erdichteten der Geschichte zu überzeugen:

[...] ich glaub / es werde niemand zweiffeln an der Warheit dessen / was sie in sich hält / und wird der Leser leichtlich spühren / daß sie alle Kennzeichen einer warhafftigen Historie in sich hat. [98]

Thomasius meldet hier Skepsis an. Wenn er dem Autor der *Sevaramben* auch zugesteht, daß er sich in der Vorrede um diesen Beweis bemüht habe — und »solches mit einer grossen Wahrscheinlichkeit« (961) —, so werde man doch nicht »völlig persuadiret« (961). Thomasius geht es aber auch gar nicht darum; vielmehr sieht er sehr genau, daß der rhetorisch und erzähltechnisch mannigfach betonte Wahrheitsanspruch im Sinne nachprüfbarer, historisch-geographischer Faktentreue nicht das entscheidende Kriterium darstellt, sondern die Glaubwürdigkeit der »vernünfftigen Ersinnung« selbst. [99] Hier müssen sich Kunstfertigkeit und Wahrhaftigkeit des Werks als Ergebnis einer wahrscheinlichen Erfindung erweisen:

Das Werk an sich selbsten ist so beschaffen, daß man nie kein künstlicher und ungezwungener Gedicht gelesen, denn nichts an der Warscheinlichkeit mangelt, als daß man nicht glauben kann, daß unter Leuten / die von der wahren Religion nichts wissen, ein so tugendhafft und ehrlich Volck seyn könne / dergleichen es sonst auch unter denen Rechtgläubigen und Christen, niemahlen gegeben / [...]. (961)

Damit sind zwei entscheidende Aspekte des utopischen Romans angesprochen: einmal seine poetische (»künstliche und ungezwungene«) Erfindung und zweitens seine Glaubwürdigkeit und (utopische) Abweichung von der vorgefundenen historisch-politischen Realität. Thomasius' und Veiras' Wahrheitsbegriff der utopischen Dichtung orientiert sich dabei an einer Vorstellung von Wahrscheinlichkeit, die durch Widerspruchsfreiheit charakterisiert ist. Wenn Veiras von »vernünfftiger Ersinnung« und Thomasius von einem »ungezwungenen Gedicht« in den Grenzen des Wahrscheinlichen sprechen, gilt eben nicht die »Geschichte«, sondern »Vernunft« als oberste Maxime der Fiktion. Das bedeutet im Ansatz die Hinwendung zu Vorstellungen einer rationalen Aufklärungspoetik (vgl. Gottsched) [100], die gerade die utopische Romanerfindung deshalb vorwegnehmen kann, weil sie im »vernünftigen« Gegenentwurf zur tatsächlichen Historie das Logisch-Denkbare, Mögliche und Widerspruchsfreie zur Grundlage ihrer Konstruktion machen muß, will sie überzeugende Glaubwürdigkeit erlangen. Das »Vernünftige« der Fiktion ist gewissermaßen die gattungsspezifische Voraussetzung des utopischen Romans.

Thomasius betont daher an mehreren Stellen die lobenswerte Fähigkeit des *Sevaramben*-Autors, »die Grund-Regeln der gesunden Vernunft nebst der morale und Politic in einem ungemeinen Grad innen« zu haben (961). Das bezieht sich natürlich nicht nur auf formale Kennzeichen der Fiktion, sondern auch auf deren inhaltliche Momente, und hier wird der zweite Fragenkreis der utopischen Erfindung unmittelbar evident. Die utopische Konstruktion »nach dem blossen Lichte der Vernunfft« (962) macht auf den Widerspruch zur tatsächlichen Realität aufmerksam: Die Misere zeitgenössischer Zustände hebt sich desto krasser von einer »glücklichen republique [...] die allen Mängeln nicht unterworffen sey / die in unsern Republiquen häuffig anzutreffen sind« (962), ab, je präziser und rational folgerichtig der utopische Staat entworfen wird. Das genau begründete utopische Gegenbild »beschamt« die aktuelle Gegenwart und impliziert deren Kritik:

> [...] um die Christen durchgehends zu beschämen, daß, da sie nebst dem natürlichen Licht, auch den Vortheil der wahren Religion hätten, dennoch insgemein nicht einmahl ihre Vernunfft recht zu gebrauchen wüsten / oder vielmehr dieselbe nicht recht gebrauchen wolten. (962)

In solchen Bemerkungen, die von den im Roman geschilderten Einrichtungen ausgehen, spiegeln sich (an Kants spätere berühmte Abhandlung erinnernde) Intentionen von Aufklärung, deren Forderung, sich des eigenen Verstandes zu bedienen, die Einsicht korrespondiert, daß es so bequem sei, unmündig zu sein. Daß der utopische Roman für Thomasius als besonderes Instrument einer aufklärerischen Tendenz angesehen wird, zeigt seine ausführliche Beschäftigung mit der von Morhof an bestimmten theologischen Aussagen in den *Sevaramben* geübten Kritik. [101] Thomasius teilt die Morhofschen Bedenken (zum Problem der Trinität, mögliche »Attheisterey«) nicht — Toleranz in Glaubenssachen gilt ihm gerade als ein Ausweis von Christlichkeit. Auch hier nimmt der Kritiker Thomasius die Anregung des Verfassers der *Sevaramben* auf, der darauf hinweist, daß Stilfragen in »Wercken von dieser Art« zurücktreten könnten, »da die Materie die gantze Auffmercksamkeit des Lesers allein« erfordere. [102] Daß Thomasius allerdings nicht allein die »Materien« diskutiert, sondern zugleich die »künstliche«, vernünftige Form des utopischen Romans (in der Spielart einer »Reisebeschreibung«) reflektiert, zeigt seine Einsicht in die wechselseitige Verflechtung des aufklärerischen Anspruchs mit der »vernünftigen Ersinnung«, die erst die ästhetische Bedingung für eine mögliche rationale Konstruktion der »glücklichen republique« liefert: Der utopische Roman vermittelt in einer durch die Vernunft bestimmten Fiktion in den Grenzen des widerspruchsfrei Denkbaren den Entwurf eines die Geschichte überschreitenden Möglichen.

VII. Die Kritik des »alten« Romans als eine Voraussetzung für die Entstehung des »neuen«: die Kontinuität
der Diskontinuität des Romans

Die von der Forschung häufig erörterte Frage einer vorhandenen oder nicht vorhandenen Kontinuität der Romanentwicklung vom 17. zum 18. Jh. in Deutschland [1] stellt sich für die theoretische Diskussion vornehmlich als Problem der
Romankritik. Nach dem Überschreiten eines ersten Höhepunktes der romantheoretischen Diskussion in den 70iger und 80iger Jahren des 17. Jhs. beginnt neben dem, vor allem durch Huet bestimmten, intensiven Rezeptionsprozeß, eine
Phase verstärkter kritischer und polemischer Äußerungen zum Roman, deren Motive vor allem moraltheologischen und kultur- bzw. gesellschaftskritischen Ursprungs sind. Diese Stimmen prägen bis in die 20iger und 30iger Jahre, vereinzelt
sogar noch in den 40iger Jahren des 18. Jhs., das Bild der kritischen Auseinandersetzung mit dem Roman.

Daß die Diskussion über eine sich notwendig erst selbst emanzipierende literarische Gattung immer auch unter nicht immanent ästhetischen Gesichtspunkten geführt wird, wurde in diesen Untersuchungen wiederholt betont; das ästhetische
»Mündigwerden« des Romans ist von Beginn an kein bloß innerliterarisches Problem. Bei den im folgenden zu charakterisierenden Tendenzen am Beginn des 18.
Jhs. kommen zudem Faktoren hinzu, die diese Diskussion erheblich verschärfen,
dadurch aber auch gleichzeitig literaturtheoretische Zielsetzungen erkennen lassen,
die auf den neuen »bürgerlichen Roman« des 18. Jhs. vorausweisen. [2] So ergibt sich eine merkwürdige »Kontinuität der Diskontinuität« vom 17. zum 18.
Jh., insofern erst die theologische, moralistische und schließlich auch ästhetische
Kritik am »Barockroman« Voraussetzungen und Bedingungen freilegt, die den
neuen Roman mit begründen helfen.

Die Entstehung eines neuen Romantyps als Folge der Kritik am überkommenen
»alten« ist in der Geschichte des Romans und der Romantheorie keine singuläre
Erscheinung, sondern eher deren konstitutives Moment. Bei der Erörterung des
roman comique (»Anti-Roman«) wurde darauf hingewiesen, daß Sorel diesen
Romantyp ganz bewußt aus der Opposition gegenüber dem roman héroique theoretisch postuliert und praktisch entwirft: Gerade der Roman treibt seine Entwicklung dadurch voran, daß er mit herkömmlichen Formen und Traditionen entschieden zu brechen versucht, und jede »Krise des Romans« ist eine Voraussetzung
seiner Renaissance. Im Unterschied zur ästhetischen Kontrastierung des roman
comique mit dem roman héroique, wobei jener auf diesen eben durch seine Oppo-
sitionsrolle fixiert bleibt, geht die Romanpolemik des frühen 18. Jhs. jedoch über
eine bloße Kritik des literarischen Genres hinaus, indem sie vor allem aufgrund
einer calvinistisch oder pietistisch begründeten Phantasie- und Fiktionskritik die

Wahrheitsfrage radikal stellt und damit jeder Romanerfindung die Legitimation prinzipiell absprechen kann. [3] Die dogmatische Strenge dieses Wahrheitspostulats unterscheidet sich *qualitativ* vom selbstrechtfertigenden Wahrheitsanspruch des *roman comique*. Zu berücksichtigen bleiben außerdem vor allem die negativen, eine Emanzipation des Romans zunächst verzögernden und hemmenden Auswirkungen der moraltheologischen Kritik. Gerade die Romanpraxis der ersten Jahrzehnte des 18. Jhs. in Deutschland zeigt von wenigen Ausnahmen abgesehen (z. B. bei Johann Gottfried Schnabel und Michael v. Loen), im Unterschied etwa zur englischen Entwicklung, diese weiterwirkenden Folgen in anschaulicher Weise. Das aber ist vornehmlich ein Problem der Romangeschichte und kann im Zusammenhang dieser Arbeit nur gestreift werden[4]; hier soll vielmehr auf Voraussetzungen der neuen Romankritik in theoretischen Zeugnissen hingewiesen und gleichzeitig untersucht werden, inwieweit diese Texte auch Ansätze einer ästhetischen Beurteilung enthalten, die auf Intentionen des neuen bürgerlichen Romans im 18. Jh. verweisen.

Dabei läßt sich insgesamt eine Dreiteilung vornehmen, insofern Texte calvinistischer Herkunft vor allem das Wahrheitsproblem thematisieren, pietistische Zeugnisse neben dem eschatologischen Moment Fragen der inneren (psychologischen) Erfahrung aufwerfen, und schließlich drittens eine Reihe von Autoren den Roman vornehmlich unter ästhetischen, »moralischen« und kultursoziologischen Aspekten kritisieren im Zusammenhang einer anderen, literarisch-musikalischen Kunstform, der Oper: Argumente für oder wider den Roman oder die Oper sind weitgehend austauschbar. Die Maximen der Opern- und Romankritik entstammen dabei nicht allein moraltheologischem Denken, sondern zugleich einer neuen Beurteilung im Horizont ästhetischer Maßstäbe. [5]

1. Calvinistische Romankritik: Gotthard Heideggers »Mythoscopia Romantica: oder Discours Von den so benanten Romans«

Als das berühmteste und zugleich erhellendste Beispiel calvinistischer und altprotestantischer Romankritik kann Gotthard Heideggers 1698 in Zürich erschienener *Discours* [6] gelten, der eine Enzyklopädie aller zeitgenössischen Argumente wider den Roman darstellt, ohne allerdings auf ästhetische Wertungen gänzlich zu verzichten. Die vorgetragenen Bedenken gegen die Fabelbücher sind zwar insgesamt zum Zeitpunkt ihrer Veröffentlichung nicht sonderlich originell, fassen sie doch kritische Einwände des zurückliegenden Jahrhunderts in einem imposanten Zitatenmosaik zusammen [7], aber das pointierte Hervorheben bestimmter calvinistischer Positionen verleiht dem über zweihundert Seiten starken Buch eine außergewöhnlich polemische Schärfe gerade auch gegenüber anderen theologischen Stimmen im katholischen und lutherischen Bereich. [8] Man hat ohnehin den Eindruck, daß Heidegger so etwas wie einen »Anti-Huet« verfassen möchte, weil er sich ständig auf den *Traité* des Bischofs von Avranche beruft, mit der Absicht, ihn zu widerlegen. Daß dies nicht gelingen kann, hängt unmittelbar mit Heideggers theologischer und kulturkritischer Intention zusammen, die die

ästhetische Argumentation (der sich Huet bedient) in ihren zentralen Punkten verfehlt.

Die Auseinandersetzung mit der für Heidegger zu laxen Einstellung der lutherischen Lehre zu den Adiaphora (»Mitteldingen«) führt der Zürcher Pfarrer eher
implizit im Gang seiner sich oft wiederholenden Deduktion. Offenkundig wird die
bewußte Distanzierung von der lutherischen Toleranz gegenüber weltlich-schön-
geistiger Literatur indes, wenn Heidegger in der wichtigsten Frage, der nach einer
möglichen biblischen Rechtfertigung des Romans, vor allem neutestamentliche
Textstellen aus den Paulusbriefen als Beleg und unumstößlichen Beweis für seine
These zitiert, daß sämtliche (belletristischen) »Fabel-Bücher« zu verwerfen seien.
Das im Gesamtbereich des »Altcalvinismus« als Verdikt gegen den Roman verwendete Bibelwort: »Der verruchten / und Alt-vettlischen Fablen entschlage dich /
übe dich aber selbst zur Gottseligkeit« (1. Tim. IV, 7) [9] nimmt auch Heidegger
zum Ausgangspunkt seiner Argumentationskette gegen die Romanfiktion, wobei
Zitate aus den Kirchenvätern und Platos berühmtes Wort von den Dichtern, die
lügen, den Kanon polemisch nutzbarer Belege ergänzen. [10]

a) Heideggers Fiktionskritik

Als oberster Maßstab des Wahren gilt das in der Bibel Berichtete: Gegenüber
den erfundenen Liebesgeschichten bildet das von den Propheten und Aposteln
Überlieferte das einzig »richtige Oppositum«, und »an statt der Apostel die Warheit recommendiert / so seyn die Roman ein lauterer Lugen-Kram [...]« (61).
Dieser Vorwurf der Lügenhaftigkeit kehrt in mannigfachen Variationen immer
wieder:

Bißher wurden die Roman, als Heydnischer Tand / und Zeitverderber verfolget. Forthin
müsten sie sich auch als Lügen und Fablen betrachten lassen. Denn (raisoniert man) ist das
ohne Zweiffel ein gar wichtig bedencken / daß wer Romans list / der list Lügen. (71)

Der Lügencharakter der Fiktion, der in der Gegenüberstellung mit der Bibel bei
Heidegger am schärfsten prononciert wird, offenbart sich aber seiner Meinung
nach auch bei einem Vergleich mit der Historie und dem Universum des tatsächlichen Geschehens: Sowohl die Anschauung dessen was ist, als das Studium dessen
was war, vermittelt eine »Wahrheit«, die der Roman niemals zu liefern vermag.
Geschichte vergegenwärtige nicht nur das Tatsächlich-Gewesene und vermittele
nützliche Kenntnisse, sie gewähre auch Einblicke in das Wirken Gottes, das aller
Historie zugrunde liege. [11] Die Wahrheit der Geschichte ist für Heidegger ein
heilsgeschichtliches Faktum; alles Geschehen in Vergangenheit, Gegenwart und
Zukunft erhält dadurch seine eigentliche Legitimation. Jede Abweichung von der
Geschichte (etwa im Hinzufügen von Erdichtetem) ist deshalb nicht nur ein Verstoß gegen die historische Richtigkeit, sondern zugleich ein unerlaubter Eingriff
gegenüber der providentiellen Gesetzmäßigkeit: »Traum und Phantasien! über
Sachen / die niemahl in der Welt geschehen« (72), machen die Menschen deshalb
nicht so sehr »zum Thoren«, weil sie etwas lesen, das historisch nicht »stimmt«,
sondern weil sie die eigentliche (theologische) Wahrheit verfehlen.

Die Radikalität der calvinistischen Fiktionskritik wird nur verständlich, wenn man sich diesen Sachverhalt vor Augen führt. Jeder Verstoß gegen die Historie muß zugleich als eine Verfälschung des göttlichen Wirkens aufgefaßt werden, weil alles Geschehen der Providenz unterworfen ist. [12] Heideggers Kritik zielt deshalb auch genau auf jene »erdichteten Historien«, die zwar vorgeben, »Geschichte« zu schreiben, aber durch ihre poetische Aus- und Umgestaltung gerade jene »Verfälschung« des Tatsächlichen und damit Gottgegebenen vornehmen, die zur schärfsten Ablehnung führen muß. Indem Heidegger das fiktionale Prinzip, vornehmlich des höfisch-historischen Romans präzise erkennt (Vermischung von Geschichte und Erfindung, Fiktionalisierung der Geschichte), kann er es unter seinen Wahrheitsprämissen nur konsequent verwerfen. Gerade die scheinbare Geschichtlichkeit, das fiktive Als-Ob muß Heidegger zur Polemik herausfordern; aufgrund ihrer Poetisierung werden die Historien

[...] vil schlimmer [...] denn sie machen die wahrhaffte Geschichten zu Lügen / sie liegen nicht allein / sonder affrontieren auch höchlich die unschuldige Wahrheit / und indem sie mit ihrem Lügenschmier dieselbige verstellen / und was einem nachsinnenden Gemüth / das ärgste und unerleidlichste ist / fälschen und erstücken sie auß eignem Stör-Kopff die Eventus und Verläuffe / die der Höchste der in dem Himmel ist / und schaffet was Er will / auß geheimem Raht-Schluß / zu seiner Ehr / auff seine Weise geordnet. (74)

Damit ist die diametrale Gegenposition zu einer auch heilsgeschichtlich motivierten Romantheorie und -kritik bei Birken formuliert: Während dieser das Reservoir der geschichtlichen Ereignisse in einer geschichtstheologischen Interpretation für die Romanfiktion fruchtbar machen möchte und daher die Einzelfakten in ein umfassendes eschatologisches System (vgl. Zwei-Reiche-Lehre) einordnet (der Romanautor »vervollständigt« die Geschichte und hebt die heilsgeschichtlich bedeutsamen Linien hervor; er hilft gewissermaßen, dem Leser die Augen für das Wirken der Providenz durch ihre Verdeutlichung zu öffnen), lehnt Heidegger jeden poetisch-umgestaltenden Eingriff in die Geschichte ab, weil allein diese das Wirken und den Heilsplan Gottes offenbart. Jegliche »Interpretation« von Geschichte muß deshalb immer schon als verfälschende Abweichung betrachtet werden. [13]

Dieser »historische« Wahrheitsrigorismus bringt es mit sich, daß Heidegger selbst die moraltheologischen Intentionen Buchholtzens und Birkens nicht erkennt, oder sie doch für nicht ausreichend erachtet, der Wahrheit der Geschichte »als Beweißthumen der heiligen Vorsehung Gottes« (130 f.) gerecht zu werden. Wie scharfsinnig und überspitzt Heidegger das theologische Wahrheitsproblem sieht, zeigt seine Warnung, die Romanautoren wollten

[...] den Leser zum Narren machen / wie man etwa die Kinder mit dem Claus äfft / und mahlen alles so possirlich vor / daß auch ein verständiger / in dem er liset / zuweil in Utopien entrinnet / und dabey ist. (81)

Die Verführbarkeit auch des »verständigen« Lesers, so konstatiert Heidegger, beruht gerade auf der Fähigkeit der Romane zur vollkommenen Illusionierung, indem ihre literarische Struktur Fiktion als Wahrheit imaginiert und den Wahrheits-*Schein* als Wahrheit ausgeben kann. Das hat zur Folge, daß der Leser »in Utopien entrinnet« und damit jenem ästhetischen Schein verfällt, der als gefährliche Ablenkung vom heilsgeschichtlichen Anspruch der jenseitigen Utopie aufgefaßt wird. Die Ästhetisierung der Geschichte schafft die Voraussetzung einer innerweltlichen Utopie der imaginativen Romantotalität, die als säkularer Gegenentwurf zum eschatologischen Postulat des außerzeitlichen Seelenheils verstanden werden muß. So überspitzt Heideggers theologischer Wahrheitsrigorismus deshalb auch aussehen mag, gerade in seinem Angriff auf die Weltlichkeit des Romans trifft er dessen theoretische Intention auf das genaueste. Seine Polemik bestätigt ein romantheoretisches Faktum: Ein literarisches Genre, das projizierend und antizipierend Geschichte poetisch verändert, impliziert intentional utopische Qualitäten und muß damit notwendigerweise mit dem Absolutheitsanspruch einer theologischen Heilsutopie kollidieren. [14] Der Roman als säkulare »Geschichte der Zukunft« (Mme. de Staël) ist das imaginative Gegenbild einer Theologie der Zukunft. Nur so wird die calvinistische Roman- und Literaturfeindlichkeit in ihrer ganzen Schärfe und Konsequenz überhaupt verständlich; das Wahrheitsproblem kann als zentraler Punkt (neben dem noch zu erläuternden eschatologischen Zeit- und Moralargument) angesehen werden. Die Kampfansage an alle weltliche Literatur in den calvinistischen Einflußbereichen ist von daher erklärbar, und H. Schöffler hat auf die weitreichenden Auswirkungen am Beispiel Englands überzeugend hingewiesen. [15]

Aber nicht nur auf die literarhistorisch »negativen« Folgen hat Schöffler aufmerksam gemacht, sondern gleichzeitig, nachdem E. Troeltsch und M. Weber grundlegende Einsichten zur Bedeutung des Calvinismus formuliert hatten, die mittelbaren Ergebnisse der Fiktions- und Phantasiekritik für die Romanpraxis angedeutet. [16] Ohne die theologiegeschichtlichen Voraussetzungen einer strengen calvinistischen Wahrheitsforderung, die lediglich durch die Bibel legitimierte allegorische Techniken erlaubt (vgl. Bunyans *Pilgrim's Progress* [17] und Defoes Theorie des *Robinson Crusoe* [18]), kann weder die (puritanische) Orientierung des bürgerlichen Romans an der »wahren« authentischen Geschichte, der Autobiographie oder dem Tagebuch zureichend erklärt werden, noch der stereotyp formulierte Anspruch der Autoren, keinen »Roman« schreiben zu wollen. Hingewiesen sei außerdem auf die kontinuierliche Tradition der altprotestantischen Phantasiekritik auch in der allgemeinen Literaturtheorie, besonders auf die Verbindungslinie zwischen Heidegger und dem Bodmerkreis [19]; hier lassen sich die Parallelen auch in der Romankritik der *Discourse der Mahlern* unmittelbar aufzeigen. [20]

b) Eschatologische Zeitnutzung und antihöfische Kulturkritik

Das zweite Hauptargument gegen den Roman, das im Umkreis moraltheologischer Denkweisen immer wiederkehrt, erfährt unter calvinistischem (und teilweise auch unter lutherischem) [21] Vorzeichen eine besondere Verschärfung: Schreiben und Lesen von Romanen gilt nicht nur als »greulicher Zeit-raub« (62) und Ablenkung vom heilsgeschichtlichen Endzweck des Menschen, sondern auch als

Inkarnation jener demoralisierenden Erscheinungen, die den polemischen Kultur-
kritiker herausfordern. In Heideggers *Discours* wird der Zusammenhang von theo-
logisch-moralischen mit gesellschafts- und kulturkritischen Gesichtspunkten besonders deutlich.

Die Verführung des Lesers, seine »kostbare und edle« Zeit mit Romanen zu »ver-
schwenden«, liegt in diesen selbst begründet: Beginnt man erst mit der Lektüre,
»verstrickt« man sich »im Netz« jener Illusion, die zumindest »den Einfältigeren«
nicht mehr losläßt:

Denn solche Bücher sein also geschoben / daß man sie nicht hin und her lesen / sonder das
gantze Drama in seiner Ordnung durchlauffen muß: sie seyn eingerichtet nach deß Menschen meisterlosen / Curieusen Appetit / hat einer angefangen [...] so kriegt er bald lange
Zähne / wird als in einem Netz verstrickt / daß er alles versaumt und biß zu End fort-
fahret [...] Ein Wind-Spiel / daß auff eine Hasenspur gerathen / ist vil leichter zurück
zubringen / als eine Feuchtnas ab seinem Roman. (63 f.)

Heidegger beschreibt hier Strukturmomente und Eigenschaften des Romans, die
gerade in ihrer negativen Charakterisierung jene leserpsychologischen Faktoren
verdeutlichen, die dem Erwartungshorizont der zeitgenössischen Leser zugrunde
liegen. Die Neigung, seine Zeit mit »Fabel-Büchern« zuzubringen, nimmt in dem
Maße zu, als die Künstlichkeit der Erzählstruktur und die Neuheit der mitgeteilten Ereignisse und Materien das Bedürfnis der Leser aufs höchste befriedigen.
Gerade die ästhetische und leserwirksame Qualität der Romane verhindert also
eine andere, eschatologische Zeitnutzung. Zwar führt Heidegger eine Reihe angenehmer Möglichkeiten des sinnvollen »Zeitvertreibs« an (Historienlesen, Musik,
»Freundschaffts-Conversation«) [22], alle aber stehen im Bann einer heilsgeschichtlichen Grundorientierung, die vor allem an der Betonung des Gerichtsge-
dankens abgelesen werden kann. [23] Romane (»Buhler-Bücher«) sind Teil jenes
»weltischen Lebens«, das den Menschen von seiner eigentlichen Bestimmung ablenkt. Sie gehören zu den unmoralischen »Vanitaeten«, die als »Verreitzungen
Heydnischer Ueppigkeit / und Epicurerey« (202) dem Seelenheil nur schaden
können.

Unter der Voraussetzung eines eschatologischen Heilsinteresses, das alles weltliche Tun diesem Ziel unterordnet, formuliert der *Discours* zugleich Maßstäbe einer
neuen, strengen »widerweltischen« Moral [24], die sich prinzipiell von einer
Ethik der »politischen« Lebensklugheit und weltmännischen Anpassung unterscheidet. Die Kritik an der »weibischen Alamoderey« [25] und die Verurteilung
der »Galanterien« zielt auf eine generelle Ablehnung der an höfischen Maximen
orientierten großbürgerlich-aristokratischen Gesellschaftsmoral, von der Heidegger
auch die zeitgenössischen Romane geprägt sieht. Wie genau Heidegger damit einen
zentralen Punkt, vor allem des »galanten« und »politischen« Romans trifft, macht
ein Rückblick auf die theoretischen Positionen Christian Weises und Thomasius'
sichtbar; jene französischen kurzen Liebes- und Unterhaltungsromane beispielsweise, die der Kritiker der *Monatsgespräche* schätzt und loben läßt, verfallen
konsequenterweise der schärfsten Ablehnung. [26] In der antihöfischen Einstellung kündigt sich die Wende einer Umorientierung des bürgerlichen Bewußtseins

an, insofern nun eine eigenständige, unabhängig von den Maximen des Adels und Hofes formulierte Ethik auch die Basis der Romankritik bildet. Die Voraussetzung dafür, das darf im Hinblick auf ihre Auswirkungen nicht übersehen werden, liefert auch eine theologische Basis, die in dem Augenblick, wo der heilsgeschichtliche Gedanke der steten Bemühung um das eigene Seelenheil säkularisiert wird (vgl. Troeltsch, Weber), eine Bedingung für jene utilitaristische Denkform ist, die das bürgerliche Leben unter Gesichtspunkten einer zweckrationalen, ökonomisch orientierten Anwendung sieht.

c) Ästhetische Romankritik

Bezeichnenderweise entzündet sich bei Heidegger die Kritik des galanten Romans und der »galanten« Lebensformen am zentralen Romanmotiv »Liebe«. Romane sind vor allem deshalb »Zunder der Affecten / und Reitzer der Gottlosigkeit« (106) [27], weil sie keine geistliche oder »vernünftige« Liebe darstellen (152), sondern »Buhlereyen«, die die Leser zu »Sclaven der Passionen« (115) machen. Offensichtlich möchte Heidegger gerade in diesem Punkt gegenüber seinem katholischen Kontrahenten Huet auf das Entschiedenste die demoralisierenden Gefahren einer Dominanz der Liebesthematik hervorheben. Da es sich bei der Darstellung dieses Themas aber in erster Linie um ein ästhetisches und strukturelles Problem handelt (und von Huet auch als solches analysiert wird), kommt Heidegger nicht umhin, auch auf diese Aspekte einzugehen. Der Ästhetiker Huet provoziert den Theologen Heidegger zu ästhetischen Betrachtungen.

Diese überschreiten allerdings nur in wenigen, dafür jedoch charakteristischen Punkten die Grenzen der durch Mlle. de Scudéry, Birken und vor allem Huet entwickelten Romantheorie im 17. Jh., deren zentrale Bestimmungen Heidegger aufnimmt (die grundlegende Definition: »[...] erdichtete Historien [...] wundersamer Begebenheiten und Zufällen der verliebten / in loser Rede geschriben« (15); die Darlegung der Etymologie des Wortes »Roman« und seiner Geschichte (16 ff.); die Ursprungstheorie und weltliterarische Entwicklung (22 ff.); das Betonen des Liebesmotivs (33, 59); die Vorbildlichkeit des Epos (77) und der Verweis auf das kontinuierlich angewandte Schema des spätantiken Liebesromans) — Modifikationen finden sich im Bereich geschichtlicher Betrachtungsweisen, weiterführende Kritik verbindet Heidegger mit Überlegungen zur Struktur und zum Stil des zeitgenössischen Romans, vor allem zu Lohensteins *Arminius*.

Daß Huets ausführliche Darlegung zur Entstehungsgeschichte des Romans Heideggers besondere Aufmerksamkeit finden, ist nicht verwunderlich, liefert damit *die* romantheoretische Autorität doch den wissenschaftlichen Beweis für sein theologisches Vor-Urteil: Der Roman ist »heidnischen« Ursprungs und damit schon von vorneherein »gezeichnet«. Auch wenn Heidegger dem Verfasser des *Traité* Widersprüchliches nachweisen zu können glaubt [28], hält er sich in den Grundlinien an die von ihm entworfene Geschichte des Romans, die wie bei Huet das Ost-West-Translatio-Schema verwendet und dem zeitgenössischen Frankreich in der Romanproduktion den »Kranz« verleiht. Im Unterschied zu Huet kommt Heidegger allerdings auf den sich abzeichnenden Wandel zu sprechen, der sich im

letzten Drittel des 17. Jhs. vollzieht und die heroisch-galanten Großromane durch
eine Vorliebe für die psychologischen Kurzromane (»petites histoires«) [29] ab-
zulösen beginnt. [30] Heidegger konstatiert zwar dieses Faktum und kritisiert
an anderer Stelle die allzulangen Romane [31], kann sich aber zu einem positiven Votum nicht entschließen; den mehr oder minder verwandten Formen der
»Memoires« und »Chroniques scandaleuses« gilt vielmehr seine schärfste Polemik (40). Eine auf einem literarhistorischen Mißverständnis beruhende Sympathie
zeigt Heidegger für die Romansatiren (wozu er Rabelais' *Pantagruel,* den *Don
Quijote* und Sorels *Berger Extravagant* rechnet), glaubt er in ihnen doch Vorzeichen einer zu Ende gehenden Blütezeit jenes Romans zu erblicken, der seine Gegenwart (noch) bestimme. Daß gerade die Kritik des traditionellen Romans neue
Formen des Romans hervorbringt, bleibt ihm verborgen.

Weiterführende, romankritische Ansätze finden sich indes unter erzähltheoreti-
schem Aspekt. Bei der Besprechung des spätantiken Liebesromanmodells erörtert
Heidegger die Problematik des Heliodorschemas, das Heldenpaar (oder mehrere
Paare) nach vielen bestandenen Abenteuern endlich zueinander finden zu lassen.
Die Vielzahl der eingeschobenen Zwischengeschichten und das verwirrende Geschehen verhinderten eine kunstvolle Geschlossenheit, die der Leser überblicken
könne; das erforderliche Nachholen von Vorgeschichten und Episoden aufgrund
der Medias-in-res-Technik müsse die Konfusion noch vermehren (vgl. 59). Genau
in diesem Punkt setzt auch Heideggers Kritik an Lohensteins *Arminius* ein, die bemerkenswerterweise weder wissenschaftliche noch moralische Aspekte berücksichtigt (wie bei anderen zeitgenössischen theologischen Kritikern) [32], sondern einzig und allein erzähltheoretische und stilistische Fragen behandelt. Heidegger beklagt die fehlende Kürze und Überschaubarkeit, das Zuviel an Wissen und vor
allem den Mangel an epischer Integration. [33] Zwar verstehe er die Neigung
des Romanciers, den Leser in ständiger Spannung zu halten, aber das »ganze
Drama« müsse »von rechtswegen also beschaffen seyn [...] daß man es auf einen
Sitz durchlesen [...]« könne (89):

Darum wer eben Roman schreiben wil / sollt sie entweder kurtz machen / [...] oder in
etliche vollkomne Handlungen eintheilen [...]. (89)

Der Vergleich mit dem Drama impliziert die Forderung nach ästhetischer Geschlossenheit[34] und einer der neuen Lesererwartung entsprechenden Erzählstruktur; das Vorbild der »Nouvelle« zeigt auch bei Heidegger seine theoretischen Auswirkungen. Die Lesegewohnheiten des alten heroischen Großromans, in
einzelnen Fortsetzungen das Werk Stück für Stück durchzugehen (Inhaltsangaben
erleichtern diese Art der Lektüre) [35], ändern sich grundlegend mit den kurzen,
an der dramatischen Novelle orientierten Romanen. Ohne daß Heidegger die romantheoretischen Implikationen erörtert (wie dies bei Thomasius geschieht), verweisen auch seine Bemerkungen auf die an den neuen Lesererwartungen ausgerichteten Vorstellungen.

»Was den stylum« des *Arminius* belange, so sei er, meint Heidegger:

[...] neben dem / daß er nach der Schlesischen Mund-Art allzu mercklich riechet / [...]
ohnförmlich frech und Alamodisch / wie [...] auch des von Stubenberg / von Zesen / und
viler andren Teutschen [...]. (89 f.)

Gegenüber den Mustern ihrer »Vorfahren« hätten die zeitgenössischen Romanautoren die deutsche Sprache durch ungeformte, »freche« und »schönlustige Redens-Arten« verdorben, ähnlich wie Heliodor die griechische und Petronius, Apuleius und Martianus Capella die lateinische. Die Charakterisierung »alamodisch«
verweist auch hier auf den umfassenderen, allgemeinen kultur- und gesellschaftskritischen Zusammenhang. In der Berufung auf die »Alten« [36] spiegelt sich die
Kritik am Gegenwärtigen und eine andeutende Vorwegnahme von Auffassungen,
wie sie gut zwanzig Jahre später Bodmer und Breitinger in den *Discoursen der
Mahlern* vertreten. Die Verbindungslinien zwischen Heidegger und dem Bodmerkreis [37] dokumentieren dabei sowohl die Edition der *Kleineren deutschen
Schrifften* Heideggers (Zürich 1732) durch Bodmer, der in einer Einleitung auf
die »besonderen Merckzeichen in G. Heideggers Schreibart« eingeht [38], als
vornehmlich Äußerungen in den *Discoursen* selbst, wo der Zürcher »Patriarch« mit
dem Herausgeber des *Spectator* verglichen wird:

Er ware unserer Nation eben dasjenige, was Richard Steele Engelland gewesen, ein Zuschauer der Schweitz, ihr Lob-Redner und Satyricus. [39]

Der Vergleich mit dem berühmten Herausgeber der Moralischen Wochenschrift
deutet die gemeinsame Intention an, von der Heidegger und Bodmer ausgehen:
Die kulturkritische und moralpädagogische Erneuerung muß auch den Roman mit
umfassen, der als ein Instrument und Medium dieses Prozesses betrachtet wird.
Im XIV. Diskurs setzen Bodmer und Breitinger jene satirische Kritik (in einem
wiedergegebenen Gespräch G. Hs*** — zwischen Pluto und Diogenes — über
die Romanhelden) [40] fort, welche Heidegger begonnen hatte, und wenn am
Ende die alten Helden unter Geschrei »mit Ruthen« ausgepeitscht werden (»O Buchholtz! O Lohenstein!«) [41], erfüllt sich hier die von Heidegger eingeleitete Polemik gegenüber dem alten »Barock«-Roman, die zugleich eine Basis für den neuen,
»vernünftig-moralischen«, bürgerlichen Roman des 18. Jhs. freilegt.

2. Argumente pietistischer Romankritik

Die Ambivalenz einer theologischen Phantasie- und Fiktionskritik, wie sie der
Calvinismus zeigt, offenbart sich nicht minder in pietistischen Zeugnissen. Einerseits wird die Polemik gegenüber dem Roman unter Aspekten eines moraltheologischen Wahrheitsbegriffs und einer eschatologischen Geschichts- und Lebenszeit-
deutung radikalisiert, andererseits schafft eben diese Kritik am traditionellen Roman Voraussetzungen für eine Neuorientierung der Romanpraxis. Im pietistischen
Bereich sind die »positiven« literarhistorischen Auswirkungen (ähnlich wie zuvor
im jansenistischen und parallel zum puritanischen) dabei wesentlich bedeutsamer
als im Umkreis des Altcalvinismus. Abzulesen ist dies fast ausschließlich an der
Dichtung des 18. Jhs. selbst und weniger an den pietistischen theoretischen Dokumenten zum Roman, die in ihrer Polemik gegen jede imaginative Fiktion nur mittelbar und eher in der Negation die Tendenz des neuen Kunstverständnisses offenbar werden lassen. [42] Daraus ergibt sich der schon im Ansatz bei Heidegger zu
beobachtende paradoxe Sachverhalt, daß die theologische Kritik der theoretischen

Zeugnisse auf erheblich weiterführende Konsequenzen in der späteren dichterischen Praxis hinweist als die kaum vorhandene ästhetische. Im Wirkungsbereich des Pietismus wird das vor allem deutlich in der Subjektivierung der religiösen Erfahrung [43] und ihren romanpraktischen Auswirkungen unter dem Gesichtspunkt einer »säkularisierten Erfahrungsseelenkunde«. [44] Allerdings darf auch hier nicht übersehen werden, daß der radikale Vorbehalt gegenüber dem Roman zunächst die Voreingenommenheit gegenüber dieser Literaturform steigert und neue Barrieren errichtet.

Voraussetzung der scharfen pietistischen Roman-Polemik ist die Ablehnung aller »Mitteldinge« (Adiaphora). Während Spener ebenso wie die lutherische Orthodoxie diese noch (bedingt) gelten lassen [45], gibt es für den eigentlich tonangebenden Francke-Kreis, »der bald die theologische Instanz des Pietismus werden sollte«, keinen Bereich indifferenter Handlungen und Entscheidungen, vielmehr steht jedes menschliche Tun unter der Alternative, »fromm und gut oder aber weltlich und böse« zu sein. [46] Schreiben und Lesen von Romanen verfällt deshalb ebenso dem Verdikt, ein rein weltliches Unterfangen zu sein als Theaterspielen und das Vergnügen an der Oper. Zwei Argumente spielen dabei, parallel zur calvinistischen Kritik, die Hauptrolle: das Wahrheitspostulat und eine eschatologische Zeitauffassung. [47]

Der radikale Lügenverdacht wird mit ähnlichen Argumenten und Formulierungen ausgesprochen wie bei Heidegger. Romane sind »ein Blendwerck gauckelhafter Phantasie mit so vielem Zeitverlust« und »ein zusammengesponnenes Gewebe vergeblicher Einbildungen, womit der Kopf nur angefüllt und das Gedächniß ohne Noth, jedoch nicht allemal ohne Schaden beschweret wird«. [48]

Je kunstreicher der Roman [49] — »welcher die Unwahrheit am glaublichsten vorstellen kann« [50] —, desto gefährlicher und zeitverderbender muß er für den Leser sein: »Verflucht ist die Hand / die sie hat zu Papier gebracht! Verflucht ist der Druck / der sie um schnöden Gewinns willen ausbreitet!« [51]

An welche Lektüre soll der Leser sich halten, wenn ihm die weltlichen »Liebs-Geschichten« verwehrt sind? In Gerbers Traktat und Freyers Programmschrift [52] wird der Roman als Liebes- und Lügen-Geschichte mit dem konfrontiert, was Christian Gerber als »die Liebes-Bücher der Kinder GOttes« bezeichnet: der Bibel, dem Kosmos des Tatsächlichen (Natur und Geschichte) und, dies ist von besonderer Bedeutung auch für den neuen Roman, dem Aufzeichnen der »eigenen Erfahrung«. [53]

Die beiden ersten »Liebes-Bücher« entsprechen jenen Gegenmitteln, die auch Heidegger als »Wahrheitsbeweise« dem lügenhaften Roman gegenüberstellt. Dabei wird der Hinweis auf die der weltlichen entgegengesetzten »Liebes-Geschichte« in der Bibel als Heilsgeschichte mit einem Appell an den Leser verbunden, sich als unmittelbar angesprochener Adressat zu empfinden; jede fiktive Romanillusion widerspricht einer verinnerlichten subjektiven Identifikationsmöglichkeit mit dem biblischen Heilsgeschehen:

[...] Man muß aber die Liebs-Briefe des HErrn JEsu also lesen / nicht als wären sie andern geschrieben / sondern als zuförderst an uns [...]. (Gerber, 127) [54]

Ablesbar und studierbar ist die providentielle Wahrheit auch an der »Natur / oder dem grossen Schau-Platz dieser Welt« (Gerber, 130), liefern die »realen Zeugnisse« doch anschauliche Beweise »göttlicher Regirung, Weisheit, Güte und Gerechtigkeit, und [...] menschlicher Thorheit, Glücks- und Unglücksfälle« (Freyer, 454 f.). Natur und Geschichte offenbaren eine Wirklichkeit, gegenüber der die Romane nur »Dunst und Schatten nichtiger Gedancken« sind, die »oftmals nicht viel besser als Donquixotische Abentheuer« vorstellen (Freyer, 455). Der Romanleser wird dem cervantischen Helden verglichen, der nach »vergeblichen Einbildungen« greift, ohne zu bemerken, welcher Illusion er verfällt.

Die Schönheiten der Natur dürfen den Menschen allerdings nicht ablenken von jener »Faktizität«, die die eigentliche Wirklichkeit für den Pietisten darstellt, seine *innere Erfahrung*. Wichtigstes Wahrheitskriterium ist nicht die Gesetzmäßigkeit des Objektiven bzw. der tatsächlich registrierten Außenwelt, sondern die des erlebten und erfahrenen Innern:

Das dritte Buch der Liebe GOttes ist unser eigene Erfahrung: Wenn wir bedencken / wie uns GOtt von Jugend auf geführet / mit seiner Gnade und Liebe geleitet / und in unsern Nöthen beystehet [...] Da denn ein frommer Christ wohl mercken soll die Jahre und Tage / da ihm von GOTT sonderbareWohlthaten erwiesen worden / [... deshalb sei es] sehr nützlich [...] / wenn er [sie] auffzeichnete / und sich öffters hernach erinnerte [...]. (Gerber, 129)

Nur die eigene innere Erfahrung garantiert eine Wahrheit, von der das Romanlesen in gefährlicher Weise ablenkt; nur das Aufzeichnen des individuell Erlebten verbürgt eine Evidenz, die in diametralem Gegensatz zur lügenhaften Fiktion steht: Der profanen Zeitvergeudung wird die der intensiven Zeitnutzung im individuellen Selbstvergegenwärtigen vor Gott gegenübergestellt, das religiöse Tagebuch der persönlichen Erfahrung als Gegenmittel mit dem erdichteten »Lügen-Buch« konfrontiert.

Unter dem rigorosen Wahrheitsanspruch des Selbsterlebten und Selbsterfahrenen hat der überkommene Roman keine Chance, und dennoch enthält dieses theologisch motivierte und anti-ästhetisch formulierte Postulat mittelbar Bedingungen für einen Roman, dessen theoretische Perspektiven schon im Hinweis auf die Notwendigkeit zum Aufzeichnen eigener Erfahrungen verifizierbar sind. Die Paradoxie von zugleich radikalster Ablehnung des »alten« Romans und intentionaler Begründung jener Prinzipien, denen der neue autobiographische und psychologische Roman bis in die Moderne Entscheidendes verdankt, charakterisiert den romangeschichtlich bedeutsamen Wendepunkt der pietistischen Kunstkritik. [55] Das Aufzeichnen »unserer eigenen Erfahrung«, das Christian Gerber als Gegenmittel zum Romanlesen empfiehlt, setzt nicht nur eine Fähigkeit zum wahrnehmenden Bemerken, sondern die der genauen Selbstbeobachtung voraus. [56] Die Beobachtung des eigenen Ich als notwendige Bedingung jeder schriftlichen Fixierung über das Selbsterlebte bedeutet einen empirischen Erkenntnisversuch, der sich wesentlich von Methoden einer formalen Deduktion unterscheidet, wie sie etwa die theologische und philosophische Orthodoxie praktizierten. Der psychologisch-empirische Ansatz der Pietisten (der eine Parallele in Christian Wolffs »psychologia empirica« und Lockes Empirismus hat) führt zu Einsichten in Verhaltens- und Reaktionsweisen des Ich, die eine deduzierende Verfahrensweise nicht erlaubt. Zwar richtet sich die Beobachtung zunächst auf psychische Prozesse im Bereich religiöser Selbstvergewisserung (das »Ringen um Glauben« und »Bekehrungserlebnisse« sind zentrale Elemente pietistischer Autobiographie) [57], gleichzeitig geraten jedoch seelische Vorgänge mit in das Beobachtungsfeld, die einer genauen Selbstanalyse dienen, aber kaum in jedem Fall eine ausschließlich religiöse Aussprache des Individuums darstellen. Die theologisch motivierte Methode impliziert wissenschaftlich-säkulare Möglichkeiten der Selbsterkenntnis; der erbauliche Endzweck kann gegenüber der selbstbeobachtenden und selbstanalysierenden Absicht zurücktreten, und der pietistische Ansatz entwickelt sich in einem Prozeß zunehmender Säkularisierung zur »Erfahrungsseelenkunde«. [58] »Erkenntnis aus Erfahrung« und »psychologische Selbstanalyse« [59] bilden aber unabdingbare Voraussetzungen jener Formen von Dichtung, die sich auf den »Wahrheitsbeweis des Selbsterlebten« [60] beruft; und wenn »jedes [geschriebene] Wort [...] Ausdruck einer seelischen Ganzheit« darstellt, sind alle Autoren unmittelbar mit dem von ihnen Beschriebenen in dem Sinne »identisch«, daß es keine (fiktive) Trennung zwischen einem Schreiber und dem von ihm Aufgezeichneten geben kann. W. Schmitt spricht in diesem Zusammenhang zu Recht von dem »pietistischen Postulat der permanenten Wesensidentität« [61], d. h. jede literarische Erfindung muß unter der Voraussetzung einer Annahme unmittelbarer Ausdrucks- und Darstellungsmöglichkeit des Ich und seiner psychischen Vorgänge dem Verdikt der Lüge verfallen: Der überlieferte Kunstroman gilt also nicht nur deshalb als (objektiv) unwahr, weil er sich nicht an die überlieferten Fakten tatsächlicher Historie hält, sondern er ist auch (subjektiv) deshalb eine Lüge, weil er etwas Erdichtetes und nichts Individuell-Erfahrenes oder Erlebtes darstellt.

Neben in der späteren Romanpraxis sich mittelbar spiegelnden theoretischen Implikationen der pietistischen Kunst- und Fiktionskritik verweist die Niederschrift religiös motivierter Autobiographien selbst auf Tendenzen künftiger Romanentwicklungen. Die »pietistische Bedürftigkeit nach gegenwärtiger innerlicher Gefühlsaffektation« [62] im Prozeß selbstanalysierender Glaubensvergewisserung ist wiederholt als ein Ausgangspunkt antirhetorischer, verinnerlichter und gesellschaftskritischer Intentionen [63] gedeutet und in einem das menschliche Selbst schließlich auch in seinem immanenten Wert entdeckenden Sinn verstanden worden. [64] Psychologisch-analysierende Techniken der strengen Gewissenserforschung und unablässigen Selbstbeobachtung kommen nicht nur dem Roman in einer eindeutig pietistischen Tradition (wie K. Ph. Moritz' *Anton Reiser*) [65] zugute. Die pietistischen Texte, die sich theoretisch mit dem Roman beschäftigen, liefern dazu allerdings nur Andeutungen, so wenn der ansonsten überaus strenge Romanpolemiker Freyer zur Rechtfertigung Johann Bunyans dessen literarische Verarbeitung »eigener *und anderer* Erfahrung zu vieler Seelen heilsamer Erbauung« [66] rechtfertigt und lobt und damit bereits das strenge Prinzip der »permanenten Wesensidentität« des Geschriebenen mit dem Schreiber aufgibt. [67]

3. Opern- und Romankritik

Zu den auffallenden Merkmalen einer Geschichte der Romantheorie und Romankritik gehört die Tatsache, daß die Diskussion über die neue epische Gattung nicht nur zeitweise unter vornehmlich außerästhetischen (etwa moraltheologischen) Aspekten geführt wird, sondern daß sie sehr oft auch im Zusammenhang grundsätzlicher Diskussionen über den Dichtungsbegriff oder im Umkreis anderer, z. B. dramatischer Kunstformen stattfindet. [68] Die Verflechtung von Romantheorie und Kritik mit allgemeinen literarästhetischen Diskussionen und die unmittelbare Verknüpfung mit einer anderen dramatisch-musikalischen Kunstform machen am Anfang des 18. Jhs. vor allem die Parallelen zwischen Roman- und Opernkritik sichtbar. Es ist erstaunlich (und seltsamerweise bisher nicht untersucht worden) [69], wie eng Oper und Roman durch gemeinsame Kennzeichen verbunden sind, auf die Theoretiker und Kritiker des 18. Jhs. selbst verweisen (z. B. Hunold, Gottsched und Johann Adolph Scheibe) oder implizit hindeuten. Wo ausdrückliche Parallelisierungen der Autoren fehlen, liest sich die Diskussion der einen Gattung häufig als Kommentar zur Diskussion der anderen. Die Parallelen zwischen einer Theorie und Kritik von Oper und Roman beziehen sich vornehmlich auf drei Schwerpunkte: die Diskussion um einen angemessenen Wahrheits- und Dichtungsbegriff, das Hervorheben eines gemeinsamen Hauptmotivs, der Liebesthematik, und den Versuch einer soziologischen Abgrenzung im Hinblick auf Kunstformen der gesellschaftlichen »Mittel-Straße«. Der Parallelität der »Sachen« entspricht eine der prinzipiellen Argumentation; in allen drei Fällen spielen sowohl moraltheologische als auch ästhetische Gesichtspunkte eine Rolle.

a) Die Vergleichbarkeit aber zugleich auch Disparität der kritischen Einwände gegenüber dem Roman und der Oper sind nirgends deutlicher zu beobachten als im Bereich einer Diskussion ihres *Erfindungs- und Wahrheitsbegriffs*. Hier zeigen sich sowohl calvinistisch-pietistische Argumente der Wahrheitskritik, als auch philosophisch-rationale Überlegungen einer Ästhetik logisch-deduktiver Vernunftschlüsse (Wolff/Gottsched) und Versuche einer Metakritik solcher Opern- und Romankritik bei Ludewig Friedrich Hudemann und Johann Friedrich v. Uffenbach.

Die gegenüber Opern und Romanen gleichermaßen vorgetragenen Bedenken aus theologischer Sicht brauchen hier nicht wiederholt zu werden. Es sei nur darauf hingewiesen, daß sowohl das Prinzip der faktischen und subjektiven Authentizität (Wahrheit verbürgen nur das tatsächlich Geschehene und die eigene, innere Erfahrung) als das der permanenten Wesensidentität (»Wozu sind aber dergleichen Vorstellungen [auf der Bühne bzw. in der Romanfiktion] nöthig, vermöge welcher die Personen äusserlich etwas anderes zu seyn anzeigen als sie innerlich sind?«) [70] im Roman- und Opernstreit eine Grundlage für die Ablehnung beider Kunstformen bildet. Im Umkreis der Operndiskussion verschärft sich zudem die Aversion gegen eine vollkommen verweltlichte, auf Illusion und Illusionierung angelegte Kunstform, die gegenüber dem Roman einer noch härteren theologischen Attacke ausgesetzt sein muß, weil sie als Gesamtkunstwerk, das mehrere, musikalisch-literarische, Kunstmittel vermischt, eine noch größere Wirkung auf den Zuschauer und Zuhörer auszuüben vermag. Der seit den 80iger Jahren geführte Opernstreit, vor allem in Hamburg und Mitteldeutschland, zwischen den Pietisten und Verteidigern der Oper [71] spiegelt in exemplarischer Weise die Auseinandersetzung um die Interpretation der Adiaphora, zu denen der Roman und das Romanlesen gehören. Die Barrieren, die der Roman im Geltungsbereich pietistischer Wahrheitsmaximen zu überwinden hat, lassen sich auch an diesen Auseinandersetzungen über die Oper ablesen.

Parallel zur moraltheologischen Kritik bilden sich Ansätze einer ästhetischen Opern- und Romankritik heraus, die, vor allem auf französischen Autoritäten fußend (Des Callières, St. Evremont), in Deutschland bei Gottsched kulminieren. Zuerst im *Biedermann* (1728 und 1729) [72], dann in jeder der vier Auflagen der *Critischen Dichtkunst* [73], in den *Beyträgen Zur Critischen Historie Der Deutschen Sprache* (1734) [74], in der Einleitung zum *Anti-Longin* (»Von dem Bathos in den Opern«) (1734) [75] und schließlich in der Zeitschrift *Das Neueste aus der anmuthigen Gelehrsamkeit* (1751   62) [76] kommt Gottsched immer wieder, gerade auch aufgrund der kritischen Einwände Hudemanns und v. Uffenbachs (1732 und 1733) [77], auf das Opernproblem zurück. [78]

Wichtig im Zusammenhang dieser Untersuchungen ist dabei nicht die Frage der im einzelnen von Gottsched gerügten Mängel, sondern die Verknüpfung der Opernkritik mit allgemeinen Prinzipien der Literaturtheorie und die Parallelisierung mit der Romankritik. Im IV. Hauptstück des II. Abschnitts der *Critischen Dichtkunst:* »Von Opern oder Singspielen, Operetten und Zwischenspielen«, das die wichtigsten Argumente gegen die Oper zusammenfaßt (»[...] so muß ich mit dem St. Evremond sagen: Die Oper sey das ungereimteste Werk, das der menschliche Verstand jemals erfunden hat«) [79], stellt Gottsched die Parallelen mit den »schlechten Romanen« unmittelbar her. Die Opern, so meint er, hätten »alle Regeln der guten Trauer- und Lustspiele gänzlich« aufgehoben:

> Es wurde nicht mehr auf die Erregung des Schreckens und Mitleidens, auch nicht auf die Verlachung menschlicher Thorheiten gesehen: sondern die phantastische Romanliebe behielt fast allein Platz. (738)

Der Roman dient zur illustrierenden Charakterisierung der ästhetischen Mängel der Oper, beide Kunstformen entbehren einer durch die klassische Tradition geheiligten und überlieferten Regelhaftigkeit der Erfindung, z. B. der drei Einheiten, der Wirkungsintention (aristotelische Katharsisformel) und angemessenen Schreibart, ganz abgesehen von der »abgeschmackten Characterisirung der Personen«, die »theils übel formiret, theils immer einerley, nämlich lauter untreue Seelen, seufzende Buhler, unerbittliche Schönen, verzweifelnde Liebhaber u. d. gl.« vorstellen (738). Das Hauptargument der Gottschedschen Kritik bezieht sich indes auf die Nichterfüllung des poetologischen Grundprinzips der Naturnachahmung; denn es ist

> [...] gewiß, daß die Handlungen und dazu gehörigen Fabeln, mit den alten Ritterbüchern und schlechten Romanen mehr Aehnlichkeit haben; als mit der Natur, so, wie wir sie vor

Augen haben. Wenn wir eine Oper in ihrem Zusammenhange ansehen, so müssen wir uns einbilden, wir wären in einer andern Welt: so gar unnatürlich ist alles. (739)

Auch die Oper wird nach dem Grad der erreichten Naturnachahmung beurteilt, und Gottsched kommt zu dem Ergebnis, daß sie nur vergleichbar ist mit schlechten Romanerfindungen, die diese Forderung nicht erfüllen. Der poetologischen Wertung liegen literaturtheoretische Maßstäbe zugrunde, die generell für jede Dichtart Gültigkeit beanspruchen und damit auch für den Roman und die Oper verbindlich sind. Der Verweis auf das negative Beispiel »schlechter Romane« impliziert eine immanente Theorie der Dichtkunst, die die Basis auch für eine potentielle Romantheorie liefert.

Bei dem Gottsched nahestehenden Musiktheoretiker und -kritiker Johann Adolph Scheibe läßt sich die Parallelisierung der Oper (welche »tausend Unmöglichkeiten [...] erwählte, die mit der Natur und Vernunft augenscheinlich stritten, und die auch nicht einmal mit einer fantastischen Einbildung übereinstimmten«) [80] und dem Roman in ähnlicher Weise beobachten. Im *Critischen Musikus* führt Scheibe den »üblen Geschmack«, der »die Oberhand« gewonnen habe, darauf zurück, daß es »etwas ganz gemeines« sei, »die spanischen oder arabischen Romanen auf den Opernbühnen vorzustellen«. [81] Gottsched und Scheibe erblicken gleichermaßen in der »fantastischen« und »unnatürlichen« Opernkunst Merkmale des schlechten, d. h. ebenso »unnatürlichen« Romans, der die Voraussetzungen vernünftiger Dicht- und Erfindungskunst nicht erfüllt.

Um welche Voraussetzungen, von denen auch eine theoretische Rechtfertigungsmöglichkeit des Romans abhängt, handelt es sich? Gottsched gibt sie im Zusammenhang seiner Opernkritik präzise an:

Ein Gedicht, oder eine Fabel muß eine Nachahmung einer menschlichen Handlung seyn, dadurch eine gewisse moralische Lehre bestätiget wird. Eine Nachahmung aber, die der Natur nicht ähnlich ist, tauget nichts: denn ihr ganzer Werth entsteht von der Aehnlichkeit. Aus dieser aber sind alle die Regeln geflossen, die wir oben von der Schaubühne, sowohl für die Tragödie, als Komödie, gegeben haben. Diese Regeln sind aus der Natur selbst genommen, durch den Beyfall der größten Meister und Kenner von Schauspielen bestärkt, und bey den gescheidesten Völkern gut geheißen worden. Was also davon abweicht, das ist unmöglich recht, und wohl nachgeahmet. Wer sieht aber nicht, daß die Oper alle Fehler der oben beschriebenen Schauspiele zu ihren größten Schönheiten angenommen hat; [...]. (739)

Nachahmung der Natur als Grundbedingung jeder Dichtung bedeutet für Gottsched, und seine Fabeltheorie [82] bringt diesen Sachverhalt auf einen genau formulierten Begriff, Einsicht in die Naturgesetzlichkeit des Seins und Sollens; d. h. Nachahmung der Natur ist einerseits ein Vorgang der Erkenntnis von unveränderlichen Gesetzen der Natur des Menschen und der Dinge, und andererseits das Zur-Geltung-Bringen ebenso unumstößlicher moralischer Gesetze. Dabei gehört zur »Natur« alles, »was einer rein immanenten Begründung fähig ist, was der Erhellung durch die Offenbarung nicht bedarf«. [83] Es bedeutet außerdem, daß sich Mimesis nicht mehr auf das »bedingte Sosein des geschichtlichen Geschehens« [84] bezieht, also nicht nur die Gegebenheiten der Erscheinungswelt meint, sondern sich auf Wahrheiten richtet, »für die ein zureichender Grund beigebracht werden kann«. [85] Anknüpfend an die cartesianischen Voraussetzungen der klassischen Poetik eines Boileau und auf der Basis logisch-rationaler Deduktionen Leibnizens und Christian Wolffs, bringt Gottsched die aristotelische Nachahmungstheorie im Gegensatz zu den vorausgegangenen Regelpoetiken auf ein philosophisches Niveau. [86] Die Wahrscheinlichkeit des Nachgeahmten soll sich nicht an beliebiger historischer oder vorgefundener Wirklichkeit orientieren, sondern an strengen Gesetzen der Naturkausalität, am Satz vom zureichenden Grunde. [87] Derjenige, der die Gesetzmäßigkeiten der Natur erkennen will und damit erst die Voraussetzungen für eine poetische Nachahmung erfüllt, bedarf der ihm durch seine Vernunftfähigkeiten möglichen Einsicht in den Zusammenhang der durch Ursache und Wirkung gesetzmäßig geordneten Naturabläufe. Jeder Verstoß gegen diese Gesetzlichkeit geht auf Kosten der poetischen Wahrscheinlichkeit, und gerade dies ist es, worin Opern (und Romane) am häufigsten fehlen. [88] Nicht um die Wirklichkeit des Historisch-Tatsächlichen oder subjektiv erfahrenen Authentischen geht es, sondern in der Konsequenz des rationalistischen Leibniz-Wolffschen Ansatzes um:

[...] die Erzählung einer unter gewissen Umständen möglichen, aber nicht wirklich vorgefallenen Begebenheit, darunter eine nützliche moralische Wahrheit verborgen liegt. Philosophisch könnte man sagen, sie sey eine Geschichte aus einer andern Welt. Denn da man sich in der Metaphysik die Welt als eine Reihe möglicher Dinge vorstellen muß; außer derjenigen aber, die wir wirklich vor Augen sehen, noch viel andre dergleichen Reihen gedacht werden können: so sieht man, daß eigentlich alle Begebenheiten, die in unserm Zusammenhange wirklich vorhandener Dinge nicht geschehen, an sich selbst aber nichts Widersprechendes in sich haben, und also unter gewissen Bedingungen möglich sind, in einer andern Welt zu Hause gehören, und Theile davon ausmachen. Herr von Wolf hat selbst [...] gesagt: daß ein wohlgeschriebener Roman, das ist ein solcher, der nichts widersprechendes enthält, für eine Historie aus einer andern Welt anzusehen sey. Was er nun von Romanen sagt, das kann mit gleichem Rechte von allen Fabeln gesagt werden. (150 f.)

Gottsched bestätigt die Wolffsche Definition des »wohlgeschriebenen« Romans, die ihn allgemein unter das Gesetz des Möglichen, d. i. Logisch-Widerspruchsfreien stellt. Allerdings gibt auch Gottsched in dieser scharfsinnig formulierten und romantheoretisch aufschlußreichen Textstelle nicht an, was er »unter gewissen Bedingungen« versteht, die erfüllt sein müßten, damit etwas »in einer anderen Welt« möglich ist, d. h. auch prinzipiell wirklich werden könnte. Das hebt die Strenge des poetologischen Postulats jedoch nicht auf: Rationale, auf dem Satz des zureichenden Grundes basierende Naturgesetzlichkeit gilt als unabdingbare Voraussetzung für eine wahrscheinliche poetische Erfindung und damit auch für die Romanfiktion. Alle anderen poetischen Regeln leiten sich von diesem allgemeinen und formalen Prinzip des Widerspruchsfrei-Möglichen ab.

Daß Gottsched die philosophische Idee eines universalen Möglichkeitssystems im Sinne Leibnizens (der Kosmos als All des Wirklichen und Möglichen, wobei die nicht zur Wirklichkeit gelangten Möglichkeiten das eigentliche Feld der Poesie darstellen) [89] noch nicht für eine poetologische Diskussion des Romans nutzt (vgl. die Wolffsche Formulierung), führt u. a. zu der immer wieder beklagten

Verengung seiner romantheoretischen Perspektive, die sich etwa im Kapitel »Von milesischen Fabeln, Ritterbüchern und Romanen« in der vierten Auflage der *Critischen Dichtkunst* zeigt. Darauf ist im folgenden Kapitel zurückzukommen; hier sollte lediglich angedeutet werden, daß der parallel und mit gleichen Argumenten geführten ästhetischen Opern- und Romankritik philosophische, an Leibniz und Wolff orientierte Voraussetzungen zugrunde liegen, die die Poetik nicht nur unter allgemeinen literaturtheoretischen Gesichtspunkten auf einen neuen, »vernünftigen« Begriff bringen, sondern zugleich Hinweise auf eine neue, potentiell begründbare Romantheorie liefern. Daß Gottsched sie nicht ausführt, hängt mit seiner Fixierung auf die überlieferten klassischen Regeln und Gattungen zusammen, deren überzeitliche Verbindlichkeit für ihn unumstößlich ist. Das gilt sowohl für den klassizistischen Regelkanon des Dramas (woran die Operndichtung in der kritischen Praxis gemessen wird), als für den des Epos, dem der Roman zugeordnet bleibt. Die Strenge eines philosophisch-rational fundierten Nachahmungsbegriffs verbindet sich bei Gottsched mit dem Glauben an die Vorbildlichkeit antiker Regeln und Modelle. Von daher ist es nur verständlich, daß die Diskussion über die Oper ein zentrales und allgemeine literaturtheoretische Fragen unmittelbar berührendes Thema darstellt und Gottsched nicht nur immer wieder beschäftigt, sondern gleichzeitig seine Kritiker auf den Plan ruft.

Die Metakritik der Gottschedschen Opernkritik ist deshalb von großer Bedeutung, weil sie die beiden entscheidenden Postulate der Gottschedschen Dichtungstheorie (philosophisch begründete Mimesisvorstellung und Verbindlichkeit klassischer Gattungsgesetze und -regeln) auf die Oper nicht in aller Strenge anwenden möchte und damit einer neuen Kunstform besondere eigenständige Kunstregeln zubilligt, die ihre Legitimation bis zu einem gewissen Grade aus dem zeitgenössischen Werk selbst beziehen. Damit aber setzt eine allmähliche Relativierung überzeitlich gültiger Kunst- und Gattungsgesetze ein, die schließlich die Einsicht in den *historischen* Charakter eines Werks zur Folge haben kann. [90] Deutlich sichtbar sind diese für eine Neubewertung auch des Romans zukunftsweisenden Tendenzen in der Replik Johann Friedrich v. Uffenbachs in dessen Vorrede zu seinen dichterischen Werken, die neben dem Vorbericht zu Ludewig Friedrich v. Hudemanns Gedichten die wichtigsten Argumente gegen Gottscheds Operntheorie enthält. [91]

Uffenbach geht im Unterschied zu Gottsched ganz bewußt vom Charakter des Gesamtkunstwerks aus, das nicht nur den Verstand, sondern alle Sinne befriedige und von dem der Opernbesucher von vornherein wisse, daß es sich um »ein Gedichte« handele:

[...] alles soll darinnen ergötzen, und das Gemüth zur Lust reitzen, keiner aber unter denen Zuschauern wird mit einer so hartnäckigen Liebe zur Ähnlichkeit in den Schau-Platz kommen, der nicht zuvor wisse, man fingire und spiele, und wolle durch allerley Künste und Vortheile die Sinne vergnügen. [92]

Abgesehen vom deutlich formulierten kulinarischen Anspruch fällt die Betonung des fiktiven Illusionscharakters der Oper besonders auf. Schon Barthold Feind [93] und Hudemann [94] hatten darauf hingewiesen, daß die Oper »Natur [...] nur einiger massen« nachahme [95], ihre »Zaubereyen« nicht

»anders, als ausnehmende fictiones poeticae« darstellten [96] und es »dem Verstande [des Zuschauers] angenehm [sei] auf eine sinnreiche Art betrogen zu werden«. [97] Uffenbach geht hier noch einen entscheidenden Schritt weiter, indem er nicht nur das Prinzip der Naturnachahmung und poetischen Wahrscheinlichkeit als vielfach verwandte Schutzbehauptung bezeichnet (auch in anderen Kunstformen würden »damit die größten Unwahrscheinlichkeiten [...] verthaidiget und gut geheissen«) [98], sondern im Gegensatz zu Gottscheds logisch-rationaler Begründung dem historischen Geschmackswandel der Zuschauer unterwirft:

Die Ähnlichkeit oder die natürliche Vorstellung einer Geschichte soll allerdings das beständige Augenmerck eines theatralischen, ja einer jeden Gattung von Dichtern seyn, jedoch immer in so weit, als es Zeit, Gelegenheit, Umstände und der eingeführte Gebrauch, oder der Geschmack der Zuschauer leyden will; ändern die sich wie die Kleider-Trachten, warum solten wir in Dingen, die lediglich allein auf die Belustigung der Sinne und die Ergetzung des Gemüthes angesehen, und keine Glaubens- oder Staats-Artickel sind, nicht etwas nachgeben? [99]

Uffenbach pointiert diesen Gedanken mit einem Zitat aus dem *Spectator:* »›[...] der Geschmacke was diese Künste betrifft, soll sich gar nicht nach der Kunst, aber die Kunst vielmehr nach dem Geschmack richten.‹« [100] Damit ist eine Literaturtheorie der rationalen Deduktion und gültigen Verbindlichkeit überlieferter Kunstregeln relativiert; die Neuheit einer Kunstgattung erhält ihre Daseinsberechtigung. Uffenbach wendet sich daher konsequent gegen Vorwürfe, Opern seien »ein gantz nagelneues Stück in der Poesie, wovon sich die Alten wohl niemahlen hätten träumen lassen«; diese Kritik gilt ihm vielmehr als Auszeichnung:

[...] ich meinete aber eben dieses an unserer neuen poetischen Welt viel mehr zu rühmen als zu tadeln, welche durch Erfindungen, so denen Alten nicht bekannt waren, neue Veränderungen und Annehmlichkeiten ersonnen, das menschliche Gemüth durch Dichten zu ergetzen. [101]

Im Streit um die Oper zwischen Gottsched und seinen Kritikern Hudemann und Uffenbach scheint es sich eher um einen Reflex der durch Fontenelle und Perrault ausgelösten »Querelle des Anciens et des Modernes« und ihren Auswirkungen auch in Deutschland zu handeln, als um bloß »irreguläre Elemente der frühklassizistischen Tragödie«. [102] Eine Bestätigung dafür könnte man im Wandel zu einem sich andeutenden geschichtlichen Denken sehen, das sich bei Uffenbach abzeichnet. Dieser Wandel geht aus der Diskussion über Fragen des ästhetischen Urteils hervor [103] und eröffnet auch der Romantheorie, wie zu zeigen sein wird (bei Bodmer, Breitinger und Johann Adolf Schlegel), neue Perspektiven. Hudemann und Uffenbach weisen zwar auf die Parallelen zwischen Oper und Roman (im Unterschied zu Gottsched) nicht ausdrücklich hin, aber intentional wird hier jene literaturtheoretische Wende sichtbar, die auch dem Roman ein ästhetisches Daseinsrecht sichert.

b) Die außer der Diskussion um den angemessenen Dichtungs- und Wahrscheinlichkeitsbegriff zu beobachtenden Parallelen zwischen Opern- und Romankritik
sind unmittelbar einleuchtend: Die *Dominanz der Liebesthematik* und der *Versuch einer soziologischen Positionsbestimmung* von Oper und Roman werden von
Theoretikern und Praktikern beider Kunstformen immer wieder unter parallelen
Gesichtspunkten betont, und die Kritik leitet sich von gleichen und verwandten
Voraussetzungen ab. Dabei wird insgesamt ein Übergangs- und Wandlungsprozeß
von Maßstäben der öffentlich-galanten Gesellschaftsmoral zu denen einer privaten,
bürgerlichen Tugendmoral sichtbar, wie er auch im Umkreis moraltheologischer
Kritik zu beobachten und beschrieben worden ist.

Die auffallendsten Parallelisierungen unter dem Aspekt der Liebesthematik
finden sich bezeichnenderweise bei den Theoretikern des galanten Romans. In der
unmittelbaren Nachfolge und Weiterführung der Huetschen Definition verwirft
Christian Friedrich Hunold in der Vorrede zu Neumeisters *Die Allerneueste
Art / Zur Reinen und Galanten Poesie zu gelangen* die pauschale Verdammung
von »Liebes-Begebenheiten«, nur weil es darüber in einigen Opern zum »Aerger-
niß« gekommen sei, vielmehr gehöre dieses Thema sowohl zum Roman als zur
Oper: diese »ohne Liebes-Begebenheiten vorzustellen / ist so höltzern / so wenig
profitabel, als wenig erhört.« [104] Hunold vergleicht die Darstellung der Liebe
im Roman mit der in den Opern und versucht auf lakonische Weise eine wechselseitige ironische Rechtfertigung. Beim Roman handele es sich lediglich um eine
schriftliche Fixierung von Liebesgeschichten, deshalb könnten die »Priester« sie
»gar [...] wohl [...] passiren« lassen, in der Oper jedoch, wo man sich am
konkreten Ablauf von Liebeshandlungen delektieren könne, finde der Zuschauer
dafür aber auch ein Abbild »natürlicher« Regungen, allerdings, dies konzediert
Hunold den »Moralisten«, mit der »Gefahr« einer intensiveren »Reitzung« seiner
Affekte:

Zwischen der Liebe in Opern und der Poesie [105] ist ein so grosser Unterschied / wie zwischen einem Original und Portrait: dort wird die Liebe recht lebendig durch Stimme /
Augen / Minen und Geberden / und durch solche Personen in Original vorgestellet / die
gern von der gantzen Welt wollen geliebt seyn. Hierinnen wird ein blosser schrifftlicher
Abriß davon gemacht / und sehr selten verlieben sich Leute in ein Portrait dergestalt / daß
sie eine Ausschweiffung begehen. [106]

Abgesehen von dieser sogar moralische Argumente aufnehmenden Verteidigung
des Liebesromans (Opern stellen gewissermaßen eine Steigerung der Liebesthematik und ihrer »Gefahren« dar), bildet die allgemeine Rechtfertigung der »Liebes-
poesie« [107] unter ausdrücklicher Berufung auf die Romane Mlle. de Scudérys
und eine politisch-galante Gesellschaftsmoral der honnêteté eben jene Basis, die
von den späteren Kritikern unter bürgerlich-immanenten, nicht mehr höfisch orientierten Wertmaßstäben am heftigsten angegriffen wird. Man erkennt deutlich, daß
das pointierte Verdikt gegen ein Vorherrschen der Liebesthematik in der Oper und
im Roman (wie schon bei Heidegger) der Ausdruck einer allgemeinen kultur- und
gesellschaftskritischen Tendenz ist, die vor allem durch einen neuen Tugendbegriff
bestimmt wird:

Ein Dichter soll ein Sittenlehrer seyn. Wo finden wir aber in unsern meisten Opern die Spuren einer vernünftigen Sittenlehre? Wo treffen wir die Tugend in ihrer Größe an? Wo erwecket die Abscheulichkeit der Laster bey den Zuschauern ein Entsetzen? Wo werden endlich die Zuschauer erbauet, und zu den Vorzügen der Tugend angereizet? Die Liebe in ihrem Misbrauche herrschet überall; die Boshaften werden glücklich, und die Tugend bleibt unterdrückt und elend.

Dieses Zitat entstammt, und das ist das Bemerkenswerte, nicht einem moraltheologischen Traktat, sondern der musiktheoretischen und -kritischen Abhandlung Joh. Adolph Scheibes [108], die ihre urteilenden Maßstäbe der Gottschedschen *Dichtkunst* verdankt. Für Scheibe und Gottsched verletzt eine auf das bloße »delectare« gerichtete Dominanz der Liebesthematik den jedem Kunstwerk abgeforderten moralischen Endzweck, so daß weder eine nur kulinarische Opernhandlung noch ein bloß galanter Liebesroman gerechtfertigt werden können.

Der neue bürgerliche Tugendbegriff impliziert darüber hinaus auch im Bereich der Operndiskussion antihöfische und gesellschaftskritische Aspekte. Gottsched sieht keine Möglichkeit, die Oper entsprechend seiner (traditionellen) Ständetheorie einer bestimmten Gesellschaftsschicht zuzuordnen. [109] Er entdeckt auch nicht die etwa von Hudemann und Uffenbach oder von den französischen Enzyklopädisten hervorgehobenen bürgerlichen Intentionen der Oper, sondern beurteilt sie ausschließlich im Horizont einer höfischen Kunstform, und hier ist seine Kritik unmißverständlich:

Daraus [daß Kritiker sich nach dem Operngeschmack Ludwigs XIV. richten] folgt aber nicht, daß alles was grosse Herren lieben, schön und untadelich sey. Ein einziger Criticus, der das Herz hat, einer Menge solcher Schmeichler zu wiedersprechen, hat mehr Glauben bey mir, als jene alle miteinander. [110]

W. Rieck hat zu Recht darauf hingewiesen, daß Gottsched selbst in den 50iger Jahren den antihöfischen Angriff auf die Oper noch aus der Sicht des Jahrhundertanfangs führt. [111] Anders bei seinen Kritikern oder auch schon in der Breslauer *Anleitung* von 1725:

Die Schreib-Art einer Opera ist nicht so hoch wie in einer Tragoedie, doch auch nicht so niedrig wie in einer Comoedie, sondern die Mittel-Strasse. [112]

Hier ergeben sich die Parallelen zum Roman unmittelbar: Seit Huets Versuch, die neue epische Gattung gegenüber dem »hohen« Epos abzugrenzen, läßt sich die Festlegung des Romans auf eine mittlere Stilebene kontinuierlich verfolgen, womit (in der Theorie!) auch der Wunsch verbunden ist, nicht allzusehr in die »niederen« Gefilde der Komödie abzugleiten. Der Abgrenzung gegenüber den höfisch-heroischen Merkmalen (die häufig »Gränzen der Menschlichkeit« überschreiten) entspricht daher eine Abgrenzung nach »unten«, damit »dergleichen Niedrigkeit nicht angetroffen wird«. [113] Solche Formulierungen dokumentieren das sich herausbildende Bewußtsein einer bürgerlichen Eigenständigkeit, dessen Medium Oper und Roman sein können. Bezeichnenderweise erhält unter solchen Vorzeichen auch die Liebesthematik einen neuen Stellenwert, indem sie gegen die Dominanz eines höfisch-gesellschaftlich interpretierten Ehrbegriffs ausgespielt werden kann:

Eine übermäßige Ehr-Begierde ist so weit von der Vollkommenheit eines Menschen ent-
fernet, daß mich dieselbe ein schädlicherer Affect zu seyn bedüncket, als eine ausschweiffende
Liebe; [...] weil uns zu dieser selbst die Natur beweget; zu jener aber treibt uns ein hefti-
ger und aus einem tollen Wahn entstehender Zwang, den man sich antuht. [114]

Die Gegenüberstellung von menschlicher »Natur« und (gesellschaftlich bedingtem)
»Zwang« ist ein Reflex jenes bürgerlichen Emanzipationsprozesses, der sich auch in
der Opern- und Romankritik spiegelt.

VIII. Der Roman und das Problem seiner poetologischen
Zuordnung und Abgrenzung im 18. Jahrhundert bis zu
Friedrich von Blanckenburg

Die Wende vom »alten« (höfisch-historischen, pikaresken, galanten und politischen Roman) zum »neuen« bürgerlichen Roman als Geschichte von Privatbegebenheiten [1], die sich in Deutschland zunächst in einer vornehmlich moraltheologisch orientierten Kritik des »Barockromans« ankündigt, vollzieht sich im Laufe
der ersten Hälfte des 18. Jhs. Obwohl Traditionen des hohen und niederen Romans in modifizierten Spielarten die Romanliteratur des gesamten 18. Jhs. weiter
mitbestimmen und unmittelbare Nachfolger und Imitationen des Barockromans bis
zum Ende des Jhs. ihre Leser finden [2], beginnen neue Ausprägungen schon im
Übergang zu den 20iger und dann entscheidend in den 30iger und 40iger Jahren
die theoretische und praktische Situation des Romans grundlegend zu verändern. [3] Die wichtigsten Tendenzen auf einen (vereinfachenden) Nenner gebracht: Der Roman öffentlich-repräsentativer Begebenheiten und einer »politischen« Gesellschaftsmoral wird abgelöst vom Roman bürgerlich-alltäglicher Begebenheiten im Geflecht einer Handlung, deren Moralität den privaten Tugenden
einer sich von höfischen Maximen befreienden bürgerlichen Eigenständigkeit entspricht. Die Neuorientierung des Romans geschieht dabei nicht nur im Zeichen
einer soziologischen Umwandlung der Lesererwartung und einer entscheidenden
Umstrukturierung der geltenden Moralvorstellung, sondern zugleich im Horizont
einer sich herausbildenden Empfindungstheorie (seit Dubos) und sich entwickelnden neuen Spielarten romanpraktischer Ausprägungen. Der Chevalier de Jaucourt
faßt die neuen Tendenzen (im Blick auf die Romane Richardsons und Fieldings)
in der französischen *Encyclopédie* zusammen, wenn er schreibt:

Enfin, les Anglois ont heureusement imaginé depuis peu de tourner ce genre de fictions
à des choses utiles; & de les employer pour inspirer en amusant l'amour des bonnes mœurs
& de la vertu, par les tableaux simples, naturels & ingénieux, des événemens de la vie. [4]

Die distanzierende Abgrenzung vom 17. Jh. (»aber unser Jahrhundert verlangt
nicht mehr nur Romanen für die Phantasie, sondern auch für Herz und Verstand«) [5] und das Betonen neuer Eigenständigkeit gehören zu den stets wiederkehrenden Merkmalen der neuen Romanpraxis und Romantheorie. Bevor diese
in einzelnen Phasen und unter verschiedenen Perspektiven beleuchtet wird, bedarf
es eines kurzen Hinweises auf die Beziehung von Theorie und Praxis im Bereich
der deutschen Romanentwicklung und einer Anmerkung über Wandlungsprozesse
der allgemeinen Literaturtheorie und Ästhetik in der ersten Hälfte des 18. Jhs.
  Die theoretische Diskussion des Romans innerhalb dieser Epoche wird durch ein
entscheidendes Charakteristikum bestimmt: Während sowohl die französische als

auch die englische Literatur hervorragende, zugleich theoriebildende und -fördernde Romane aufweisen, bleibt die deutsche Romanproduktion (trotz Schnabels *Felsenburg*, 1731 ff., v. Loens *Redlichem Mann am Hofe*, 1740, und Gellerts *Schwedischer Gräfin*, 1746) bis zum Erscheinen von Wielands Romanen im Schatten ausländischer Vorbilder [6], und eine die Theorie wesentlich bestimmende oder leitende Intention geht von dieser Romanpraxis nicht aus. Im Unterschied zu den exemplarischen Ausprägungen des deutschen Barockromans in der zweiten Hälfte des 17. Jhs. (Anton Ulrich, Lohenstein), die eine intensive Diskussion und Theoriebildung ermöglichen (vgl. das theoretische und kritische Spektrum von Birken bis zu Thomasius und Heidegger), vermögen die deutschen Romane in der ersten Hälfte des 18. Jhs. nur eine sehr bescheidene und zumeist auf den einzelnen Roman begrenzte poetologische Reaktion auszulösen. [7] Das ist nicht verwunderlich, solange diese Romane gegenüber der dominierenden und theoretische Akzente setzenden französischen und vor allem englischen Romanpraxis zurückbleiben. Diese ist es deshalb, die die deutsche Entwicklung der Romantheorie in entscheidendem Maße bestimmt; erst die Romane Prévosts und Marivaux' und vor allem die Samuel Richardsons und dann auch Fieldings und Sternes bilden die Grundlage für eine neue Orientierung auch der theoretischen Diskussion in Deutschland. So ergibt sich der scheinbar paradoxe, aber aufgrund der romangeschichtlichen Situation erklärbare Sachverhalt, daß die Herausbildung der (durch ausländische Vorbilder angeregten) Theorie des Romans in Deutschland seiner praktischen Entwicklung vorangeht und daß die deutsche romantheoretische Reflexion in der ersten Hälfte des 18. Jhs. bereits eine Intensität erreicht, die die Praxis erst mit Wielands Romanen »einholt«. [8] Vor dem Erscheinen des *Don Sylvio* und der *Geschichte des Agathon* läßt sich die deutsche theoretische Diskussion hauptsächlich in Zeitschriftenrezensionen beobachten oder sie zeigt sich in den Bemühungen gattungspoetologischer Zuordnungen der Ästhetiken, ohne daß die *deutsche* Romanpraxis für die neuen Tendenzen von entscheidendem Gewicht wäre. Erst mit dem Entstehen eines »deutschen Originalromans« (bei Wieland, Sophie von La Roche, Johann Timotheus Hermes) vermag dieser seinerseits auf die Theorie einzuwirken: Blanckenburgs *Versuch* ist dafür das signifikante Beispiel. [9]

Freilich sind es nicht nur die exemplarischen Werke eines Richardson oder Fielding, die dem Roman des 18. Jhs. theoretisch neuen Spielraum verschaffen, parallel dazu bedingt ein historischer Wandlungsprozeß im Bereich der allgemeinen Literaturtheorie die Möglichkeit neuer ästhetischer und moralischer Rechtfertigungen auch für den Roman. Poetologische Umwertungen traditioneller Maßstäbe und eine Auflockerung normativ-ästhetischer Systeme sind Voraussetzungen, mit denen auch die ästhetische Emanzipation des Romans unmittelbar verknüpft ist. Auf drei Faktoren literaturtheoretischer Wandlungsprozesse, die der theoretischen Rechtfertigung des Romans besonders zugute kommen, sei deshalb vorweg kurz hingewiesen.

Einmal erlauben sowohl die *vernünftig-philosophische Interpretation des Nachahmungsbegriffs* als deren Modifikationen neue, zuvor nicht mögliche poetologische Bestimmungen des Romans. Dieser profitiert gerade aufgrund seiner prinzipiellen Offenheit und einer nicht vorhandenen transgeschichtlichen Normativität unmittelbar vom Übergang klassizistischer Mimesisvorstellungen zu Ansätzen einer Illusionstheorie, die mit dem Schöpfungsgedanken den Spielraum der erfindenden Phantasie beträchtlich erweitert. [10] Für den Roman ist es, analog zum Epos, vornehmlich das »Wunderbare«, dessen Bedeutung »in den Grenzen des Wahrscheinlichen« vor allem diskutiert wird. Die Anerkennung des spezifisch Wunderbaren im Roman (im Unterschied zum Heldengedicht) [11] bedeutet *eine* Möglichkeit der emanzipierenden Abgrenzung gegenüber anderen Gattungen.

Der zweite umfassende Wandlungsprozeß im Bereich allgemeiner Kunst- und Dichtungstheorie, an dem die Entwicklung der Romantheorie des 18. Jhs. mittelbar und unmittelbar partizipiert, ist eine *Neu- und Umorientierung des Geschmacksbegriffs,* die ihrerseits auf den komplexeren Vorgang einer theoretischen Begründung der Ästhetik als Wissenschaft von der sinnlichen Wahrnehmung überhaupt verweist (Dubos, Baumgarten) [12] und Fragen des Zusammenhangs von ästhetischer Kritik und historischem Bewußtsein (vor dem »Historismus«) aufwirft. [13] Bei der Erörterung kritischer Einwände gegenüber der Gottschedschen Opern- und Romankritik vor allem durch Uffenbach wurde bereits angedeutet, daß sich die Argumentation auf einen zeitbedingten Publikumsgeschmack beruft, dessen Artikulation jene (allerdings noch bedingte) Historisierung überkommener Regeln und normativ-ästhetischer Denkvorstellungen andeutet, die schließlich auch dem Roman einen historisch bedingten und akzeptierten Platz zuerkennen muß. Dies umso mehr, als gerade der Roman als eine sich erst in verschiedenen geschichtlichen Stadien selbst konstituierende Gattung gelten kann, die durch eine besondere Affinität zur jeweiligen historisch-gesellschaftlichen Situation und eine poetologisch konstitutive Beziehung zum Erwartungshorizont des Lesepublikums charakterisiert ist. Beginnendes geschichtliches Denken im Gefolge ästhetischer Auseinandersetzungen findet außerdem ihren sichtbaren Ausdruck in der einsetzenden »Kritik [...] normativ-systematischer Gattungspoetik« [14] selbst (vgl. vor allem bei Johann Adolf Schlegel), die ihrerseits Voraussetzungen für die Aufnahme auch historisch »neuer« Dichtarten, also auch des Romans schafft.

Als eine dritte Tendenz allgemeiner ästhetischer Entwicklungen, mit der die Diskussion romantheoretischer Fragen unmittelbar verknüpft ist, darf eine sich andeutende *Vermischung oder Annäherung unterschiedlicher Dichtungsgattungen* angesehen werden; freilich noch nicht in dem Sinne, wie sie sich im letzten Drittel des 18. Jhs. abzeichnet, vielmehr als ein im Ansatz wahrnehmbarer Prozeß, der vor allem im Bereich der Romanpoetik erhebliche Konsequenzen hat. Gehört es ohnehin zu den besonderen Eigentümlichkeiten einer Theoriebildung des Romans, daß sie sich an den verschiedenen literarischen Formen und Theorien zeitlich wechselnd orientiert oder unmittelbar anlehnt, zeigt gerade der poetologische Differenzierungs- und Abgrenzungsprozeß im 18. Jh. die Tendenz zur Rezeption und modifizierenden Aneignung poetologisch dominierender Gattungen und Intentionen. Neben seiner durch die epische Grundform bedingten steten Hinwendung zum Epos und gleichzeitigen Abgrenzung von ihm (vgl. schon bei Birken und Huet) und einer schließlich erreichten poetologischen Gleichstellung mit diesem (bei Christian Heinrich Schmid) orientiert sich die romantheoretische Diskussion bei bestimmten Autoren (z. B. Gottsched) auffallend an jener literarischen Form, der sie einen besonders hohen Rang zuschreiben, in diesem Falle der Fabel. Wichtiger als dieser Versuch einer gattungstheoretischen Parallelisierung im Bereich der erzählenden Dichtung ist die praktische und theoretische Hinwendung des Romans zu dialogisch-dramatischen, vergegenwärtigend-vorstellenden statt berichtend-erzählenden Formen. Brief und Drama können hier als die wichtigsten Komponenten einer poetologischen Umstrukturierung des Romanbegriffs gelten. [15] Das bedeutet nun allerdings nicht, daß an die Stelle des Problems »Geschichte-Roman« bzw. »Epos-Roman« vollständig das der wechselseitigen Übernahmen von Drama und Roman träte, vielmehr bleibt das Epos nach wie vor Orientierungs- und Diskussionsmoment; der Kanon der die Romantheorie bestimmenden Faktoren hat sich vielmehr erweitert, wechselseitige gattungspoetologische Austauschprozesse zwischen Literaturformen verschiedener Herkunft und Geschichte prägen von jetzt an in stärkerem Maße das theoretische Selbstverständnis des Romans. [16]

Um seine Theoriebildung im 18. Jh. vor Blanckenburg im einzelnen zu vergegenwärtigen, wird das hier unter allgemeinen literaturtheoretischen Aspekten kurz Skizzierte im folgenden unter den besonderen Gesichtspunkten einer gattungspoetologischen Zuordnung und Klassifizierung des Romans ausgeführt. Die Beschreibung inhaltsbezogener Kategorien des bürgerlichen Privat-Romans, wobei auch geschichtsphilosophische und wirkungsästhetische Intentionen zu berücksichtigen sind, soll einem abschließenden Kapitel vorbehalten bleiben.

1. Der Roman im Spannungsfeld von Fabel und Epos
(Johann Christoph Gottsched)

In den *Beyträgen zur Critischen Historie Der Deutschen Sprache* leitet Gottsched die Rezension der *Asiatischen Banise* [17] mit dem seine Einstellung zum Roman insgesamt treffend charakterisierenden Satz ein:

EIn Roman ist zwar, in soferne er als ein Gedichte angesehen wird, mit unter die Gattungen der Poesie zu rechnen, er erlanget aber bey derselbn nur eine von den untersten Stellen. [18]

Der Roman als poetische Gattung wird zwar nicht ignoriert, aber in seinem künstlerischen Rang nur sehr gering eingeschätzt. Die Ursachen dafür liegen einerseits in Gottscheds (und der Schweizer) [19] Abneigung gegenüber einer Schreibart von Romanen des 17. Jhs., die »mit lauter Sonnen, Sternen, Cometen, flammenden Herzen, überirdischen Schönheiten, und schwülstigen Liebeserklärungen ausgeschmücket« seien [20] und andererseits, und dies ist das zentrale Argument, im Nichterfüllen und Nichtgerechtwerden eines bestimmten Dichtungs- und Erfindungsbegriffs auf der Grundlage »vernünftiger Nachahmung der Natur«: Der Roman weicht »an und vor sich selbst von der gesunden Vernunft und von der Nachahmung des natürlichen« ab. [21] Gottsched präzisiert die bereits in der Breslauer *Anleitung* von 1725 formulierte Kritik am Barockroman [22] im Zusammenhang seines dichtungstheoretischen Systems, indem er sowohl seine philosophisch-rational abgeleitete Mimesisvorstellung (Kausalitätsprinzip, Satz vom zureichenden Grunde) auf den Roman anwendet, als dessen Moralität unter neuen Kategorien befragt. Lege man diese Maßstäbe zugrunde, sehe jeder, schreibt Gottsched in der zweiten Auflage seiner *Critischen Dichtkunst* (1737),

[...] daß die gemeinen Romane in einer so löblichen Absicht nicht geschrieben sind. Ihre Verfasser verstehen oft die Regeln der Poesie so wenig, als die wahre Sittenlehre; Daher ist es kein Wunder, wenn sie einen verliebten Labyrinth in den andern bauen, und eitel Thorheiten durcheinander flechten, ihre wollüstige Leser noch üppiger zu machen und die Unschuldigen zu verführen. [23]

Schon bei der Erörterung von Gottscheds Opern- und Romankritik wurde darauf hingewiesen, daß das Prinzip des Widerspruchsfrei-Möglichen verbunden ist mit einem moralischen Postulat. [24] Erst die Verbindung von beidem legitimiert jede Dichtungsart gemäß Gottscheds »Fabeltheorie«:

Ich glaube [...] eine Fabel am besten zu beschreiben, wenn ich sage· sie sey die Erzählung einer unter gewissen Umständen möglichen, aber nicht wirklich vorgefallenen Begebenheit, darunter eine nützliche moralische Wahrheit verborgen liegt. [25]

Gottscheds Definition impliziert einen Begriff der Fabel, der einen übergeordneten Begriff für alle literarischen Formen, also auch für den Roman, darstellt. Damit jedoch gerät auch der Roman in ein kompliziertes Spannungsfeld der Diskussion dieses Begriffs, und es zeigt sich, daß Gottsched den Roman nicht nur auf die für ihn unabdingbaren Maximen der Fabel als allgemeinem Dichtungsbegriff verpflichten möchte, sondern zugleich versucht, auch die (äsopische) Fabel als Gattungsbegriff für eine abgrenzende Bestimmung des Romans fruchtbar zu machen.

Zur allgemeinen Abgrenzung des Fabelbegriffs sei kurz darauf hingewiesen, daß das Wort »Fabel« im 18. Jh. in drei Bedeutungen vorkommt und verwendet wird: generell zur Bezeichnung einer erfundenen Geschichte im Gegensatz zur wahren Begebenheit (also als Fiktion), dann im Sinne einer dichterischen Handlungserfindung (»reines Schema« [W. Kayser]) und schließlich in der speziellen Gattungsbedeutung der äsopischen Fabel als lehrhafte Tiererzählung. [26] Nun läßt sich schon seit La Mottes Fabeldefinition von 1719: »La fable est une instruction déguisée sous l'allégorie d'une action« (*Discours sur Fable*) und in Deutschland bis zu Lessing (vornehmlich seit Chr. Wolffs Deduktionen) eine unauflösliche Verquickung des speziellen Gattungsbegriffs als äsopischer Fabel mit der allgemeinen Bestimmung als dichterischer Erfindungsstruktur beobachten. [27] Eine abstrahierende und die beiden Grundfaktoren (einkleidende Erzählung und moralische Lehre) hervorhebende Interpretation der äsopischen Fabel dient als Ausgangspunkt einer allgemeinen Definition des Fiktionsbegriffs. Die zentralen Intentionen der äsopischen Fabel kommen der aufklärerischen Dichtungstheorie des 18. Jhs. unmittelbar entgegen, die diese Tendenzen aufnimmt und zur poetologischen Grundlage und zum Formprinzip aller literarischen Gattungen machen kann. Literaturtheoretische Verschiebungen oder Veränderungen ergeben sich daher häufig aufgrund von Modifikationen im Fabelbegriff, wie etwa die unterschiedlichen Definitionen Gottscheds und der Schweizer (vgl. hier die Dominanz des »Wunderbaren«) zeigen. [28] Die Affinität der Aufklärungspoetik für die Fabel wäre freilich unzureichend erklärt, wenn man neben dem moralisch-lehrhaften und einkleidend-erzählenden Element nicht auch den publikumsgerichteten Faktor erwähnte. Schon W. Kayser hat darauf hingewiesen, daß erst die Dreiheit von Lehre-Erzählung-Leser die Vorrangstellung der Fabel im 18. Jh. begründet. [29] Das Problem der Vermittlung einer verschlüsselten oder anschaulich erzählten Moral stellt sich (vgl. die Parallelen zum Roman) stets als eine Frage der möglichst leserwirksamen und gezielten Hinwendung an ein bestimmtes, soziologisch zumindest in Umrissen abgrenzbares Publikum. [30]

Wendet man sich nach dieser allgemeinen Bemerkung zum Fabelbegriff vor allem in der Mitte des 18. Jhs. (in den Jahren von 1740—1770 ist ein deutlicher Schwerpunkt zu beobachten) [31] dem Problem der Fabel im Zusammenhang mit dem Roman bei Gottsched zu, läßt sich zunächst feststellen, daß, wie bereits angedeutet, in der *Critischen Dichtkunst* sämtliche poetischen Hauptgattungen nach dem Formprinzip der Fabel gewonnen [32] und diese wiederum mehrfach aufgegliedert werden. Innerhalb dieser insgesamt fünf Unterteilungen [33] taucht der Roman an verschiedenen Stellen des komplizierten poetologischen Gliederungssystems auf; so bei der Gegenüberstellung von »bloß erzählten« (epischen) und »lebendig vorgestellten« (dramatischen) Fabeln in der ersten Rubrik gemeinsam mit dem Epos und den äsopischen Fabeln (vgl. S. 153) oder bei der ständisch-hierarchischen Klassifizierung — »theils im Absehen auf ihren Inhalt, theils im Absehen auf die Schreibart« (S. 154) — sowohl unter den »erhabenen« (»Heldengedichte, Tragödien und Staatsromane«) [34] als den »niedrigen« Fabeln:

Unter die niedrigen gehören die adelichen und bürgerlichen Romane, die Schäfereyen, die Komödien und Pastorale, nebst allen äsopischen Fabeln: als worinn nur Adel, Bürger und Landleute, ja wohl gar Thiere und Bäume in einer gemeinen Schreibart redend eingeführet oder beschrieben werden. (154)

Zur generellen Unterordnung des Romans unter einen für alle Dichtarten verbindlichen Fabelbegriff kommt also eine Nebenordnung von »adelichen und bürgerlichen Romanen« mit äsopischen Fabeln (neben Komödien und »Schäfereyen«) hinzu — während der »Staatsroman« entsprechend seiner hierarchisch-rhetorischen Stellung den heroischen Literaturgattungen und damit auch dem Epos zugerechnet wird, und dies bedeutet, daß auch Eposkriterien zur Beurteilung »regelhafter« Romane dienen: »Wenn sie erbaulich seyn soll(t)en, müß(t)en sie nach Art eines Heldengedichtes abgefasset werden, [...]« (168). So ergibt sich der bemerkenswerte Sachverhalt, daß der Roman in einem poetologischen Spannungsfeld von gattungsspezifischem Fabelbegriff und Epos zu bestimmen versucht wird [35], wobei beide literarischen Spielarten ebenso wie der Roman einem übergeordneten Fabelbegriff verpflichtet sind. [36]

Im Kapitel »Von milesischen Fabeln, Ritterbüchern und Romanen« [37] nimmt Gottsched die definitorischen Abgrenzungen des Romans in diesem poetologischen Dreieck im einzelnen vor. [38] Dabei werden zunächst Epen und Ro-

mane den äsopischen Fabeln unter dichtungstheoretischem Aspekt gegenübergestellt und dann die Romane jeweils mit den äsopischen Fabeln und Epen unter dem
Gesichtspunkt ihres unterschiedlichen Endzwecks konfrontiert:

> Ist eine äsopische Fabel eine Begebenheit, die nach dem itzigen Weltlaufe niemals hat ge-
> schehen können; weil sie Pflanzen, Thiere, ja leblose und allegorische Dinge, reden und
> handeln läßt: so sind die sybaritischen, epischen und milesischen Erzählungen, Begeben-
> heiten, die gar wohl hätten geschehen können: weil sie lauter Menschen, und andere geist-
> liche Wesen zu ihren Personen brauchen. (514)

Im Unterschied zu den äsopischen Fabeln, deren Begebenheiten in der irdischen
Welt zwar unmöglich, aber in »einer andern Welt« (150) durchaus denkbar und
möglich sind (z. B. sprechende Tiere, Pflanzen), bleiben die Handlungen im Epos
und Roman an die Faktizität der konkreten geschichtlichen und natürlichen Wirklichkeit im Rahmen verbindlicher Gesetze dieser Welt (Kausalität, Satz vom zureichenden Grunde) gebunden.

   Auch an dieser Stelle zeigt sich (worauf bereits bei der Erörterung von Opern-
und Romankritik kurz hingewiesen wurde), daß Gottsched den bei Leibniz und
Wolff intendierten philosophischen Ansatz einer Theorie der »anderen« (und utopisch relevanten) Welt nicht konsequent auf den Roman anwendet oder weiter
verfolgt. [39] Geschähe dies, brauchte das Glaubhaftmachen von Begebenheiten
im Roman nicht in der Weise historisch-konkret artikuliert und untermauert zu
werden, wie es schon in der Zigler-Rezension [40] und dann am Ende des Kapitels über die milesischen Fabeln im einzelnen erfolgt. Indem Gottsched die lo-
gisch-deduktive Theorie möglicher Welten seiner Romantheorie nicht zugrunde-
legt, bedarf es, wie in der Romanpoetik des 17. Jhs., geschichtlich tatsächlicher
Fakten und Arrangements, um eine Erfindung glaubhaft und wahrscheinlich zu
machen:

> [...] daß man sich genau nach den Sitten der Zeiten, der Oerter, des Standes, Geschlechtes
> und Alters seine [Roman-]Personen richten müsse. (527)

Von seinem philosophischen Ansatz her (Naturgesetzlichkeit statt »Widerspiegelung« bei der dichterischen Nachahmung) könnte Gottsched streng genommen auf
eine zusätzlich legitimierende Untermauerung der Wahrscheinlichkeit einer Erfindung durch geschichtliche Einzelfakten verzichten; gerade im Roman scheint ihm
dies aber unmöglich zu sein. [41]

   Bei der Gegenüberstellung unter der Perspektive eines je verschiedenen Endzwecks toleriert Gottsched die eher vergnüglichen Intentionen der Romane im Gegensatz zur nützlichen Absicht der äsopischen Fabeln und Heldengedichte. [42]
Die Ursache, weshalb im Roman das Moment des »delectare« überwiegt, deutet
die Charakterisierung »Liebesgeschichte« an, und hier sieht Gottsched — in unmittelbarer Nachfolge Huets — den zentralen Ansatzpunkt, die »Regeln einer
rechten milesischen Fabel« (514) im Unterschied zum Epos zu bestimmen.

   Die Liebesthematik des Romans (»Denn es liegt überall eine verliebte Geschichte
zum Grunde«) [43] gilt auch für Gottsched als der wichtigste Faktor der Abgrenzung gegenüber der äsopischen Fabel und dem Epos. Gottsched folgt jedoch

nicht nur hierin dem Huetschen *Traité,* vielmehr übernimmt er auch im Prinzip
dessen Darstellungsschema und Regelkanon. Auf eine umrißhafte Definition am
Anfang, die dem Vorbild des Heliodorschen Liebesromans verpflichtet ist [44],
folgt eine ausführlich vorgetragene Geschichte der Romanentwicklung, die zusammenfassend mit einer Fixierung von Grundregeln des Romans abgeschlossen wird.
Man hat den Eindruck, daß Gottsched ganz bewußt an das methodische Verfahren
Huets anknüpft, um dessen Abhandlung ein deutsches Pendant an die Seite zu
stellen. Die Abweichungen und Unterschiede zwischen Gottsched und Huet liegen
deshalb auch nicht im Grundansatz (Definition — Romanhistorie — Regeln) oder in
der typologisch anmutenden Geschichtsdarstellung (von den Ursprüngen über
Griechenland und Rom nach Europa), sondern in bestimmten Akzentuierungen
des Romanbegriffs unter dichtungstheoretischem Aspekt und in einer Betonung
deutscher Eigentümlichkeiten.

Zu den dichtungstheoretischen Besonderheiten gehört die bei Huet nicht zu
beobachtende Annäherung an einen verbindlichen, didaktisch orientierten Fabelbegriff, von dem im einzelnen gesprochen wurde. Bezeichnenderweise erfolgt diese
Abgrenzung des Romans im Spannungsfeld von Fabel und Epos bei Gottsched in
einem kurzen, theoretisch ausgerichteten Zwischentext, der der historischen Darstellung der Romanentwicklung an der Stelle des Kapitels eingefügt ist, an der
Gottsched die griechische und römische Romangeschichte abgeschlossen hat. Unmittelbar im Anschluß an die wechselseitigen gattungsspezifischen Abgrenzungen beginnt er mit der Geschichte des »neueren« (vornehmlich deutschen) Romans. Für
diese trifft zu, was Goethe in *Dichtung und Wahrheit* allgemein über die *Critische Dichtkunst* notierte: »[...] sie überlieferte von allen Dichtungsarten eine
historische Kenntnis, [...]« [45] — auf den Roman bezogen: Gottsched geht
sowohl auf die Volksbücher und mittelalterlichen Epen (Wolframs *Parzival* hält
er für den »ältesten deutschen Roman«) [46], als auf den *Amadis* und die Vielzahl der unterschiedlichen Romane des 17. Jhs. ein; zu einer genaueren Charakterisierung oder theoretisch-kritischen Klassifizierung etwa des heroischen im Unterschied zum »roman comique« kommt es nicht. [47] So werden Zesens Romane
(nicht aber die *Adriatische Rosemund*) unmotiviert im Zusammenhang mit dem
Simplicissimus, »der Landstörzer Gußmann« neben der *Diana-* und *Argenis-*
Übersetzung aufgezählt und Mlle. de Scudérys *Clélia* und Mme. de Lafayettes
Prinzessin von Clève lediglich in einer Frage erwähnt. Im Unterschied zu Huet
sieht Gottsched keine Möglichkeit, neueren Romanen eine exemplarische Bedeutung
beizumessen und damit die Verbindungslinie zum Heliodor-Modell der Antike
herzustellen. Für ihn sind die großen Barockromane, wobei er die Ziglersche
Banise von »allen Deutschen Romanen noch für den besten« hält [48], eher Gegenstände einer historisch-enzyklopädischen Literaturgeschichtsschreibung als le-
senswerte Bücher:

Es ist Schade, daß die meisten ohne Regeln und Ordnung, auch mehrentheils in einer
schwülstigen und unrichtigen Schreibart abgefasset worden. (526)

Um die Leser »in den Stand zu setzen, daß sie selbst von den vorkommenden Romanen urtheilen können« (526), faßt Gottsched am Ende seines Kapitels die wich-

tigsten Romanregeln in fünf Punkten zusammen. Auch hier handelt es sich weitgehend um eine historisch-kritische Bestandsaufnahme bereits früher formulierter romantheoretischer Bestimmungen und weniger um zukunftsweisende Neuansätze. Bei der ersten Regel:

Was den *Inhalt* anbetrifft, so darf [. . .] ein Roman eben nicht nach Art der Heldengedichte, einen berühmten Namen aus den Geschichten haben. Denn Liebesbegebenheiten können auch Leuten aus dem Mittelstande begegnen [. . .] (526),

bleibt Gottsched ganz an der Huetschen Unterscheidung von Epos und Roman orientiert. Er übernimmt sogar die in der deutschen Huet-Rezeption des 17. Jhs. (Rotth, Morhof) zu beobachtende Modifikation, wonach der Romancier auch »einen berühmten« Helden wählen könne, »um seine Erzählung desto wichtiger zu machen« (526); und die künstlerische Qualität der neuesten Romane (z. B. Ramsays *Cyrus* oder Prévosts *Cleveland*) sieht Gottsched gerade dadurch erwiesen, daß die Begebenheiten ihrer (historisch) »bekannten Helden [. . .] mit Geschichten [. . . ihrer] Zeiten in eine Verbindung kommen [. . .]« (527). Die Theorie einer Beglaubigung des Fiktiven über den historischen »Kontext« im Einhalten historisch-gesellschaftlicher Eigentümlichkeiten bei der Situierung jeweils unterschiedlicher Romanhandlungen erinnert unmittelbar an Versuche der französischen Romantheorie in den letzten Jahrzehnten des 17. und ersten des 18. Jhs. und an Chr. Thomasius' Wahrscheinlichkeitspostulat, obwohl Gottsched, wie mehrfach betont, von einem prinzipiell anderen, philosophisch-rational abgeleiteten Nachahmungsbegriff ausgeht.

Gottscheds zweite und dritte Romanregel beziehen sich auf die Erzählstruktur; »historisches« (ab ovo; ordo naturalis) und »poetisches« Erzählen (medias in res; ordo artificialis) werden unterschieden, während jene »die einfältigste« sei, wird diese als »weit künstlicher« hervorgehoben. Das weiterwirkende Vorbild der klassischen Epen und die zentrale Rolle Heliodors prägen auch für Gottsched diese artifizielle Erzähltechnik. Sie habe überdies den Vorzug, den Umfang eines Romans reduzieren zu helfen, indem Geschichten und biographische Begebenheiten nachgeholt und eingeflochten werden könnten, ohne daß der Autor gezwungen sei, vollständige Lebensläufe vorzuführen. Dies müsse, meint Gottsched, auf jeden Fall vermieden werden, denn eine der wichtigsten Gesetzmäßigkeiten des Romans bestehe darin, daß »nur eine Haupthandlung des Romanhelden, nebst allem, was dazu gehöret« (528) erzählt werde. Die »einzige Haupthandlung, die auf eine Liebe hinausläuft« (515), wird auch an anderer Stelle, im Zusammenhang mit der Forderung nach der »Einheit der Handlung« (514), besonders akzentuiert. Hier zeigt sich die Einwirkung der klassizistischen Dramentheorie (aristotelische Tradition), dort möglicherweise auch die der italienischen und französischen Novellentheorie und -praxis, bzw. die der Konzeption des französischen klassischen Romans. In der Ablehnung von »Lebensläufen« im Roman könnte zudem eine moralisch-kritische Zurückweisung der im späten 17. und frühen 18. Jh. in ganz Europa beliebten Memoirenliteratur (vielfach Hof- und Liebesklatsch berühmt/berüchtigter »Personen von Welt«) impliziert sein. Zu einer Theorie des an der Novellenstruktur orientierten psychologischen Kurzromans, wie sie Du Plaisir entworfen und Thomasius angedeutet hatten, kommt es bei Gottsched nicht, er gibt lediglich Hinweise.

Bei den beiden letzten von Gottsched genannten Punkten ist dies prinzipiell nicht anders, obwohl sich hier der Übergang von einer im Banne Huets und seiner Nachfolger befindlichen Romanpoetik zu neuen Tendenzen andeutet. Schreibart und Moralität sind die entscheidenden Stichworte der Gottschedschen Kritik:

Allein eine natürliche Art zu erzählen, die der Vernunft und Wahrheit gemäßer ist, machet einen weit größern Eindruck in den Gemüthern, als ein so gefirnißter und gleißender Ausdruck; [...] Je näher also die Schreibart in Romanen der historischen kömmt, desto schöner ist sie: [...]. (528)

Kritik am »schwülstigen« Erzählstil impliziert »vernünftige« Maßstäbe des Erzählens im Zeichen des »Natürlichen« und »Moralischen«, deshalb ist es nicht verwunderlich, daß Gottsched die Forderung nach einer der »Wahrheit gemäßen« Schreibart mit dem Appell verbindet,

[...] daß ein guter Roman auch den Sitten keinen Schaden thun muß. Die Liebe kann, nach Heliodors Exempel, auch eine unschuldige und tugendhafte Neigung seyn. Dieses zeigt auch das Exempel der Pamela in neuern Zeiten: [...]. (528)

Damit schließt sich der Kreis von Gottscheds Argumentation, sein »Wahrheits«- und Moralbegriff verweisen zurück auf die prinzipiellen literaturtheoretischen Voraussetzungen der *Critischen Dichtkunst*. Der nur beiläufige Hinweis auf Richardsons *Pamela* (der überrascht, wenn man an die rühmenden Rezensionen dieses Romans gerade in Deutschland schon unmittelbar nach dessen Erscheinen denkt, etwa in den *Göttingischen Gelehrten Anzeigen*) [49] zeigt andererseits die bemerkenswerte Tendenz, einen typologischen Zusammenhang zwischen dem berühmten »alten« und dem neuen (Gegenwarts-)Roman herzustellen. Dem Schema Heliodor — d'Urfé (bei Huet) setzt Gottsched eine Verbindungslinie Heliodor — Richardson entgegen.

Wird der Roman seinem Erzählmodell nach eher mit dem Epos verglichen und sind es daher auch Eposregeln, die in traditioneller Weise seiner Struktur zugrunde gelegt werden, deutet die Postulierung einer didaktisch-pointierten Moralität die Nähe zur moralvermittelnden äsopischen Fabel an, wobei diese als die exemplarische Gattung jener, von allen Dichtarten geforderten, Doppelheit des Widerspruchsfrei-Möglichen und Moralisch-Notwendigen gilt, die Gottsched zum konstitutiven Grundsatz seiner Poetik erhebt. Wenn Gottsched deshalb einerseits Kriterien zur Beurteilung struktureller Probleme des Romans vornehmlich der Ependiskussion entnimmt, darf andererseits nicht übersehen werden, daß der Roman »philosophisch« einem logisch-rationalen und moralischen Anspruch unterworfen wird, dem er nach Meinung seines Kritikers nur erst wenig gerecht wird.

2. Der Roman als »Historie aus einer andern möglichen Welt« in den Grenzen des Wahrscheinlichen (Johann Jacob Bodmer und Johann Jacob Breitinger)

Der Ausgangspunkt der Romanpoetik bei den Schweizern gleicht dem Johann Christoph Gottscheds: »[...] die dürfftige Überflüßigkeit und die Rodomontische[n] Wunder der meisten Romanen« [50] reizen zur moralisierenden und den »geschmückten« Stil der Barockromane im Sinne Boileaus verurteilenden Kritik; in den *Discoursen der Mahlern* geben ihre Verfasser den äsopischen Fabeln einen deutlichen Vorzug: »Kernhaffte Kürtze« und eine »wolgeordnete Dichtung« sind bei den Romanen überhaupt nicht oder nur selten anzutreffen. [51] Abgesehen von dieser stil- und moralkritischen Gemeinsamkeit wird der Roman auch bei den Schweizern noch nicht als eine etablierte und literarästhetisch legitimierte Gattung gleichrangig mit andern Dichtarten behandelt. Fügt Gottsched immerhin der vierten Auflage seiner Poetik ein besonderes Kapitel über den Roman hinzu, fehlt eine solch vergleichbare, wenn auch historisch-enzyklopädische Zusammenfassung bei den Schweizern, auch Breitingers umfangreiche *Critische Dichtkunst* macht darin keine Ausnahme.

Freilich übergehen Bodmer und Breitinger den Roman nicht, und das literarische Medium und die Perspektive ihrer Betrachtung charakterisieren in besonderer Weise die gewandelten Bedingungen, unter denen romantheoretische Fragestellungen aufgerollt werden. Außer nur sporadischen Hinweisen in ihren allgemeinen dichtungstheoretischen Abhandlungen sind es zwei Romanrezensionen Bodmers in den *Critischen Betrachtungen über die Poetischen Gemählde Der Dichter* (1741), die auch Prinzipielles zur Romanpoetik enthalten. Bezeichnenderweise sind sie jedoch nicht als Rezensionen der beiden besprochenen Romane (Cervantes' *Don Quijote* [52] und Anton Ulrichs *Aramena* [53]) ausgewiesen und angelegt, sondern als interpretierend-kritisierende Betrachtungen über »den Character des Don Quixote und des Sanscho Pansa« bzw. über die »Character[e] in dem prosaischen Gedichte von der Syrischen Aramena«. Ausgangspunkt der romantheoretischen Reflexion ist also nicht die Gattung »Roman« (das Wort wird sogar bewußt vermieden), sondern die Erörterung einiger seiner Haupt-»Charaktere«. Damit wird ein prinzipieller Hinweis auf die hervorragende Rolle des Problems der Charakterzeichnung bei den Schweizern gegeben, dem gegenüber Fragen der Gattung und dichterischen Handlungserfindung zurücktreten. [54] Die kunstvolle, Phantasie und Einbildungskraft des Lesers befriedigende Charakterisierung von Figuren steht im Mittelpunkt der Romanbetrachtung; von hier aus wird das Problem des notwendig erforderlichen »Wahrscheinlichen« ebenso virulent wie das des mit diesem verbundenen »Wunderbaren«. Alle drei Aspekte deuten zugleich auf den Zusammenhang der romantheoretischen Reflexion mit der allgemeinen Dichtungstheorie.

a) Die *Priorität der Charakterzeichnung* und deren konstitutive Verflochtenheit mit den für die Romanpoetik zentralen Kategorien des Wahrscheinlichen und Wunderbaren spiegelt sich nirgends deutlicher als in Bodmers Reflexion über den

Don Quijote. Dieser gilt ihm als exemplarisches Beispiel eines »moralischen Characters«, der in der Verbindung von »Narrheit« und »Weisheit« als »symbolische Person« bezeichnet wird,

[...] welche erfunden worden [sei], eine besondere und merckwürdige Eigenschaft in dem Character der Spanischen Nation vor den Augen aller Welt zu spielen, massen der Verfasser in den Gedancken stuhnd, daß es öfters nichts weiters brauchte, jemand von einem moralischen Fehler zu befreyen, als die Thorheit desselben vor seinen Augen nachzumachen. [55]

Inhaltlich gewendet:

Was diese ausschweifende Galanterie [56] bey einzeln Gliedern der spanischen Nation vor absonderliche Thorheiten gebohren hatte, die wurden insgesammt und in ihrem höchsten Grade dieser Person, als dem Platz- und Worthalter der Nation in diesem Stücke, in die Rechnung geschrieben. (521)

»Symbolische Person« bzw. »moralischer Charakter« gelten als Gegenbegriffe zu dem des »historischen Characters«, wobei Bodmer lobend konstatiert, daß der Don Quijote als »Exempel eines moralischen [...] den völligen Schein eines historischen Characters bekommen« habe (518; 72). »Moralischer« und »historischer Charakter« werden also in Beziehung gesetzt; wie wird diese bestimmt?

Die Klärung dieses Zusammenhangs liefert eine genauere Definition der »moralischen Charactere« wie sie Bodmer an anderer Stelle seiner *Critischen Betrachtungen über die Poetischen Gemählde* gibt. Zwar finde man

[...] keine Erwähnung [der »moralischen« Charaktere] in den Geschichtsbüchern noch in der Sage der Leute [...]; [dennoch hätten sie] ihren zulänglichen Grund der Wahrheit in dem Vermögen der Natur, [...] wo der Verfasser sie in dem allgemeinen Lauf, welche dieselbe in ihren Wirkungen hält, [...] gelesen, und hernach auf seine Art zusammengestimmet hat. Der Grund dieses Charakters ist demnach von dem historischen nicht weiter unterschieden, als daß die Wahrheiten, auf denen er beruht, noch nicht zur Wirklichkeit gekommen sind, wozu es ihnen aber alleine an dem Willen dessen fehlet, der die Natur nach seinen gegenwärtigen Absichten regieret, [...] in denselben ergreift der Poet ein allgemeines Wahres und leitet aus solchem ein Absonderliches heraus, d. i. er malet die Handlungen der Personen und Sachen wie sie die Natur — überhaupt betrachtet — soll und kann machen und etwa macht; da in den historischen hingegen ein absonderliches Wahres vor die Hand genommen und aus demselben ein allgemeines Wahres herausgezogen wird. [57]

In der Spannung von »moralischem« und »historischem« Charakter spiegelt sich hier jene für die Dichtungsauffassung der Schweizer fundamentale, auf Leibniz zurückgehende Dialektik von Möglichkeit und Wirklichkeit, die auch die Grundlage für ihre Romantheorie bildet. Der Poet als »Schöpfer einer neuen idealischen Welt« [58] bleibt dem Prinzip der Nachahmung in dem Sinne verpflichtet, als er dem »allgemeinen Lauf der Natur« in ihrer Gesetzlichkeit folgt, aber nicht an die konkrete historische Realität gebunden ist, sondern das »noch nicht zur Wirklichkeit gekommene« Mögliche darstellt. Der Bereich des Naturmöglichen, nicht der des Historischwirklichen ist der eigentliche Spielraum der Dichtkunst und des Romans. Seine Charaktere, Don Quijote oder die syrische Aramena sind deshalb »moralische« Charaktere, weil sich in ihnen eine allgemeine psychologische, anthropologische oder soziologische Gesetzlichkeit konkretisiert. Sie sind Beispiele

des prinzipiell Möglichen, in denen »eine dem Vermögen der Natur nicht wider-
sprechende, allgemeine Wahrheit in der Gestaltung eines aus der Zusammenfügung
von Besonderem entstandenen Typus zur [poetischen] Wirklichkeit« ge-
langt. [59] Gegenüber der Konkretisierung eines Naturmöglichen im moralischen
Romancharakter vermag man umgekehrt aus dem Besonderen eines »historischen
Charakters« das »Allgemeine« zu abstrahieren. Beide Spielarten der Charaktere
implizieren also gleichermaßen eine belehrende Intention; auch für die Schweizer
gilt das horazische »prodesse«, wenn auch in einem eingeschränkteren Sinne als bei
Gottsched, sowohl für die Dichtkunst als die Historie. [60]

b) Die *Dialektik von Möglichkeit und Wirklichkeit* kommt in den Romanbetrach-
tungen Bodmers indes nicht nur in der Gegenüberstellung von moralischem und historischem Charakter zur Erscheinung, vielmehr spielt sie auch eine zentrale Rolle
bei der Beurteilung der von jedem Kunstwerk unabdingbar geforderten Wahrscheinlichkeit:

Man hat die [...] syrische Aramena und die römische Octavia, vor Exempel von einer Geschichte aus irgend einer möglichen Welt angeführt, welches mir zu sagen scheint, daß in
diesen Wercken alle erforderliche Wahrscheinlichkeit enthalten sey. (551; 77 f.)

Geschichten »aus irgend einer möglichen Welt« werden mit dem Wahrscheinlichkeitspostulat verbunden; das Einhalten der Wahrscheinlichkeitsforderung gilt als
Indiz für den Möglichkeitsbegriff. [61] Diese Vorstellung Bodmers und Breitingers ist nicht denkbar ohne Leibnizens Lehre der möglichen Welten, andererseits
hat Christian Wolff den in der *Theodizee* deutlich bezeichneten Wertunterschied
zwischen einer wirklichen Welt (als der besten aller möglichen) und den potentiell
möglichen Welten verwischt und damit die Übernahme für eine Dichtungstheorie
im Horizont des gewandelten Mimesisprinzips erleichtert. [62] Für die Romantheorie von entscheidender Bedeutung dürfte dabei jenes Schwinden eines qualita-
tiven Vorzugs der wirklichen vor der Fülle der potentiell möglichen Welten sein,
insofern diese immer mehr an Bedeutung zunehmen, je weniger die wirkliche als
die beste aller möglichen Welten überzeugt. [63] Der Bereich der noch nicht ver-
wirklichten Möglichkeiten erhält einen neuen philosophischen und poetologischen
Stellenwert, der mehr und mehr zunimmt und schließlich ein gleichgewichtiges
Äquivalent gegenüber der tatsächlichen Wirklichkeit bildet. Nicht nur dies, in der
Tendenz, das durch einen Schöpfergott noch nicht Verwirklichte, aber Mögliche
poetisch zur Wirklichkeit zu bringen (die Idee des »second maker« ist den Schweizern aufgrund ihrer Kenntnis der englischen philosophischen und ästhetischen Diskussion, vor allem Shaftesburys, vertraut) [64], liegt eine utopische Intention.
Aus dem »Nicht« der bisher nicht realisierten Welten wird ein »*Noch*-Nicht«; der
Antrieb zur Realisierung möglicher Welten kann als eine (fiktive) Vorwegnahme
antizipatorischen Charakter haben. Voraussetzung für eine qualitative Bedeu-
tungsverschiebung von möglichen Welten gegenüber der wirklichen ist eine sich
abzeichnende Einsicht in die Pluralität von Welten, zumindest eine Einschränkung
des Glaubens an die wirkliche als die (nach Leibniz) beste aller möglichen. Inwieweit dem bereits ein fundamental gewandeltes philosophisches Bewußtsein zu-

grunde liegen muß, wie Blumenberg meint (»Erst dieses Bewußtsein einer denkbaren Pluralität von Welten ermöglicht es dem Roman, eine Welt zu thematisieren«), kann hier nicht diskutiert werden [65]; festzuhalten bleibt jedoch der
zukunftsweisende poetologische Ansatz der Schweizer, die den Leibnizschen Gedanken aufnehmen und (im Unterschied zu Gottsched) seine romantheoretische
(und utopische) Bedeutung unmittelbar sichtbar werden lassen:

> Der Mensch hat von Natur eine angebohrne unersättliche Wissens-Begierde, diese erstrecket
> sich so wohl auf das Mögliche als auf das Würckliche, ja die Erfahrung lehrt, daß der
> Mensch noch viel begieriger ist, das Mögliche und Zukünftige zu erforschen, als sich das
> Würckliche und Gegenwärtige bekannt zu machen. [66]

Daß die utopische Komponente als eine intentional gegebene Qualität des Mög-
lichkeitsbegriffs in der konkreten Romananalyse der *Aramena* und des *Don
Quijote* von Bodmer noch nicht expressis verbis diskutiert wird und sich die Reflexion statt dessen fast ausschließlich auf konkrete Probleme der wahrscheinlichen
Erfindung im Zusammenhang mit dem »Wunderbaren« bezieht, verweist einmal
auf die auch bei den Schweizern noch zu beobachtenden traditionellen Momente
der literarästhetischen Auseinandersetzung über den Mimesisbegriff, deutet aber
andererseits auch auf die besondere Rolle, die innerhalb dieser Diskussion das
»Wunderbare« als Ergebnis dichterischer Imagination und Mittel der Leseraffizie-
rung spielt. Beides ist unmittelbar miteinander verknüpft.

In welcher Weise eine durch die Leibniz/Wolffsche Möglichkeitsvorstellung bestimmte Dichtungstheorie in der konkreten Romankritik noch traditionale Züge
trägt, zeigen die von Bodmer bei der *Aramena* herausgestellten und monierten
»Fehler«. Die hier angelegten Maßstäbe des Konkret-Wahrscheinlichen gehen nur
bedingt über das hinaus, was Gottsched oder schon Thomasius als Kriterien für
eine »wahrscheinliche« Romanerfindung bezeichnet hatten, mit dem wichtigen Unterschied allerdings, daß das Wahrscheinliche einen anderen poetologischen Stellenwert hat und daß die Frage der angemessenen Charakterzeichnung im Mittelpunkt
steht. Hier werden deshalb auch vor allem kritische Einwände laut: Einmal sei die
Liebe der Hauptfiguren psychologisch nicht glaubwürdig-wahrscheinlich dargestellt, insofern sich eine »Ungleichheit [...] zwischen der Liebe, die in der Natur
des Menschen ist, und derjenigen wahrnehmen [...] [lasse], welche den Personen
dieses Gedichtes zugeschrieben« werde (552; 78).

Die Kritik an der Liebesauffassung des hohen Barockromans spielt hier eine entscheidende Rolle. »Liebe« wird von Bodmer nicht mehr als normatives Verhalten
innerhalb eines verbindlich-repräsentativen Tugendsystems verstanden, er nimmt
vielmehr die schon bei Thomasius und in der Theorie des französischen klassischen
Romans sichtbare Emanzipation des individualpsychologischen Moments auf und
macht sie zur Grundlage einer Beurteilung der Charaktere. Er geht dabei allerdings von einem nicht weiter spezifizierten anthropologischen Postulat (»Natur des
Menschen«) aus, ohne dessen Implikationen im einzelnen zu erörtern. Dies wäre
ein Schritt, den später Blanckenburg und Johann Jakob Engel konsequent vollziehen, um auf diese Weise die psychologischen Entwicklungs- und Entfaltungsmöglichkeiten eines »Individualcharakters« (Wieland) zu begründen. Bodmer, und dies

ist der zweite Einwand gegenüber der *Aramena,* hält sich demgegenüber noch in erster Linie an die notwendige Übereinstimmung bestimmter Charaktere mit ihrer historischen Zeit; d. h. er kritisiert, parallel zur Romankritik des Thomasius, die Transponierung geschichtlicher Figuren in die Jetztzeit, anstatt daß der Leser in die historische Zeit der Figuren versetzt werde (vgl. S. 553; 78).

Schließlich bemängelt Bodmer (drittens) die unbefriedigende Verknüpfung von Romancharakteren und Handlungsstruktur, und hier offenbart die scheinbar selbstverständlich getroffene Feststellung,

[...] ob alle Handlungen, die einer Person zugeschrieben werden, mit der Hauptsumme des Characters übereintreffen, oder bloß und alleine mit einer absonderlichen Eigenschaft derselben zusammenstimmen, so daß die übrigen Stücke desselben damit streiten (553; 78),

einen entscheidend veränderten Ansatz der Kritik, insofern auf ein Problem hingewiesen wird (Zusammenhang von »innerer« und »äußerer« Geschichte — psychologische Charakterzeichnung und Ablauf der Begebenheiten —), das für die zukünftige Poetik des Romans von zentraler Bedeutung ist. Zwar geht Bodmer im Laute seiner Überlegungen auf diese Frage nicht weiter ein, indem er sich vornehmlich mit der eigentlichen Handlungserfindung, deren Knoten und Auflösung beschäftigt (die Auflösung scheint ihm im Gegensatz zur verwirrenden Verknüpfung gelungen) [67], und Erwägungen darüber anstellt, ob die Romanfiktion »der allgemein bekannten Moralität« entspricht und der Notwendigkeit eines »gewissen Grads der Klarheit« (beim rezipierenden Leser) Genüge tut; das Problem aber bleibt gestellt: Wie verhalten sich (individueller) Charakter und dessen Handlungen als »äußere« Begebenheiten im Roman zueinander, bzw.: Wie hat sie der Autor darzustellen, damit einsichtig wird, daß sich beide Faktoren wechselseitig bedingen? [68]

c) Bodmer deutet diese Fragestellung an, thematisiert sie aber nicht. Ihm liegt mehr an einer *Charakterisierung des »Wahrscheinlichen« und »Wunderbaren«* im Roman in der Abgrenzung gegenüber der Historie:

WIe das Unwahrscheinliche in den Erdichtungen den Leser nur durch einen plötzlichen Ueberfall einnimmt, und solcher sich des Eindrucks schämt, so bald er die Fehler in der Uebereinstimmung der Sachen wahrnimmt, so verstärcket hingegen die Wahrnehmung des verknüpften Zusammenhanges derselben mit bekannten Dingen den Eindruck um so viel mehr, als er darinnen auf einem höhern Grade bemercket wird. Dadurch erhebet sich das Gedichte und der Roman nach und nach bis zu der Würde der Historie, welche in dem höchsten und äussersten Grade der Wahrscheinlichkeit bestehet; massen die so gerühmte historische Wahrheit nichts anders ist, als Wahrscheinlichkeit, die durch zusammenstimmende und vereinigte Zeugnisse bewiesen wird. (548; 76)

»Wahrscheinlichkeit« erfordern beide literarische Formen, sowohl der Roman als die Historie; unterschieden sind sie einerseits durch ihre auf die Rezeption bezogenen Darstellungsmittel (der Roman zielt auf einen bestimmten »Eindruck« durch Befriedigung der Sinne seiner Leser [69] — die Historie überzeugt durch eine möglichst große Zahl »zusammenstimmender und vereinigter« Dokumente), andererseits durch eine graduelle Abstufung »historischer« und »poetischer Wahrheit« im Rahmen einer Wahrscheinlichkeitsskala; schließlich, und dies ist ein entscheidendes Moment, durch einen »Schein des Falschen«, der die Poesie »wunderbar macht«:

> Also sind Gedicht, Fabel, und Roman einestheils, und Historie anderntheils, nicht weiter von einander unterschieden, als daß die letztere mehr Grade der Wahrscheinlichkeit hat, indem sie mehr und bewährtere Zeugen hat, [. . .]. Die richtigste historische Wahrheit steiget zwar bis an die Gränzen der mathematischen hinauf, aber sie kan dieselbe dennoch niemahls erreichen; und die poetische Wahrheit bleibet allezeit einige Grade unter der historischen; ja sie entfernet sich öfters mit Fleisse von derselben, damit sie sich durch den Schein des Falschen wunderbar mache. (549; 77)

Die beiden ausführlich zitierten Textpassagen, die als allgemeine Einleitung am Anfang der *Aramena*-Betrachtung stehen, bilden den theoretischen Rahmen, in dem Bodmer das für eine Romanpoetik relevante Problem einer Beziehung des Wahrscheinlichen und Wunderbaren zueinander sieht, deren wichtigste Aspekte eine Abstufung des »Wahren« nach bestimmten Wahrscheinlichkeitsgraden und eine eigentümliche »Definition« des Wunderbaren sind, die auch bei der Reflexion über den *Don Quijote* wiederkehren.

Was die unterschiedliche Abstufung des Wahrheitsgehaltes (aufgrund mehr oder minder vorhandener »Grade« von Wahrscheinlichkeit) betrifft, so geht Bodmer von der Vorstellung einer aufsteigenden Linie aus, an deren Ende sich als »richtigste Wahrheit« die mathematische befinde. Die »historische Wahrheit« kann zwar bis an deren Grenzen gelangen, sie aber nicht erreichen, die poetische indes rangiert noch »unter« der historischen. Der angegebenen Stufenfolge liegt ein Wahrheitsbegriff zugrunde, der vom Postulat des Logisch-Widerspruchsfreien (vgl. formales Prinzip der Möglichkeitslehre) bestimmt wird. Die mathematische Wahrheit ist deshalb die »richtigste«, weil sie die allgemeine Naturgesetzlichkeit (Satz vom Widerspruch, Satz vom zureichenden Grunde) adäquat erfüllt. [70] Die beiden anderen Disziplinen Historie und Poetik werden diesem Prinzip deshalb nicht vollkommen gerecht, weil eine lückenlose Kausalkette (Satz vom zureichenden Grunde) für die Historie nicht in jedem Fall möglich ist und für den Roman, aufgrund seiner zentralen Wirkungsabsicht (Rührung, Empfindung) nicht einmal immer sinnvoll zu sein scheint. [71] Insgesamt bleibt jedoch für alle Bereiche des Universums die formale Naturgesetzlichkeit eines Kausalnexus verbindliches Richtmaß, also auch für den Roman und die Historie, womit die Bedingungen für eine »pragmatische« Tendenz sowohl der Geschichtsschreibung als der Romanfiktion potentiell gegeben sind; erst die anerkannte und bestätigte Gültigkeit genauer Ursache-Wirkungen-Relationen ermöglicht eine strenge historiographische und ästhetische Konsistenzbildung. [72]

Hier liegt aber zugleich auch der Ansatz für eine Unterscheidung von Geschichtsschreibung und Roman und die Bedeutung des »Wunderbaren« für den letzteren: Bodmer trennt sehr präzise eine Logik der Tatsachen (»Wahrscheinlichkeit, die durch zusammenstimmende und vereinigte Zeugnisse bewiesen wird« [548]) von einer »Logik der Vermuthungen« (549), die die Basis der Dichtkunst bildet [73], und »das Wunderbare«, das »dem ordentlichen Laufe der Dinge [. . .] entgegen zu stehen scheint« [74], hat hier einen legitimen Platz. Der Verfasser weicht bewußt von einer vom Leser erwarteten Darstellung ab, indem er seine Erfindung »durch den Schein des Falschen wunderbar mach[t]« (549). Das »Wunderbare« der Fiktion gilt also nicht als Mangel der dichterischen Erfindung, sondern im Gegenteil als das zentrale, produktiv-poetische Vermögen des Autors, wodurch die intendierte Wirkung auf einen Leser erst in intensiver Weise möglich ist. Als »äusserste Staffel des Neuen, da die Entfernung von dem Wahren und Möglichen sich in einen Widerspruch zu verwandeln scheinet« [75], vermag das Wunderbare jeder Dichtung die eigentliche »Urquelle aller poetischen Schönheit zu sein«. [76]

Aber erhält es auch eine autonome Bedeutung, wird ihm eine eigentümliche Qualität zugebilligt? Jenes in den oben zitierten Textstellen über das Wunderbare wiederkehrende Wort »scheinen« (*Schein* des Falschen, *scheinbarer* Widerspruch) weist bereits darauf hin, daß dies nicht der Fall ist: Weder bedeutet das Wunderbare eine »ontologische Kategorie« [77], noch ist es das autonome Produkt der Spontaneität eines dichterischen Entwurfs [78], vielmehr

[...] muß [es] immer auf die würckliche oder die mögliche Wahrheit gegründet seyn, wenn es von der Lügen unterschieden seyn und uns ergetzen soll. [79]

In der Spannung von Wahrscheinlichem und Wunderbarem (ohne daß dieses jenes prinzipiell aufhebt) liegt auch der Reiz guter Romane, während poetisch nicht gelungene gerade dadurch charakterisiert sind, daß sie das Wunderbare ins Abenteuerliche und Lügenhafte steigern, ohne sich einer wahrscheinlichen Basis zu vergewissern:

In den Romanen von Amadiß, von Lancellot, und andern irrenden Rittern, fehlet es fürwahr an Wunderbarem nicht, im Gegentheil sind sie damit angefüllet, aber ihre Erdichtungen ohne Wahrscheinlichkeit, und ihre allzu wunderthätigen Begebenheiten verursachen bey Lesern von gesextem Urtheil, die an Virgil und seines gleichen einen Geschmack finden, lauter Eckel. Kurtz, das Wunderbare kan einem richtigen Kopf weder Gefallen, noch Ergetzen bringen, wenn es nicht mit dem Wahrscheinlichen künstlich vereinigt, und auf dasselbe gegründet ist. [80]

Dieses Zitat aus Breitingers *Critischer Dichtkunst* ist unter mehreren Gesichtspunkten charakteristisch für den Stand der romantheoretischen Diskussion bei den Schweizern, weil einmal die seit dem 17. Jh. vorhandene Tradition der Amadis- und Ritterepenkritik (hier im Zeichen einer Theorie der angemessenen »Vereinigung« des Wahrscheinlichen und Wunderbaren) aufgenommen und weitergeführt wird, wobei als Beziehungspunkt, wie im 17. Jh., eine Zweiteilung des Publikums in gebildete und ungebildete Leser angedeutet ist, zum anderen die pointiert hervorgehobene Vorbildlichkeit »Virgils und seines gleichen« für den Roman auf den Ursprung seines Wunderbaren im klassischen Epos verweist und schließlich, drittens, die Rückversicherung der poetischen Einbildungskraft im Rahmen des »Wahrscheinlichen« auf einen »noch durchaus rationalistischen Horizont« der Poetik [81] aufmerksam macht: Das Wunderbare gilt letzten Endes als »nichts anders als ein vermummtes Wahrscheinliches«. [82] Eine poetische Erfindung, die dem Leser im ersten Augenblick als unwahrscheinlich und unmöglich (eben als »wunderbar«) erscheint, muß bei näherer Betrachtung ihre Wahrscheinlichkeit erweisen — oder sie setzt sich dem Vorwurf des Abenteuerlich-Lügenhaften aus. Das

»Wunderbare« ist vornehmlich ein poetologischer Faktor der Leserrezeption und Leserwirkung, das »Resultat eines subjektiven Gesichtspunktes«, insofern es »als Auffassungs- oder Vorstellungsweise eines Wahns (eines Sinnentrugs, eines Affekts, einer Überlieferung, eines Aberglaubens, einer Stimmung, einer erhitzten Phantasie usw.) [...] durchschaut werden muß«. [83] In der gedanklichen Aufhellung des Erstaunen hervorrufenden Wunderbaren liegt ein besonderer Reiz der Dichtung: Johann Adolf Schlegel wird diesen Prozeß psychologisch genauer analysieren.

Daß unter dem Gesichtspunkt einer kunstvollen Verbindung des Wunderbaren mit dem Wahrscheinlichen bestimmte Dichtungsgattungen (äsopische Fabeln, komische Heldengedichte, aber auch die zeitgenössischen Epen Miltons und Klopstocks) in den Mittelpunkt des literaturtheoretischen und literaturkritischen Interesses rücken, hat W. Preisendanz zu Recht betont. [84] Hier vor allem gelangen die Schweizer zu neuen, über Gottsched hinausführenden kritischen und poetologischen Einsichten, die auch dem Roman zugute kommen, vornehmlich jenem exemplarisch-komischen Buch vom Don Quijote, dem zwar seit seinem Erscheinen stets ein Sonderstatus zugebilligt wird, für den aber gerade Bodmer aufgrund seiner Reflexion über das Wunderbare ein treffendes kritisches Instrumentarium entwickelt. Bei der Erörterung von »moralischen« und »historischen« Charakteren wurde bereits darauf hingewiesen, daß Bodmer vor allem in der Verbindung von »Weisheit« und »Narrheit« der Hauptfigur die poetische Kunst und »Wahrheit« des Romans erblickt. Dieses »Gemenge« ist es auch, an dem sich die Frage des Wunderbaren innerhalb oder außerhalb des Wahrscheinlichen entzündet, mit dem Ergebnis, daß die ganze Romanbetrachtung als ein wieder und wieder an einzelnen Episoden und Momenten demonstrierter Beweis des Zusammenstimmens von Wunderbarem und Wahrscheinlichem angelegt ist:

In diesem Gemenge von Weisheit und Thorheit besteht nun das Wunderbare, das man in dem Character des Don Quixoten vor unwahrscheinlich halten wollen. Alleine etliche Blicke, die wir theils auf die menschliche Natur überhaupt, theils auf die Kunst werffen wollen, womit Cervantes derselben gemäß diese so verschiedenen Eigenschaften verbunden hat, werden uns bald zeigen, daß solche in den Gräntzen des Wahrscheinlichen bleiben. Don Quixote ist in einem vornehmen Stüke ein Narre, in andern ist er weise; und so sind alle Menschen. (524 f.; 73 f.)

So wie die Charakterzeichnung des Don Quijote als Abbildung eines allgemeinen anthropologischen Sachverhalts gerühmt wird, so werden die seltsamen Abenteuer des cervantischen Helden als logisch konsequente (»wahrscheinliche«) Folge seiner regen Einbildungskraft erklärt. Wahrscheinlichkeit liegt also nicht nur der eigentümlichen Charaktermischung zugrunde, sondern auch dem scheinbar abenteuerlich-lügenhaften Handlungsverlauf, als poetisch »richtigem« Ergebnis einer »verderbten Phantasie« des Ritters, dessen »Art, wie sich Wahrheit und Falschheit in seinem Kopf zusammensetzt, in ihrem Ursprung und Fortgang gezeiget« werde (529 f.; 74) mit der Absicht, »die tollen und wunderlichen Erfindungen der Ritterbücher zum Gelächter« zu machen. [85] Der in der *Aramena*-Betrachtung angedeutete Zusammenhang von Charakter und Handlungsablauf im Roman wird in der *Don Quijote*-Reflexion kritisch evident gemacht. Voraussetzung dafür ist nach Bodmer eine genaue Kenntnis der individuellen Psyche:

> Er [Cervantes] läßt uns in der That den Kopf und das Hertz dieser beyden Personen [Don Quijote und Sancho Pansa] in allen ihren Gründen und Winckeln sehen, welches nur ein Werck der vortrefflichsten Meister ist. (544)

Damit kommt die Romanbesprechung auf die zu Anfang dieses Kapitels erörterte Priorität der Charakterzeichnung zurück. Hier treten die vorausweisenden Intentionen der Schweizer auch und gerade für den Roman zu Tage: Die Darstellung des Menschen als »vornehmster Gegenstand der Poesie« [86] sprengt nicht nur »die starre Schematisierung der Dichtarten« (Scherpe), sondern eröffnet vor allem jener Gattung neue, bisher nicht vorhandene Entfaltungsmöglichkeiten, die das Problem von Individuum und Handlung unter veränderten historischen Konstellationen thematisiert. Die Diskussion über das Wunderbare und Wahrscheinliche erweitert den Spielraum der poetischen Einbildungskraft ebenso, wie ihre praktische Anwendung auf eine poetisch darzustellende Figur deren Individualisierung befördert.

3. Die Emanzipation des Romans innerhalb der normativen Gattungssystematik vor Blanckenburg (Johann Adolf Schlegel und Christian Heinrich Schmid)

Die Schwierigkeiten gattungspoetologischer Klassifizierung und Zuordnung des Romans sind noch im 18. Jh. evident: Normative Gattungstheorie und strenge Dichtungseinteilung bieten nur sehr begrenzte Möglichkeiten, den Roman innerhalb der literaturtheoretischen Systematik einzuordnen. Die Subsumierung unter das »Heldengedicht« oder auch seine gänzliche Ignorierung sind deshalb noch weitgehend die Regel; Gottscheds 1751 zusätzlich eingefügtes Romankapitel in die vierte Auflage seiner *Critischen Dichtkunst* stellt demgegenüber schon eine Ausnahme dar. Die Diskussion über den Roman findet vornehmlich in anderen Zusammenhängen oder auf anderen Ebenen statt, beispielsweise im Rahmen exemplarischer Rezensionen wie bei Bodmer. [87]

Daß sich darin die poetologische Beschäftigung mit dem Roman allerdings nicht erschöpft und systematische Poetiken selber Ansätze für eine Neubewertung und Neuorientierung romantheoretischer Probleme liefern, versuchten die Überlegungen zum Fabelbegriff bei Gottsched und zur Lehre vom Wahrscheinlichen und Wunderbaren bei Bodmer und Breitinger zu zeigen. Am deutlichsten läßt sich dies indes bei einem Literaturtheoretiker beobachten, dessen zentrale Bedeutung für einen allgemeinen Wandlungsprozeß innerhalb der ästhetischen Entwicklung in Deutschland vielfach hervorgehoben worden ist: bei Johann Adolf Schlegel. [88] Seine Batteux-Übersetzung und vor allem die dazu verfaßten »eigenen Abhandlungen« [89] unterscheiden sich im Hinblick auf die theoretische Diskussion des Romans darin prinzipiell von Gottsched und den Schweizern, daß der »prosaischen Dichtkunst« (als Zwischengattung) innerhalb der traditionellen Systematik ein

poetisches Eigenrecht zuerkannt wird. Die strenge Trennung zwischen (dichterischer) Poesie und (undichterischer) Prosa wird aufgehoben und ermöglicht damit eine aufgrund dieser strikten Grenzziehung vorher nicht denkbare potentielle
Aufwertung des Romans:

> [...] die Gränzen der Poesie fließen mit den Gränzen der Prosa so sehr in einander, daß
> das schärfste Auge, sie genau zu entdecken, und das Gebiete der andern zu scheiden, nicht
> vermag. [90]

Aber es ist dies nicht der einzige Faktor, der dem Roman bei Joh. Ad. Schlegel
theoretischen Spielraum verschafft, hinzu kommt vielmehr eine generelle Aufwertung und Rechtfertigung des Neuen und Besonderen gegenüber dem Allgemeinen
und Normativen und eine Differenzierung im Begriff des Wunderbaren, der nicht
mehr auf seine Herkunft im klassischen Epos festgelegt ist, sondern unmittelbar
romantheoretische Bedeutung erhält. Das »eigentliche Wunderbare« des Romans
wird zum Ausgangspunkt für seine Emanzipation vom Epos, die schließlich noch
vor Blanckenburg auch in einer systematischen Poetik, bei Christian Heinrich
Schmid [91], möglich ist. Die folgenden Erörterungen stellen deshalb die drei
wichtigsten Faktoren für die romantheoretische Bedeutung Joh. Ad. Schlegels in
den Vordergrund: die Emanzipation des literarhistorisch »Neuen« gegenüber dem
»Alten«, die Kritik und Erweiterung des traditionellen Gattungssystems und das
Herausarbeiten eines spezifischen Wunderbaren für den Roman in der Abgrenzung
vom Epos.

a) Die fundamentale Voraussetzung einer möglichen Neubewertung des Romans
bildet eine *Umkehrung der traditionellen Betrachtungsweise von dichterischer
Theorie und Praxis.* Während die herkömmlichen Regelpoetiken literarische Werke
unter dem Gesichtspunkt ihrer Klassifizierbarkeit in eine strenge Systematik ein-
ordnen, hebt Joh. Ad. Schlegel den Anspruch auf eine je verschiedene Beurtei-
lungsnotwendigkeit einzelner Dichtungen hervor. Hatten schon die Schweizer in
der Betonung einer Priorität der Charakterzeichnung eine Lockerung starrer
Schematisierungen und systematisierender Aufgliederungen sichtbar werden lassen,
führt die Rechtfertigung des jeweiligen Kunstwerks als Produkt eines dichterischen
»Genies« sowohl zur Aufwertung der dichterischen Praxis und ihrer unterschiedlichen Spielarten als zu der des schöpferischen Vorgangs selbst. In der Einleitung
zur zweiten Auflage seiner Batteux-Übersetzung (1759) macht Schlegel diesen
Sachverhalt (in einer Grußadresse an Gellert) deutlich:

> Der Kritik kömmt es nicht zu, das Genie nur auf die betretnen Wege durch seine Gesetze
> einzuschränken. Sie soll ihm zeigen, wie es die Wege, welche es wählet, mit größrer Leich-
> tigkeit, mit mehrerm Anstande, mit bessern Erfolge gehen könne; sie soll ihm anrathen,
> was für welche es unter den schon bekannten am glücklichsten wählen werde; aber nicht ihm
> vorschreiben, was für welche es nothwendig betreten müsse. Wir können hier [...] nicht
> allezeit aus Grundsätzen schließen was in der Ausführung möglich seyn, und wohlgerathen
> werde, sondern wir müssen aus den Erfahrungen auf die Grundsätze zurückschließen. Das
> Genie waget Versuche; der Geschmack urtheilet von ihrem Erfolge; dann zieht die Kritik
> aus den vom Geschmacke gebilligten Arbeiten die Regeln ab, und verbessert aus ihnen die
> Begriffe. [92]

Dieser von der dichterischen Praxis und der Bedingung ihrer Möglichkeit im »Genie« ausgehende Begriff der literarischen Kritik (»Il argumente des ouvrages contre les principes«, bemerkt replizierend Batteux) [93] eröffnet auch der Theorie jener Gattung neue Perspektiven, deren Normativität weder ästhetisch noch moralisch erwiesen ist. Indem die regelimmanenten Maßstäbe nicht mehr von vorneherein, vor aller Beurteilung des individuellen Werks, den Horizont der Theoriebildung und Gattungssystematik bestimmen, sondern auch das einzelne, nicht-klassische Werk als kritikwürdig und potentiell theorieleitend anerkannt wird, gelingt jene Emanzipation der literarischen Praxis, die vor allem den historisch »neuen« Literaturformen zugute kommen muß. Vergegenwärtigt man sich die bei Schlegel postulierte Korrelation von »Genie«: »waget Versuche« und »Geschmack«: »beurtheilt ihn« (den künstlerischen »Gegenstand«) und die daraus gezogene Folgerung, daß die Kritik »aus den vom Geschmacke gebilligten Arbeiten« die Regeln ableite [94], wird darüber hinaus jener Grad von Einsicht in die Geschichtlichkeit ästhetischer Maßstäbe deutlich, die (von der französischen »Querelle« exemplarisch vorweggenommen) in Deutschland erst nach und während der Phase einer Rezeption der Auffassungen Du Bos' und Baumgartens virulent wird. [95] Der beginnenden Erkenntnis einer Historizität von Werken, Gattungen und ihrer ästhetischen Kritik entspringt eine unbefangene Einsicht in die Besonderheit zeitgenössischer Dichtungen.

Für die epischen Gattungen macht Schlegel das etwa in zwei programmatischen Anmerkungen zu Batteux deutlich, wenn er einerseits darauf verweist, daß der »Begriff der Epopöe [...] nicht eigentlich von dem Homeren und Vergilen festgesetzt worden« sei, sondern »sich von selbst aus der Größe des Gedichts, und aus der Arbeit, Zeit und starken Anstrengungen des Genies«, die es erfordere, bestimme [96], und andererseits den Anspruch auf das Eigentümliche und Eigenständige des neu entstehenden Kunstwerks betont. Dem »Genie« dürften nicht dadurch »willkührliche Fesseln« angelegt werden, daß schon die Abweichung vom überlieferten und vorbildlichen Alten als verwerflich gelte. [97] Niemand sei deshalb berechtigt, »dem Dichter vorzuschreiben, daß er zu seinem Ziele auf keinem andern, als dem betretnen Wege gelangen soll[e]«. [98] Damit sind die wichtigsten Faktoren für eine ästhetische Emanzipation der epischen Gattung Roman angedeutet: die Abkehr von der Normativität des klassischen Heldengedichts für den Gesamtbereich der epischen Dichtkunst, die Rechtfertigung des Neuen und Originellen gegenüber dem Vorbildlich-Anerkannten und der Ansatz einer Perfektibilitätsvorstellung, die den Gedanken der historisch-poetischen Entwicklungs- und Steigerungsfähigkeit der Künste anvisiert [99]:

Die Poesie ist ein Stamm, der sich nicht auf einmal in alle seine Aeste ausgebreitet hat, und dessen Kräfte auch noch nicht erschöpft sind, daß nicht vielleicht noch künftig neue Aeste, die wir nicht vermutheten, daraus hervorsprießen könnten. Seine Aeste haben sich in so viele Zweige zertheilt, welche wieder manchmal die Stärke der Aeste erlangt oder sich so fest ineinander verschlungen haben, daß nichts schwerer ist, als ihre Anzahl festzusetzen, oder die Hauptgattungen von den Untergattungen zu unterscheiden. [100]

Weder sind Art und Zahl möglicher Gattungen begrenzt, noch deren Unter- und Einordnung ein für allemal festgelegt. Eine beginnende Historisierung von Dichtformen und Gattungen läßt auch die Einsicht in den geschichtlichen Charakter der poetischen Zuordnung anklingen, das organologische Bild erinnert an Herdersche Vorstellungen. [101]

b) Daß dem Roman unter solch veränderten Ausgangspositionen ein Platz im Rahmen der poetischen Gattungen zuerkannt wird, erscheint nur folgerichtig; *im Zwischenreich von Poesie und Prosa* versucht Schlegel ihn näher zu bestimmen:

Es gibt poetische Erdichtungen, die sich in dem einfachen Kleide der Prosa zeigen; von dieser Art sind die Romane, und alles was in ihre Gattung einschlägt. [...] Doch diese Erdichtungen in Prosa [...] sind weder bloße Prosa, noch bloße Poesie. Sie sind eine Vermischung von beiden [...]. [102]

Hier der Batteuxschen Unterscheidung folgend, ordnet Schlegel »die prosaische Dichtkunst« mehr der »Poesie der Sachen« als der »Poesie der Schreibart« zu. Er legt den Schwerpunkt auf die »Schöpfung und Vertheilung der Gegenstände«, nicht auf die stilistisch-formalen und artifiziellen Momente. Zwar spielten auch diese im Roman eine Rolle, aber er tue gut daran, sich im Unterschied zum Epos in der »Sprache der eigentlichen Poesie« zu bescheiden, so daß »Fenelons Telemach ohngeführ das Maaß« sei, »wie hoch [er] sich in der Schreibart erheben« dürfe (344). Schlegel sieht die poetischen Möglichkeiten der »prosaischen Poesie« und des Romans deshalb nicht so sehr unter dem Aspekt einer stilistisch »hohen« Sprachkunst als vielmehr unter dem der gemeinsamen Wirkungsabsicht aller Künste:

Gleich diesen will sie [die Prosa] ergetzen [...]. Sie kennt keine andern Regeln zur Erreichung ihres Endzwecks, als diese haben; und sie weis ihre Lieblinge mit eben dem Ruhme zu belohnen, als die übrigen. (344) [103]

Daher bestehe keine Veranlassung, sie aus dem Kreis der Dichtkunst auszuschließen, ebensowenig wie man die Kupferstecher- und Zeichenkunst »aus der Zahl der schönen Künste stoßen wollte, weil sie nicht die Malerey selbst« seien (345): Romane Prévosts und Marivaux' haben deshalb »eben das Recht uns zu gefallen, als wirkliche Gedichte; weil nicht das Colorit, sondern die Zeichnung dasjenige ist, was am meisten ergetzt« (345).

Die Rechtfertigung des Romans (und Schlegel vergewissert sich hier der Autorität Du Bos') [104] geschieht also einmal unter dem Gesichtspunkt des vergnüglichen Endzwecks, den die Prosa mit den gleichen Mitteln (»Regeln«) zu erreichen vermöge wie die übrigen Künste, und außerdem mit dem traditionellen Hinweis auf andere nicht-»erhabene« Literaturgattungen:

Sollte in der That Herrn Gellerts schwedische Gräfinn darum kein Werk der schönen Kunst seyn, weil ihre Schreibart weder homerisch, noch racinisch ist? Sollte sie es weniger seyn, als die Komödie, von welcher doch die Schreibart der Epopee oder des Trauerspiels so wenig verlangt wird, daß man vielmehr dieselbe an ihr nicht würde erdulden können? (346) [105]

Während dieses Argument seit dem 17. Jh. (vgl. die Parallelisierung von Roman und Komödie schon bei Daniel Richter) immer wieder auftaucht, erfährt jenes eine charakteristische Veränderung, indem Schlegel das Begriffspaar »prodesse« und »delectare« pointiert zugunsten des »delectare« betont. »Die Richardsone, die Fieldinge, die Prevote, haben also eben so wohl das Recht, sich unter den Künstlern eine Stelle zuzueignen, als die Corneillen, die Molieren, die La-Fontänen« (346), weil ihre Kunstfertigkeit jenes übergeordnete Postulat des »Eindrucks überhaupt« auf den Leser dadurch vollkommen erfüllt, daß die dichterische Darstellung *nur unterm Ergetzen und durchs Ergetzen* (346) [106] belehrend wirkt. Die Dominanz des wirkungsästhetischen Faktors im Zeichen einer Neubewertung des »delectare« wird hier deutlich sichtbar: Nicht mehr das rhetorisch-stilistische Moment einer »geschmückten« (hohen), bzw. weniger erhabenen (niederen) Schreibart oder eine bestimmte Gattungszugehörigkeit spielen die entscheidende Rolle, sondern die aus dem Einzelwerk abgeleiteten Voraussetzungen für einen möglichst intensiven Wirkungsgrad der Dichtkunst.

c) Vom Primat der Wirkungsabsicht aller Künste, soviel konnte schon bei den Schweizern gezeigt werden, leitet sich das besondere Interesse für *das Wunderbare« im Roman* her. Schlegels Ansatz hat sich gegenüber Bodmer und Breitinger allerdings verschoben, insofern er sich zwar in der Frage des Zusammenhangs von Wahrscheinlichem und Wunderbarem an sie anlehnt, aber als entscheidendes Problem das Eigentümlich-Wunderbare des Romans *im Gegensatz* zum Epos betrachtet. Beim »Wunderbaren« muß dies deshalb eine besondere Bedeutung für die ästhetische Emanzipation des Romans haben, weil »die Frage nach der Art und Wirkungsweise des Wunderbaren« seit je her gerade »im Zentrum der *Epos*theorie stand«. [107] Die Ambivalenz einer gleichzeitigen Orientierung und Abwendung des Romans vom Epos, wie sie schon bei Huet sichtbar gemacht wurde, spiegelt sich deshalb noch in der Diskussion des Wunderbaren im Epos und Roman bei Schlegel.

In seiner der Batteux-Übersetzung beigefügten Abhandlung »Von dem Wunderbaren der Poesie, besonders der Epopee« [108] wird der Versuch unternommen, ein »eigenthümliches ächtes Wunderbares« für den Roman herauszuarbeiten, indem die Skala des Wunderbaren in der Poesie zugleich erweitert und spezifiziert wird. Schlegel ordnet den einzelnen epischen Gattungen: heroisch-antikes, religiöses, zeitgenössisch-historisches Epos, Fabel und Roman, ein je verschieden definiertes Moment des Wunderbaren zu und bemüht sich um eine Charakterisierung der epischen Literaturformen in der Bestimmung von Art und Wirkungsweise des je verschiedenen Wunderbaren. Die wichtigste Unterscheidung, die Schlegel innerhalb seiner Skala der Möglichkeiten des Wunderbaren trifft, ist die zwischen einem »überirdischen« (»himmlischen«) und »irdischen« (»menschlichen«) Wunderbaren, wobei jenes vornehmlich dem klassischen und religiösen Epos und dieses dem Roman zugeordnet wird. [109] »Übernatürliches« (Mythologisches) oder christliche Offenbarungswahrheiten (»wahres Wunderbares«) sind zwar notwendig in der Fabel bzw. dem klassischen und religiösen Epos anzutreffen, der Roman aber enthält sich dieses Wunderbaren »von höherer Art« und befleißigt sich des »bloß menschlichen«. [110] Schlegel generalisiert damit die Bodmersche Beobachtung, die die-

ser bei der Reflexion über den *Don Quijote* gemacht hatte, indem er Cervantes'
Charakterisierung der Hauptfiguren als exemplarisch für das Wunderbare im Roman herausstellte. Während weder Bodmer noch Breitinger diesen Ansatz weiter-
verfolgen und sich statt dessen auf die analysierende Betrachtung eines modellhaften
Romans beschränken, nimmt Schlegel diesen Gedanken auf und wendet ihn ins
Theoretische, indem er das spezifisch Wunderbare für ein konstitutives Moment
jeden Romans erklärt. Bei der inhaltlichen Fixierung und definitorischen Bestim-
mung der Grenzen des Wunderbaren bleibt Schlegel allerdings weitgehend im
Banne von Bodmers und Breitingers Festlegungen. [111]
Schlegel übernimmt Breitingers Formulierung von der »äussersten Staffel des
Neuen« (436), fügt dann aber hinzu, daß er das Wunderbare lieber »als dasjenige
Neue beschreiben« wolle, »welches an das Unglaubliche so nahe« angrenze, »daß es
mit demselben zusammenzufließen« scheine (436). »Hierzu bedarf es nicht nothwendig eines Uebernatürlichen; auch ein Außernatürliches ist dazu schon hinlänglich« (436). Auch bei Schlegel gilt das Wunderbare noch nicht als ein die Grenzen
des Wahrscheinlichen überschreitendes poetisches Mittel und beansprucht, wie bei
den Schweizern, keine ontologische Qualität; auffallend ist jedoch der Versuch,
den Spielraum des Wunderbaren »unterhalb« eines »überirdischen« (mythologischen, »maschinenhaften«) »Wunderwerks« (im Epos) romantheoretisch hervorzuheben und zu erweitern, so daß selbst die Darstellung eines »ungewöhnlichen Laufs
der Natur« und eines Vorgangs, dessen »natürliche Ursachen [. . .] uns ganz
verborgen sind«, [112] schon die Bedingungen für das Wunderbare in der Dichtung und im Roman zu erfüllen vermag:

Eine iede wichtige Begebenheit, die uns unerwartet überrascht; und die uns darum, weil
sie das Maaß der Glaubwürdigkeit übersteigt, das die gewöhnlichern, ja selbst die seltnern,
Begebenheiten der Welt an sich haben, in dem ersten Erstaunen darein sie uns setzet, unwahrscheinlich zu seyn dünkt, deren Wahrscheinlichkeit aber ein Augenblick Ueberlegung
uns wahrnehmen läßt; eine jede solche Begebenheit kann, wie ich glaube, auf den Namen
des Wunderbaren einen gegründeten Anspruch machen. (436)

Schlegel knüpft damit unmittelbar an die psychologisch-anthropologischen Erklä-
rungen des Wunderbaren bei Bodmer und Breitinger an (das Wunderbare ist eine
»subjektive« Kategorie innerhalb einer »Poetik des Lesens«), hebt aber zugleich
das schon bei den Schweizern enthaltene erkenntnistheoretische Moment noch
stärker hervor. Vergegenwärtigt man sich den Ablauf des Prozesses, den Schlegel
einer Rezeption der Literatur zugrunde legt, lassen sich nämlich zwei Phasen unterscheiden, deren erste man als eine der provozierenden Überraschung (durch ver-
fremdende Wiedergabe und Gestaltung eines »ungewöhnlichen« Sachverhalts) bezeichnen und deren zweite als eine der erklärenden Aufhellung gelten könnte. Bei
der Darstellung »wunderbarer«, d. h. »verfremdeter«, die Erwartung der Leser
überraschender Vorgänge verfolgt der Autor also eine doppelte Tendenz: einmal
sucht er seinen Leser in Erstaunen zu versetzen, indem er dessen Empfindungs-
fähigkeit nutzt und stimuliert, um dann (zweitens) gleich darauf sein intellektuel-
les Vermögen zu befriedigen, indem er dem Leser Aufklärung über das verschafft,

was zwar lange vorher vorbereitet, aber um der Wirkung willen ganz bewußt bis
zu diesem Moment verdeckt worden war:

Kaum [...] hat uns das Wunderbare [...] gerührt; so eilt der Dichter zur näheren Entwicklung ihrer Wahrscheinlichkeit. Er weiß, daß der Leser alsbald darnach begehret, und
daß durch alle Verzögerungen dieser Entwicklung das Wunderbare viel von seinem Werthe
und von seiner Wirkung verlieren würde. [113]

Der Zusammenhang des Wunderbaren und Wahrscheinlichen wird als ein rezep-
tionsästhetisches Konstituens der Dichtung in dem Sinne erklärt, daß der Leser
Anspruch sowohl auf die Befriedigung seiner Sinne als auf die Beförderung seiner
Verstandesfähigkeiten habe. »Aufklärung« bewirkt die Verbindung des Wunderbaren mit dem Wahrscheinlichen im Roman deshalb im psychologisch-erkenntnis-
theoretischen Modell von Affizierung der Sinne und Aktivierung des Verstandes.
John Lockes erkenntnistheoretischer Grundsatz: »Nihil est in intellectu quod non
ante fuerit in sensu« dürfte jenen Sachverhalt auf einen philosophischen Begriff
bringen, zu dessen Evokation für Schlegel das Wunderbare im Roman poetisch in
der Lage ist. Insofern könnte die Bemühung um eine differenzierende Bestimmung
und Analyse des Wunderbaren in der Poetik des 18. Jhs. selbst als ein Moment von
»Aufklärung« angesehen werden. Schlegels Koppelung dieses Problems mit dem
der Romantheorie weist dabei auf die besondere Affinität von Roman und Aufklärung hin.

    Johann Adolf Schlegels Aufwertung der »prosaischen Dichtkunst« im Zeichen
einer beginnenden, praxisorientierten Historisierung der Gattungsnormen und Deduktion eines spezifisch Wunderbaren für den Roman, im Gegensatz zu dem des
Epos, findet noch vor Blanckenburg ein Pendant in der historisch-charakterisieren-
den Erörterung des Romans bei *Christian Heinrich Schmid*. Dessen *Theorie der
Poesie nach den neuesten Grundsätzen* (1767/68) enthält zum ersten Mal in der
deutschen Gattungspoetik des 18. Jhs. Kurzcharakteristiken einzelner Epen und
Romane, die gleichberechtigt nebeneinander in historischer Abfolge kritisch vorgestellt werden. [114] Ch. H. Schmid, dessen Abneigung gegen das Batteuxsche
Gattungssystem gleichzeitig neue Klassifikationsversuche der Dichtung hervorbringt [115], geht bei der Zuordnung von Epos und Roman vom Kriterium der
verschiedenen Wirkungsabsichten aus, indem er die »heroische Epopee« und den
»ernsthaften Roman« unter dem Aspekt des Erregens von »Leidenschaften« und
das komische Epos und den komischen Roman unter dem der »Belustigung« verknüpft:

Die Fabel, welche das Vergnügen über die Entwicklung oder Katastrophe bey Seite gesetzt, nur die Leidenschaften erregt, ist das Wesen der heroischen Epopee, des ernsthaften
Romans im Gegensatz von den komischen Epopeen und Romanen, deren Interesse nur in
der Belustigung besteht. [116]

Romantheoretisch bemerkenswert an dieser Gegenüberstellung ist nicht nur der
vom Endzweck der Dichtung abgeleitete Einteilungsgrund: »Die Fabel soll interes-
sant seyn. Intereßiren heißt Empfindungen erregen, Empfindungen von allen Gra-
den von dem kleinsten bis zu dem höchsten der Leidenschaft« (398), sondern auch

die Tatsache, daß der Roman jetzt ohne Einschränkung entweder den hohen epischen Gattungen oder solchen niederer, komischer Literaturformen zugerechnet wird. [117] Der Roman vermag als gleichwertig-kritikwürdige epische Dichtungsgattung anerkannt zu werden und erhält damit seinen legitimen Platz innerhalb einer historisch-chronologischen Charakterisierung epischer Kunstwerke. Eine die einzelne Dichtung erörternde Nebenordnung löst die traditionelle Unterordnung des Romans unter das (klassische) Epos endgültig ab; die bei Joh. Ad. Schlegel über das spezifisch Wunderbare erreichte Emanzipation des Romans gegenüber dem Heldengedicht erfolgt bei Schmid im Rahmen einer literarhistorischen Standortbestimmung epischer Literaturformen. Im Erscheinungsjahr des *Agathon* nimmt Schmid jene Rechtfertigung des Romans gegenüber dem Epos vorweg, die er sechs Jahre später (und ein Jahr vor Blanckenburgs *Versuch*) im *Teutschen Merkur* (beim Vergleich von Wielands Roman mit Klopstocks *Messias*) so formuliert:

Ich würde dadurch [durch diesen Vergleich] keinesweges profan zu werden fürchten, da im Reiche der poetischen Litteratur der Romanen-Dichter und der epische Sänger gleich ansehnliche Mitbürger sind, [...]. Ja, wenn man zwischen Weltweisheit und Religion jetzt keine so grosse Kluft, wie ehedem, befestigt glaubt: so möchte ein Roman, der Geist und Herzen Nahrung giebt, von der Epopee, die uns zu höhern Betrachtungen hinauf ziehen soll, nicht so sehr weit entfernt seyn. [118]

Bei den von Schmid gegebenen Kurzcharakterisierungen von Romanen im Rahmen des 16. Kapitels: »Von der Epopee« [119] lassen sich deutlich fünf Schwerpunkte ausmachen: antike Romane (Heliodor, Longus); französische höfische und klassische Romane des 17. Jhs.; »neue« französische Romane (Prévost und Marivaux); englische Romane mit eindeutiger Vorrangstellung Richardsons und zeitgenössische deutsche Romane (Gellert, Wieland, Hermes). Auffallend an dieser Gruppierung ist einerseits eine unbefangenere Einstellung zum spätantiken und höfischen Roman und andererseits die bewußte Betonung des »neuen« Romans, als dessen Ausprägungen vor allem Prévosts und Richardsons Werke angesehen werden. Die aus diesen Romanen abgeleiteten romankritischen Maßstäbe bestimmen zwar die Charakterisierung auch historischer Vorformen, sie verstellen aber nicht gänzlich den Blick für eine objektivere Betrachtungsweise. So bemüht sich Schmid sowohl um eine differenzierende Beurteilung des antiken Romans (etwa in der Gegenüberstellung Heliodors mit Longus und dem Hervorheben ihrer Meisterwerke, vor allem Heliodors, gegenüber den übrigen »milesischen Fabeln«), als um eine Abgrenzung des höfischen und arkadischen (hohen) Barockromans [120] vom klassischen Roman der Mme. de Lafayette. [121] Den eigentlichen Einschnitt bedeuten die Werke Prévosts; er gilt als [...]

Stifter von der neuen Epoche von Romanen, die weniger Bewunderung, aber mehr Empfindung erregen. Er ist unerschöpflich in Erfindungen, Meister in Charakteren, tragischen Begebenheiten, und in Erzählung, zuweilen unwahrscheinlich, reich an Betrachtungen. Kein französischer Romanenschreiber harmonirt mehr mit dem Genie der Deutschen, [...]. (421)

Schmid charakterisiert hier sehr präzise einen Wendepunkt der Romangeschichte, von dessen Voraussetzungen aus erst die neuen bürgerlichen Romane eines Richardson und deren immense Wirkung auf den zeitgenössischen und gerade auch deut-

schen Leser möglich ist. Dem postulierten Endzweck, Erregen von Empfindungen
als Vehikel »nachdrücklichster Sittenlehre« [122], entsprechen neue Techniken
der Romanerfindung: Meisterschaft in der Zeichnung von Charakteren, Erforschen
der »verborgensten Regungen ihrer Leidenschaften«, kurz eine »weitgetriebene
Genauigkeit«, die sich nicht mehr bloß mit dem »Abzeichnen« der »Aussenseite«
des Lebens begnügt. [123] Diese bereits bei Prévost und Marivaux angelegten
Intentionen sieht Schmid in Richardsons Romanen vollkommen realisiert; sie stellen jenen Kulminations- und Höhepunkt dar, von dem verbindliche romantheoretische Maßstäbe abgeleitet werden können. Diderots *Éloge de Richardson*
(1761) [124] dient dabei als Basis einer zusammenfassenden Charakterisierung:
Empfindung und Tugend, Leserbezogenheit und Leseraktivierung, bürgerlich-häus-
liche Realitätsnähe (»mannigfaltige Gemälde von dem gewöhnlichen menschlichen
Leben« [432]) und gesellschaftskritisches Engagement (»Für die Unglücklichen
hat Richardson das Herz am meisten einzunehmen gesucht« [433]) sind die
Grundfaktoren eines romantheoretischen Programms, das Richardsons Werke vollkommen erfüllen. Von den hier dominierenden inhaltsbezogenen Kriterien abgesehen (sie werden im abschließenden Kapitel dieser Untersuchungen erörtert), verweist Schmids Vorliebe für die Richardsonschen Romane auch auf deren erzähltheoretische Struktur:

Die Erzählung in Briefen, in der in neuern Zeiten die Romane geschrieben worden, ist ein
Mittelding zwischen der dramatischen und epischen Art zu erzählen. (395)

Schmid bringt jenen poetologischen Sachverhalt auf einen Begriff, der zu den zentralen erzähltheoretischen Implikationen der Briefromanform gehört. Er nimmt
damit Einsichten Johann Jakob Engels vorweg, die dieser in seiner Abhandlung
Ueber Handlung, Gespräch und Erzehlung (1774) [125] im einzelnen ausführt,
und deutet auf wichtige Austauschprozesse zwischen Epos und Drama hin, von
denen im folgenden die Rede sein soll. [126]
    Charakteristisch für die normbildende Bedeutung, die Schmid den Romanen
Richardsons zuteil werden läßt, ist die gegenüber diesen weniger große Resonanz
auf Werke Defoes, Fieldings und Sternes und auf die deutschen Romane. Fielding
und Wieland *(Don Sylvio)* sind im Hinblick auf das cervantische Muster charakterisiert, für Defoe und Sterne reserviert Schmid nur jeweils einen einzigen
Satz [127], und Gellerts Roman *Die Schwedische Gräfin von G****, dessen Lektüre man sich nicht zu schämen brauche (»Danket dem Verfasser vor das, was er
euch gegeben hat, und was er euch hätte geben können« [439]), wird als Vorbereitung »zur Lesung der Richardsonschen Schriften« empfohlen. Als vorbild-
liches Modell und romantheoretischer Zielpunkt übertrifft Richardsons Roman für
Schmid alle anderen historischen und zeitgenössischen Spielarten. In ihm wird jene
romanpraktische Verwirklichung erblickt, von der auch eine dem Epos ebenbürtige
theoretische Ableitung möglich erscheint.

4. Roman und Drama

Es ist eine auffallende Tatsache, daß in dem historischen Augenblick, in dem der Roman auch im Rahmen gattungspoetologischer Überlegungen Gleichrangigkeit mit dem Epos zu beanspruchen beginnt (J. A. Schlegel, Ch. Hch. Schmid) [128], die romantheoretische Reflexion zugleich die Parallelen zwischen Roman und Drama stärker betont. Zwar sind nach der aristotelischen Gattungsbestimmung epische und dramatische Dichtung ohnehin nur aufgrund der Art ihrer Darstellung (Redeverteilungskriterium) unterschieden (insofern als das Epos als »genus mixtum« Personen- und Dichterrede verbindet und das Drama allein aus Personenrede besteht) — während sie sowohl in den Gegenständen (Fabel, Charaktere, Handlungen) als in den Mitteln ihrer Darstellung (Mimesisprinzip) übereinstimmen [129] — jedoch erhält die Parallelisierung zwischen epischer und dramatischer Dichtung unter romantheoretischen Gesichtspunkten seit der Mitte des 18. Jhs. besonderes Gewicht. [130] Davon soll im folgenden die Rede sein, indem sowohl literarhistorische und literaturtheoretische Ursachen einer Affinität von Drama und Roman angedeutet, als auch wichtige Folgen für die romantheoretische Diskussion in Deutschland skizziert werden. [131]

Bei einem historischen Überblick über die romantheoretischen Quellen bis zu Blanckenburgs *Versuch,* die mittelbar oder unmittelbar auf die Parallelen von Drama und Roman hinweisen oder sie andeuten, lassen sich zwei Phasen beobachten. Die erste, in den 40iger Jahren beginnend, ist gekennzeichnet durch eine kaum zu überschätzende Einwirkung der dialogischen Briefwechselromane Samuel Richardsons [132] und die zunehmende Anwendung dramatischer Techniken in den Romanen etwa Marivaux' und Fieldings. [133] Hinzu kommen eine deutliche Vorliebe für dialogische Formen der Literatur überhaupt, ablesbar schon an Shaftesburys *Soliloquy or Advice to an Author* (erste deutsche Übersetzung: 1746) [134], und ein folgenreicher Wandlungsprozeß innerhalb der Brieftheorie (bei Gellert, Schaubert und Stockhausen). [135] Sowohl die Hinwendung zum dialogischen Prinzip als die Wiederaufnahme und Belebung der ursprünglich griechischen Gesprächstheorie in den Briefstellern (1751) wirken auf die zeitgenössische Diskussion der Romantheorie zurück.

Während diese erste Phase schon Grundfragen einer Annäherung von Roman und dialogisch/dramatischen Formen aufwirft, ist die zweite durch eine systematisierende Betrachtung dieser Probleme charakterisiert. Sie setzt zeitlich bereits in den 50iger Jahren des 18. Jhs. ein und hat ihren ersten Schwerpunkt in den 60iger und 70iger Jahren dieses Jahrhunderts. [136] Ausgelöst wird die Diskussion vor allem durch eine umfangreiche Literatur zur Theorie und Praxis des bürgerlichen Trauerspiels, die, vornehmlich mit der Abhandlung *Vom bürgerlichen Trauerspiele* (1755) [137] beginnend, so zentrale literaturtheoretische Arbeiten wie Lessings Briefwechsel mit Mendelssohn und Nicolai über das Trauerspiel (1756/57), Diderots *De la poésie dramatique* (1758) und die *Hamburgische Dramaturgie* (1767/69) umfaßt. [138]

Unmittelbar einsichtig wird die neue Reflexionsstufe einer zweiten Phase dramen- und dialogtheoretischer Einwirkungen auf die Romantheorie vor allem bei Diderot: *Éloge de Richardson* (1761), Henry Home: *Elements of Criticism* (1762/dt.: 1763) und — diese Intentionen aufnehmend — bei J. J. Engel: *Ueber Handlung, Gespräch und Erzehlung* und Fr. v. Blanckenburg: *Versuch über den Roman*. Die beiden zuletzt genannten, 1774 erschienenen deutschen Abhandlungen bemühen sich, sowohl dramentheoretische Elemente (bei Blanckenburg sind es vornehmlich Shakespeares und Lessings Vorbild) für die romantheoretische Diskussion aufzunehmen, als die durch Diderot und Home gewonnenen Einsichten fruchtbar zu machen. Die Romanpraxis spielt dabei stets eine kaum zu überschätzende Rolle: Lassen sich Engels Darlegungen über das dialogische Erzählen im Zusammenhang der Briefromandiskussion analysieren (vgl. den idealtypischen Briefwechselroman Richardsons) [139], verweisen Blanckenburgs Deduktionen auf das Vorbild Fieldings und Wielands und deren dramatisch-dialogische Erzähltechniken.

Vergegenwärtigt man sich die wichtigsten Berührungspunkte, die zwischen dramen und romantheoretischen Bestimmungen vorliegen, lassen sich schon in der ersten Phase im Ansatz eine Reihe wichtiger Faktoren erkennen, die in der zweiten eine genauere Analyse und systematisierende poetologische Reflexion erfahren. Im folgenden wird deshalb versucht, anhand einer Reihe von Texten (vornehmlich Gellerts *Praktischer Abhandlung von dem guten Geschmacke in Briefen,* 1751 [140] und Carl Friedrich Tröltschs Vorrede *Von dem Nuzen der Schauspiels-Regeln bei den Romanen,* 1753) [141], die einer Phase »vorbereitender« Dokumente zugerechnet werden könnten, einzelne Aspekte der Beziehung von Drama und Roman aufzuzeigen und den Zusammenhang mit der späteren, genaueren und ausführlicheren romantheoretischen Reflexion bei Diderot, J. J. Engel und Fr. v. Blanckenburg anzudeuten. [142]

Möglich wird eine intensivere theoretische Orientierung des Romans auch am Drama prinzipiell in dem Augenblick, wo sich streng normierende Gattungssystematisierungen aufzulösen beginnen und poetologische Grenzüberschreitungen einsetzen, die die herkömmlichen Kriterien für eine Zuordnung der Dichtung außer Kraft setzen. [143] Die *Hauptursache* dieses Prozesses, das wurde schon im Zusammenhang mit den romantheoretischen Überlegungen bei den Schweizern und Joh. Ad. Schlegel betont, kann in einer beginnenden Historisierungstendenz und in der *Dominanz des wirkungsästhetischen Interesses* an der Literatur gesehen werden. Diese auf Empfindung (»Rührung«) und Moralität (»Tugend«) zielende Wirkungsabsicht ist es aber gerade, die nach Meinung der zeitgenössischen Theoretiker das Drama am besten und intensivsten erfüllt und aufgrund derer ihm eine exemplarische Rolle zukommen kann. [144] Den Ausgangspunkt für die Parallelisierung von Drama und Roman bilden deshalb auch in der Regel Hinweise auf ihren gemeinsamen Endzweck:

[...] daß die meisten Regeln, welche sich wesentlich auf das Theatralische gründen, hier [beim Roman] nüzlich; diejenige aber, welche ihren Grund in dem gemeinschäftlichen Endzwek allein haben, größtentheils nothwendig sind. [145]

Erfüllen aber beide literarischen Formen in gleicher Weise einen empfindungspsy-
chologisch begründeten, didaktischen Endzweck, muß dem Roman die gleiche Exi-
stenzberechtigung zukommen wie dem angesehenen Drama:

Die Romane haben also mit den Schauspielen einerley Endzweck, und so wenig man diese
verwerfen kann, eben so wenig auch iene als unerlaubt angesehen werden. [146]

Drama und Roman werden hier nicht aufgrund ihrer gattungsspezifischen Ausprägung gerechtfertigt, sondern aufgrund ihres Wirkungsziels und Endzwecks.
Empfindung und didaktische Absicht überspielen Fragen der Gattungsbegrenzung
und rhetorischen Regelhaftigkeit in dem Sinne, wie etwa Gellert praktische Anweisungen für einen neuen Briefstil formuliert:

Wer recht gerührt, recht betrübt, recht froh, recht zärtlich ist, dem verstattet seine Empfindung nicht, an das Sinnreiche, oder an eine methodische Ordnung zu denken. Er beschäfftiget
sich mit nichts, als mit seinem Gegenstande. Von diesem ist er voll, und seine Gedanken
sind geschwinde und abgedrungene Abdrücke seiner Empfindungen. [147]

  Das *Mittel,* mit dem der Dramatiker seine intendierte Wirkungsabsicht am vollkommensten erreicht, ist das der unmittelbaren *Vergegenwärtigung des Geschehens:*

[...] denn was wir selbst sehen, macht einen stärkern Eindruck, als was wir von andern
hören. [...] — Das Gespräch macht einen tiefern Eindruck, als die Erzählung; weil im er-
stern die Personen ihre Gesinnungen selbst ausdrücken, die wir in der letztern erst durch
einen dritten erfahren. [148]

Im Zeichen einer literaturtheoretischen Maxime, wonach »der Dichter Alles was die
Wirkung schwächt, vermeiden, Alles was ihr vorteilhaft ist, aufs sorgfältigste beobachten soll« [149], erhält das ausdrückliche Wiederanknüpfen an die aristotelische Gattungsunterscheidung nach dem Redeverteilungskriterium eine zentrale Bedeutung: Nicht die erzählenden Dichtarten vermögen die wirkungsästhetische Intention am besten zu erfüllen, sondern die dramatisch/dialogischen, weil jene von
Handlungen und Charakteren nur zu berichten, diese sie aber lebendig vorzustellen in der Lage sind. Der epischen Literatur (und also auch dem Roman) muß
deshalb daran gelegen sein, Methoden und Mittel der dramatischen Personenrede,
bzw. des dialogischen Gesprächs, in verstärktem Umfang zu übernehmen, will sie
nicht alle Nachteile der »bloß erzählenden« Dichtung auf sich nehmen. Auch hier
läßt sich unmittelbar an die aristotelischen Bestimmungen über das genus mixtum
des Epos anknüpfen, wenn man die Bedeutung der Autorrede zugunsten der der
Personenrede prononciert einschränkt und die epische Dichtung damit der dramatischen soweit annähert, daß die Grenzen zwischen beiden (wenn man die Frage der
sichtbaren Darbietung auf der Bühne ausklammert) fließend sind.
  Diese Tendenz der Gattungsüberschreitung des »Epischen« zum »Dramatischen«,
die ein Hauptkennzeichen des modernen Erzählens im Roman überhaupt darstellt [150], kündigt sich bereits in den Überlegungen Gellerts und Tröltschs an.
Gellert stellt die Forderung auf:

So [zu] erzählen, daß man die Sache nicht allein versteht, sondern daß man glaubt, sie
selbst zu sehen, und ein Zeuge davon zu seyn, das heißt lebhaft erzählen. Dieses geschieht

durch die kleinen Gemälde, die man im Erzählen von den Umständen, oder Personen, entwirft, insonderheit wenn man die Personen zuweilen selbst reden läßt, und uns dadurch mit ihrem Charakter bekannt macht. [151]

Tröltsch geht unmittelbar vom Gedanken der notwendigen Rührung »des Zuschauers und Lesers« aus:

Man lässet da [im Roman] die Leute gemeiniglich selbst erzehlen, und man kan dabei ofte die lebhaftesten Ausdrüke anwenden. [152]

Vor allem Gellerts Hinweise deuten auf das von ihm gerühmte Vorbild Richardsonschen Brieferzählens, in welchem die briefdialogische Methode des wechselseitigen schriftlichen Gesprächs die Vergegenwärtigung von Handlungsabläufen und psychischen Entwicklungen bewirkt. Zugleich lassen Gellerts Formulierungen jene Fragestellungen anklingen, die bei Home, Engel und Blanckenburg aufgenommen und im einzelnen erörtert werden. Hier sind es vor allem zwei Faktoren, die eine besondere Rolle innerhalb der Entwicklung der Romantheorie spielen: die Frage der »idealen Gegenwart« und deren Zusammenhang mit einem Illusionsbegriff, der die Aufhebung der epischen Distanz als Problem einer zeitgeschichtlichen Genauigkeit, bzw. als das der Darstellung eines prozessualen Werdens begreift

Der *Begriff der »idealen Gegenwart«*, von Henry Home geprägt und ausführlich erläutert [153], von Blanckenburg aufgenommen [154] und J. J. Engel weitergeführt [155], bildet den poetologischen Kernpunkt einer dramatisch-vergegenwärtigenden Dichtung, insofern diese das Ziel verfolgt, Wirkungen beim Leser in einer Intensität hervorzubringen, daß darüber der Mangel konkret-realer Gegenwart vergessen werden kann. Home bemüht sich deshalb, den nach seiner Meinung durch dialogische Techniken der Literatur beim Zuschauer oder Leser erreichbaren Zustand der vollkommenen Illusionierung (er »kann eigentlich ein wachender Traum genannt werden«) [156], von der dem Menschen umgebenden und ihn bestimmenden gegenwärtig-tatsächlichen Realität und »von einer flüchtigen Erinnerung« abzugrenzen. Zwar sei die »ideale Gegenwart« häufig »so schwach, und das Bild so dunkel, daß sie nicht sehr von der nachdenkenden Erinnerung unterschieden« werden könne, aber prinzipiell müsse alle Dichtung darauf angelegt sein, dem Menschen jenen Tagtraum der »idealen Gegenwart« zu schenken, der das Fehlen einer Wirklichkeit des Tatsächlichen zu ersetzen vermöge:

Die ideale Gegenwart ersetzt den Mangel der wirklichen Gegenwart; und in der Idee nehmen wir Personen handelnd oder leidend auf eben die Art wahr, wie bey dem gegenwärtigen Daseyn derselben. [157]

Erfundene Wirklichkeit der Dichtung vermag an die Stelle erlebter Erfahrung zu treten, wenn jene ästhetisch vollkommen vergegenwärtigt ist.

In seinem Aufsatz *Ueber Handlung, Gespräch und Erzehlung* hat J. J. Engel diese Vorstellungen Homes aufgenommen und differenziert, indem er eine, der berichtend-erzählenden Darstellung zugrunde liegende, Vergangenheitsform der Dichtung mit dem Gegenwartscharakter dialogischer Gesprächsformen konfrontiert:

In der Erzehlung ist die Haupthandlung bereits geschehen; in dem Gespräche geschieht sie eben jetzt im gegenwärtigen Augenblicke: [...]. [158]

Obwohl das Geschehen auch der Erzählung in die Gegenwart (des Erzählers) zurückgeholt, d. h. vergegenwärtigt werden muß, lassen sich die »Spuren der Vergangenheit [...] durchaus nicht vertilgen« (232), erst indem der Autor Figuren »selbstredend« einführt, ist »er nicht mehr Erzehler; er wird auf diesen Augenblick *dramatischer* Schriftsteller« (232). Der Erzähler kann »zwar der Gegenwart durch verschiedene Stufen näher rücken« (232), prinzipiell bleibt das Berichtete jedoch »Supposition der Vergangenheit oder Abwesenheit« (146), nicht der Gegenwart wie beim »Dialogisten [...] bey welchem alles Gegenwart, alles jetziger Augenblick ist« (232 f.). Auf diese »Supposition der Gegenwart« [159] kommt es Engel und Home an; allein dialogisch/dramatische Techniken sind in der Lage, dem Leser Erfundenes als wirklich gegenwärtig vorzustellen und jenes »Vergnügen« zu bereiten,

[...] das ein Mensch in einer Träumerey empfindet, wenn er sich selbst vergißt, und ganz mit Ideen beschäfftigt ist, deren Gegenstände er sich als wirklich in seiner Gegenwart existirend vorstellt. [160]

Daß die »*Illusion des Lesers*« (Blanckenburg) [161] — er »verliehrt [...] das Bewußtseyn seiner selbst, und seiner gegenwärtigen Beschäfftigung, des Lesens; jede beschriebene Begebenheit scheint ihm in seiner Gegenwart vorzugehn, [...]« (Home) [162] — nicht allein der formalen Methode dialogisch-dramatischer Techniken überlassen bleibt, kann man vor allem bei Diderot und Blanckenburg in den romantheoretischen Konsequenzen studieren. Dialogische Vergegenwärtigung und vollkommene Illusionierung des Lesers im zeitgenössischen Roman des 18. Jhs. sind vor allem auch deshalb erreichbar, weil sich der Romancier, wie der Autor des bürgerlichen Dramas [163], einmal an die tatsächliche, vornehmlich »häusliche« Realität seiner Gegenwart hält (Diderot über Richardson) [164], und zum anderen »mögliche Menschen der wirklichen Welt« (= »Handlungen und Empfindungen der [zeitgenössischen] Menschen«) nicht in statischen Fixierungen beschreibt, sondern im Prozeß des »Werdens« darstellt (Blanckenburg). [165] Während Diderots *Éloge de Richardson* einen Illusionsbegriff sichtbar werden läßt, der auf der vollkommenen Täuschung durch die genaue Wiedergabe alltäglicher, dem Leser vertrauter Wirklichkeit, auch im Detail, beruht:

Le monde où nous vivons est le lieu de la scène; le fond de son [Richardsons] drame est vrai; ses personnages ont toute la réalité possible; ses caractères sont pris du milieu de la société; [...] les passions qu'il peint sont telles que je les éprouve en moi; [...] il me montre le cours général du chose qui m'environnent. [166] —

verweist Blanckenburgs *Versuch,* neben der Aufforderung, »eine Erzählung in Handlung zu verwandeln« (S. 494), vornehmlich auf das Mittel zur »Illusion des Lesers« in der Vorführung einer kausalgenetisch begründeten Geschichte eines »ganzen werdenden Menschen« (S. 519). Sucht Diderot die epische Distanz aufzuheben in einem Aktualismus realistischer Gegenwartsannäherung, sieht Blanckenburg Möglichkeiten der illusionierenden, den Leser zur »Teilnehmung« anregenden Vergegenwärtigung vor allem im präzisen Zeigen des »ganzen Seyns« (S. 259) von Charakteren aufgrund ihrer stufenweisen Entwicklung:

Der Dichter wähle seine Personen, aus welcher Classe er wolle; — er führe uns von der Wiege des Helden, bis zu seiner fertigen Ausbildung, wie Fielding; oder bringe einen Theil dieser Begebenheiten, wie Wieland, in Erzählung; — er zeige uns einen ganzen werdenden Menschen; oder nehme ihn, so zu sagen, bey einer gewissen Periode, in einem gewissen innern Zustande, auf, um ihn in einen andern zu bringen: ich glaube, daß er den Leser immer gleich angenehm unterhalten wird. (S. 519 f.)

Die Parallelen zwischen dramen- und romantheoretischen Bestimmungen, die unter dem Gesichtspunkt der kausalen Motivation, bzw. eines kausalgenetischen Werdens vor allem bei Blanckenburg zu beobachten sind, spielen auch schon bei Gellert und Tröltsch eine gewisse Rolle. Was in diesen Texten unter der ausdrücklich betonten Fragestellung einer Beziehung von Brief, bzw. Drama und Roman formuliert wird, findet sich allerdings ausführlicher dargelegt in anderen romantheoretischen Überlegungen vor Blanckenburg, von denen im abschließenden Kapitel unter dem Aspekt der ästhetischen Konsistenzbildung im Roman gesprochen werden soll. Um Wiederholungen zu vermeiden, sei deshalb an dieser Stelle lediglich auf zwei Passagen bei Gellert und Tröltsch und eine Richardson-Rezension aus dem Jahre 1749 verwiesen, die (bei einem brief- bzw. dramentheoretischen Ausgangspunkt) auch die romantheoretische Aktualität sichtbar werden lassen.

Gellert erläutert die Notwendigkeit eines kausal motivierten Erzählens im Zusammenhang seiner Brieftheorie:

Wenn man nichts sagen will, als daß heute dieser Fall, morgen ein andrer sich zugetragen hat: so wird freylich nichts leichter seyn. Aber dieses heißt eine Sache nur erwähnen, und nicht erzählen. Wir wollen nicht bloß wissen, was vorgegangen ist, sondern oft auch, *wie es erfolgt ist*. Wir wollen eine Sache in den Umständen wissen, durch die sie eine Begebenheit geworden ist. [167]

Die detaillierte Genauigkeit in der Schilderung innerer Motive und äußerer Handlungsabläufe wird später von J. J. Engel als ein entscheidendes Charakteristikum der dialogischen gegenüber der berichtend-erzählenden Form hervorgehoben. Während der bloße Erzähler »die Freyheit [hat], bald größere, bald kleinere Sprünge zu thun, [...] sobald nehmlich [...] nichts wesentlich zur Handlung Gehöriges vorgeht«, hat das »Gespräch, das die gegenwärtige Handlung selbst enthält, [...] diese Freyheit des Ueberhüpfens nicht, sondern muß solange es fortdauert, Punkt vor Punkt, Moment vor Moment ununterbrochen durchgehn«. [168] Zwar werden auch dem Dramatiker gewisse Freiheiten im Spielraum der poetischen Organisation zugebilligt — prinzipiell jedoch verlangt Engel eine lückenlose Kausalkette und eine Motivation Augenblick für Augenblick.

Carl Friedrich Tröltsch begründet, von den »Schauspiels-Regeln« ausgehend, den Nutzen einer stufenweisen Charakterentwicklung vornehmlich mit leserpsychologischen Argumenten:

In Romanen erfordert es ohnehin manchmal die Geschichte, daß man seine Helden nicht auf einmal gros werden lässet, sondern man lässet sie durch gute Anweisung und Erfahrung erst zur Reife kommen. Dabei denn die Schwachheiten die sie begehen, dem Leser nützlich sind, und der Hochachtung gegen die Haupt-Personen keinen Abbruch thun. Und wenn sie Laster begehen, so kan man ihnen dadurch helfen, daß sie blos dabei unglüklich sind, wie etwa Oedipus war, dadurch denn der Leser seinem Helden gewogen bleibet. [169]

Daß es Tröltsch noch nicht um die individuelle Entwicklungsfähigkeit eines Charakters, sondern in erster Linie um den didaktischen Nützlichkeitseffekt beim Leser geht, zeigt sein Hinweis auf die Notwendigkeit »vollkommener«, d. h. typenhafter Charaktere. Vom Gedanken eines »ganzen werdenden Menschen« (Blanckenburg) und der Forderung, den individuellen Zustand der menschlichen Seele »im genauen Zusammenhang aller in ihr vorgehenden Veränderungen« (Engel) zu vergegenwärtigen, bleibt Tröltsch (bei einer vom Moralischen her überakzentuierten Gellert- und Richardson-Interpretation, deren Romane er zum Vorbild nimmt), durch das starre Festhalten am Tugend-Laster-Schema getrennt. [170]

Daß aber gerade Richardsons Romane zum Ausgangspunkt einer individualpsychologischen Betrachtungsweise unter dem Aspekt der Gegenüberstellung von Drama und Roman noch vor Engel und Blanckenburg dienen konnten, beweist eine Rezension der *Clarissa* in den (Zürcher) *Freymüthigen Nachrichten von Neuen Büchern* (1749). [171] Dort wird zunächst vor allem Richardsons poetisches Vermögen gerühmt,

[...] die Entwicklung [!] und Ausbreitung der Charakter, und zwar so vieler und so verschiedener Charakter biß zu den besondersten und kleinsten Aestgen ausgeführet [... zu haben], ohne daß er einen solchen in dem geringsten Gedanken, ja in dem unerheblichsten Ausdruck aus der Acht gesetzet, oder verfehlet habe. Mir ist kein schöpfender Kopf von den Romanschreibern bekannt, der sich mit solchem gegründeten Vertrauen auf seine Kräfte, und solchem glücklichen Fortgange dergestalt auf die dünnesten Zweige der Charakter gewaget habe. (S. 107)

Darauf folgt eine Gegenüberstellung mit den Möglichkeiten im Drama, wobei der Rezensent, Blanckenburgs Unterscheidung unmittelbar vorwegnehmend, dem Roman unter dem Gesichtspunkt der psychologischen Charakterschilderung den Vorzug gibt:

Die Verfasser der Comödien selbst haben dieses nicht in einer so langen, und genauen Folge gethan. Sie haben es auch in dem Drama nicht auf eine so natürliche Weise thun können; und die lauten Monologen, in welchen sie gewohnt sind uns die absonderlichsten Winkel eines Herzens zu offenbaren, sind etwas sehr gezwungenes gegen den Briefen, in welchen Pamela und Clarissa ihr Herz ausschütten, und die sie um eine Zeit schrieben, da das ganze Gemüthe auf die vorschwebende Sache gerichtet war. (S. 107)

Da jeder Brief »eine eigene absonderliche Verfassung des Herzens in sich« enthalte,

[...] bekommen wir in einer Reihe von solchen Briefen die ganze ausführliche Geschicht eines Herzens, welche so viel Neuigkeiten und Wendungen in sich fasset, als die äusserlichen Fälle und Begebenheiten, die dazu Anlaß gegeben haben; sie führen auch denselben Reitz mit sich, der nur feiner ist. (S. 107)

Zwar übernimmt Blanckenburgs *Versuch* nicht die hier artikulierte Vorliebe für den *Brief*roman [172], aber seine Kontrastierung des Schauspiels mit dem Roman [173] stimmt mit den kritischen Differenzierungen des Zürcher Rezensenten überein:

Hierinn liegt [...] der eigentliche Unterschied zwischen Drama und Roman. So wie jenes die Personen braucht, damit eine Begebenheit ihr Daseyn erhalte, weil, wenn wir Shake-

spears historische Schauspiele ausnehmen, nur *eine* Begebenheit der eigentliche Innhalt desselben ist, eben so hat der Roman mehrere und besondere Begebenheit [...] mit einander
zu verbinden; und diese Verbindung kann nun nicht anders, als natürlich durch die Formung und Ausbildung, oder *innre* Geschichte eines Charakters erhalten werden. [174]

Für den Zürcher Rezensenten (1749) ebenso wie für Blanckenburg (1774) ist der
Roman das geeignetere (»eigenthümliche«) poetische Medium, »die Veränderung
des innern Zustandes« von Personen darzustellen [175], als das Drama, dessen
Autor weder »Zeit noch Raum [hat], uns auf diese Art zu unterhalten«. [176]

   Die Parallelisierung und Annäherung von Drama und Roman verweist also bereits vor Blanckenburg zugleich auch auf eine ebenso notwendige literaturtheoretische Differenzierung, die, in den siebziger Jahren eingeleitet, in Deutschland einen
Höhepunkt findet in Goethes und Schillers Bestimmung des Epischen und Dramatischen.

IX. Spannungen im Begriff und in der Konzeption des
bürgerlichen Romans bis zu Blanckenburgs
»Versuch über den Roman«

Die Geschichte der Romantheorie im 18. Jh. bis zu Blanckenburgs *Versuch* ist
einerseits gekennzeichnet durch das Bemühen um eine gattungspoetologische Abgrenzung und Zuordnung der neuen literarischen Form und andererseits durch
perspektivenreiche Versuche einer struktur- und inhaltsbezogenen ästhetischen
Selbstvergewisserung. Während gattungstheoretische Fragen, wie gezeigt wurde,
vornehmlich und verständlicherweise in den Ästhetiken und Poetiken diskutiert
werden, verweisen stärker praxisorientierte Zeugnisse (Rezensionen und Zeit-
schriftenaufsätze, Romanvorreden und eingefügte theoretische Texte in den Romanen selbst) hauptsächlich auf strukturelle und inhaltliche Bestimmungen und
wirkungsästhetische Absichten des Romans. [1] Der Zusammenhang einer vornehmlich gattungstheoretischen Betrachtungsweise mit Fragen, die zentrale Aspekte
des bürgerlichen Romans selbst betreffen, wird vor allem in dem Bereich sichtbar,
in dem theoretische Texte die Beziehung von Drama und Roman thematisieren.
Daher kamen im letzten Kapitel schon eine Reihe von Gesichtspunkten zur Sprache, auf die unter anderen Fragestellungen nun zurückzukommen ist und die im
folgenden entfaltet werden sollen. Dazu gehören das Kausalitätsproblem im Roman, die Frage seiner tendenziellen Neigung zur Verinnerlichung (innere Geschichte des Werdens und ihre dominierende Wirkungsabsicht) und das Problem
einer aktuellen Zeitgemäßheit, unmittelbar parallel zur Theorie und Praxis des
bürgerlichen Dramas. Eine genauere Untersuchung romantheoretischer und roman-
kritischer Zeugnisse vor Blanckenburg klärt darüber hinaus den eigentümlichen
Stellenwert, der diesen Aspekten im Horizont einer ästhetischen Emanzipation des
Romans zukommt, und den Zusammenhang mit umfassenderen Perspektiven, die
zugleich antinomische Züge aufweisen. Dabei handelt es sich vornehmlich um drei
Hauptproblemkreise, die im folgenden erörtert werden sollen: erstens, die Frage
der »Privatheit« des bürgerlichen Romans als Darstellung häuslich-familiärer
Realität ohne Beschränkung auf die Thematisierung *einer* sozialen Schicht (des
Bürgertums).

Zweitens, das Problem einer ästhetischen Konsistenzbildung aufgrund der Kausalitätsforderung, dem jedoch gleichzeitig die noch immer virulente Rolle des Zufalls zu widersprechen scheint; außerdem: die Konfrontation des Kausalitätsprinzips mit einem pragmatisch-applikativen Anspruch (der Roman als Zweckform)
und mit der auf Harmonie abzielenden Forderung nach einer dichterischen Theodizee auf der Grundlage einer final gerichteten Perfektibilitätsvorstellung.

Drittens, die Beziehung von Empfindsamkeit und Moral, wobei Emotionalität
als Bedingung moralischer Aufklärung angesehen wird, aber eine streng nor-

mierte (»bürgerliche«) Moral- und Denkhaltung in dem Augenblick sprengen muß, wo bürgerlich-pragmatische Tugenden des Erhaltens und Bewahrens mit Forderungen einer empfindsamen Moral (die nach absoluter Verwirklichung drängt), nicht mehr zur Deckung gebracht werden können. [2]

1. Der Roman als Geschichte von Privatbegebenheiten

Die Entstehung eines neuen »bürgerlichen« Romans als »poetisch-prosaische Erzählung von neuen, ungewöhnlichen und lehrreichen Handlungen und Schicksalen eines Menschen *als eine Privatperson betrachtet«* [3], korrespondiert mit der historischen Entwicklung einer vornehmlich von der wohlhabenden bürgerlichen »middle class« geprägten Gesellschaft, wie sie vor allem in den letzten Jahrzehnten des 17. und in der ersten Hälfte des 18. Jhs. in England entsteht. [4] Die als Pendant zur politischen Obrigkeit und repräsentativen Öffentlichkeit seit der Glorious Revolution sich herausbildende Gesellschaftsschicht des mittleren Bürgertums ist gekennzeichnet durch ihre ökonomische Komponente (ohne diese ist eine Heraufkunft der vornehmlich vom Kaufmannsbürgertum bestimmten sozialen Schicht undenkbar) und andererseits durch eine Tendenz zur Privatisierung im Bereich der Familie. [5] Der bürgerlich-»private Innenraum«, darauf haben besonders R. Koselleck, H. Arendt und J. Habermas [6] hingewiesen, kann sich im Gegenentwurf zu einer zunächst noch von der Macht des höfischen Adels kontrollierten politischen Sphäre und im Schutz eines absoluten Souveräns konstituieren und schafft erst die Voraussetzungen für eine aufklärende »moralische« und psychologische Selbstverständigung bürgerlicher Privatleute jenseits der Sphäre öffentlicher Gewalt (Staat und Hof). [7] Zu den Mitteln wechselseitiger Selbstaufklärung gehört vornehmlich das Lesen und eine Verständigung über das Gelesene, so daß das neue und erweiterte bürgerliche Publikum zugleich ein Lese- und Diskussionspublikum darstellt. [8]

Daß das Lesen vorzüglich jener familiären Privatsphäre zugehört, die, abgeschirmt vom gesellschaftlich-öffentlichen Bereich, der Ort primärer psychologischer und moralischer Selbstvergewisserung ist, bestätigen die Moralischen Wochenschriften, denen eine entscheidende Bedeutung für die Vorbereitung des neuen Romans sowohl im Hinblick auf die Ausbildung fiktiver Vorformen als im Blick auf die unmittelbare Beziehung zum neuen Lesepublikum zukommt. [9] Über das Lesen im allgemeinen und im besondern von Romanen heißt es beispielsweise 1751 in der deutschen Moralischen Wochenschrift *Der Mensch:*

Das Hören geschiehet in Gesellschaft, das Lesen aber wird am besten in der Einsamkeit verrichtet. [...] Ein Leser muß mit Verstand und Nachdenken lesen. Wer die Augen des Gemüths nicht mit anwendet, hat noch nicht lesen gelernet. Das Lesen ist der nützlichste Zeitvertreib und das wichtigste Geschäft, das wir uns in der Einsamkeit auflegen können. [10]

Lesen bedeutet also keine bloß passive Rezeption, sondern ist vornehmstes Mittel einer Aktivierung jener Gemüts- und Verstandeskräfte, deren es zur individuellen Selbstverständigung im Privatleben bedarf.

Der neue (Familien)roman eines Samuel Richardson kommt den Bedürfnissen dieses Publikums von Privatleuten nicht nur entgegen, indem er es unter bürgerlich-moralischen Gesichtspunkten selbstthematisierend vergegenwärtigt, sondern bestätigt es darüber hinaus in seiner Tendenz, sich gegenüber einer höfisch-»repräsentativen« Öffentlichkeit abzuheben und eine neue moralisch artikulierte, bürgerliche »Privatheit« zu setzen. Seine spätere politische Vormachtstellung antizipiert das Bürgertum in einer Usurpation des Moralischen. [11] Welche Implikationen und Spannungen dem bürgerlichen Moralbegriff zugrunde liegen, wird im dritten Teil dieses Kapitels zu erörtern sein, vorweg sei an dieser Stelle jedoch einerseits auf den Absolutheitsanspruch hingewiesen, mit dem bürgerliche Tugendpostulate formuliert sind, d. h. sie erklären ihre Allgemeingültigkeit auch für die nicht-bürgerlichen, oberen Stände (vgl. in diesem Zusammenhang die zentrale Frage einer »Verbürgerlichung« der englischen Gentry bzw. des deutschen Landadels), und zum andern auf die generelle Tendenz, den bürgerlichen Tugendbegriff als Oppositionsinstrument gegenüber höfischen und »politischen« Wertvorstellungen einzusetzen, womit nicht nur das Hofleben selbst getroffen werden soll, sondern ganz allgemein jene am »Politischen« sich orientierenden Normen, die auch das höhere (Beamten-)Bürgertum im Dienste des Absolutismus in einer ersten Phase seiner Emanzipation notwendig übernimmt (vgl. in Deutschland bei Weise und Thomasius).

Der als verbindlich auftretende Absolutheitsanspruch und die anti-»politische«, oppositionelle Tendenz verleihen dem bürgerlichen Moralbegriff vor allem ihren kennzeichnenden Charakter, wie er auch in den Romanen Richardsons ausgeprägt ist. Eine neue Leserschicht von Privatleuten vermag sich in den Verhaltensweisen und Charakteren des neuen »moralischen Romans« [12] ebenso wiederzuerkennen und selbst zu bestätigen, wie eine exklusive, höfisch repräsentative Führungsund Gesellschaftsschicht sich in den nicht-privaten, politisch-»öffentlichen« Figuren und Wertvorstellungen eines höfisch-historischen (heroischen) Romans verschlüsselnd und verrätselnd spiegeln konnte.

Romantheoretische Texte heben deshalb auch in Deutschland in unmittelbarem Reflex auf die Richardsonschen Romane [13] vor allem den Gegensatz zwischen dem alten (»heroischen«) und neuen (»privaten«) Roman schon in den 40iger und 50iger Jahren dezidiert hervor, also über zwei Jahrzehnte früher bevor Blanckenburg den bürgerlichen Roman (»Handlungen und Empfindungen des Menschen«) dem Heldengedicht (»öffentliche Thaten und Begebenheiten«) [14] gegenüberstellt und damit die seit Richardson romantheoretisch virulente Polarität von »öffentlichem« epischen Gedicht (heroische Gattung) und »privatem« epischen Genre (»bürgerlicher« Roman) systematisierend übernimmt. [15] An zwei sehr allgemein gehaltenen rezensierenden Zeugnissen mag dieser Gegensatz verdeutlicht und zugleich der romantheoretische Anspruch auf Verbindlichkeit des neuen Ro-

mans als »Geschichte von Privatbegebenheiten« schon in der Mitte des 18. Jhs. in
Deutschland veranschaulicht werden. Der erste Text entstammt dem zweiten Band
der *Critischen Nachrichten* Johann Carl Dähnerts aus dem Jahre 1751. [16]
Über die Romane *Pamela* und *Clarissa* heißt es dort:

Sie haben die kleinen Begebenheiten der Menschen in der Welt, wo nicht zu einem wirklichen Gegenstand, doch zu einem Muster ihrer Bilder. Sind von denen aber die Bilder ver-
ächtlicher oder unerträglicher als von den Grossen? Müssen es lauter Regenten, Minister
oder Helden seyn, die uns als tugendhaft und lasterhaft vorgestellet werden, von denen
wir Exempel nehmen oder an denen wir uns spiegeln? [...] Sie [die Verfasser der neuen
Romane] [...] haben ein wirkliches Verdienst, daß sie sich zu den täglichen und kleinen
Begebenheiten und Aufführung allerley Arten von Menschen herunter lassen, und Tugenden und Laster in ihrer Gestallt und Wirkungen darstellen, die wir im gemeinen Leben
zwar erfahren aber übersehen, oder nicht recht sehen, oder ohne Ueberlegungen dahin
gehen lassen [...]. Vielleicht ist der Vortheil der Nachwelt aufbehalten, daß man die *Geschichte von Privatpersonen*, von ihren Tugenden und Lastern bekannt machen darf, ohne
ihnen eine Larve vorzuhängen. [71]

Die entscheidenden Charakteristika des neuen Romans als »Geschichte von Privat-
personen« sind in dieser Textpassage unter soziologischem, psychologischem und
moralisch-didaktischem Aspekt hervorgehoben: Auf der Basis eines nicht diskutier-
ten, feststehenden Tugendbegriffs werden Romane als Hand- und Lehrbücher der
Moral ausgewiesen [18], die den Dualismus von »Tugend und Laster« im »gemeinen Leben« thematisieren und dem Leser in jenem Bereich bewußtmachen,
dem er unmittelbar zugehört. Hier sind Identifikationen fiktiver Romankonstella-
tionen mit gesellschaftlicher Lebenspraxis möglich, weil der Roman auf die Darstellung eines heroischen Milieus und »politischen« Wertsystems verzichtet und sich
statt dessen der »alltäglichen« Wirklichkeit zuwendet. Deutlich wird dies in der
steten Wiederholung des Gegensatzes zwischen jenen (vor allem französischen) Romanen, die kein unmittelbares Erschließen durch den zeitgenössischen Leser erlauben und den Romanen Richardsons, die eben dadurch ausgezeichnet sind, so wie
es Albrecht v. Haller exemplarisch formuliert:

Die französischen Romanen, die den meisten Beyfall gefunden haben, stellen überhaupt die
Thaten grosser Leute vor, sie unterlassen gänzlich in das gemeine Leben einzutreten, und
führen blosse Helden auf, die weder unsere Bedürfnisse, noch unsere Lebensart, noch unsere Tugenden, noch unsere Laster haben. Die Eigenschaften, die man diesen Helden zuschreibt, gehen fast einzig nur auf die Tapferkeit, manchmal auf die Großmuth, und am
allermeisten auf eine Beständigkeit und eine Ergebenheit gegen ein Frauenzimmer, die die
Helden aufs äusserste verkleinert [...]. Die Liebe herrschet so allmächtig in allen Schriften
der Franzosen, daß es scheint, sie kennen neben ihr keine andern Tugenden. [19]

Bezeichnenderweise wird auch in diesem Text die Grenze zwischen altem und
neuem Roman durch einen pointiert hervorgehobenen Gegensatz ihres Milieus und
ihrer unterschiedlichen Tugendvorstellungen markiert. Höfische Liebe und helden-
hafte Tapferkeit charakterisieren jene heroisch-galanten Werke, die einem an bürgerlichen Leitbegriffen orientierten Publikum (»Pflichten der Haushaltung, [...]
Pflichten bey der Auferziehung der Kinder, [...] Beschäftigungen [...], die die
Tage und das Leben einer Person von Verdienst erfüllen sollen«) [20] fremd und

unzugänglich sein müssen. Eine mögliche anteilnehmende Identifikation des Lesers mit dem Gelesenen gilt jedoch als Grundbedingung des guten neuen Romans, dessen Korrespondenz mit dem zeitgenössischen Leser und seinen Erwartungen von den romantheoretischen Zeugnissen in den Mittelpunkt der Überlegungen gerückt wird:

> Wir sehen eine tugendhafte Person [heißt es über die *Clarissa*], die mit uns von gleichem Stande ist, wir sehen sie mit der erhabensten Reinigkeit des Herzens und einer verwunderungswürdigen Beständigkeit leiden. Die Unglücksfälle einer Ariane bewegen mich nicht, daß Schicksal einer Prinzeßinn von Cleve rührt mich gar nicht. Die Personen sind zu weit von mir entfernt, ihre Unfälle stehen in keiner Verhältniß mit denen, die mir selbst wiederfahren können, sie entstehen großen theils aus strafbarer Liebe, ich empfinde, daß ich eine Fabel lese, und sogleich hört alle Rührung bei mir auf. [21]

Die Thematisierung wirkungsästhetischer Fragen und die detaillierte Beschäftigung mit Problemen der Lesererwartung und Leserverständigung charakterisieren die Bedeutung, die dem Roman als Mittel einer »moralischen« Selbstaufklärung im gesellschaftlichen Kontext zugemessen wird. Schon 1744 heißt es dazu in einer zentralen deutschen romantheoretischen Abhandlung *(Einige Gedanken und Regeln von den deutschen Romanen)* in den Greifswalder *Critischen Versuchen:* Der Romanautor

> [...] setzet die Leser in gleiche Gemütsbeschaffenheiten darinnen er seine Personen fürgestellet hat. [...] Sie [die Leser] setzen sich in ihren Gedanken an die Stelle der aufgeführten Person, sie sehen derselben Glück und Unglück als das ihrige an, und werden mit ihr zornig, betrübt und freudig. Alsdenn kann sehr leicht der Endzweck der Romane erhalten werden. Der Leser hat schon mit der aufgeführten Person eine gemeinschaftliche Sache gemachet; [...]. Sollte aber nicht die gleichsam unter ihnen aufgerichtete Freundschaft den Leser bewegen, seinem tugendhaften Freunde ähnlich zu werden? Und sollte nicht dadurch bey ihm die Tugend beliebt, und das Laster verhaßt gemachet werden? [22]

Das traditionelle Tugend-Laster-Schema wird hier im Zeichen einer Neudefinition des Moralbegriffs (häuslich-private, statt öffentlich-politische Tugenden) zum Instrument aufklärender Selbstverständigung und Selbstbestätigung, indem der Roman unmittelbare Leseridentifikationen und Leseraktivierungen ermöglicht. [23]

Vergegenwärtigt man sich zusammenfassend die bei Dähnert, Haller und in den *Critischen Versuchen* schon in den 40iger und 50iger Jahren in Deutschland theoretisch formulierten Leitlinien des neuen weitgehend an Richardsons Vorbild orientierten Romans (Darstellung des zeitgenössischen »gemeinen Lebens« im Gegensatz zum verschlüsselten Heldenleben, künstlerische Präsentation »privater« statt »öffentlicher« Tugenden und damit Möglichkeiten der unmittelbaren und aktivierenden Leseridentifikationen, Rezeption in der Privatheit und intentionales Erkenntnisinteresse am »menschlichen Herzen«) wird deutlich, daß auch die deutsche Romantheorie die von der Praxis des englischen Familienromans ausgehenden poetologischen Impulse aufnimmt, noch bevor Diderots *Éloge de Richardson* (1762) und Blanckenburgs *Versuch* (1774) diese Tendenzen in ihre romantheoretischen Reflexionen, bzw. Systematisierungen aufnehmen und weiterführen.

Dies gilt (im Hinblick auf Blanckenburg) auch für jene neben dem psychologisch-sentimentalen [24] Roman Richardsons zweite Spielart des neuen Romans wie sie

durch Fielding begründet und theoretisch reflektiert wird, für das komische Prosaepos (»comic epic poem in prose«). Fieldings Romanpraxis und -theorie, letztere
vor allem in der Vorrede zum *Joseph Andrews* (1742) [25] zusammenfassend
formuliert, bilden den zweiten Traditionsstrang, der sich pointiert von dem des
»alten« heroischen Romans abzuheben sucht. Das geschieht, im Unterschied zu
Richardson, in der Berufung auf die dem hohen Roman gegenüber konträre und
seit jeher oppositionelle Ausprägung des roman comique; Scarrons gleichnamigen
Roman, Le Sages *Gil Blas* und Marivaux' *Paysan parvenu* bezeichnet Fielding
selbst als seine Vorbilder. [26] Dabei möchte er aber seinen Typus des Romans
streng von der Burleske unterschieden wissen, die nur Sinnwidriges und Absurdes
darstelle und deren Charaktere bloßen Karikaturen zu vergleichen seien im Unterschied zu einer »comic romance« seiner Vorstellung, welche sich präzise an die
»Natur« zu halten habe: »where the characters and sentiments are perfectly na-
tural«. [27] Fieldings Postulat der Naturwahrheit [28] und einer genauen, unvoreingenommenen Darstellung psychologischer und gesellschaftlicher Sachverhalte
im Roman wird nun allerdings nicht nur polemisch gegen den heroisch-galanten
Roman (»[...] those voluminous works, commonly called Romances, namely,
Clelia, Cleopatra, Astraea, Cassandra, the Grand Cyrus and inumerable
others [...]«) [29] gewendet, sondern gleichzeitig gegen die Idealisierungsten-
denzen seines großen Konkurrenten Richardson. [30] Mit einzelnen Aspekten des
Fieldingschen Naturbegriffs (Kausalität und Pragmatismus), die auch in der deutschen Romantheorie eine entscheidende Rolle spielen, wird sich der folgende Abschnitt beschäftigen — unter dem Gesichtspunkt einer Theorie des bürgerlichen Romans als »Geschichte von Privatpersonen« in Deutschland bleibt hier der parallel
zu Richardson formulierte neue Romanbegriff zu beachten, der, im Unterschied
zum hohen Roman, »die Gebräuche, die Tugenden und Laster, die Lebensart der
Engländer in der Stadt und auf dem Lande« thematisiert. [31] Fielding wird in
deutschen Rezensionen seiner Romane als ein »Muster« bezeichnet,

[...] nicht nur überhaupt in dieser Art zu schreiben, sondern auch in der Kenntniß des
menschlichen Herzens. Es erhellet solches vornehmlich aus den manchen verschiedenen Characteren derer Personen, die er in diesem Werke [*Amelia*] auftreten läßt, die alle so mei-
sterlich und natürlich getroffen sind, als wenn sie nach dem Leben geschildert
wären. [32]

Bemerkenswert und charakteristisch für die Geschichte der Romantheorie in
Deutschland erscheint mir, daß vor allem von Fieldings Roman*praxis* theoriebildende und theorieleitende Impulse ausgehen, jedoch weniger von seiner Poetik des
»comic epic poem in prose« in der *Joseph Andrews*-Vorrede. Fieldings Postulat
der Naturwahrheit, sein an der Wirklichkeit des zeitgenössischen England orientierter Realitätsbegriff, die Schilderung privater Familienangelegenheiten im Spiegel von Ereignissen, die auch die innere Geschichte von Figuren sichtbar werden
lassen, dienen jenen Theoretikern und Kritikern des Romans in Deutschland zum
Vorbild, die — wie das Romangespräch im XII. Brief von Johann Timotheus
Hermes' *Sophiens Reise von Memel nach Sachsen* zeigt — auf der Suche nach einem
deutschen »Originalroman« sind. [33] Daß dagegen Fieldings Theorie des komi-

schen Prosaepos in der Tradition des Cervantes und des französischen roman comique zumindest in der maßgeblichen deutschen Romandiskussion geringere Auswirkungen zeitigt, beweist vor allem Blanckenburgs *Versuch*, dessen entscheidende Positionen zwar von Fieldings (und Wielands) Romankunst geprägt sind, der aber gänzlich auf die theoretische Reflexion und Erörterung komisch-satirischer Spielarten des Romans verzichtet und seine Theorie des Romans unter dem (einseitigen) Aspekt der *»inneren* Geschichte eines Charakters« entfaltet. [34]

Die neuen Werke der Erzählkunst, so hat Samuel Johnson die epischen Tendenzen in der Mitte des 18. Jhs. charakterisiert (und damit auf die prinzipiellen Parallelen zwischen dem psychologisch-sentimentalen Romantyp eines Richardson und dem komischen eines Fielding hingewiesen), sind dadurch gekennzeichnet, daß sie das Leben — im Unterschied zu den »heroic romances« — »nach seinen wahren Verhältnissen darstellen, unterschieden nur durch Vorfälle, wie sie täglich auf der Welt sich ereignen, und bewegt von Leidenschaften und Eigentümlichkeiten, welche wirklich im Umgang mit den Menschen zu finden sind«. [35] Daneben, und dies scheint der wichtigste gemeinsame Aspekt des neuen Romans zu sein, können Fieldings Romane, ebenso wie die eines Richardson (oder Sterne und Goldsmith), bzw. ihrer deutschen Nachfolger Gellert, Sophie La Roche oder Hermes als »familiar histories« (S. Johnson) gelten, die eben darin die Welt des »gemeinen« Alltags spiegeln.

Zu klären bleibt die Frage, ob und in welcher Weise dieser »Privat«- und Familienroman auch als »bürgerlicher« Roman bezeichnet werden kann. Widerspricht dem nicht, daß, mit Richardson beginnend, die Romane aller hier genannten Autoren keineswegs nur im bürgerlichen Milieu als einer festumrissenen sozialen Schicht spielen, sondern weitgehend in der der englischen Gentry, bzw. des deutschen Landadels? [36]

Versucht man, die Frage des Romanmilieus und ihres Personals aufgrund romantheoretischer Aussagen in Deutschland genauer zu klären, stößt man, parallel zur Theorie des bürgerlichen Trauerspiels, auf den Begriff des »Mittelstandes«, bzw. der »mittleren Stände«, worunter keine abgeschlossene einheitliche Schicht oder Klasse (etwa »des Bürgertums«), sondern eine Gruppe verschiedener gesellschaftlicher Stände und Schichten zwischen hohem Adel und unterprivilegiertem Volk (»Pöbel«) zu verstehen ist. [37] Für den neuen »bürgerlichen« Roman dürfte deshalb eine ähnliche Abgrenzung und Zuordnung gelten, wie sie Gottsched für die Personen im bürgerlichen Drama vornimmt. Er stellt den »Fürsten und Helden« (die »vornehmste Classe der Menschen« bilden »Könige und Fürsten«) »Edle und Bürger« gegenüber. [38] »Bürger, oder doch Leute von mäßigem Stande« (das sind konkret: vornehmlich Kaufleute, Gelehrte, Beamte, Landadlige) gehören also zu einem »Mittelstand«, der sich selbst, soziologisch leicht erklärbar, schärfer nach unten, gegenüber dem »Pöbel«, als nach oben abgrenzt. [39] Wie wenig das Milieu des Romans auch theoretisch auf eine genau abgrenzbare soziale Schicht bezogen wird, läßt sich beispielsweise anhand der im übrigen erstaunlich »progressiven« Greifswalder *Critischen Versuche* nachweisen; dort heißt es:

Ein Roman darf nicht allezeit die Begebenheiten berühmter und durchlauchter Personen erzählen; sondern die Geschichte von Personen mittlern Standes, und so gar [!] der Bürger
und Bauren können auch die Vorwürfe dazu seyn. [40]

Berücksichtigt man darüber hinaus die in Deutschland gegenüber England und
Frankreich verspätete Entwicklung des dritten Standes zu einer ökonomischen und
dann auch politisch dominierenden gesellschaftlichen Schicht (»Die Diskrepanz
zwischen Tradition und Emanzipation konnte vom aufgeklärten Absolutismus
überspielt werden« [W. Conze]; »Deutschland erfuhr die Aufklärung nur als
Absolutismus, und das hatte seine Folgen«) [41], erscheint die Darstellung einer
engen Verbindung des Adels mit dem Bürgertum (besonders auch der »Oberschicht,
der Militärs, Geistlichen, Lehrer, Verwaltungsbeamten, Ärzte und Akademi-
ker«) [42] in den Romanen Gellerts, Sophie La Roches, Hermes' oder in ver-
schlüsselter Weise auch bei Wieland als das soziologisch einleuchtend erklärbare
ästhetische Äquivalent eines historisch-gesellschaftlichen Tatbestandes. Über diesem
Sachverhalt darf jedoch nicht vergessen werden, daß die genannten deutschen Romane auch aufgrund ihrer literarischen Vorbilder (vornehmlich durch Richardson,
Fielding und Sterne) von einem bürgerlich-landadligen Milieu bestimmt sind, das
etwa bei Sophie La Roche sogar weitgehend kopiert wird. Auch das Milieu des
englischen (originalen) Familienromans ist nicht das Milieu einer festumrissenen
sozialen Klasse, sondern das einer »halbbürgerlichen Umgebung der englischen
Gentry«, bzw. das der »Gentry mit kommerziellem Hintergrund«. [43]

Von seinem Milieu her, soviel kann zusammenfassend gesagt werden, ist der
neue, nicht-heroische Roman also nur bedingt ein »bürgerlicher« Roman zu nennen,
wohl aber, und damit leiten diese Überlegungen zum Anfang dieses Kapitels zurück, von seinen psychologischen und moralischen Wertvorstellungen her. Die Artikulation und das Bewußtmachen privater, in der Kleinfamilie geübter Tugenden:
Häuslichkeit, Redlichkeit, Verständigkeit, Mitleidens- und Fühlfähigkeit erfolgen
wesentlich in dem literarischen Medium, das aufgrund seiner vielfach dramatisch-
vergegenwärtigenden Schreibtechniken vorzüglich geeignet ist, Bewußtseinsprozesse
in Gang zu setzen oder zu intensivieren. Die Aufnahme solcher »bloß menschlichen«,
privaten Tugenden im Roman setzt dabei einen historischen Prozeß voraus, in dem
solche Tugenden entwickelt worden sind (bzw. durch den Roman mit bewirkt werden konnten), und dieser Prozeß ist undenkbar ohne eine Ausbildung der bürgerlichen Kleinfamilie im Rahmen einer allgemeinen Emanzipation mittlerer bürgerlicher Schichten vor allem in England seit dem Ende des 17. Jhs. Der neue Roman
kann deshalb »bürgerlicher« Roman genannt werden aufgrund eines Wertsystems,
das erst ausbildbar ist, nachdem die Emanzipation mittelständischer Schichten ein
bestimmtes historisches Stadium erreicht hat. In diesem geschichtlichen Augenblick
beanspruchen »bürgerliche« Moral- und Lebensvorstellungen Allgemeingültigkeit,
die daher ganz folgerichtig zu einer Übertragung auf alle Schichten der Gesellschaft führen muß. Auf den Roman angewandt: Die Bedingung der Möglichkeit
einer Thematisierung »*aller* Stände« unter bürgerlich-moralischen Aspekten ist die
fortgeschrittene Emanzipation *einer* sozialen Schicht, die ihre Moralbegriffe als für
alle verbindlich setzen kann.

Die eigentümliche Spannung zwischen neuen Moral- und Empfindungsvorstellungen, die sich erst aufgrund einer bestimmten Entwicklungsstufe des Bürgertums entfalten können und dem Anspruch der Romantheoretiker und -autoren, unter diesen Gesichtspunkten »das Gantze« der menschlichen Gesellschaft im Roman zu vergegenwärtigen, mag abschließend an einem romantheoretischen Text Johann Michael von Loens *(Die vertheidigte Sitten-Lehre durch Exempeln)* [44] veranschaulicht werden. In diesem Schreiben »Bey Gelegenheit einer sehr höflichen Critic über den redlichen Mann am Hof« [45] erläutert und begründet Loen 1741 seine Konzeption des Romans, der es sich zum Ziel gesetzt habe, »den Zustand und die Sitten der heutigen Welt vorstellig zu machen, und zugleich zu zeigen wie sich ein redlicher Mann, dabey zu verhalten habe«. [46] Sein Werk enthalte deshalb »noch was mehr als einen Roman: nemlich eine Schilderey der heutigen Welt nach dem Leben gezeichnet« (579). Erfolgt die polemische Absage an bloße »Romane« und die literarische Annäherung an die zeitgenössische Wirklichkeit unter Perspektiven bürgerlicher Wertvorstellungen (vgl. das Postulat der »Redlichkeit«, auch im Titel des Romans), so unterscheidet sich Loens Romankonzeption doch darin vom Typus des englischen Familien- und »Privat«-Romans, insofern er Traditionen des hohen Staatsromans und niederen roman comique bewußt zu verbinden sucht. Fénelons *Telemach* und Scarrons *Roman comique* glaubt er in einer Mischform versöhnen zu können, die dann die Totalität der menschlichen Gesellschaft darzustellen in der Lage sei:

Nun komme ich auf die Einrichtung des gantzen Wercks überhaupt, woran man dieses auszusetzen findet, daß ich nicht sowohl ein Helden-Gedicht, als einen unter einander gemengten Roman von grossen und kleinen, von wichtigen und nichtsbedeutenden Dingen verfertiget hätte, dergestalt, daß ich bald einem weisen Fenelon in seinem Telemach, bald einem lustigen Scarron in seinem »Roman comique« gefolget sey. Wann diese Vermischung der Materien ein Fehler ist, so kann ich mein Buch nicht davon freysprechen. Ich muß vielmehr sagen, daß ich ordentlich darauf gearbeitet, und dem Buch dadurch einen wahren Werth zu geben, mich beflissen habe. Nach meinem Vorhaben bestehet in dieser Abwechselung das Wesentliche von einer Beschreibung, welche den Zustand und die Sitten der heutigen Welt abschildern soll. Meine Absichten sind also auf das Gantze; und nicht blos auf den Hof, noch auf den Staat, noch auf andre hohe Dinge allein gerichtet. Sie gehen auch auf das häusliche und bürgerliche Leben: sie umfassen die vornehmste Umstände und Zufälle, die einem redlichen Mann in der Welt begegnen können; sie begreiffen so wohl die Lebens-Art und Leidenschafften der Grossen, als diejenige des mittlern und geringen Standes, damit auf solche Weise alle und jede Leser, indem sie Nachricht von andern bekommen, zugleich auch für sich selbst etwas finden möchten, so ihnen zur Lehre und zum Nachdencken dienen könnte. (582)

Loens Darstellung zielt also nicht nur auf die Thematisierung bürgerlich-häuslichen oder landadlig-bürgerlichen Milieus, wie in den englischen und deutschen Familienromanen seit Richardson, sondern auf »das Gantze« der Gesellschaft, *einschließlich* des (»politischen«) Staats- und Hoflebens, bzw. der »Lebens-Art und Leidenschafften der Grossen«. Diesen Totalitätsanspruch zur umfassenden Schilderung der gesamten zeitgenössischen Gesellschaftsstruktur in ihren verschiedenen sozialen Schichten konfrontiert nun allerdings auch Loen mit einer Perspektive bürgerlicher Denkhaltungen, indem er es sich ausdrücklich zur Aufgabe macht, »zu zeigen wie

sich ein *redlicher* Mann [...] zu verhalten« hat (580). [47] Dem gesellschaftlichen Totalitätsideal bei der Darstellung im Roman entspricht also eine moralische
Totalitätsforderung, insofern »Redlichkeit« (als Gegenbegriff zum »Politischen«)
die zentrale Kategorie bürgerlicher Wertmaximen darstellt. Indem Loen *das
Gantze«* einer Gesellschaft als Thema des Romans postuliert und gleichzeitig *eine*
Perspektive zur umfassend-verbindlichen erklärt, nimmt er Intentionen jener Bestimmung der »modernen bürgerlichen Epopöe« vorweg, wie sie später Hegel in
seiner Ästhetik gibt, wenn er, parallel zum Epos, auch vom Roman die Darstellung
der »Totalität einer Welt- und Lebensanschauung« fordert. [48]

2. Der Roman als »pragmatisch-critische Geschichte« [49]

Das zweite Hauptargument, aufgrund dessen der heroische Roman des 17. Jhs.
neben seiner moralischen Unzulänglichkeit und mangelnden aktuellen Beziehung
zum zeitgenössischen Lesepublikum kritisiert wird, ist das seiner unglaubwürdigen
»Abenteuerlichkeit« und phantastischen, fortunabestimmten Erfindung. Zwar ist
der Vorwurf des Romanhaften und »Romanesken« so alt wie der Roman und
seine Theorie [50], seit dem Ende des 17. Jhs. jedoch verstärken sich Tendenzen,
die Romanfiktion auf einer Basis zu begründen, die eine vorschnelle Fiktionskritik
nur sehr bedingt erlaubt. Mittel der ästhetischen Konsistenzbildung sind dabei An-
näherungen an verifizierbare geschichtliche Ereignisse und ein strengeres Beachten
der Wahrscheinlichkeitsforderung auf der Grundlage des Kausalitätsprinzips.
     Theoretiker des neuen bürgerlichen Romans knüpfen an solche Forderungen un-
mittelbar an, liefern doch, aufgrund einer beginnenden Dominanz des naturwissenschaftlichen Denkens (wie gezeigt wurde), gerade die philosophischen Kategorien eines Leibniz und Chr. Wolff die Voraussetzungen und das Rüstzeug für
eine »wissenschaftliche« Begründung der neuen Poetik und Kritik. Das, was im Zusammenhang allgemeiner literaturtheoretischer Bestimmungen bei Gottsched und
den Schweizern unter dem Gesichtspunkt einer präzisen Beobachtung der Ursache-
Wirkung-Relation (Satz vom zureichenden Grunde) verlangt und ebenso in poetologischen Zeugnissen zu den Parallelen zwischen Drama und Roman (vgl. Gellert,
Engel) postuliert wird, findet sich deshalb auch in vielen Dokumenten, die im unmittelbaren Umkreis der Romanpraxis entstanden sind:

Daferne auf unserer Erdkugel alle Dinge in einer genauen Verbindung stehen, so muß
auch überhaupt unter den erzählten Begebenheiten eines Romans ein Zusammenhang
seyn. Keine darf daher der andern widersprechen, und überhaupt muß eine genaue Wahrscheinlichkeit beobachtet seyn. In dieser Welt hat der vorhergehende Zustand den Grund
von dem folgenden in sich, und man kann daraus erkennen, weswegen er so und nicht
anders beschaffen ist. Dieses verbindet einen Dichter, sein Gedicht also einzurichten, damit
die folgenden Begebenheiten aus den vorhergehenden können gerechtfertigt werden. Man
irret sich demnach, wenn man meynet, daß in den Romanen eine willkürliche Ordnung
statt habe. [51]

Empirische Wirklichkeit und erfundene Romanbegebenheiten sind als Äquivalent
aufgefaßt, insofern sie nach demselben philosophischen Satz regiert werden: Die

(natur)wissenschaftlich begründete Gesetzmäßigkeit gilt als Maßstab auch einer fiktionalen epischen Konstruktion.

a) »Pragmatismus«: Parallelen zwischen Aufklärungshistorie und Roman

Daß mit dem steten Betonen einer wissenschaftlich abgesicherten Methode der kausalen Herleitung von Begebenheiten nun nicht nur der »alte«, zufallsgeprägte und oft durch einen deus ex machina bestimmte, heroische Barockroman getroffen werden soll, sondern gleichzeitig eine annalistische Erzähltechnik des bloß chronikalischen Nacheinander, beweist Albrecht v. Hallers Gegenüberstellung der *Clarissa* mit Marivaux' *La vie de Marianne*:

> Die ganze Geschichte [der Marianne] ist eine blosse Chronick, wo man nichts als einige merkwürdige und wohlbeschriebene Vorfallenheiten antrift: da hingegen die Clarissa eine eigentliche Historie ist, wo eine Begebenheit aus der andern fließt, und der Zusammenhang der Thaten mit ihren Ursachen niemals unterbrochen wird. [52]

Kennzeichen des neuen, vorbildlichen Romans ist seine *lückenlose* Kausalmotivation, die keine blinden Leerstellen der inneren oder äußeren Handlung mehr aufweist, wo sich vielmehr das eine aus dem anderen »natürlich« entwickelt. Der Gebrauch des Begriffs »fließen« deutet die kausalgenetische Methode des Erzählens unmittelbar an. Diese bereits in den 40iger und 50iger Jahren des 18. Jhs. sowohl von den Poetikern, als von Theoretikern des bürgerlichen Dramas und Romans postulierte Methode gewinnt in den 60iger und 70iger Jahren besondere Bedeutung zugleich für die Geschichts- und Romantheorie unter dem umfassenderen Oberbegriff des »Pragmatismus«. In einer ausführlichen Besprechung der *Nouvelle Héloise* in den *Literatur-Briefen* (1761) kritisiert beispielsweise Moses Mendelssohn, nachdem er zuvor die »fruchtbare und unerschöpfliche Dichtungskraft« des Autors hervorgehoben hat, gleichzeitig, daß Rousseaus »Kenntnis des menschlichen Herzens [...] mehr speculativisch, als pragmatisch« sei. [53] Wieland bezeichnet seine *Geschichte des Agathon* (1766/67) nach einer heftigen Kritik an den »Romandichtern« als eine »pragmatisch-critische Geschichte« [54], die sich grundsätzlich von den »Liebesgeschichten, Ritterbüchern und Romanen, von den Zeiten des guten Bischofs Heliodorus bis zu den unsrigen« unterscheide. [55] In seinem Aufsatz *Ueber Handlung, Gespräch und Erzehlung* macht J. J. Engel 1774 auf die Differenz aufmerksam zwischen einer Erzählweise, die bloß »das Coexistente« beschreibe und derjenigen, die »das Successive erzehlt«; während jene lediglich angebe wie etwas geschehen sei, vergegenwärtige diese vergangene Begebenheiten »wie sie *geworden,* wie sie zu Stande gekommen«. [56] »Zum Unterschiede also von der eigentlichen Erzehlung« (die das Werden anzeige) könne man »[...] die [bloß] beschreibende, die [...] unpragmatische nennen.« [57] Alle drei Beispiele zielen auf eine Bestimmung des Pragmatischen, die in erster Linie durch eine kausalgenetische Methode gekennzeichnet ist. Im Gegensatz zur bloß aufzählend-beschreibenden Darstellung verlangen sowohl Mendelssohn als Wieland und Engel einen präzise vergegenwärtigenden Erzählablauf, der die psychologisch-kausale Motivation und Entwicklung lückenlos wiedergibt. Damit unterscheidet sich dieser Begriff des Pragmatischen von der Bedeutung, die ihm in einer früheren Phase der Romandiskussion (bei Christian Weise und Thomasius) zukommt. Hier bezeichnete das Pragmatische die Tendenz zur nutzbringenden Anwendung des im Roman Gelesenen im öffentlichen Leben und Beruf; »pragmatisch« bezog sich auf »politische« Verhaltensweisen im Dienst des Absolutismus, meinte also bloße Applikation. Der neue Begriff des Pragmatismus in der Mitte des 18. Jhs. löst sich vom rein Utilitaristischen, indem er vornehmlich strukturelle Komponenten bezeichnet und eine *direkte,* praxisbezogene didaktische Einwirkung des Romans auf den Leser ausschließt. Probleme des Pragmatismus betreffen daher vor allem Fragen der poetischen Organisation der Fiktion, nicht die ihrer unmittelbaren Nützlichkeit. [58]

Nun findet sich der Begriff des Pragmatischen, darauf haben jüngst zwei Arbeiten zum Roman des 18. und 19. Jhs., von G. Jäger und W. Hahl, nachdrücklich hingewiesen [59], auch in geschichtstheoretischen Abhandlungen zeitgenössischer Aufklärungshistoriker, die damit eine neue wissenschaftliche Methode der Geschichtsschreibung »philosophisch« zu begründen suchen. Jäger und Hahl kommen zu dem Ergebnis, daß der Pragmatismus als »Form der aufklärerischen Geschichtsschreibung« die Romantheorie »wesentlich geprägt habe« [60], und sie verweisen dabei auf vier Faktoren: »Psychologische Entwicklung aus menschlichen Triebfedern, Kausalnexus und Finalität, Anschaulichkeit einer idealen Gegenwart, Ablehnung der Trennung von Erzählung und Reflexion«. [61] Zu allen vier Punkten lassen sich in den *Literatur-Briefen* und vornehmlich in Johann Christoph Gatterers *Allgemeiner Historischer Bibliothek* [62] anschauliche Textstellen finden, die insgesamt darauf abzielen, die bloß chronikalisch-annalistische Geschichtsschreibung durch eine kausalanalytisch-vergegenwärtigende und systematisierende »Kunst des Pragmatischen« [63] zu ersetzen:

Es geht also die Hauptsorge eines Geschichtschreibers, der sich bis zur höchsten Geschichtschreiber Classe, der pragmatischen, aufschwingen will, dahin, die Veranlassungen und Ursachen einer merkwürdigen Begebenheit aufzusuchen, und das ganze System von Ursachen und Wirkungen, von Mitteln und Absichten, so verwirrt auch alles im Anfange durch und neben einander zu laufen scheint, aufs möglichste entwickelt darzustellen. [64]

Pragmatische Geschichtsschreibung bedeutet also vor allem das Aufspüren der »wichtigsten Triebfedern« der Handlungen und ihre Einordnung in den Zusammenhang eines »Systems«, so daß der »höchste Grad des Pragmatischen in der Geschichte [...] die Vorstellung des allgemeinen Zusammenhangs der Dinge in der Welt (Nexus rerum universalis)« wäre. [65] Auch wenn Gatterer hinzufügt, daß ein Historiker dieses Ideal in der Praxis nicht erreichen könne, wird die intendierte Absicht deutlich, den universalen Kausalnexus aufzuzeigen, der sowohl den Mikrokosmos als den Makrokosmos bestimmt. Das Kausalgesetz gilt als universales Ordnungsprinzip eines »funktionierend« gedachten Ganzen. Es zeigt sich, was Jäger und Hahl m. E. bei ihrer Feststellung, daß der Pragmatismus der Aufklärungshistorie die Romantheorie wesentlich bestimme, übersehen: Die zentrale Kategorie des Pragmatismus, ihr »kausalgenetisches Bedürfnis« [66] leitet sich in der Geschichtstheorie ebenso wie in der Romantheorie von philosophischen Voraussetzungen ab, die in entscheidendem Maße den »Entdeckungen der Naturwissenschaften« und den Leibnizschen Systematisierungen zu verdanken sind. [67] Damit ergeben sich aber notwendig *gleichzeitig* philosophische Probleme sowohl innerhalb der Geschichtstheorie als auch der Romantheorie, so daß mir die Frage einer zeitlichen Priorität des »Pragmatismus« weniger zentral zu sein scheint als die nach den damit aufgeworfenen prinzipiellen Problemen, vor allem zum Verhältnis von Kausalität und Moralität.

Bevor davon ausführlicher die Rede ist, sei die Frage nach den Parallelen von Geschichts- und Romantheorie noch einmal aufgenommen: Handelt es sich wirklich nur um geschichtstheoretische Übernahmen in die zeitgenössische Romantheorie oder ist auch ein umgekehrter bzw. ein wechselseitiger Vorgang denkbar?

Zumindest in zwei Punkten scheint mir dies evident. Schon R. Koselleck hat darauf hingewiesen, daß bereits seit Fénelon (1732) die »epische Einheit, die von Anfang und Ende her bestimmt ist, [...] zunehmend auch der Geschichtserzählung zugemutet« wird [68], und daß in dem »Maß, als der Historie eine größere Darstellungskunst abgefordert wurde« (geheime Motive eruieren, pragmatisches Gefüge erstellen, dem zufälligen Geschehen eine innere Ordnung abgewinnen), »im gleichen Maße [...] Forderungen der Poetik in die Historie« hineinwirken. »Die Historie geriet unter den Anspruch auf einen intensiveren Realitätsgehalt, längst bevor sie diesem Anspruch genügen konnte«. [69] Wenn Koselleck in diesem Zusammenhang von einer Verschränkung von Historik und Poetik spricht und H. R. Jauß an anderer Stelle von den »einheitsstiftenden und wahrscheinlichkeitserhöhenden Mitteln« innerhalb der Historiographie [70], so dürfte dies auch für die Beziehung von epischen Gesetzmäßigkeiten und Forderungen der pragmatischen Aufklärungshistorie gelten. Romantheorie *und Geschichtstheorie* sind beide auch von poetischen Regeln des Epischen bestimmt.

In einem zweiten Punkt scheint mir die Einwirkung einer ästhetischen Darbietungsform auf geschichts- und romantheoretische Überlegungen noch gravierender zu sein, in der Frage des Dramatischen. Henry Homes Begriff der »idealen Gegenwart«, darauf wurde ausführlich hingewiesen, bezeichnet eine auch in der Erzähltechnik des 18. Jhs. zu beobachtende Tendenz zur anschaulichen Vergegenwärtigung des Geschilderten aus wirkungspsychologischen Gründen, die ohne das Vorbild des Dramas undenkbar ist. Illusionsfördernde und die Empfindung stimulierende Mittel des Dramas bilden die Voraussetzung für die Transponierung solcher Techniken auch in den Bereich des Epischen. Nun zeigt sich, daß der Homesche Gedanke der idealen Gegenwart auch in der Geschichtstheorie Gatterers auftaucht. [71] Historiker und Erzähltheoretiker (vgl. J. J. Engel) übernehmen also einen Begriff, der ohne das praktische Beispiel des Dramas leer bliebe. Seine theoretische Bedeutung erhält das Homesche Postulat der »idealen Gegenwart« sowohl für die Historiographie als auch für den Roman nur aufgrund der zunehmenden Bedeutung des dramatisch/dialogischen Prinzips. [72]

Die (ästhetischen) Einwirkungen des Epischen und Dramatischen auf verschiedene Faktoren des Pragmatischen (Einheit und Zielgerichtetheit, Veranschaulichung und Vergegenwärtigung) bestimmen — in ganz ähnlicher Weise wie philosophischnaturwissenschaftliche Voraussetzungen die zentrale Kategorie des Kausalgenetischen — *beide* Disziplinen: Geschichtsschreibung und Roman. Die Frage einer Priorität von geschichts- oder romantheoretischen Postulaten scheint mir deshalb sekundär; wichtiger dürften vielmehr die mannigfachen Beziehungen zwischen Poetik und Historik (und umgekehrt) sein.

b) Die theoretische Spannung im Begriff einer »pragmatisch-critischen Geschichte« [73]: Kausalität und Moralität

Zu den auffallenden Parallelen zwischen theoretischen Problemen von Roman und Geschichte gehören seit der Mitte des 18. Jhs. vor allem das Moralproblem bzw. das der Teleologie- und Perfektibilitätsvorstellung. [74] Beide Problemkreise lassen sowohl die Spannung im aufklärerischen Geschichtsbegriff als innerhalb romantheoretischer Überlegungen sichtbar werden. [75] Vergegenwärtigt man sich den Anspruch der Aufklärungshistorie, alles Geschehen aus ihren Ursachen herzuleiten und die geheimen Triebfedern aufzudecken, wobei die Geschichte jedoch gleichzeitig als »ein Vervollkommnungsprozeß oder eine Reihe wiederholter Vervollkommnungsprozesse« [76] angesehen wird, erhellt daraus eine Doppelheit von »Kausal- und Moralbedürfnis«, die die Geschichtskonzeption der Aufklärung in entscheidendem Maße bestimmt. Fr. Meinecke hat am Beispiel Voltaires [77] und Montesquieus [78] diese Inkohärenz von »Mechanismus« (des universalen Kausalnexus) und »Moralismus« (als einem Kanon feststehender Werte: Vernunft — Unvernunft, Tugend — Laster, Gerechtigkeit — Ungerechtigkeit, Glück — Unglück) hervorgehoben und betont, daß man »die Kausalitäten und die Werte innerlich nicht recht zusammenbringen konnte. Der Kausalnexus ging seinen ehernen Gang, und ab und an sah man in ihm, wenig begründet, Aufklärungswerte aufleuchten. [...] Kausalitäten und Werte klafften in der Hauptsache auseinander«. [79] Das »moralische« Moment der Aufklärung befindet sich tendenziell im Widerstreit mit einem naturwissenschaftlich begründeten Kausalitätsdenken, das keine Ausnahme im Bereich natürlicher Gesetze des Kosmos erlaubt. Intentional muß die Einhaltung strenger Kausalgesetze auch jener anthropologischen Voraussetzung der Aufklärungshistorie von der »Stetigkeit der menschlichen Natur« widersprechen, die erst die Bedingung für die Stabilität von Moralbegriffen liefert: Nur so lange die menschliche Natur als gleichbleibend gedacht wird, kann Geschichte als Beweismittel »moralischer, theologischer oder politischer Lehren« dienen. [80]

Die theoretische Spannung, die einem Geschichtsbegriff zugrunde liegt, der die kausale Herleitung gegenwärtiger Zustände aus ihren Ursachen mit einer »utilitarisch-moralistischen Zweckbestimmung« zu verbinden sucht [81], kennzeichnet in vergleichbarer Weise auch die deutsche Romantheorie etwa seit der Mitte des 18. Jhs. Dabei lassen sich zwei Tendenzen unterscheiden, insofern in den 40iger Jahren und Anfang der 50iger Jahre die beiden Forderungen nach strenger Kausalität und moralischem Endzweck in ein und denselben Texten nebeneinander postuliert werden, ohne daß die Frage einer Kohärenz oder Verknüpfung zum

Problem würde, weil die moralische Zweckbestimmung noch als eindeutig primär angesehen wird, während in den 60iger und 70iger Jahren die dualistische Gleichzeitigkeit (und Gleichrangigkeit) beider Intentionen evident ist und bei einzelnen Theoretikern (Wieland, Blanckenburg) exemplarisch studiert werden kann.

Als Beispiele für die erste Gruppe von Theoretikern mögen zwei Texte stehen, in denen einerseits das Nebeneinander von Kausalitäts- und Moralitätsforderung besonders klar zum Ausdruck kommt und andererseits gleichzeitig der Versuch gemacht wird, die unabdingbare moralische Zweckbestimmung zum obersten Maßstab eines gelungenen Romans zu erheben. »Da ich nur zu guten Romanen Regeln geben will«, heißt es in der Romanabhandlung der Greifswalder *Critischen Versuche* (1744),

[...] so muß ich vor allen Dingen zeigen, daß sie einen erlaubten Endzweck haben [...] Ein Romanschreiber, den ich mir zum Schüler erwähle, muß ein Freund der Tugend seyn, und dieselbe muß ihn auch antreiben, sein Gedicht zu verfertigen. [82]

Gleichzeitig jedoch ist der Romancier verpflichtet, sich an die Gesetzmäßigkeit der Realität zu halten und die Kausalitätsforderung zu erfüllen:

In dieser Welt hat der vorhergehende Zustand den Grund von dem folgenden in sich, und man kann daraus erkennen, weswegen er so und nicht anders beschaffen ist. [83]

Der naturwissenschaftlichen Gesetzmäßigkeit des Kausalitätsprinzips wird eine der moralischen Zweckbestimmung zu- und übergeordnet, die zudem noch durch die providentielle Ordnungsvorstellung garantiert und überhöht ist. Die Romanfiktion hat beiden Systemen, dem kausalen und moraltheologischen, zu genügen, wobei dem Idealnexus jedoch ein eindeutiger Vorrang zukommt, indem der Romanerfindung dort eine Abweichung vom Historisch-Faktischen zur Auflage gemacht wird, wo es um den moralischen Endzweck geht. [84] In diesem Punkt wird deshalb, dies mag ein zweites Textbeispiel zeigen, auch, ganz im Sinne des 17. Jhs. (»Tugendlohn und Sündenstrafe«), der Vorteil des Romans gegenüber der Geschichtsschreibung gesehen:

Die Geschichte lehret nur, wie man sich wirklich verhalten habe; jene [die guten Romane] aber gehen, in so fern sie möglich und wahrscheinlich sind, von derselben ab, und zeigen uns, wie man sich verhalten könnte und solte, [...]. [85]

Der Gegensatz, der hier zwischen der Historie und dem Roman als einem »moralischen Gedicht« betont wird, knüpft lediglich an die traditionelle aristotelische Unterscheidung von Dichtung und Geschichte an, ohne daß das Moralitätsproblem im Zusammenhang mit der gleichzeitig erhobenen strengen Kausalitätsforderung gesehen würde.

Deutlich wird die Spannung zwischen der strengen Kausalitätsforderung und dem moralischen Anspruch unter dem Gesichtspunkt einer möglichen Verbindung von genauer Wirklichkeitsdarstellung und ethischer Zweckerfüllung des Romans indes bei Wieland — noch bevor die *Geschichte des Agathon* entsteht — in der *Theorie und Geschichte der Red-Kunst und Dicht-Kunst* (1757), wenn dem Dichter einerseits empfohlen wird, durch »historische und moralische Gemählde von Characteren und sittlichen Handlungen, [...] die Tugend mit aller ihrer Schönheit und das Laster mit aller seiner Häßlichkeit« so zu schildern, »daß wir aus Liebe und Bewunderung zu den tugendhaften Personen, die uns vorgebildet werden, begierig werden, ihnen nachzuahmen [...]« [86], andererseits die erdichteten Begebenheiten aber gleichzeitig »in dem gewöhnlichen Lauf der Dinge gegründet seyn« sollen:

Der Poet thut hiebey nichts anders, als daß er dasjenige umständlich entwickelt und ausmahlet, was der Historicus nur mit wenigen Worten anzeigt, daß er von den Würkungen, bey deren Erzählung der Historicus stehen bleibt, die Ursachen und Ressorts mit ihren besondersten Umständen auf eine psychologische Art und nach den Regeln der Wahrscheinlichkeit entdeckt und endlich, daß er die Lücken ausfüllt, welche der Geschichtschreiber in seiner Erzählung gelassen hat. [87]

Der Autor soll in seinem Werk also nicht nur die Tugend in ihrer »Schönheit« exemplarisch vergegenwärtigen, sondern zugleich ein kausalanalytisch präziserer Erzähler sein als der Historiker, indem er auch jene verborgenen psychologischen Ursachen des Handelns aufdeckt, die der Geschichtsschreiber (der sich, nach Wielands Meinung, mit dem Darstellen von Wirkungen begnügt) außer acht läßt. In der Dualität, zugleich »historische und moralische Gemählde« zu liefern, nimmt Wieland eine Grundproblematik seiner Romantheorie vorweg, wie sie sich vor allem in den poetologischen Textpassagen seines *Agathon* widerspiegelt. In diesem Roman ist die Spannung zwischen dem kausalpsychologischen Anspruch (genauer »Geschichtschreiber« [88] zu sein) und der moralischen, auf Vervollkommnung abzielenden Intention (»um dessentwillen das ganze Werk da ist [...]«) [89] deshalb besonders evident, weil nicht nur der »pragmatisch-critische« Aspekt immer wieder betont wird, sondern gleichzeitig die Perfektionierung eines »Individual-Character[s]« [90] Thema des Romans ist. An Wielands theoretischen Äußerungen zum Roman mag daher die zuvor skizzierte Grundspannung zwischen Kausalität und Moralität aufgezeigt werden. [91]

Folgt man Wielands eigenen werkimmanenten Aussagen, stellt sich seine Romantheorie als eine »Poetik der *Geschichte*« [92] dar. Sie wird im *Don Sylvio* ebenso wie im *Agathon* begründet in der polemischen Abwendung vom »Romanhaften« und den Techniken der »Romanschreiber« seit »den Zeiten des guten Bischofs Heliodorus« [93] bei gleichzeitigem Entwurf einer »pragmatisch-critischen« *Geschichtstheorie* des Erzählens, deren Grundvoraussetzung in »historischer Treue« [94] bestehe und die es sich zur »Pflicht« mache, vorurteilslos und unparteilich »zu erzählen, nicht zu dichten«. [95] In einer längeren, reflektierenden »Abschweifung« im fünften Buch des *Agathon* stellt Wieland die Kategorien eines unzulänglichen, romanhaften Erzählens denen des angemessenen, »pragmatischen« kontradiktorisch gegenüber und faßt seine Konzeption des unvoreingenommenen »armen Geschichtschreibers« programmatisch zusammen:

Wenn jener [der Romancier] die ganze grenzenlose Welt des Möglichen zu freyem Gebrauch vor sich ausgebreitet sieht; [...] wenn schon der kleinste Schein von Uebereinstimmung mit der Natur hinlänglich ist, die Freunde des Wunderbaren, welcher immer die grösseste Zahl ausmachen, von ihrer Möglichkeit zu überzeugen; ja, wenn er volle Freyheit hat, die Natur selbst umzuschaffen, und, als ein andrer Prometheus, den geschmeidigen Thon, aus welchem er seine Halbgötter und Halbgöttinnen bildet, zu gestalten wie es ihm beliebt, [...]: So sieht sich hingegen der arme Geschichtschreiber genöthiget, auf einem engen Pfade, Schritt vor Schritt in die Fußstapfen der vor ihm hergehenden Wahrheit einzutreten, jeden Gegenstand so groß oder so klein, so schön oder so häßlich, wie er ihn würklich findet, abzumahlen; die Würkungen so anzugeben, wie sie vermöge der unveränderlichen Geseze der Natur aus ihren Ursachen herfliessen; [...]. [96]

Zu den Haupt-Kennzeichen unglaubwürdiger Romanerfindungen rechnet Wieland die »Erhebung des Natürlichen ins Wunderbare« und eine Darstellung der »grenzenlosen Welt des Möglichen«; demgegenüber hat sich der Romancier als »Geschichtschreiber« an die Empirie zu halten, indem er *diese* Welt, Schritt für Schritt beobachtend, in ihren Gesetzmäßigkeiten (Ursache-Wirkung-Beziehungen) vergegenwärtigt und sich statt »Helden« »Menschen« zum literarischen Vorwurf wählt. Damit wird einmal die Absage an die Poetik der Schweizer und Johann Adolf Schlegels deutlich und zum andern der Versuch, eine neue, »wissenschaftlich«-empirisch begründete Romantheorie zu entwerfen.

Was die Kritik des »Wunderbaren« betrifft, so hat K. Oettinger [97] zu Recht darauf hingewiesen, daß Wieland, nach einer ersten Phase der unmittelbaren Übernahme der Positionen der Schweizer (noch in der *Noah*-Rezension [1753] sichtbar), schon 1759, im Vorbericht zum *Cyrus*-Epen-Fragment, auf jeden »übermenschlichen« Faktor außerhalb »der Ordnung der Natur« [98] verzichten möchte und »diejenige Art des Wunderbaren« ablehnt [99], die in Verbindung und in den Grenzen des Wahrscheinlichen bei Bodmer, Breitinger und J. Ad. Schlegel zum Kriterium der Romanerfindung erhoben worden war. Wieland zieht den Trennungsstrich, nach der Lektüre »moderner« englischer und französischer Philosophen (vor allem Locke und d'Alembert) [100], jedoch nicht nur gegenüber der Schweizer Poetik, sondern offenbar zugleich gegenüber der ihnen zugrunde liegenden Leibniz-Wolffschen Philosophie, d. h. auch gegenüber der romantheoretisch überaus wichtigen Möglichkeitsvorstellung. Das geschieht dadurch, daß Wieland den Leibnizschen Gedanken möglicher Welten im Sinne eines Wunderbar-Phantastischen interpretiert und damit den romantheoretisch-utopischen Ansatz, den Bodmer und Breitinger durchaus sehen [101], übergeht. Die Identifikation des Möglichen mit dem Wunderbaren macht die Möglichkeitskategorie untauglich für eine Romantheorie. Damit hängt auch der polemische Seitenhieb auf das Prometheus-Symbol zusammen. Wieland weist die Schöpfungsästhetik für eine Romantheorie zurück, diese hat sich vielmehr (und sie bleibt damit im Rahmen einer Nachahmungsästhetik) auf die Gesetze der empirischen »irdischen« Realität zu konzentrieren und diese zur Darstellung zu bringen. Das erinnert ebenso an Diderots *Éloge de Richardson* und dessen empiristisches Bestehen auf der wirklichkeitsgetreuen »Immanenz« poetischer Erfindungen [102], als, vornehmlich unter dem Gesichtspunkt »natürlicher« Charaktere (vgl. den Schluß des Wieland-Zitats), an Lessings Forderung, ein »Bild des menschlichen Lebens« zu zeichnen, »entfernt von allem, was nach [...] Roman« schmecke, und Begebenheiten vorzuführen, »welche alle Leser gehabt haben können«; kein »Held« oder ein »Wesen der Vorstellung« müsse das Darstellungsziel sein, sondern »ein Mensch«. [103]

Solches Betonen des Empirisch-»Realistischen« bzw. Historisch-Pragmatischen

(und dies wird deutlich auch unter Gesichtspunkten der applikativen Leseridenti-
fikation gesehen: »daß man seinen Helden [...] um wenig oder nichts schäz-
barer findet, als der schlechteste unter [... den] Lesern sich ohngefehr selbst
zu schäzen pflegt«) [104] kann nun allerdings nicht darüber hinwegtäuschen, daß
Wielands Romantheorie keineswegs auf die Wiedergabe des Alltäglichen im Sinne
eines Ensembles von Zufälligkeiten oder einer Vielfalt von merkwürdigen Ereignissen abzielt, sondern den diesen zugrunde liegenden Gesetzmäßigkeiten auf die
Spur kommen und »Würckungen« angeben möchte, »wie sie vermöge der unveränderlichen Geseze der Natur aus ihren Ursachen herfliessen«. [105] Wieland
geht es also nicht um eine enzyklopädisch ausgebreitete Faktizität des Historischen,
vielmehr um das Aufzeigen von »Natur«-Konstanten, denen als allgemeines, verbindliches Rahmen- und Grundgesetz das Kausalitätsprinzip zugrunde liegt: »Die
Wahrheit, welche von einem Werke, wie dasjenige, wo wir den Liebhabern hiemit
vorlegen, gefordert werden kann und soll« heißt es im »Vorbericht« zur ersten
Ausgabe des *Agathon* (1766/67),

bestehet darinn, daß alles mit dem Lauf der Welt übereinstimme, daß die Character nicht
willkührlich, und bloß nach der Phantasie, oder den Absichten des Verfassers gebildet,
sondern aus dem unerschöpflichen Vorrath der Natur selbst hergenommen; in der Entwik-
lung derselben so wol die innere als relative Möglichkeit, die Beschaffenheit des menschlichen Herzens, die Natur einer jeden Leidenschaft, mit allen den besondern Farben und
Schattierungen, welche sie durch den Individual-Character und die Umstände einer jeden
Person bekommen, aufs genaueste beybehalten [...] werde. [106]

Damit wird der universale wissenschaftlich-»neutrale« Kausalitätsanspruch konkretisiert zugunsten einer Vergegenwärtigung vornehmlich psychologisch-anthro-
pologischer (und ungeschichtlich verabsolutierter) gesetzmäßiger Faktoren und die
Funktionalisierung des kausalen Prinzips im Hinblick auf typische Konstanten der
menschlichen Gattung im Spiegel des Individualcharakters Agathon dadurch vollends sichtbar, als Wieland in seiner Romanfigur »das Bild eines wirklichen Menschen« zeigen möchte, »in welchem viele ihr eigenes (und Alle die Hauptzüge der
menschlichen Natur) erkennen sollten«. [107] Agathon ist also nicht nur als
»historisch«-einmalige, sondern zugleich als exemplarisch-typische Figur konzipiert,
insofern er jene wiederkehrenden Züge des menschlichen Individuums verkörpert,
die nach Wielands Auffassung die Natur der menschlichen Gattung überhaupt auszeichnen. [108]
    Wird schon in diesem Punkt der historisch-pragmatische Anspruch mit einem
typologisch-exemplarischen konfrontiert, offenbart erst recht die materiale Bestimmung der »Seelengeschichte Agathons« (Vorbericht zur 3. Ausgabe 1794) die
Spannung, die dem romantheoretischen Begriff des »Pragmatismus« bei Wieland
zugrunde liegt. Indem nämlich die kausalanalytisch-»historische« und zugleich psy-
chologisch-anthropologisch »typische« Geschichte des Individualcharakters Agathon
gleichzeitig als Exempel der »moralischen« Läuterung und Perfektionierung interpretiert wird [109], kreuzen sich ein wertneutrales (natur-)wissenschaftliches, auf
Kausalität gründendes, und ein moralisch-teleologisches Prinzip. Da jenes ein offen-
unabgeschlossenes und dieses ein zielgerichtet-zweckbestimmtes ist, können beide

Gesetzmäßigkeiten nur verbunden werden, wenn man das Kausalgesetz teleologisch einengt und funktionalisiert, bzw. den Kausalnexus zum Idealnexus erklärt und mit ihm identifiziert. Und genau dies geschieht bei Wieland, der damit wieder an Vorstellungen der traditionellen Naturteleologie und Leibnizens Theodizee anknüpft, obwohl er doch aufgrund seines empirischen Ansatzes streng pragmatisch-historisch verfahren möchte. Deutlich wird die Doppelheit einer kausalhistorisch-psychologischen und moralisch-vervollkommnenden Intention gerade an den Stellen, wo ihre Kongruenz scheinbar problemlos postuliert wird:

> [...] man hat der Erdichtung nicht mehr verstattet, als die historischen Begebenheiten näher zu bestimmen und völliger auszumalen, indem man diejenigen Umstände und Ereignisse hinzu dichtete, welche am geschicktesten schienen, sowohl die Hauptperson der Geschichte, als den bekannten Charakter der [...] historischen Personen in das beste Licht zu stellen, und dadurch den Endzweck des moralischen Nutzens, um dessentwillen das ganze Werk da ist, desto vollkommener zu erreichen. [110]

Das kausal-psychologische Ausfüllen der Lücken gilt als das beste Mittel zum Erreichen des Perfektibilitätsanspruchs, was nur möglich ist, wenn der genaue Zusammenhang aller Dinge eben jene moralisch-teleologische Ordnung widerspiegelt, von der es in der *Theorie und Geschichte der Red-Kunst* (1757) hieß: »Die Natur ist die Constitution der Dinge, insofern sie durch selbige ihrem Endzweck entsprechen. Die Natur ist also allezeit schön.« [111]

Die im Begriff des Pragmatismus angelegte Spannung zwischen dem wissenschaftlich-»historischen« und moralisch-teleologischen Prinzip wird in Wielands Romanpoetik *theoretisch* dadurch »aufgehoben«, daß der Autor des *Agathon* sich auf Leibniz' Theodizee (zurück)bezieht — in der Roman*praxis* spielt die Vermittlungsfunktion eines »auktorialen« Erzählers die Hauptrolle. [112] Dieser romanimmanente Erzähler und als Pendant dazu die vornehmlich durch ihn aktivierte »Einbildungskraft« der Leser [113] bezeichnen und erzeugen jene ästhetische Differenz gegenüber einer »pragmatischen« Wiedergabe der immer zugleich teleologisch gedachten Wirklichkeit, die den Roman über eine bloß fiktive Analogieform zur natürlichen Ordnung der Dinge emporhebt. Die Kunst der Vermittlung des Geschehens ist die eigentliche Kunst des Romans, insofern das »jeweilige Verhältnis« zu diesem Geschehen »miterzählt« wird. [114] Dieses spezifische Kunstmittel des Autors ist jedoch nur *in den Romanen selbst* und bei der Lektüre evident, romantheoretisch reflektiert wird es von Wieland nicht und bemerkenswerterweise auch nicht von seinem literaturtheoretischen Exegeten Friedrich von Blanckenburg.

Die »Kurzsichtigkeit gegenüber der Rolle des Erzählers« im *Versuch über den Roman* [115] scheint mir nun unmittelbar mit der Romankonzeption Blanckenburgs zusammenzuhängen. K. Wölfel [116] hat in seiner Interpretation des *Versuchs* eindringlich gezeigt, daß die Geschichte des sich vervollkommnenden Menschen zur Vervollkommnung des Romanlesers nach Blanckenburg Inhalt und Zweck eines Romans ausmachen, und daß der Romanautor als »der wahre, ächte Nachahmer des großen Alls« [117] einen »poetischen Mikrokosmos« in »Analogie« zum Makrokosmos erschafft, wobei der Kausalnexus als kongruent mit dem Ideal-

nexus aufgefaßt und dieser in jenem erkennbar gemacht wird. [118] Blanckenburgs zusammenfassende Formel: »Er [der Dichter] ist Schöpfer und Geschichtschreiber seiner Personen zugleich. Er steht so hoch, daß er sieht, wohin alles abzweckt [...]« [119] umschließt das parallel bei Wieland theoretisch sichtbare
Problem einer Verbindung von pragmatischer »Historie« und moralischer Perfektionierung [120] unter dem Gesichtspunkt einer Leibnizschen Teleologievorstellung; sie bezieht aber ebensowenig die Frage nach der Rolle des Erzählers mit
ein. Der (ästhetische) Harmoniegedanke, betonte Wölfel, sei »ins Materiale« gewendet, insofern der »›Kosmos‹-Charakter des poetischen Mikrokosmos« [121]
hervorgehoben werde. Dies hat nun in ganz besonderer Weise Konsequenzen für
das Problem der Erzählervermittlung. Indem nämlich bei Blanckenburg Romanerfindung und Universum unter teleologischen Prinzipien analog gesetzt werden, bedarf es keiner Erzählerrolle, die (auch noch in ihrer selbstthematisierenden Ironisierung) in der Romanpraxis bei Wieland die ästhetische Einheit des Kunstwerks im
Vollzug des Lesens erst herstellt. Die integrierende Funktion eines Erzählers muß
dort theoretisch irrelevant sein, wo die Romanerfindung unter teleologischem
Aspekt immer schon eine Einheit darstellt, die unmittelbar mit der Ordnung des
Universums korrespondiert. Blanckenburg kann das Erzählerproblem also in seinen
ästhetischen Konsequenzen gar nicht sehen, weil für ihn die Kongruenz von Roman
und Wirklichkeit noch gewährleistet ist. Daß dies einer falschen Harmonisierung
der Wirklichkeit Vorschub leisten kann (vgl. die spätere Bildungsromanproblematik), liegt auf der Hand und ist also gerade dadurch mit bedingt, daß die (ästhetische) Erfindung eines mit dem Leser dialogisierenden Erzählers unberücksichtigt
bleibt. Die artifizielle Verfremdung, die sich aufgrund der Gegenwart eines dominierenden Erzählvermittlers ergibt, bildet die Voraussetzung für ein utopisch-kritisches Element, dessen die romantheoretische Kongruenzfiktion (Entsprechung von
»natürlichem« Makrokosmos und poetischem Mikrokosmos) noch weitgehend unfähig ist.

3. Emotionalität und Moralität

Zu den auffallendsten Merkmalen des neuen bürgerlichen Romans im 18. Jh.
gehören seine Neigung zur Darstellung von Empfindungen und der stets betonte
Hinweis auf einen moralischen Endzweck. Von beiden Faktoren ist bereits an verschiedenen Stellen dieser Arbeit die Rede gewesen, ohne daß ihr wechselseitiger Zusammenhang erörtert und diskutiert wurde. Das mag deshalb hier abschließend
unter einer Reihe von wichtigen Gesichtspunkten geschehen, ohne daß die Problemmatik dieser Fragestellung im einzelnen aufgerollt werden könnte. [122]
Vergegenwärtigt man sich die unter theologischem, philosophischem und soziologischem Aspekt (Pietismus; Sensualismus; Privatisierung im Bereich der bürgerlichen Kleinfamilie) zu beobachtenden Tendenzen einer stärkeren emotionalen Verinnerlichung seit dem späten 17. Jh., erscheinen sowohl die Hinwendung der Dichtungstheorie zu sensitiven Bereichen (und die damit erst mögliche Begründung einer
»Ästhetik« als eigenständige philosophische Disziplin — vgl. die Entwicklung von

Du Bos zu Baumgarten —), als auch die Verlagerung des Romangeschehens auf
die inneren Abläufe von Begebenheiten als parallele historische Vorgänge, die nur
in wechselseitiger Erhellung aufgeklärt werden können. [123] Welchen der genannten Faktoren eine Priorität und ein besonderer Rang bei der Entstehung des
bürgerlichen Romans zukommt, ist vielfach diskutiert worden, darüber hinaus läßt
sich zeigen, daß auch roman*theoretische* Zeugnisse, hauptsächlich seit den 30iger
und 40iger Jahren des 18. Jhs. (also vor allem nach dem Erscheinen der Romane
Marivaux', Prévosts und Richardsons) die Frage einer Verinnerlichung im Roman aufwerfen und dessen Darstellungsbereich mit der »Abschilderung der Seelen-
kräfte der Personen« identifizieren. [124] Nun gilt allen Theoretikern solche
Hinwendung zum Privaten und Psychologischen zwar einerseits als eine polemische Abkehr von der Darstellung »äußerer Begebenheiten« im heroischen Roman,
andererseits jedoch keineswegs als ästhetisch-autonomer Selbstzweck, vielmehr ten-
diert jede Darstellung von Empfindungen auf eine Wirkungsabsicht beim Leser und
schließlich auf einen moralischen Endzweck. Kategorien einer »Ästhetik der Rhetorik« (Dockhorn) bleiben auch im Bereich der Romantheorie in Deutschland bis zu
Blanckenburg (und darüber hinaus) gültig. Dabei bedarf es allerdings einer historischen Differenzierung, insofern der Zusammenhang von psychologischer Darstellung von Empfindungen und moralischem Endzweck in den 40iger Jahren romantheoretisch anders bestimmt wird als etwa bei Christian Garve und Fr. v. Blank-
kenburg (1770/1774) — und zugleich einer Reflexion auf den potentiell antagoni-
stischen Charakter beider Komponenten, weil die Darstellung und Erregung von
Empfindungen mit einer moralischen Zwecksetzung nur solange in Einklang gebracht werden kann, solange der instrumentale Charakter einer Empfindungser-
regung beim Leser gewahrt bleibt. Spannungen müssen sich in dem Augenblick ergeben, wo eine normativ festgelegte moralische Zwecksetzung mit einer Intensität
des Empfindens konfrontiert wird, die auf absoluter Selbstverwirklichung besteht. Goethes *Werther* und dessen zeitgenössische kritische Resonanz und Rezeptionsgeschichte sind dafür das signifikante Beispiel. [125] Der im Roman thema-
tisierte Konflikt zwischen bürgerlicher Mentalität bzw. bürgerlichen Moralvorstellungen und einer individuellen, empfindsamen »Moralität« läßt jene Spannung
sichtbar werden, die *intentional* im Begriff einer auf Empfindung und Moral zugleich gerichteten, wirkungsästhetischen Absicht begründet liegt.

Die Einheit von psychologischer Darstellung im Roman, rührender Wirkungsabsicht beim Leser und unmittelbar applikativer moralischer Utilität kann man in
deutschen romantheoretischen Texten der 40iger und 50iger Jahre des 18. Jhs., vor
allem bei denen, die im Umkreis der Richardson-Rezeption entstehen, durchgehend
beobachten:

Der Romanschreiber [...] kann uns das Gemüte seiner Helden aufdecken, und die Bewegungsgründe zu ihren Handlungen vor Augen legen; es stehet demnach in seiner Gewalt,
ob er sie als tugendhafte oder lasterhafte fürstellen will. In den Geschichtbüchern werden
die Menschen nur unvollkommen abgeschildert. [126]

Die »unvollkommene« Darstellung der Historie bezieht sich nicht so sehr auf den
Mangel an psychologischer Ursachen-Analyse [127], sondern vornehmlich auf

das Fehlen moralischer Eindeutigkeit. Der Romanautor muß dem Historiker deswegen überlegen sein, weil er, frei von verpflichtender Bindung zur faktischen Wahrheitstreue, dem Leser bei der Darstellung psychologischer Abläufe »Bewegungsgründe zur Tugend« [128] liefern kann. Der poetologische Versuch einer Legitimierung »innerer« (psychologischer) »Abschilderungen« im Roman bleibt daher befangen im traditionellen Tugend-Laster-Schema.

Auch in den romantheoretischen Zeugnissen, die das Moment der *»rührenden Eindrücke* von der Tugend« [129] stärker betonen, bleibt der Zusammenhang von Empfindungsdarstellung, Rührung beim Leser und normativem Tugendkanon erhalten:

Diese so glückliche Jugend wächst auf mit einem empfindungsreichen Herzen, welches durch alles, was tugendhaft ist, gerührt ist, und recht menschlich wird. Sie stärken sich nach und nach zum Guten; sie werden bescheiden, redlich, keusch, vorsichtig, tapfer, mäßig, und mit einem Wort, gesellig: sie werden getreu, gute Freunde, gute Ehegatten und gute Bürger. Kan man nun bey so grossem Nutzen ein gutgeschriebenes moralisches Gedichte genug erheben und anpreisen? [130]

Die romantheoretische Verflechtung von Emotionalität und Moralität ist hier ebenso evident wie der Vorrang des moralischen Interesses. Der Roman erfüllt dann sein dichterisches Ziel am vollkommensten, wenn er die »gesellligen« Tugenden nicht nur zur Anschauung, sondern auch auf möglichst intensive Weise zur Wirkung bringt. Die aufgeführten Wertmaßstäbe umfassen dabei sowohl private als staatsbürgerliche Tugenden: »[...] gute Freunde, gute Ehegatten *und* gute Bürger« sind das Ziel der didaktischen Wirkungsabsicht. So kann Brockes in einem seiner *Lobgedichte auf die Pamela* (1748) dem entsprechend schreiben:

Wollt ihr die Gottheit fürchten lernen;
Den Hochmuth meiden, Laster fliehn,
Und euch von ihrer Straf' entfernen;
Wollt ihr die Kinder wohl erziehn;
Wollt ihr die Aeltern ehren, lieben;
Die Nächstenlieb' am Dürftgen üben;
Beym Reichthum reich, durch Wohlthun, seyn;
Wollt ihr so Freund- als Herrschafts-Pflichten,
Auch treuer Diener Amt, verrichten;
Wollt ihr euch eures Lebens freun;
Wollt ihr ein gut Exempel geben;
Auch in der Ehe glücklich leben;
Kurz: will ein jeder auf der Erden
Vergnügt, geehrt, geliebet werden;
Die Lehr' ist, nebst dem Beyspiel, da:
Man les' und folge Pamela. [131]

Die selbstverständliche Verbindung von »Freund- und Herrschafts-Pflichten« zeigt die (noch problemlose) Einheit des bürgerlichen Tugendbegriffs. Bürgerliche »Gesellschaftsmoral« (häusliche und ökonomische Tugenden: Sicherheit und Stabilität der Familie, Tugenden des Erwerbens und Erhaltens) und subjektive »empfindsame Moral« (»Menschlichkeit«, Menschenliebe, Freundschaft, Selbstlosigkeit, Mitleidensfähigkeit) treten nicht auseinander, sie werden vielmehr wechselseitig notwendig aufeinander bezogen. Die Spannung, die zwischen diesen beiden Polen im bürgerlichen Drama seit den 40iger Jahren des 18. Jhs. festzustellen ist (vor allem die Untersuchungen von Altenhein, Birk und Wierlacher haben darauf ausführlich hingewiesen) [132], läßt sich zwar in paralleler Weise auch in deutschen Romanen seit Richardson beobachten (vgl. die Konfliktsituationen in Gellerts *Schwedischer Gräfin* und später in Hermes' *Sophiens Reise von Memel nach Sachsen),* romantheoretisch bleibt diese Spannung, soweit ich sehe, jedoch unerörtert. Die poetologische Oppositionshaltung gegenüber dem heroischen Roman und seinem Wertsystem scheint die Einheit von subjektiv-empfindsamer und staatsbürgerlich-gesellschaftlicher Moral in den 40iger und 50iger Jahren romantheoretisch zu gewährleisten. [133]

Die konstitutive Verknüpfung von Empfindungsdarstellung und moralischem Endzweck bleibt generell auch in der Romantheorie der 60iger und 70iger Jahre des 18. Jhs. erhalten, allerdings modifizieren vornehmlich drei Faktoren diesen Zusammenhang: ein noch intensiveres Betonen des Romans als Darstellungsbereich von Empfindungen und eine sich abzeichnende Rechtfertigung ihrer uneingeschränkten Darstellung; die theoretische Einsicht in die historische Notwendigkeit der Schilderung innerer Vorgänge statt äußerer Begebenheiten und schließlich die endgültige Ablösung des traditionellen Tugend-Laster-Schemas durch die Perfektibilitätsidee, wobei gleichzeitig die tendenziell unendliche Vervollkommnungsfähigkeit des Individuums zum Tragen kommt.

Untersuchungen zur allgemeinen Literaturtheorie des 18. Jhs. haben mehrfach darauf hingewiesen, daß die »Neigung zur Psychologie«, die seit den 60iger Jahren in Deutschland zu beobachten ist (vor allem bei Mendelssohn und Sulzer), die ästhetische Diskussion zunehmend verändert. Die Romantheorie partizipiert an diesem Prozeß in erheblichem Ausmaß, indem sie gerade den Roman zum bevorzugten literarischen Medium psychologischer Darstellungen und ihrer anschaulichen Vergegenwärtigung erklärt. [134] Als auslösendes Moment dürfte wiederum, wie schon bei Richardsons *Pamela* und *Clarissa,* die Romanpraxis eine bedeutende Rolle spielen: Rousseaus *Nouvelle Héloise* provoziert heftige Kritik (Mendelssohn), aber auch lobende Zustimmung (Hamann). Beide Autoren reflektieren die Dominanz psychologischer Seelenschilderungen, gelangen aber zu gänzlich verschiedenen Urteilen über ihre Angemessenheit und wirkungsästhetische Funktion.

Mendelssohn hält, worauf bereits in anderem Zusammenhang hingewiesen wurde, Rousseaus »Kenntnis des menschlichen Herzens« im Unterschied zu der Richardsons für »mehr speculativisch, als pragmatisch«. [135] Da Rousseau die menschlichen Empfindungen nicht kenne, habe er zu sprachlich-stilistischen Übertreibungen Zuflucht genommen, indes werde der Autor durch »Ausrufungen und Hyperbolen« zwar »heftig und ausgelassen, aber nicht herzrührend«. [136] Während Mendelssohn hier einerseits den Mangel an Wirksamkeit beim Leser auf eine fehlende Genauigkeit der Rousseauschen Empfindungspsychologie zurückführt, fordert er andererseits eine »Ordnung der Empfindungen«, da man nicht alles beschreiben könne, »was in der Natur möglich« sei. [137] Damit offenbart sich aber aufs genaueste jene Spannung, die entstehen muß, wenn der Theoretiker vom Romancier sowohl unvoreingenommene (»pragmatische«) Seelenschilderungen und -zergliederungen verlangt, als auch gleichzeitig eine »Ordnung der Empfindungen« nach Regeln der ästhetischen Wahrscheinlichkeit postuliert, denen eine teleologische Auffassung der Natur zugrunde liegt: »Alles in der Natur zielt nach einem Zwecke; alles ist in allem begründet, alles ist vollkommen.« [138]

In seiner Replik auf Mendelssohns Rezension nimmt Johann Georg Hamann (*Abälardus Virbius an den Verfasser der fünf Briefe, die neue Heloise betreffend*, 1762) [139] die angedeutete Problematik auf, wenn er zunächst die Vorstellung einer »ästhetischen Wahrscheinlichkeit« problematisiert und zu bedenken gibt, ob man mit diesem Begriff nicht ähnlich »abergläubisch« verfahre wie mit dem der »poetischen Gerechtigkeit«. Ein »demütiger Beobachter der Natur und Gesellschaft« nehme sich statt dessen lieber

[...] den Ausdruck eines Alten zu Herzen, der eine Legende nicht deswegen verworfen wissen will, weil sie unglaublich ist, sondern mit tiefsinniger Bündigkeit und Unerschrokkenheit sagt: *Incredibile sed verum.* [140]

Mit der Modifizierung und Relativierung der Wahrscheinlichkeitsmaxime verbindet Hamann gleichzeitig, und hier zeigt sich der Abstand von der Aufklärungsästhetik Mendelssohns noch wesentlich deutlicher, die pointierte Verteidigung des Gefühls und seiner uneingeschränkten psychologischen Analyse und Darstellung im Roman:

[...]alle ästhetische Thaumaturgie reicht nicht zu, ein unmittelbares Gefühl zu ersetzen, und nichts als die Höllenfahrt der Selbsterkenntnis bahnt uns den Weg zur Vergötterung. Wenn unsere Vernunft Fleisch und Blut hat, [...] wie wollen sie es den Leidenschaften verbieten? Wie wollen Sie den erstgebornen Affekt der menschlichen Seele dem Joch der Beschneidung unterwerfen? [141]

Hamanns rhetorische Fragen bezeichnen die Grenzen der romantheoretischen und -kritischen Beurteilungsmaßstäbe Mendelssohns. Eine die werkimmanente Poetik des Rousseauschen Romans stärker berücksichtigende Betrachtung eröffnet auch der Romantheorie neue Horizonte.

Blanckenburgs *Versuch über den Roman* (1774) ist seit jeher als das Musterbeispiel einer theoretischen Festlegung der Verinnerlichungstendenz des Romans angesehen worden. [142] Indem Blanckenburg den Roman auf die »innere Geschichte eines Menschen« [143] verpflichtet und einen Roman der inneren Empfindungen streng von dem äußerer Begebenheiten trennt (»Es kömmt überhaupt [...] nicht auf die Begebenheiten der handelnden Person, sondern auf ihre Empfindungen an«) [144], wird die Einseitigkeit dieser Romankonzeption allerdings offenkundig. Gilt »das Innre« des Menschen als »das Wichtigste« seines »ganzen Seyns«, als das, »was eigentlich Mensch ist«, kann die Geringschätzung äußerer Begebenheiten und Vorfälle im Roman nur folgerichtig sein. [145] Das prononcierte theoretische Bestehen auf der Beschreibung innerer Zustände und Empfindungen im Roman muß zudem auch unter einem von Blanckenburg aufgenommenen historischen Gesichtspunkt (Gegenüberstellung antiker und moderner Dichtung) und unter dem Aspekt seiner Konzeption des Charakterromans (»Vorstellungen und Empfindungen, die die Vervollkommnung des Menschen und seine Bestimmung befördern«) [146] gesehen werden.

Bei der ersten Fragestellung geht es um die theoretische Einsicht Blanckenburgs in den historischen Charakter verschiedener Gattungen und literarischer Ausprägungen. [147] Die Unterscheidung, die der *Versuch* zwischen dem Epos als einer dichterischen Form »öffentlicher Handlungen« und dem neuzeitlichen Roman als einer Form der »Privatbegebenheiten« macht, wird kritisch reflektiert, indem Blanckenburg die Verschiedenheit beider epischen Gattungen auf ihren jeweiligen historisch-soziologischen Kontext bezieht: Der Unterschied »liegt bloß in der Verschiedenheit der Zeit und der Umstände«. [148] Diesen an Herder erinnernden Gedanken hatte bereits Christian Garve in einer längeren *Betrachtung einiger Verschiedenheiten in den Werken der ältesten und neuern Schriftsteller besonders der Dichter* (1770) im einzelnen ausgeführt und präzisiert. [149]

Garve stellt zunächst der »Simplicität« klassischer antiker Dichtungen die Tendenz neuerer Kunstwerke zur Psychologisierung und »Seelenmalerei« kontradiktorisch gegenüber und versucht dann, die Notwendigkeit solcher Verinnerlichung in der Moderne nachzuweisen:

Unsere Dichter [. . .] zergliedern die Empfindung, die der Alte ganz einfach durch ein Wort ausgedrückt hätte, in die Summe der einzelnen Bewegungen, aus denen sie sich erklären läßt. Sie sagen uns nicht bloß die Gedanken, die der wirklich hatte, welcher in der vorgestellten Verfassung war, sondern auch die, welche bloß dunkel in seiner Seele zum Grunde lagen, und in der Leidenschaft sich äußerten, ohne von dem Verstande bemerkt zu werden. Sie sondern in dem Gemälde der menschlichen Seele die Züge, die in Eins verlaufen waren, von einander ab, und lassen die geheimern kleinern Triebfedern einzeln vor unsern Augen spielen, die die Natur uns nicht anders als in ihrer vereinigten Wirkung zeiget. (170; 137)

»Originell seyn« kann der moderne Autor nicht anders »als durch neue Entdeckungen in diesem [psychologischen] Theile der Natur« (171; 137 f.), oder wie Blanckenburg es vier Jahre später formuliert: Das »Innere des Menschen« ist dem Dichter »zum Anbau zugewiesen«. [150] Doch ist es der Originalitätsgedanke nicht allein, der den zeitgenössischen Dichter auf die »Seelenmalerei« verweist, vielmehr sieht Garve auch eine geschichtsphilosophische Notwendigkeit darin. Vorstellungen Hegels und Lukács' andeutungsweise vorwegnehmend, beschreibt Garve die historischen Bedingungen, unter denen die klassischen Werke der Antike entstanden seien, als einen Zustand der Einheit, bei dem »zwischen der wirklichen und der mythologischen Geschichte [. . .] ein gewisses Band« existiert habe (181), so daß der dichterische »Stoff [der Autoren] nicht das Werk ihres Witzes, sondern eine Folge ihres Zustandes, und also genau mit ihm übereinstimmend« gewesen sei (195). Diese historisch-mythologische Einheit, der der Dichter unmittelbar zugehöre, bestehe in der Neuzeit nicht mehr. Garve deutet dabei den Säkularisationsvorgang an, indem er die »Hypothesen in der Naturlehre« (181) als Kennzeichen der Gegenwart hervorhebt, so daß sich auch die Beziehung des Autors zu seinen literarischen Gegenständen ändern müsse:

Für uns ist dieses Band, das die dichterische Welt mit der wirklichen zusammenhieng, zerrissen; die Erdichtungen oder selbst die Geschichten, die die Dichter bearbeiten, können auf uns keine andere Beziehung haben, als die ihnen zukommen, in so fern es *menschliche* Begebenheiten sind; wir müssen also nothwendig von einer andern Seite den Eindruck verstärken, der ihnen von der einen abgeht. (183 f.)

Die Psychologisierungstendenz der modernen Dichtung wird hier in einer Weise geschichtsphilosophisch begründet, die an die spätere Deduktion in Lukács' *Theorie des Romans* erinnert [151], auch wenn im Unterschied dazu der wirkungsästhetische Endzweck bei Garve noch entschieden dominiert.

In diesem Zusammenhang erörtert Garve außerdem die Frage, inwieweit zeitgenössische Autoren im Unterschied zu antiken überhaupt noch in der Lage seien, »die ersten sichtbarsten Phänomene der Natur« (196) darzustellen, und kommt zu dem romantheoretisch höchst wichtigen Ergebnis, daß die modernen Dichter »sich eher mit den Beschreibungen als mit den beschriebenen Gegenständen bekannt machen, und eher Begriffe von den Dingen als ihre Bilder bekommen« (196). Hegels berühmte Formulierung, wonach der Roman »eine bereits zur Prosa geordnete Wirklichkeit« voraussetze [152], klingt hier an und zeigt den schon bei Garve erreichten Grad historischen Bewußtseins, welches im je verschiedenen geschichtlichen Individuum Quelle und Bedingung für eine je verschiedene Abbildbarkeit von Wirklichem erkennt:

Die Natur hat den Augen jedes menschlichen Geistes eine eigene Struktur gegeben, damit die Natur sich anders in ihnen abbilden soll. [...] Wo wir also noch original seyn können, das ist in den feinern Beobachtungen innerer Eigenschaften und Einrichtungen des menschlichen Geistes, der Denkungsart, der Sitten. (196)

Die zweite Fragestellung (neben der einer historischen Einsicht in die geschichtsphilosophische Notwendigkeit zur genauen psychologischen Darstellung) ist bei Blanckenburg die einer romantheoretisch konstitutiven Verknüpfung von Empfindungsdarstellung und Vervollkommnungsabsicht; die Frage der Emotionalität stellt sich als Problem einer Perfektibilitätsforderung: Der Roman soll Empfindungsintensität und teleologischen Endzweck zugleich *miteinander* erreichen. [153]

Blanckenburg geht davon aus, daß man dem Leser nicht »geradeswegs vordociren« (416) oder ihn »durch Maximen und Sentenzen« (414) in Spannung halten könne; jede abziehbare Moral sei nur ermüdend, verleite zum Überlesen und verfehle mit Sicherheit den beabsichtigten Endzweck. [154] Nur ein »vergnügendes« Lesen mit damit verbundenen Gefühlserregungen bilde die Voraussetzung, den Roman zum Instrument individueller menschlicher Vervollkommnung zu machen. [155]

Das traditionelle Tugendlohn- und Sündenstrafe-Schema ersetzt Blanckenburg entschieden und endgültig durch eine Perfektibilitätsvorstellung, wobei Vollkommenheit zugleich als Ziel und Aufgabe zu verstehen ist. Als *Ziel,* insofern Blanckenburg den formalen Begriff des Vollkommenen durch materiale ethische Wertsetzungen, in ganz ähnlicher Weise wie Lessing eindeutig so bestimmt, daß die »geselligen« Tugenden als positiv, die »selbstischen« dagegen als negativ charakterisiert werden. [156]

Dichterische Erregung von Empfindungen darf deshalb kein Selbstzweck sein, weil sie das festgelegte Ziel verfehlte:

Der Dichter, der entweder bey Erregung unsrer Leidenschaften gar keinen Vorsatz hat als die Erregung selbst, oder einen andern — vielleicht weniger edlen, wird es mir erlauben, daß ich von seiner Dichtkunst nicht eben gar zu hohe Ideen haben mag. (424 f.)

Aufgabe für den Romanleser bleibt das Vervollkommnungsgebot deshalb, weil der Begriff der Perfektibilität prinzipiell ein Moment des Unendlich-Offenen, Nicht-Abgeschlossenen enthält [157], also einen Prozeßcharakter bezeichnet, den der Romanautor beim Lesen initiieren oder befördern, aber nicht — oder nur im Unendlichen — zum völligen Abschluß bringen kann. Der Leser ist aufgefordert, den Prozeß der Selbstvervollkommnung im Sinne geselliger Tugenden ständig voranzutreiben und fortzuführen. Der Roman kann nach Blanckenburgs Theorie für diesen Vorgang ein Modell liefern, indem er »das Werden« der »inneren Geschichte« eines Menschen anschaulich erkennbar macht. Den Prozeß des teleologischen Werdens kennzeichnen Dynamik und eine in seinem Begriff notwendig angelegte Zukunftsgerichtetheit, die sich intentional in dem Augenblick gegen verfestigte und erstarrte Tugendnormen und -konventionen richten muß, wo diese nicht mehr mit den »geselligen« Maximen (Menschlichkeit, Mitleidensfähigkeit) in Einklang zu bringen sind. Die Pflicht zur Selbstvervollkommnung des Individuums setzt das Recht zu seiner Selbstbestimmung voraus, und dies bedeutet einen Grad individualistischer Subjektivierung, die potentiell die Problematik eines festgefügten Wertesystems aufwerfen muß. Blanckenburg diskutiert diese Frage in seiner Romantheorie noch nicht, weil er das Perfektibilitätsproblem, parallel zu Wieland, unter dem Aspekt einer an Leibnizschen Vorstellungen orientierten Teleologieauffassung betrachtet. Daß er die intendierte Problematik indes zumindest unter einzelnen Gesichtspunkten gesehen hat, deutet seine *Werther*-Rezension an. [158] Goethes Roman wird zum Prüfstein für diese Frage, weil hier das menschliche Individuum den Anspruch auf Selbstbestimmung und Selbstverwirklichung radikal einlöst und dadurch die hierarchische Pyramide staatsbürgerlicher Gesellschaftsmaximen auf den Kopf stellt. [159]

Blanckenburg betont einleitend, daß der Roman *Die Leiden des jungen Werthers* jenem theoretischen Anspruch genügt, den sein *Versuch* zum Maßstab eines guten Romans erhebt:

Der Dichter wollte uns, — wie vielleicht jeder Dichter in dieser Gattung von Gedicht es sollte — die innre Geschichte eines Mannes geben, und wie aus der Grundlage seines Charakters allmählig seine Schicksaale sich entwickelten, und wurden; und ein Werther durfte [...] sein Inneres aufdecken, — und war fähig dazu, — und oft in der Nothwendigkeit seine Empfindungen auszuschütten. [160]

Die Rechtfertigung des Romans erblickt Blanckenburg zunächst ganz pointiert in der ästhetischen Organisation des Werks [161], indem er mehrmals versichert:

Wir wollen W.[erther] gar nicht rechtfertigen, wir reden nur von dichterischer Wahrheit. (57) [162]

Da »das ganze Glück, das Leben und die Freude eines Menschen, seine ganzen Empfindungen, sein ganzes Seyn, in Eine einzige Person« auf eine beispielhafte Weise vergegenwärtigt seien, habe »der Dichter, blos als Dichter betrachtet, nur

seiner Obliegenheit ein Genüge gethan, und ein vollkommen dichterisches Ideal,
[...] ein richtig in einander gegründetes werdendes Ganze in dieser Geschichte
geliefert« (81).

Daß damit das eigentlich brisante Thema der Beziehung von Kunst und Moralität [163] jedoch noch gar nicht berührt ist und die Neigung zur Verabsolutierung
des Ästhetischen zu einer Kollision mit dem Perfektibilitätsanspruch führen kann,
macht Blanckenburg unmittelbar daraufhin einsichtig, indem er die inhaltliche
Fixierung des Vollkommenheitsprinzips selbst problematisiert:

> Jedes Ding hat sicherlich mehr oder weniger Werth, je nach dem es mehr oder weniger zur
> Vervollkommnung [...] beyträgt; und Sitten und Tugendlehre soll die Vorschriften hiezu
> enthalten. Aber diese Vorschriften können nicht eher abgefaßt werden, als bis man festge-
> setzt hat, *worinn eigentlich die Vollkommenheit des Ganzen bestehet,* und was ein jeg-
> liches Ding, seiner Natur nach, darzu beytragen kann? — Unsre Sittenlehrer sehen, zum
> Theil, die Sache noch sehr einseitig an; [...]. (82 f.) [164]

Bei der Beurteilung des Vollkommenheitsideals darf also nicht außer acht gelassen
werden, daß verschiedene »Disziplinen« und Wege des Vollkommenen möglich
sind, und daß der »Dichter nicht verbunden« ist, »uns immer ein sittliches Ideal zu
geben« (84). Eine vorschnelle moralische Kritik gelungener Kunstwerke, ohne »die
Natur der Dichtkunst überhaupt studirt zu haben« (83), gilt daher als verfehlt.
Ästhetische Vollkommenheit ist eine Weise des Vollkommenen, die gerade aufgrund solcher Eigenart des »dichterischen Ideals« moralisch-vervollkommnende
Wirkungen auslösen kann:

> So viel können wir versichern, daß wir noch immer von der Lektüre der Leiden des jungen
> W. moralisch besser weggegangen sind, als von allen Untersuchungen, ob W. wohl ge-
> handelt habe; und wie er hätte handeln sollen, oder handeln können? (89 f.)

Im Unterschied zu Lessing, dem die ästhetische Vollkommenheit *Werthers* moralisch
gefährlich erscheint (die poetische Schönheit könne leicht für die moralische genommen werden) [165], erblickt Blanckenburg gerade umgekehrt in der künstlerischen Vollkommenheit eine Möglichkeit der moralischen, und d. h. auch gesellschaftlichen Wirkung. Damit macht Blanckenburg, und hier wiederum Herder verwandt, auf einen zentralen Gedanken aufmerksam, der die Literaturtheorie fortan
mitbestimmen wird: Erreicht das Kunstwerk nicht gerade aufgrund seiner ästhe-
tisch-autonomen Vollkommenheit außerästhetische, historisch-kritische Bedeutung?
Ist dies seine adäquate Möglichkeit »moralischer« Einwirkung? Blanckenburgs
Werther-Rezension wirft diese Fragen auf. Sie versucht, einem Kunstwerk gerecht
zu werden, in dem die zeitgenössischen »moralischen« Kritiker notwendig und ver-
ständlicher Weise einen Angriff auf jene Ordnung erblickten, die Goethes Roman
ästhetisch, durch sein »bloßes Dasein« kritisierte. [166]

Die Trennung von Poetischem und Moralischem bei Blanckenburg [167] darf
nun allerdings noch nicht als das interpretiert werden, wozu sie erst den Weg vor-
zeichnet, als Begründung eines absoluten Autonomieanspruchs der Kunst. Von einer
autonomen Setzung von Kunst ist Blanckenburgs Position deutlich dadurch unterschieden, als das universale Perfektibilitätsgebot verhindert, Kunst unter einem

ästhetisch-hermetischen Aspekt zu sehen. Auch der künstlerisch vollkommene Roman bleibt geschichtlich vermittelt über den Prozeß der individuellen Rezeption eines sich (zu) vervollkommnenden Lesers.

Im Übergang von Blanckenburgs *Versuch* zur Rezension des *Werther* kündigen sich Fragestellungen an, die ein neues Kapitel in der Geschichte der deutschen Romantheorie eröffnen.

Einleitung

1 W. *Pabst* hat in seinem Forschungsbericht »Literatur zur Theorie der Romans« (DVjs. 34, 1960, S. 264—289) vom Roman als dem »Proteus unter den Göttern der Literatur« gesprochen (ebd., S. 265). R. *Grimm* zitiert Flauberts Formulierung vom Roman als »une mer à boire« und bezieht diesen Ausspruch auch auf die Romantheorie (»Vorwort des Herausgebers« zum Sammelbd.: »Deutsche Romantheorien. Beiträge zu einer historischen Poetik des Romans in Deutschland«, hrsg. u. eingeleitet v. R. *Grimm.* Frankfurt/M. 1968, S. 7). Über die Ursachen der Theoriebildung beim Roman vgl. auch W. F. *Greiner,* »Studien zur Entstehung der englischen Romantheorie an der Wende zum 18. Jh.«, Tübingen 1969, S. 15.

2 Zum Oppositionscharakter des Romans (Tendenz zur Parodie oder Travestie der eigenen Gattung) vgl. M. *Bachtin,* Epos und Roman. Zur Methodologie der Erforschung des Romans, in: »Konturen und Perspektiven«, Berlin 1969, S. 191—222, u. V. *Šklovskij,* Literatur außerhalb des Subjekts, zit.: J. *Striedter,* Einleitung zu »Russischer Formalismus [...]«, München 1969, S. XLI. Außerdem: F. K. *Stanzel,* Einleitung zu: »Der englische Roman. Vom Mittelalter zur Moderne«, Düsseldorf 1969, Bd. I, S. 13.

3 Dem widerspricht nicht ein teilweise erstaunliches Beharrungsvermögen traditioneller Romanformen oder Romanmotive in der Dichtungspraxis etwa der ersten Hälfte des 18. Jhs. Wichtig für das Fortleben dieser Ausprägungen sind vor allem deren mannigfache künstlerische Modifikationen und, damit korrespondierend, das Finden eines neuen Lesepublikums. Vgl. dazu: H. K. *Kettler,* »Baroque Tradition in the Literature of the German Enlightenment 1700—1750. Studies in the determination of a literary period«, Cambridge o. J., u. H. *Singer,* »Der deutsche Roman zwischen Barock und Rokoko«, Köln 1963, Kap. II, S. 87 ff.

4 An diesem Vorgang kann auf exemplarische Weise die eigentümliche Kontinuität der Diskontinuität des Romans veranschaulicht werden; vgl. dazu Kap. VII dieser Arbeit.

5 Noch K. *Gerth* (»Studien zu Gerstenbergs Poetik«, Göttingen 1960, S. 177) konstatiert etwa, sich auf W. *Kaysers* Aufsatz »Entstehung und Krise des modernen Romans«, (zuerst DVjs. 28, 1954) berufend: »Der Roman gehörte bis in die siebziger Jahre des 18. Jhs. nicht zur Dichtung. Die Theorie erkannte ihn nicht an.« Damit wird ein Mißverständnis tradiert, das M. *Sommerfeld* (»Romantheorie und Romantypus der deutschen Aufklärung«, zuerst DVjs. 4, 1926, Neudruck Darmstadt 1965, S. 4) in dem Satz zusammengefaßt hatte: »[...] die Theorie des Romans hat [...] — von einer Ausnahme abgesehen (Blankenburg) — eigentlich bis zur Höhe der Klassik nur eine unterirdische Geschichte gehabt«. Daß dem nicht so ist, versucht die vorliegende Arbeit im einzelnen nachzuweisen. Zur Kritik Sommerfelds vgl. bereits K. *Wölfel,* »Fr. v. Blanckenburgs ›Versuch über den Roman‹«, in: »Deutsche Romantheorien [...]«, S. 31; S. 38, Anm. 25; S. 40 f., Anm. 29 u. L. E. *Kurth,* »Formen der Romankritik im 18. Jh.«, MLN 83, 1968, S. 655 ff. — D. *Kimpel* u. C. *Wiedemann* haben 1970 eine erste Anthologie von Texten zur »Theorie und Technik des Romans im 17. und 18. Jh.« (Bd. I: Barock u. Aufklärung; Bd. II: Spätaufklärung, Klassik u. Frühromantik, Tübingen 1970) herausgegeben. Vgl. dazu mein Referat in der »Germanistik« 12, 1971, S. 54 f. — Nach Abschluß des Manuskripts dieser Arbeit erschien eine zweite Edition romantheoretischer Texte: »Romantheorie. Dokumentation ihrer

Geschichte in Deutschland 1620—1880«, hrsg. v. E. *Lämmert* und H. *Eggert*, K.-H. *Hartmann*, G. *Hinzmann*, D. *Scheunemann*, F. *Wahrenburg*, Köln 1971. Den für die vorliegende Arbeit relevanten Zeitraum hat F. *Wahrenburg* bearbeitet. Im Unterschied zur *Kimpel/Wiedemann*-Edition bietet diese Auswahl kritische Neudrucke mit einführenden Kommentaren und einzelnen Anmerkungen. Nützlich sind darüber hinaus die beigefügten Werk-, Autoren-, Roman- und Sachregister am Schluß des Bandes. Mit den Quellenverzeichnissen von G. *Jäger* (»Empfindsamkeit und Roman. Wortgeschichte, Theorie und Kritik im 18. und frühen 19. Jh.«, Stuttgart 1969, S. 128 ff.), D. *Kimpel* und C. *Wiedemann* (Ed. Bd. I, S. 150 ff.; Ed. Bd. II, S. 149 ff.) liegen damit einschließlich der am Schluß dieser Arbeit gegebenen Bibliographie vier neuere ausführliche, sich wechselseitig ergänzende und z. T. überschneidende Verzeichnisse zur deutschen Romantheorie im 17. und 18. Jh. vor.

6 Vgl. dazu vor allem das V. Kap., S. 72 ff. dieser Arbeit über die *Huet*-Rezeption in Dld.

7 Zu berücksichtigen bleibt der Fundort eines theoretischen Textes auch unter dem Aspekt seiner literarischen Herkunft, insofern kategorial verschiedene Textsorten Medium der Romantheorie sein können. Darauf muß besonders bei den Vorreden (Kap. I—III, S. 7—52 dieser Arbeit) hingewiesen werden. Interpretiert werden allerdings sämtliche, dieser Untersuchung zugrunde liegenden Texte ausschließlich unter dem Gesichtspunkt ihrer romantheoretischen Bedeutung, nicht unter dem ihrer literarischen Form.

8 Diese Formulierung charakterisiert ein hermeneutisches Problem jeder historischen Darstellung der Romantheorie, insofern die Entstehung und Entwicklung einer literarischen Theorie zwar ein eigentümlicher Vorgang für sich ist, die Theoriebildung beim Roman aber auf besondere Weise mit dem Proteischen in der Dichtungspraxis dieser Gattung verknüpft bleibt. Die Beziehung von Theorie und Praxis versucht diese Arbeit an einzelnen wichtigen Stellen zu thematisieren.

9 Vor der Herausbildung eines »bürgerlichen Freiheitsbewußtseins [...] war Kunst zwar an sich in Widerspruch zu gesellschaftlicher Herrschaft und ihrer Verlängerung in den mores, nicht aber für sich« (Th. W. *Adorno*, »Ästhetische Theorie«, Frankfurt/M. 1970, S. 334). — Über die gesellschaftliche Funktion eines Kunstwerks gerade aufgrund seiner ästhetischen Autonomie im Sinne »ästhetischer Opposition« (Adorno) vgl. die Bemerkungen am Schluß dieser Arbeit; es zeigt sich, daß im Zusammenhang mit der »Werther«-Diskussion in Dld. diese Problematik zumindest im Ansatz auch in der Romantheorie Blanckenburgs (nicht im »Versuch« — aber in der »Werther«-Rezension) auftaucht.

10 Zur Kritik einer einseitigen Festlegung der Romantheorie des 17. Jhs. auf den Typus des hohen Romans bei B. L. *Spahr* (»Der Barockroman als Wirklichkeit und Illusion«, in: »Deutsche Romantheorien [...]«, S. 17 ff.) vgl. den Anfang des II. Kapitels, S. 29 f. der vorliegenden Arbeit.

11 Auf diese Untersuchungen wird, soweit sie auch Ergebnisse zur Romantheorie liefern, an den entsprechenden Stellen dieser Arbeit im einzelnen hingewiesen. Literaturangaben zum Roman vornehmlich der zweiten Hälfte des 17. und des 18. Jhs. vor Goethe finden sich bei D. *Kimpel*, »Der Roman der Aufklärung«, Stuttgart 1967 (Sammlung Metzler). Zur Geschichte des Romans in Dld. vgl. die zu Beginn des I. Kapitels, S. 208 dieser Arbeit zitierten Werke. Die »Literaturhinweise« in den Anthologie-Bänden von D. *Kimpel* u. C. *Wiedemann* bieten eine brauchbare Auswahl, die nur den gravierenden Nachteil hat, daß sie fast keine (wichtigen) Arbeiten zur französischen und englischen Romantheorie und -dichtung verzeichnet.

12 M. L. *Wolff*, »Geschichte der Romantheorie mit besonderer Berücksichtigung der deutschen Verhältnisse. 1. Teil. Von den Anfängen bis gegen die Mitte des 18. Jhs.«, Nürnberg 1915 (= Diss. München 1911); K. *Minners*, »Die Theorie des Romans in der Deutschen Aufklärung (mit besonderer Berücksichtigung von Blankenburgs ›Versuch über den Roman‹)«, Diss. Hamburg 1922 (Masch.).

13 Eine vornehmlich historisch-referierende und weniger kritisch-reflektierende, systematisierende Darstellungsweise parallel zu den Dissertationen von *Wolff* und *Minners*
findet sich auch in den Arbeiten von L. E. *Kurth* (»Formen der Romankritik im
18. Jh.«, MLN 83, 1968, S. 655—693; in ähnlichem Sinne: »Die zweite Wirklichkeit.
Studien zum Roman des 18. Jhs.«, Chapel Hill 1969, S. 10—25 u. S. 65—96).

14 »Romantheorie und Romantypus der deutschen Aufklärung«, DVjs. 4, 1926, S. 459
bis 490 (Neudruck: Darmstadt 1965); vgl. dazu Anm. 5 dieser Einleitung, S. 206 f.

15 B. *Markwardt*, »Geschichte der deutschen Poetik«, Bd. I: »Barock u. Frühaufklärung«, Berlin ³1964; Bd. II: »Aufklärung, Rokoko, Sturm und Drang«, Berlin 1956.

16 »Der ›Versuch über den Roman‹ des Freiherrn Chr. Fr. v. Blankenburg. Ein Beitrag
zur Geschichte der Romantheorie«, München 1927 (= Diss. München 1926).

17 P. *Michelsen*, »Lawrence Sterne u. der deutsche Roman des 18. Jhs.«, Göttingen 1962,
Kap. V: »Darstellung des Innern. Die Romantheorie Fr. v. Blankenburgs«; E. *Läm-
mert,* Nachwort zum Faksimile-Neudruck des »Versuchs«, Stuttgart 1965, S. 543 bis
589; K. *Wölfel*, »Fr. v. Blanckenburgs ›Versuch über den Roman‹«, in: »Deutsche
Romantheorien [...]«, Frankfurt/M. 1968, S. 29—60. Vgl. außerdem: J. *Sang,*
»Chr. Fr. v. Blanckenburg und seine Theorie des Romans«, Diss. München 1967;
W. F. *Greiner*, »Studien zur Entstehung der englischen Romantheorie an der Wende
zum 18. Jh.«, Tübingen 1969, S. 31—36; W. *Hahl*, »Reflexion und Erzählung. Ein
Problem der Romantheorie von der Spätaufklärung bis zum programmatischen Realis-
mus«, Stuttgart 1971, Teil I. Kap. 1, S. 12—43.

18 Vor allem den Arbeiten von G. *May*, »Le Dilemme du Roman au XVIIIᵉ Siècle.
Étude sur les Rapports du Roman et de la Critique (1715—1761)«, New Haven/Paris
1963 u. W. F. *Greiner*, »Studien zur Entstehung der englischen Romantherorie [...]«,
Tübingen 1969.

19 »Versuch über den Roman«, Faksimiledruck der Originalausgabe von 1774. Mit
einem Nachwort v. E. *Lämmert,* Stuttgart 1965, S. XIII.

I. Der höfisch-historische Roman als repräsentatives »GeschichtGedicht«

1 Fr. *Schlegel,* »Philosophische Fragmente«, (1797); vgl. P. *Szondi*, »Fr. Schlegels
Theorie der Dichtarten; Versuch einer Rekonstruktion auf Grund der Fragmente aus
dem Nachlaß«, Euph. 64, 1970, S. 198.

2 Zur Geschichte des deutschen Romans im 17. Jh. vgl.: F. *Bobertag*, »Geschichte des
Romans und der ihm verwandten Dichtungsgattungen in Deutschland bis zum Anfang
des 18. Jhs.«, 2 Bde., Breslau 1876—84; H. H. *Borcherdt*, »Geschichte des Romans und
der Novelle in Dld. I: Vom frühen Mittelalter bis zu Wieland«, Leipzig 1926; G.
Weydt, »Der deutsche Roman von der Renaissance und Reformation bis zu Goethes
Tod«, in: »Dt. Philol. im Aufriß«, Bd. II, ²1960, Sp. 1217—1356.

3 Zur Romantypologie im 17. Jh. vgl. vor allem: G. *Müller*, »Barockromane und Ba-
rockroman«, in: Literaturwiss. Jb. der Görres-Gesellschaft 4, 1929, S. 1—29, und R.
Alewyn, »Der Roman des Barock«, in: »Formkräfte der deutschen Dichtung vom
Barock bis zur Gegenwart«, hrsg. von H. *Steffen*, Göttingen, 1963, S. 21—34.

4 »Bis zum Ende des 18. Jhs. ist eine Gattung ein deutlich umrissenes Modell, in dem
nicht nur eine obligate Sprache und Technik, sondern auch ein vorgeschriebenes Weltbild und ein vorgeschriebener Gedankengehalt so zusammengehören, daß keiner seiner
Bestandteile verrückbar oder auswechselbar ist.« (R. *Alewyn,* »Der Roman des Barock [...]«, S. 22).

5 Vgl. A. *Tieje*, »The Expressed Aim of Long Prose Fiction from 1579 to 1740«, JEGPh
11, 1912, S. 402.

6 Vgl. dazu in den ersten drei Kapiteln, S. 7—52 dieser Arbeit. J. *Mayer* hat unter dem
Aspekt des Erzählens auf eine Reihe von Mischformen im letzten Drittel des 17. Jhs.
aufmerksam gemacht: Hieronymus *Dürer,* »Lauf der Welt«; Erasmus *Grillandus,*

»Hasen-Kopff«; Joh. *Riemer,* »Der Politische [...] Stockfisch«, Joh. Sigismund *Hugo,* »Der [...] Christ-Adeliche Otto.«
Vgl. J. *Mayer,* »Mischformen barocker Erzählkunst zwischen pikareskem und hö- fisch-historischem Roman im letzten Drittel des 17. Jhs.«, München 1970 (Diss. Mar- burg 1968).

7 Deshalb muß der Versuch B. L. *Spahrs,* eine »Poetik des deutschen Barockromans« zu entwerfen, notwendig einseitig bleiben, weil hier nur das Modell des hohen Romans zum theoretischen Muster gewählt wird; (vgl. B. L. *Spahr,* »Der Barockroman als Wirklichkeit und Illusion«, in: »Deutsche Romantheorien. Beiträge zu einer histori- schen Poetik des Romans in Dld.«, hrsg. und eingeleitet v. R. *Grimm,* Frankfurt/M. 1968, S. 17—28).

8 Vgl. das Motto zu H. *Ehrenzellers* Untersuchung: »Studien zur Romanvorrede von Grimmelshausen bis Jean Paul«, Bern 1955. 9 Vgl. ebd., S. 35 ff.

10 Über die verschiedenen Namen des antiken Romans: K. *Kerényi,* »Die Griechisch- Orientalische Romanliteratur in religionsgeschichtlicher Beleuchtung«, Tübingen 1927, Kap. I: »Die antike Theorie«, S. 1—23; vgl. außerdem: R. *Helm,* »Der antike Roman«, Göttingen ²1956, S. 8 und O. *Weinreich,* »Der griechische Liebesroman«, Zürich 1962, S. 6 f.; vgl. auch den Bericht von F. *Zimmermann,* »Zum Stand der Forschung über den Roman in der Antike. Gesichtspunkte und Probleme«, in: F. u. F. 26, 1950, S. 59—62 und R. *Merkelbach,* »Roman und Mysterium in der Antike«, München 1962, Beilage III: »Über die Geschichte des Romans im Alter- tum«, S. 333—340. — Zur Entstehung und Bedeutungsentwicklung des Wortes »Roman« in neuerer Zeit vgl.: P. *Voelker,* »Die Bedeutungsentwicklung des Wortes Roman«, Halle 1887 (Diss. Halle 1887), M. L. *Wolff,* »Geschichte der Romantheorie mit beson- derer Berücksichtigung der deutschen Verhältnisse«, Nürnberg 1915 (Diss. München 1911); vgl. außerdem: K. *Vossler,* »Der Roman bei den Romanen«, in: »Zur Poetik des Romans«, hrsg. v. V. *Klotz,* Darmstadt 1965 (Wege der Forschung, Bd. 35), S. 1—14 und W. *Krauss:* »Novela — Novella — Roman«, in: »Ges. Aufsätze zur Lite- ratur- und Sprachwissenschaft«, Frankfurt/M. 1949, S. 50—67.

11 Joh. *Barclay,* »Argenis«; Dedication an Ludwig XIII. von Frankreich; dt. Übers. von Martin *Opitz,* Breslau 1626, S. avʳ (vgl. M. *Opitz,* »Ges. Werke«, hrsg. v. G. *Schulz-Behrend,* Bd. III, 1, Stuttgart 1970, S. 5). — Die Wiedergabe von Quellen- texten erfolgt grundsätzlich nach den Originaldrucken. Abbreviaturen sind dabei auf- gelöst und offensichtliche Druckfehler korrigiert worden. Umlaute werden in verein- fachter Schreibweise wiedergegeben, doppelte Bindestriche und Trennungszeichen er- scheinen als einfache. Der Wechsel der Drucktypen (bei Fremdwörtern) wird nicht nachgeahmt. Soweit jetzt (auch in der *Lämmert*-Ed.) Neudrucke vorliegen, wird darauf hingewiesen.

12 Vgl. J. *Huizinga,* »Herbst des Mittelalters«, hrsg. v. K. *Köster,* Stuttgart ⁸1961, S. 99 ff. und H. *Singer,* »Der deutsche Roman zwischen Barock und Rokoko«, Köln 1963, S. 171 ff.

13 Vgl. »Amadis«, Erstes Buch. Nach der ältesten dt. Bearbeitung hrsg. v. A. *v. Keller,* Neudruck Darmstadt 1963, »Vorrede Des Teutschen Tranßlatoris, an den Läser«, S. 6 f.

14 Vgl. O. *Weinreich,* »Der griechische Liebesroman [...]«, S. 61.

15 Vgl. etwa die »Zuschrifft« und Vorrede in August *Bohses* »Die getreue Sclavin DORIS [...]«, o. O. 1699; hier taucht im Titel auch die Bezeichnung »Roman« auf.

16 »Der vortrefflichen Egyptischen Königin/Cleopatra/ Curiöse Staats- und Liebes-Ge- schicht. [...]«, Hamburg 1700 (dt. Übers. von *La Calprenèdes* »Cléopatre«), Vorrede: »Geneigter Leser«, S.)(4ᵛf.

17 Bei Heinrich Anshelm *v. Zigler und Kliphausen* sowohl in der 1. Ausg. der »Asiati- schen Banise« als in der von 1716; bei Daniel Casper *v. Lohenstein* in der 1. und 2. Aufl. des »Arminius« 1689/90 und 1731.

18 Andreas Heinrich *Buchholtz,* »Des Christlichen Teutschen Groß-Fürsten Herkules /
Und Der Böhmischen Königlichen Fräulein Valiska Wunder-Geschichte [...]«,
Braunschweig ¹1659/60 (benutzte Ausg. Braunschweig 1676); Philipp *v. Zesen,*
»Assenat; das ist Derselben / und des Josefs Heilige Stahts- Lieb- und Lebensge-
schicht [...]«, Amsterdam 1670 (Neudruck hrsg. v. V. *Meid,* Tübingen 1967). Die
Bezeichnung »Wunder-Geschichte« findet sich auch schon im Titel von *Zesens* Übers.
von Madeleine *de Scudérys* »Ibrahim ou l'illustre Bassa«, (Amsterdam 1645), sie
bedeutet keine Geschichte der Wunder, sondern eine Verwunderung und Aufmerksamkeit erregende Geschichte, ist also nicht so sehr auf das Werk als auf die Wirkung
beim Leser zu beziehen. Vgl. dazu auch B. *Markwardt,* »Geschichte der deutschen
Poetik«, Bd. I, Berlin ³1964, S. 39.
19 *Anton Ulrich v. Braunschweig-Wolfenbüttel,* »Die Durchleuchtige Syrerinn Aramena [...]«, Nürnberg 1669—73; *Birkens* »Vor-Ansprache zum Edlen Leser« am
Beginn des 1. Bdes. (1669).
20 Ausg. 1676, S. (o)(o)ijʳ. Der zitierte Passus findet sich in der inhaltlich identischen
Fassung der 1. Aufl. (1659) jetzt neu gedruckt in der Ed.: »Romantheorie. Dokumentation ihrer Geschichte in Dld. 1620—1880«, Hrsg. v. E. *Lämmert* u. a., Köln 1971,
S. 13.
21 Vgl. H. *Coulet,* »Le Roman jusqu'à la Révolution«, T. I: »Histoire du Roman en
France«, Paris 1967, S. 157 ff.; W. E. *Schäfer,* »Hinweg nun Amadis und deinesgleichen Grillen! Die Polemik gegen den Roman im 17. Jh.«, GRM, NF. XV, 1965,
S. 369 ff.; außerdem die Bibliographie im Anhang zur Edition des »Agathonphile«
von P. *Sage,* Genf 1951.
22 P. *Sage,* »Agathonphile«-Ed., S. 108—128.
23 Auszugsweise abgedruckt bei H. *Coulet,* »Le Roman jusqu'à la Révolution«, T. II:
»Anthologie«, Paris 1968, S. 29—32.
24 Ebd., S. 30. 25 Ebd., S. 31.
26 *Buchholtz,* »Herkules-Vorrede«, S. (o)(o)ijᵛ.
27 Der »Herkules«-Hrsg. des 18. Jhs. weist in einer Ausg. von 1744 darauf hin, daß
Buchholtz seine Leser »erbauen und belustigen [...] wolte«, während er »alle sich
in dergleichem Buch nicht schickende Gebethe und Psalmen, Lieder und Catechismus-
Gespräche [...] ausgelassen« habe. (Vgl. Vorrede, S. * 2ᵛ u. * 2ʳ).
28 Vgl. dazu im VII. Kap., S. 122 ff. dieser Untersuchungen, vor allem zu Gotthard
Heidegger.
29 »Herkules-Vorrede«, S. (o)(o)ijʳ u. (o)(o)ijᵛ.
30 Ebd., S. (o)(o)ijʳ.
31 Vgl. dazu im Kap. IV, S. 55 ff. dieser Arbeit.
32 In neueren Arbeiten ist die »Eigenart der Zesenschen Romane«, die »sich nicht ohne
weiteres den üblichen Romantypen des Barock zuordnen« lassen, zu Recht betont
worden (F. *van Ingen,* »Philipp v. Zesen«, Stuttgart 1970, S. 41); vgl. vor allem die
Arbeiten von V. *Meid* (»Zesens Romankunst«, Diss. Frankfurt/M. 1966) und
K. *Kaczerowsky* (»Bürgerliche Romankunst im Zeitalter des Barock. Ph. v. Zesens
›Adriatische Rosemund‹ «, München 1969).
33 V. *Meid* (»Zesens Romankunst«, S. 46 f.) hat auf diese Unterschiede überzeugend
aufmerksam gemacht; vgl. auch sein Nachwort zur »Assenat«-Ed., Tübingen 1967.
34 »Assenat«-Vorrede: »Dem Deutschgesinten Leser«, S. * vʳ u. * vᵛ; vgl. den Faksimile-
Neudruck hrsg. v. V. *Meid,* Tübingen 1967.
35 »Assenat«-Vorrede, S. [* vjᵛ]; auch das folgende Zitat. Vgl. den umfangreichen
Anmerkungs- und Registerteil des Romans, der mehr als 1/3 des gesamten Werks
umfaßt.
35 a »Assenat«-Vorrede, S. [* vjʳ].
36 Jedoch nicht im Sinne des 19. Jhs. oder der Definition G. *Lukács'* (»Der historische
Roman«, Berlin 1955)! Vgl. dazu im folgenden.
37 Vgl. H. *Hinterhäusers* Nachwort zu seiner Ed. von P. D. *Huets* »Traité de l'origine

des romans«, Faksimiledrucke nach der Erstausgabe von 1670 und der *Happelschen* Übers. von 1682, Stuttgart 1966, S. 16*. Die wichtigsten Passagen der »Ibrahim«-Vorrede sind abgedruckt in der Anthologie von H. *Coulet,* T. II, S. 44—49. Zu den poetologischen Prinzipien der Madeleine *de Scudéry* vgl. A. *Steiner,* »Les Idées Esthétiques de Mlle de Scudéry«, The Romanic Review 16, 1925, S. 174—184.

38 »Ibrahims Oder Des Durchleuchtigen Bassa Und Der Beständigen Isabellen Wunder-Geschichte«, 2 Bde., Amsterdam 1645.

39 Vgl. dazu vor allem K. *Kaczerowsky,* »Bürgerliche Romankunst«, S. 38 ff. Der Widerspruch, der darin zu liegen scheint, daß Zesen einerseits bestimmte Intentionen der Scudéry aufnimmt, sich aber andererseits ihrem theoretischen Programm nur sehr bedingt anschließt, könnte nur aufgehellt werden, wenn man, was sehr wünschenswert wäre, die Scudéry-Rezeption in Dld. einmal im einzelnen untersuchte. Vgl. dazu jetzt auch die Hinweise bei F. *v. Ingen,* »Ph. v. Zesen«, S. 35—37.

40 »Clelia: Eine Römische Geschichte [...]«, Nürnberg 1664 (10 Bücher in 5 Bden.).

41 Bd. IV, S. 778 ff.

42 Benutzte Ausgaben: »Les Conversations sur divers Sujets par Mademoiselle de Scudéry«, Amsterdam 1682; »Kluge Unterredungen Der in Frankreich berühmten Mademoiselle de Scudéry [...] Aus dem Französischen in das Teutsche gebracht / [...] durch die bey den Blumen-Hirten [...] so genannte Erone«, Nürnberg 1685. (»Erone« nach Jöcher III, 732: Barbara Helena *Klopsch*).

43 Vgl. dazu im einzelnen Kap. V, S. 72 ff. dieser Untersuchungen.

44 Die Feststellung von einer »Autorität« der Scudéryschen Thesen in Dld. bleibt allerdings zu modifizieren. (Vgl. W. E. *Schäfer,* »Tugendlohn u. Sündenstrafe in Roman und Simpliciade«, ZfdPh. 85, 1966, S. 487).

45 In der »Schlußerinnerung an den wehrten Leser« am Schluß des 5. Bdes. und im Register der Roman-Übersetzung *Stubenbergs.*

46 »Zuschrifft« zum 1. Bd. S. aiijᵛ u. aiiijʳ.

47 Vgl. *Stubenbergs* »Clélie«-Übersetzung 8. Buch, Bd. IV, S. 778.

48 »Auf solche Art hat er [Lohenstein] zwey so wichtige als wiedrige Eigenschaften, die Wahrhaftigkeit eines Geschicht-Schreibers und die Scharfsinnigkeit eines Helden-Dichters, wie es scheint, auf das glücklichste miteinander vereiniget.« (George Christian *Gebauer,* »Vorrede zur neuen Aufl. des ›Arminius‹«, Leipzig 1731, S. XXX). — Im Unterschied zur *Scudéry* hatte schon *La Calprenède* den Gedanken des Historischen eines Romans stärker betont als die Vermischung von Geschichte und Erfindung. La Calprenède wollte historische Romane schreiben, in denen die Geschichte lediglich durch Erfindung verschönt sei: (»des histoires embellies de quelque invention«; vgl. H. *Coulet,* »Le Roman [...]«, T. I, S. 170). Zum Problem von Historie und Roman in Frkr. vgl. vor allem: G. *May,* »L'histoire a-t-elle engendré le roman? Aspects français de la question ou seuil du Siècle des Lumières«, in: »Revue d'Histoire Littéraire de la France« 55, 1955, S. 155—176; *ders.,* »Le Dilemme du Roman au XVIIIe siècle. Étude sur les rapports du roman et de la critique (1715—1761«, New Haven/Paris 1963, Kap. V, S. 139 ff. und Ph. *Stewart,* »Imitation and Illusion in the French Memoir-Novel, 1700—1750. The Art of Make-Believe«, New Haven und London 1969.

49 »Vor-Ansprache zum Edlen Leser«, S.)(iijᵛ. Auszüge einzelner wichtiger Passagen aus *Birkens* »Vor-Ansprache« sind neu gedruckt in der 2. Aufl. des Bdes.: »Das Zeitalter des Barock. Texte und Zeugnisse«, hrsg. v. A. *Schöne,* München 1968, S. 34 ff.; im I. Bd. »Theorie und Technik des Romans im 17. u. 18. Jh.«, hrsg. v. D. *Kimpel* und C. *Wiedemann,* Tübingen 1970, S. 10 ff. und in der Ed.: »Romantheorie«, hrsg. v. E. *Lämmert* u. a., Köln 1971, S. 22 ff. Im folgenden wird nach dem Originaldruck zitiert; Seitenangaben im Text.

50 Vgl. Kap. IV, 2 d, S. 69 ff. dieser Arbeit.

51 Vgl. etwa die Vorrede Mlle. *de Scudérys* zum »Ibrahim« (1641). Über die »Zwi-

schenstellung« schon des antiken Liebesromans »zwischen Epos und romanhafter Historie« vgl. O. *Weinreich*, »Der griechische Liebesroman«, S. 29.

52 Dabei muß allerdings nachdrücklich betont werden, daß »Inhaltliches« prinzipiell im 17. Jh. poetisch nur darstellbar ist im festen Rahmen eines Systems poetischer Regeln, wovon im Hinblick auf die Romantheorie im einzelnen im Kap. IV, 1, S. 55 ff. gesprochen wird.

53 Über die Wirksamkeit geschichtstheologischer Denkvorstellungen im 17. Jh. vgl. W. *Voßkamp*, »Untersuchungen zur Zeit- und Geschichtsauffassung im 17. Jh. bei Gryphius u. Lohenstein«, Bonn 1967, Teil A, Kap. I, 1.

54 Die geschichtsphilosophische (-theologische) Auslegung kann sich außerdem unmittelbar auf die aristotelische Unterscheidung von Dichtung und Geschichtsschreibung berufen: »Darum ist die Dichtung auch philosophischer und bedeutender als die Geschichtsschreibung. Denn die Dichtung redet eher vom Allgemeinen, die Geschichtsschreibung vom Besonderen.« (Poetik, Kap. IX).

55 G. Ph. *Harsdörffer*, »Des Spielenden Vorrede«, zur deutschen Übers. von G. F. *Biondis* »Eromena«, Ed. Nürnberg 1667, S. bvj^r (zuerst 1650; dt. Übers. von Joh. Wilh. *v. Stubenberg*).

56 Sigmund *v. Birken*, »Vor-Ansprache zum Edlen Leser«; Catharina *v. Greiffenberg*, »Über die Tugend-vollkommene unvergleichlich-schöne Aramena«, Lobgedicht am Beginn des III. Bdes. der »Aramena« (1671), benutzt und zit. Ausg. 1679 (ein Abdruck nach der Ausg. von 1671 bei: B. L. *Spahr*, »Anton Ulrich and Aramena. The Genesis and Development of Baroque Novel«, Berkeley 1966, S. 190—193); *Leibniz'* Äußerungen zum Roman finden sich vor allem in seinem Briefwechsel mit *Anton Ulrich*, vgl.: E. *Bodemann*, »Leibnizens Briefwechsel mit der Herzoge Anton Ulrich von Braunschweig-Wolfenbüttel«, in: Zs. d. histor. Vereins f. Niedersachsen, Jg. 1888, S. 73—244.

57 E. *Bodemann*-Ed., S. 234.

58 Vgl. dazu G. *Müller*, »Deutsche Dichtung von der Renaissance bis zum Ausgang des Barock«, Darmstadt ²1957 (zuerst 1927), S. 231 ff.; Cl. *Heselhaus*, »Anton Ulrichs Aramena. Studien zur dichterischen Struktur des deutschbarocken ›Geschichtgedicht‹«, Würzburg 1939, S. 20 f.; E. *Thurnherr*, »Geist und Form des barocken Romans«, in: Wissenschaft u. Weltbild 14, 1961, S. 148 f.; H.-J. *Frank*, »Catharina Regina v. Greiffenberg«, Göttingen 1967, S. 135 ff.; A. *Haslinger*, »Epische Formen im höfischen Barockroman. Anton Ulrichs Romane als Modell«, München 1970, S. 380—383.

59 Das fiktive »Nachbild« kann allerdings, aufgrund ontologischer Differenz, das göttliche »Urbild« niemals erreichen: »Ein Nachbild niemals doch des Ur Bilds Lob ersteigt.« (C. *v. Greiffenberg*, Widmungsgedicht, S. [)(vj^r]); vgl. dazu auch Kap. IV, 1, S. 55 ff. dieser Arbeit.

60 E. *Bodemann*-Ed., S. 60.

60a »Vor-Ansprache zum Edlen Leser«, S. [)()(iij^v].

61 O. *Weinreich*, »Der griechische Liebesroman«, S. 41.

62 *Helidor*, »Aithiopika. Die Abenteuer der schönen Chariklea.« Übertragen von R. *Reymer*. Mit einem Essay »Zum Verständnis des Werkes« v. O. *Weinreich*, Hamburg 1962, S. 217; vgl. ebd.: »[...] der Wille der Götter, der so wunderbar den Knoten gelöst, ließ sie die Wahrheit erkennen. Hatte er doch die stärksten Gegensätze miteinander ausgesöhnt, Freude und Leid vereint, Lachen und Weinen vermischt und tiefstes Unglück in ausgelassenen Jubel verwandelt.«

63 E. *Bodemann* - Ed., S. 233. — »Octavia« = Anton Ulrichs zweiter umfangreicher Roman, Nürnberg 1685 ff.

64 »Discours sur l'histoire universelle«, (1681), zit. nach K. *Löwith*, »Weltgeschichte und Heilsgeschehen. Die theologischen Voraussetzungen der Geschichtsphilosophie«, Stuttgart ³1953, S. 129, s. auch ebd., S. 133. Vgl. die interessante Arbeit von E.-P. *Wieckenberg*, »Zur Geschichte der Kapitelüberschrift im deutschen Roman vom 15. Jh. bis zum Ausgang des Barock«, Göttingen 1969, S. 127 f. und W. *Bender*, »Ver-

wirrung und Entwirrung in der ›Octavia, Römische Geschichte‹ Herzog Anton Ulrichs v. Braunschweig«, Diss. Köln 1964.

65 Vgl. H. *Singer,* »Die Prinzessin von Ahlden. Verwandlungen einer höfischen Sensation in der Literatur des 18. Jhs.«, Euph. 49, 1955, S. 316, u. B. L. *Spahr,* »Der Barockroman [...]«, in: »Deutsche Romantheorien«, hrsg. v. R. *Grimm,* S. 24; *Spahrs* Charakterisierung, wonach die »Gottesordnung selbst [...] statisch, präexistent; der Anteil des Menschen an dieser Gottesordnung [...] dynamisch und progressiv« sei (ebd.), erscheint mir allerdings terminologisch problematisch.

66 Vgl. Cl. *Lugowski,* »Wirklichkeit und Dichtung. Untersuchungen zur Wirklichkeitsauffassung Heinrich von Kleists«, Frankfurt/M. 1936, S. 1—62.

67 Vgl. E.-P. *Wieckenberg,* »Zur Geschichte der Kapitelüberschrift [...]«, S. 92 f.

68 *Birken,* »Vor-Ansprache« zur »Aramena«, S. [)()(iijᵛ].

69 Vgl. dazu etwa auch die Vorrede der Mlle. *de Scudéry* zum »Ibrahim«. — Allg. zu diesem Problemkreis: W. E. *Schäfer,* »Tugendlohn u. Sündenstrafe [...]«, ZfdPh. 85, 1966, S. 481—500, bes. S. 487.

70 A. H. *Buchholtz,* »Freundliche Erinnerung [...]«, S. (o)(o)ijᵛ.

71 Das Auseinanderfallen von moralischem Anspruch und Erzählung in der Romanpraxis bei *Buchholtz,* worauf E.-P. *Wieckenberg* (»Zur Geschichte der Kapitelüberschrift«, S. 111) hingewiesen hat, ändert nichts an der Grundtatsache einer »moralphilosophischen Priorität«, zumindest im theoretischen Anspruch des Autors.

72 Vgl. John *Barclay,* »Argenis«; deutsche Übersetzung v. M. *Opitz:* Das Ander Buch, XIV. Kap. »Der Zweck deß Nicopompus / dahin auch der Author siehet: Fürstellung dieses Buchs«. Ges. Werke, Bd. III, 1, S. 182.

73 D. C. *v. Lohenstein,* »Großmüthiger Feldherr Arminius oder Hermann [...]«, 2. Bd., Leipzig 1690: »Anmerckungen über den Lohensteinischen Arminius; Allgemeine Anmerckungen«, S. 7.

74 Ebd.

75 G. *Lukács,* »Der historische Roman«, Berlin 1955, S. 49.

76 Vgl. H. H. *Borcherdt,* »Geschichte des Romans«, S. 207.

77 »Geschichtgedicht tragen entweder eine wahrhaftige Geschicht unter dem fürhang erdichteter Namen verborgen [...] oder es sind ganz erdichtete Historien [...].« *(Birken,* »Vor-Ansprache«, S.)(iiijᵛ).

78 Zur histor.-pol. Figuration im höf.-historischen Roman vgl. die Lohenstein-Arbeiten von: E. *Verhofstadt,* »D. C. v. Lohenstein: Untergehende Wertwelt u. ästhetischer Illusionismus«, Brügge 1964, E. *Szarota,* »Lohenstein u. die Habsburger«, Colloquia Germanica 1, 1967, S. 263—309, und vor allem die ausführliche Darstellung über »Lohenstein und die Politik« im 1. Teil von E. *Szarotas* umfassender Monographie »Lohensteins Arminius als Zeitroman«, München 1970, S. 11—155. Zur Lohenstein-Lit. allg.: B. *Asmuth,* »D. C. v. Lohenstein«, Stuttgart 1971. — Über die Schlüsselfiguren in der »Aramena« vgl. vor allem: B. L. *Spahr,* »Anton Ulrich and Aramena«, Berkeley 1966, S. 153 f.

79 Bei *Barclay* stellt die Hauptfigur Poliarchus eine Schlüsselfigur für den frz. König Louis XIII dar: »E. Mayest. wirdt auch lieb gewinnen den von so vielen Feinden vnd mancherley Vnglück durchtriebenen Poliarchus / Ihren Landtsmann; weil er E. Mayest. Tugenden ähnlich / vnd eine königliche Person wie Sie ist.« (»Dedication«; vgl. Ges. Werke, Bd. III, 1, S. 6).

80 Über die im Roman offenkundige Verherrlichung des österreichischen Kaiserhauses u. Kaiser Leopolds I. heißt es noch in der 2. Aufl.: »Seine [Lohensteins ...] Absicht ist gewesen, des Allerdurchlauchtigsten Ertz-Hauses Oesterreich, als seiner angebohrnen Landes-Obrigkeit, Helden-Thaten unter mannigfaltiger Einkleidung vorzustellen, welches [...] ihm noch auf eine sinnreichere Art, als dem großen Virgil mit dem August und dem Kayserlichen Hause gelungen [...]«, (G. Chr. *Gebauer,* »Vorrede zur neuen Aufl.«, Leipzig 1731, S. XXXII).

81 Bd. II, S. 204 ff.

82 H. P. *Herrmann,* »Naturnachahmung u. Einbildungskraft. Zur Entwicklung der deutschen Poetik von 1670 bis 1740«, Bad Homburg 1970, S. 33.

83 Ebd.

84 Dem Roman liegt deshalb ein Wirklichkeitsbegriff zugrunde, den H. *Blumenberg* als den der »garantierten Realität« definiert und jenem Wirklichkeitsbegriff kontradiktorisch gegenübergestellt hat, den er mit der Formulierung »Realität als Resultat einer Realisierung« (d. h. »eines in sich einstimmigen Kontextes«) umschreibt. (Vgl. H. *Blumenberg,* »Wirklichkeitsbegriff und Möglichkeit des Romans«, in: »Nachahmung u. Illusion«, hrsg. v. H. R. *Jauß,* München ²1969, S. 11 ff.) Über die allmähliche Ablösung des Wirklichkeitsbegriffs der »garantierten Realität« durch den der ästhetisch »immanenten Konsistenz« des Textes im 18. Jh. im Zusammenhang mit dem utopischen Roman vgl.: P. U. *Hohendahl,* »Zum Erzählproblem des utopischen Romans im 18. Jh.«, in: »Gestaltungsgeschichte u. Gesellschaftsgeschichte.« In Zusammenarbeit mit K. *Hamburger* hrsg. v. H. *Kreuzer,* Stuttgart 1969, S. 88 ff.

85 Vgl. A. J. *Tieje,* »The Expressed Aim of the Long Prose Fiction«, JEGPh XI, 1912, S. 405. Zur Dichtungstheorie des 17. Jh. im Zusammenhang mit dem Roman: Kap. IV, 1, S. 55 ff.

86 Bd. II, S. 207.

87 Vgl. die Parallelen in der Poetik des »Nachbarock«: »[...] das delectare wird wichtiger als das movere.« (H. P. *Herrmann,* Naturnachahmung«, S. 71).

88 Vgl. *Horaz,* »Epistula ad Pisones« (De arte poetica liber), S. 333 f. (Quintus Horatius Flaccus, De arte poetica liber), »Die Dichtkunst«, lat. u. dt., Einführung, Übers. u. Erläuterung v. H. *Rüdiger,* Zürich 1961, S. 34 f.

89 S. bvᵛ. Vgl. schon bei *Lukrez,* »De rerum natura«, I, 936 ff. u. IV, 11 ff.

90 Widmungsgedicht zum III. Bd. der »Aramena«, S.)(vʳ; vgl. S. [)(iiijᵛ]: »Die frömste List der Erden ist / durch Ergetzungs-Netz' ein Himmel-Fischer werden.«

91 »Vorbericht an den Leser« zu *Lohensteins* »Arminius«, S. c2ᵛ.

92 S. bvjᵛ.

93 Vgl. M. *Opitz* über das »Heroisch getichte« (»Buch von der Deutschen Poeterey«, [1624]. Nach der Ed. v. W. *Braune* neu hrsg. v. R. *Alewyn,* Tübingen 1963, S. 20).

94 Vgl. *Zesens* Vorrede zu seiner »Ibrahim«-Übers.; *Birkens* »Aramena«-Vor-Ansprache; *Ziglers* Vorrede zur »Asiatischen Banise«. Auch in Vorreden zu Schäferromanen u. Schäferromanübersetzungen dient die »Erhebung der deutschen Sprache« (Zigler) vielfach als Hauptlegitimationsgrund des Romanschreibens.

95 Vgl. dazu Kap. IV, 1, S. 55 ff. dieser Arbeit.

96 Widmungsgedicht der Cath. *v. Greiffenberg* zur »Aramena«, S.)(iijʳ u. S.)(iijᵛ.

97 *Catharina* in einem Brief an *Birken* über die »Aramena«; zit. nach: B. L. *Spahr,* »Anton Ulrich and Aramena«, S. 141.

98 Vgl. die Romanvorreden von *Buchholtz* (»Herkules«) bis zu Aug. *Bohse* (etwa zur »Getreuen Bellamira«, Leipzig 1692).

99 *Birken,* »Vor-Ansprache« zur »Aramena«, S. [)(vjʳ].

100 W. E. *Schäfer,* »Tugendlohn u. Sündenstrafe [...]«, ZfdPh. 85, 1966, S. 486.

101 Vgl. »Dilude de Pétronille«, (1626); *Coulet*-Anthologie, S. 30 f.

102 Vgl. bei *Grimmelshausen* Titel und Schluß der Vorrede zum Roman »Proximus und Lympida« (Neudruck hrsg. v. F. G. *Sieveke,* Ges. Werke in Einzelausgaben, Tübingen 1967, vor allem S. 16 f.).

103 Vgl. R. *Koselleck,* »Kritik u. Krise. Ein Beitrag zur Pathogenese der bürgerlichen Welt«, Freiburg 1959, S. 13 ff.

104 Vgl. D. *Kafitz,* »Lohensteins ›Arminius‹. Disputatorisches Verfahren u. Lehrgehalt in einem Roman zwischen Barock und Aufklärung«, Stuttgart 1970, S. 32 f.

105 In der Reihenfolge der zitierten Textstellen: *Birken,* »Vor-Ansprache«, S.)()(ijᵛ. *Catharina v. G.,* Widmungsgedicht, S. [)(vijʳ]. *Birken,* ebd., S.)(iijʳ. G. Ch. *Gebauer,* »Vorrede zur neuen Aufl. des ›Arminius‹«, 1731; vgl. S. XXXV ff.

106 Vgl. dazu D. *Kafitz,* »Lohensteins ›Arminius‹«, S. 26 ff. u. Kap. VI, 2, S. 116 ff. dieser Arbeit.
107 »Anmerckungen über den Lohensteinischen Arminius; Allgemeine Anmerckungen«, S. 5.
108 Vgl. die parallelen Vorgänge in Frankreich und dazu die in Anm. 48 zitierten Arbeiten von G. *May* u. Ph. *Stewart.*
109 Über die Prinzipien, unter denen solche »Geschichtsschreibung« erfolgt, ist damit noch nichts gesagt. Daß es sich nicht um unvoreingenommene, wissenschaftliche Historiographie im modernen, »historistischen« Sinne handelt, braucht nicht eigens betont zu werden. Wichtig scheint mir nur, darauf hinzuweisen, daß sich mit dem Aufkommen eines Sinnes für die enzyklopädische Faktizität von Geschichte auch die geschichtsphilosophische Perspektive zu ändern beginnt (und umgekehrt). Zur Diskussion des Geschichtsproblems bei *Lohenstein* vgl. allg. die Arbeiten von G. *Spellerberg,* »Verhängnis u. Geschichte. Untersuchungen zu den Trauerspielen u. dem ›Arminius‹-Roman D. C. v. Lohenstein«, Bad Homburg 1970; D. *Kafitz,* »Lohensteins ›Arminius‹«, Stuttgart 1970; E. *Szarota,* »Lohensteins ›Arminius‹ als Zeitroman«, München 1970 u. den 3. Teil meiner »Untersuchungen zur Zeit- u. Geschichtsauffassung im 17. Jh.«, Bonn 1967.
110 Vgl. dazu etwa die Romanvorreden Eberhard W. *Happels,* die den »Realien«-Charakter seiner Zeitgeschichtsromane deutlich artikulieren (Vgl. die Vorreden zum »Ungarischen Kriegs-Roman«, Ulm 1685; »Italiänischen Spinelli«, ebd. u. »Bayrischen Max«, o. O. 1692; außerdem die »Dedicatio« zum Roman »Der Insulanische Mandorell«, Hamburg 1682).
111 »Schuz-räde An die unüberwündlichste Deutschinne«, S. 8 f.
112 G. Ph. *Harsdörffer,* »Nothwendiger Vorbericht zur Übers. H. J. De Monte-Majors ›Diana‹«, benutzte Ed. Nürnberg 1661, S.)(vʳ; hier auf das »Carmen Epicum oder Heroicum« u. die »Trauerspiele« bezogen. (Reprograf. Nachdruck der »Diana«-Übers., Ausg. 1646: Darmstadt 1970).
113 N. *Elias,* »Die höfische Gesellschaft. Untersuchungen zur Soziologie des Königtums u. der höfischen Aristokratie mit einer Einleitung: Soziologie u. Geschichtswissenschaft«, Neuwied 1969, S. 366.
114 Ebd., S. 371.
115 Vgl. E. *Auerbach,* »Das französische Publikum des 17. Jhs.«, München ²1965, S. 30 f. u. W. *Krauss,* »Über die Träger der klassischen Gesinnung im 17. Jh.«, in: Ges. Aufs., Frankfurt/M. 1949, S. 330.
116 *Buchholtz,* »An den gewogenen gottseeligen Leser«; Vorrede zu »Der Christlichen Königlichen Fürsten Herkulißkus und Herkuladißla [...] Wunder-Geschichte«; zit. Ausg. Frankfurt/M. 1713, S. bᵛ (zuerst 1665).
117 Zu bedenken bleibt dabei, daß romantheoretische Selbstcharakterisierungen nur sehr bedingt genauere literatursoziologische Information liefern. Für präzise Zuordnungen von »Roman und Gesellschaft« bzw. »Roman und Leserschicht« bedarf es detaillierter Untersuchungen einzelner Romane und bestimmter, begrenzter historisch-soziologischer Phasen und Situationen. Die folgenden Hinweise können deshalb auch nur bestimmte Tendenzen andeuten, die sich aufgrund poetologischer Aussagen der Vorreden ergeben.
118 N. *Elias,* »Die höfische Gesellschaft«, S. 168.
119 L. *Goldmann,* »Soziologie des modernen Romans«, dt. Übers., Neuwied 1970, Kap. I: »Einführung in die Probleme einer Soziologie des Romans«, S. 29.
120 Vgl. dazu H. *Kallweit*/W. *Lepenies,* »Literarische Hermeneutik und Soziologie«, in: »Ansichten einer künftigen Germanistik«, hrsg. v. J. *Kolbe,* München 1969, S. 135 bis 139, bes. S. 135; außerdem O. *Hansen,* »Hermeneutik u. Literatursoziologie«, in: »Literaturwissenschaft u. Sozialwissenschaften. Grundlagen u. Modellanalysen«, Stuttgart 1971, S. 363—368. Die in diesen Arbeiten gegebenen Hinweise zu L. *Goldmanns* Soziologie des Romans bedürfen weiterer und ausführlicherer Diskussionen.

121 Vgl. Anm. 117.
122 L. *Goldmann*, »Soziologie des modernen Romans«, S. 31.
123 »Vor-Ansprache«, S.)(v^r. Berühmte ausländische adlige Schriftsteller werden in diesem Zusammenhang als Vorbild gerühmt (u. a. Saavedra, Pallavicini, du Bartas, Camus, Balzac, de Scudéry, Sidney); auch biblische Vorbilder spielen eine große Rolle (Moses, David, Salomo etc.); wichtig ist außerdem der Hinweis auf Kaiser Maximilian (der »in einer faust zugleich schwerd und feder gefüret«) u. auf die adligen Mitglieder des Palm-Ordens. Vgl. dazu auch O. *Brunner,* »Adeliges Landleben u. europäischer Geist«, Salzburg 1949, S. 180.
124 Vgl. auch S. *v. Birkens* Vorrede zu seiner »Teutsche[n] Rede-bind- und Dicht-Kunst [...]«, Nürnberg 1679, S. v: »Helden und Poeten / haben sich immer gern zusammen gesellet / da diese zierlich beschrieben, was jene löblich getrieben.«
125 Vgl. E.-P. *Wieckenberg*, »Zur Geschichte der Kapitelüberschrift [...]«, S. 98.
126 J. *Habermas,* »Strukturwandel der Öffentlichkeit«, Neuwied ³1968 (zuerst 1962), S. 16 ff., auch im folgenden.
127 Vgl. dazu Kap. IX, 1, S. 177 ff. dieser Untersuchungen.
128 »Utopisch« ist hier weder im Sinne eines sozialphilosophischen Entwurfs einer zukünftigen Gesellschaft noch als Antizipation des »Noch-Nicht« (Bloch) gemeint, sondern als Übersteigen und Transzendieren des Gegebenen und vorhandenen wirklichen Zustandes. Vgl. die Unterscheidung zwischen »le genre utopique« und »le mode utopique« bei R. *Ruyer*, »L'Utopie et les Utopies«, Paris 1950; Teilabdruck bei A. *Neusüss*, »Utopie. Begriff u. Phänomen des Utopischen«, Neuwied 1968, S. 339 ff.; s. außerdem die anderen Beiträge und die umfangreiche Bibliographie in dieser Anthologie. — Vgl. auch den Forschungsbericht von K. *Reichert*, »Utopie u. Staatsroman«, DVjs. 39, 1965, S. 259—287.

II. Romantheoretische Aspekte des niederen Romans

1 Wenn in diesem Kapitel theoretische Aussagen unter dem Oberbegriff »niederer Roman« zusammengefaßt und untersucht werden, dürfen damit die gravierenden Unterschiede etwa zwischen den beiden Hauptgruppen des eigentlich pikaresken Romans (abgeleitet von der spanischen »novela picaresca«) und dem französischen »roman comique« (Sorel, Scarron, Furetière) keineswegs verdeckt werden. Beide Richtungen, sowohl die span. Ich-Erzählung als die frz. Er-Form (»Anti-Roman«) spielen im deutschen Roman des niederen Genres eine bedeutende Rolle, deshalb stehen diese beiden Hauptgruppen (vor allem bei Grimmelshausen) auch im Mittelpunkt des theoretischen Interesses. — Eine generelle Klassifizierung des niederen »Realromans« (J. *v. Stackelberg*) ist äußerst schwierig; sie läßt sich am ehesten noch von seiner oppositionellen Stellung (gegenüber dem hohen Roman), seinem Milieu (Vorherrschen des Alltäglichen) u. von seiner satirischen Intention her vornehmen. Daß damit kein »realistischer Roman« gemeint sein kann, möchte ich im Verlauf dieses Kapitels deutlich machen.
Zu verschiedenen Modifikationen des pikaresken Romans vgl. C. *Guillén,* »Zur Frage der Begriffsbestimmung des Pikaresken«, in: »Pikarische Welt. Schriften zum europäischen Schelmenroman«, hrsg. v. H. *Heidenreich*, Darmstadt 1969, S. 375 ff.; außerdem die Einleitung des Hrsgs. zu diesem Bd. S. IX ff. Zur Gattungsproblematik der novela picaresca: M. *Nerlich*, »Plädoyer für Lazaro: Bemerkungen zu einer ›Gattung‹, RF 80, 1968, S. 354—394; Literaturangaben zum Picaro-Roman vor allem: »Spanische Schelmenromane«, hrsg., mit Anm. u. einem Nachwort versehen, v. H. *Baader*, 2 Bde., München 1964/65, Bd. II, S. 627 ff. u. »Pikarische Welt«, hrsg. v. H. *Heidenreich*, ebd.; S. 479 ff. — Zum Problem des Anti-Romans vgl.: W. *Leiner*, »Begriff und Wesen des Anti-Romans in Frankreich«, Zs. f. frz. Sprache u. Lit. 74, 1964, S. 97—129. — Zu den verschiedenen Spielarten des niederen Romans in Dld. vgl. W.

Beck, »Die Anfänge des deutschen Schelmenromans. Studien zur frühbarocken Erzählung«, Diss. Zürich 1957 u. die Spezialliteratur zu Grimmelshausen, Christian Weise und Johann Beer, auf die an den entsprechenden Stellen der folgenden Untersuchungen besonders hingewiesen wird.

2 »Wie selbstverständlich, ohne theoretische Kommentare, erobern sie [die Picaro-Romane] der Erzählkunst ein Gebiet, das bislang ästhetisches Brachland gewesen war: die Domäne des Alltäglichen, deren auffälligstes Kennzeichen die gänzlich unprätentiöse geographische Fixierung der berichteten Begebenheiten darstellt.« (H. *Baader,* Nachwort zur Ed. »Spanische Schelmenromane«, S. 571). Charakteristisch ist die Tatsache, daß bei der Gruppe der niederen Romane, die sich als »Anti-Romane« bewußt und polemisch gegen den hohen »Idealroman« wenden, romantheoretische Reflexionen in viel stärkerem Maße zu finden sind (vgl. vor allem bei Charles *Sorel*) als bei den spanischen Picaro-Romanen.

3 Vgl. dazu den in Anm. 1 zitierten Aufsatz von M. *Nerlich.*

4 Vgl. noch den Versuch B. L. *Spahrs* (»Der Barockroman als Wirklichkeit u. Illusion«, in: »Deutsche Romantheorien«, S. 17 ff.), vom hohen Roman eine Theorie *des* Barockromans abzuleiten. Auch in den jüngst erschienenen Anthologien: »Theorie u. Technik des Romans im 17. u. 18. Jh.«, 2 Bde., hrsg. v. D. *Kimpel* u. C. *Wiedemann,* Tübingen 1970, und »Romantheorie. Dokumentation ihrer Geschichte in Dld. 1620—1880«, hrsg. v. E. *Lämmert* u. a., Köln 1971, sind leider keine romantheoretisch wichtigen Vorreden (etwa von Grimmelshausen oder Beer) zum niederen Roman abgedruckt.

5 Deutsche Übersetzungen erst 1662 u. 1668; benutzte Ausg.: »Warhafftige vnd lustige Histori / Von dem Leben des Francion [. . .]«, o. O. 1662.

6 Dt. Übers. meines Wissens erst 1752 [!]; benutzte Ausg.: »Des Herrn Scarron Comischer Roman«, Hamburg 1752.

7 *Sorels* »Francion« u. die beiden Romane von *Scarron* und *Furetière* sind (zusammen mit Mme. *de La Fayettes* »La Princesse de Clèves«) abgedruckt in dem Bd. »Romanciers du XVIIᵉ Siècle«, hrsg. v. A. *Adam,* Paris 1958 (Bibliothèque de la Pléiade); vgl. auch die Einleitung des Hrsgs.: »Le roman français au XVIIᵉ Siècle«, S. 7—50.

8 Benutzte Ausgaben: »La Bibliothèque Françoise De M. C. Sorel [. . .]«, Seconde Edition. Revue et augmentée, Paris 1667; vgl. vor allem S. 166—200: »Des Fables et des Allegories, des Romans [. . .]«. »De la Connoissance des bons livres [. . .]«, Amsterdam 1672; vor allem S. 71—202: »Des Histoires et des Romans. Second Traité«.

9 Vgl. dazu im einzelnen Kap. VI, 1, S. 96 ff.

10 Vgl. dazu allg.: J. *Schönert,* »Roman und Satire im 18. Jh. Ein Beitrag zur Poetik«, Stuttgart 1969.

11 Vgl. R. *Alewyn,* »Johann Beer. Studien zum Roman des 17. Jhs.«, Leipzig 1932, S. 210 f.

12 Zum Problem »Roman und Satire« vgl. vor allem die zitierte Arbeit von J. *Schönert,* die es sich zur Aufgabe macht, den Stand der Forschung zu diesem Themenkreis ausführlich wiederzugeben u. kritisch zu kommentieren. — Zu Problemen der satirischen Erzählweisen bei *Grimmelshausen* vgl. Felix Th. *Schnitzler,* »Die Bedeutung der Satire für die Erzählform bei Grimmelshausen«, Diss. Heidelberg 1955, S. 16 ff. auch zu den Vorreden. Die folgenden Überlegungen, die sich auf selbstcharakterisierende Zeugnisse zum niederen Roman stützen, können auf die imponierende spezielle Grimmelshausen-Forschung nicht eingehen. Vgl. dazu vor allem die Arbeiten von G. *Weydt.*

13 G. *Weydt* (»H. J. Christoffel von Grimmelshausen«, Stuttgart 1971, S. 51) ordnet die für den »Simplicissimus« mit konstitutiven Romane Mateo *Alemáns* »Guzmán de Alfarache« und *Sorels* »Francion« einem Oberbegriff »Picaro-Genre« unter. Zur Grimmelshausen-Literatur vgl. in diesem Band.

14 Zum Realismusproblem im 17. Jh. in Dld. vgl. vor allem R. *Alewyn,* »J. Beer«.

15 Vgl. J. *Beer*, »Zendorii a Zendoriis Teutsche Winter-Nächte [...]«, (1682), Ed. R. *Alewyn*, Frankfurt/M. 1963, S. 237 (4. Buch, VII. Kap.: »Ludwig erzählet weiter, was er auf der Universität getan«).

16 Vgl. H. *Ehrenzeller*, »Studien zur Romanvorrede [...]«, S. 51.

17 »Continuatio des abentheurlichen Simplicissimi Oder Der Schluß desselben Durch German Schleifheim von Sulsfort«, Mompelgart 1669, Ed. Grimmelshausen, Ges. Werke in Einzelausgaben, hrsg. v. R. *Tarot*, Tübingen 1967, S. 472.

18 Vgl. »Beschluß« der »Continuatio«, Ed. R. *Tarot*, S. 588.

19 »Continuatio«, Ed. R. *Tarot*, S. 472.

20 Ebd.; vgl. auch *Grimmelshausens* »Vorrede an den geneigten Leser« zum 2. Teil des Romans »Das wunderbarliche Vogelnest«, (1673), Ges. Werke, Ed. R. *Tarot*, Tübingen 1970, S. 148 ff.; außerdem schon die Vorrede zu Johann *Fischart*, »Geschichtklitterung (Gargantua)«; Ed. Düsseldorf 1963, S. 7 ff., vor allem S. 9. — Generell muß bei der didaktischen Rechtfertigung und Begründung der satirischen Schreibart durch die Romanautoren allerdings auf eine häufig zu beobachtende Diskrepanz zwischen dem Betonen des Moralpädagogischen in den Vorreden und dem Vorherrschen des »delectare« in den Romanen selbst, gerade des pikaresken Genres, hingewiesen werden. Die Vorreden übernehmen wesentlich auch eine abschirmende Schutzfunktion für die Romane.

21 Zit. Ausg.: »Die Drey ärgsten Ertz-Narren In der gantzen Welt / beschrieben durch Catharinum Civilem«, Leipzig 1704, Vorrede: »Hochwerther Leser!«, S. 2 (Neudruck der 1. Ausg. [1672], Halle 1878).

22 Vorrede zu Christian *Weise:* »Politischer Näscher [...]«, Leipzig 1693, S. [a9ᵛ].

23 Ed. R. *Alewyn*, Frankfurt/M. 1963, S. 7 f.

24 Ebd., S. 9. Vgl. zu diesem Problemkreis allg.: R. *Grass*, »Der Aspekt des Moralischen im pikaresken Roman«, in: »Pikarische Welt«, S. 334—349.

25 Vgl. dazu U. *Gaier*, »Satire. Studien zu Neidhart, Wittenwiler, Brant u. zur satirischen Schreibart«, Tübingen 1967, Kap. IV: »Entwurf einer Definition der Satire«. § 3: »Schreibart und Wirklichkeit«, S. 422 ff.

26 »Im Gegensatz zum Preisgedicht wird eine verbindliche Norm nicht direkt sichtbar gemacht, sondern in ihrem negativen Gegenbild impliziert: die Satire ist daher eine Kunst der indirekten Aussage [...].« (Art.: Satire, Parodie, in: Fischer-Lexikon, Literatur II, Frankfurt/M. 1965, S. 508).

27 M. *Opitz*, »Buch von der Deutschen Poeterey«, Ed. R. *Alewyn*, S. 20 f.

28 J. *Schönert*, »Roman und Satire«, S. 28.

29 Vgl. dazu allg. im Zusammenhang mit dem Komischen: W. *Hinck*, »Das deutsche Lustspiel des 17. u. 18. Jhs. u. die italienische Komödie«, Stuttgart 1965, S. 40 ff.

30 C. Fr. *Flögel*, »Geschichte der komischen Literatur«, Liegnitz u. Leipzig 1784, Bd. I, S. 289. Zum Zusammenhang von Satire und Moral vgl. auch: *Jean Paul*, »Vorschule der Ästhetik«, I. Abtlg., § 29.

31 »Lebens-Beschreibung des Land-Störtzers Gusman von Alfarache von Aegidius Albertinus«, o. O. 1615.

32 Vgl.: »Die Allegorie des Paradieses in Grimmelshausens ›Simplicissimus‹«, in: Medium aevum. Fs. f. W. *Bulst*, Heidelberg 1960, S. 253—278.

33 Vgl.: Die Interpretation des »Simplicissimus«, in: »Der deutsche Roman«, hrsg. v. B. *v. Wiese*, Düsseldorf ²1965, Bd. I, S. 15—63.

34 Ebd., S. 20; vgl. auch W. *Welzig*, »Ordo und verkehrte Welt bei Grimmelshausen«, ZfdPh. 78, 1959 u. 79, 1960; abgedruckt in: »Der Simplicissimusdichter u. sein Werk«, hrsg. v. G. *Weydt*, Darmstadt 1969 (Wege der Forschung, Bd. 153), S. 370—388.

35 H. *Arntzen*, »Satirischer Stil. Zur Satire R. Musils im ›Mann ohne Eigenschaften‹«, Bonn 1960, S. 8.

36 Vgl. die deutsche Übers. von Mateo *Alemáns* »Lebens-Beschreibung des Land-Störtzers Gusman von Alfarache von Aegidius Albertinus«, o. O. 1615; diese Übers. nutzt und steigert die Möglichkeiten der »christlichen Ausdeutung« des Originals (vgl.

H. *Baader* im Nachwort seiner Schelmenroman-Ed., S. 599) in erheblichem Maße, indem sie die Bekehrung der Hauptfigur in den Mittelpunkt rückt u. dem Roman überhaupt eine eindeutige »Wendung zum Theologischen« gibt. Vgl. dazu vor allem die
rein moraltheologisch akzentuierte Vorrede des Albertinus. Über die Besonderheiten
der Albertinus-Übers., die *Grimmelshausen* mit als Quelle diente, s. bes. W. *Beck*, »Die
Anfänge des deutschen Schelmenromans«, S. 53 ff. Über die Parallelen zwischen der
Albertinus-Übers. und dem »Simplicissimus« vgl. schon die quellengeschichtlichen Arbeiten von R. *v. Payer* (1890) u. A. *Bechtold* (1912); jetzt wieder abgedruckt in dem
Sammelbd.: »Der Simplicissimusdichter und sein Werk«, hrsg. v. G. *Weydt*, Darmstadt 1969, S. 282 ff.

37 »Das wunderbarliche Vogel-Nest«, Ed. R. *Tarot*, S. 140 f.
38 Vorrede zum 2. Teil des »Wunderbarlichen Vogel-Nest«, Ed. R. *Tarot*, S. 149; vgl.
auch den Anfang dieser Vorrede (S. 148) und den Beginn des »Simplicissimus«.
39 H. *Ehrenzeller* (»Studien zur Romanvorrede«, S. 79) hat zu Recht darauf hingewiesen, daß da »wo apokalyptische Angst so drohend ein ganzes Werk« umklammere,
die »moralische Rechtfertigung wohl als Selbsttäuschung, niemals aber als konven-
tionelle Heuchelei angesprochen werden« könne.
40 J. *Schönert*, »Roman und Satire«, S. 41.
41 Vgl. ebd., S. 42.
42 Vorrede zum »Politischen Näscher« (1693), S. [a 8ʳ]. über Chr. *Weises* theoretisches Konzept des »politischen« Romans vgl. im einzelnen Kap. VI, 1, S. 96 ff. dieser
Untersuchungen.
43 Cl. *Heselhaus* (»Simplicissimus«-Interpretation, S. 60) spricht von »utopische[n]
Verwirklichungen der barocken Gesellschaft«.
44 Als exemplarisch können dabei die am Ende stattfindenden Hochzeiten der schließlich vereinten Liebespaare angesehen werden; sie sind weltliche »Erlösungen«, die im
Grimmelshausenschen Roman nur außerhalb der Geschichte in der Abkehr von der
Welt möglich sind. (Vgl. dazu R. *Alewyn*, »Der Roman des Barock«, S. 31 f.).
45 Der Wahrheitsanspruch des niederen Romans gehört, das darf hierbei nicht übersehen werden, mit zu seinen gattungspoetologischen Merkmalen, und das ständige
Hervorheben »wahr« zu sein, kann als eines der literarischen Spielmittel angesehen
werden, gerade Phantastisches oder »Lügenhaftes« vorzutragen. Über solche möglichen »Lügensignale« in der »Literatur jenseits der Wahrscheinlichkeit« vgl. H. *Weinrich*, »Das Zeichen des Jonas. Über das sehr Große u. das sehr Kleine in der Literatur«,
Merkur 20, 1966, S. 737—747. Im folgenden soll nicht diese gattungsbedingte Problematik aufgenommen, sondern die Art des intendierten Wahrheitsbegriffs im Hinblick
auf die Romanfiktion, in ihrer oppositionellen Struktur gegenüber dem hohen Roman,
untersucht werden.
46 Charles *Sorel:* »Warhafftige vnd lustige Histori / Von dem Leben des Francion«;
Grimmelshausen: »Der Abentheurliche Simplicissimus Teutsch / Das ist: Die Beschreibung deß Lebens eines seltzamen Vaganten / [...]«; »Leben vnd Wandel Lazaril
von Tormes: Vnd beschreibung, Waß derselbe für vnglück vnd widerwertigkeit außs-
gestanden hat. Verdeutscht 1614«, (Neudruck hrsg. v. H. *Tiemann*, Hamburg 1951).
47 *Grimmelshausen*, »Satyrischer Pilgram«, (1667), Ed. W. *Bender*, Tübingen 1970, S. 92.
Zit. bei P. *Böckmann*, »Formgeschichte der deutschen Dichtung«, Hamburg 1949,
S. 449 (»Die Abwendung vom Elegantiaideal in Grimmelshausens Simplicissimus«).
48 Zit. ebd., S. 448; vgl. Simplicissimus-Ed. R. *Tarot*, S. 262.
49 »Teutsche Winter-Nächte«, IV, 1; Ed. R. *Alewyn*, S. 206. *Beer*, der in seinen Romanen auch Elemente des hohen Romans übernimmt, neigt allerdings ebenso dazu,
diesen mit seinem eigenen Maßstab (dem Wahrscheinlichkeitspostulat) zu messen (vgl.
R. *Alewyn*-Ed., S. 205).
50 »Teutsche Winter-Nächte«, Ed. R. *Alewyn*, S. 206.
51 Vgl. ebd. u. S. 207.
52 Zur romantheoretischen und -praktischen Bedeutung *Sorels* in Dld. vgl. vor allem

220

M. *Koschlig,* »Das Lob des ›Francion‹ bei Grimmelshausen«, in: Jb. d. Dt. Schiller-
ges.«, 1, 1957, S. 30—73, u. W. E. *Schäfer,* »Tugendlohn und Sündenstrafe in Roman
u. Simpliciade«, ZfdPh. 85, 1966, S. 496 ff. Zur kritischen Korrektur an Koschlig:
H. *Hinterhäuser:* »Qui est Francion? Préliminaires à une interpretation de l'Histoire
comique de Francion par Charles Sorel«, in: »Studi in onore di Italo Siciliano«,
Florenz 1966, S. 543—556.

53 Grimmelshausen lobt den »Francion« im »Satyrischen Pilgram«, Ed. W. *Bender,* S. 93;
   vgl. die Quellenhinweise bei G. *Weydt,* »Nachahmung u. Schöpfung im Barock. Studien um Grimmelshausen«, Bern 1968, S. 410 (Bibliographie). — Über die »Francion«-
   Lektüre bei *Beer* vgl. »Teutsche Winter-Nächte«, IV. Buch, 7. Kap.; Ed. R. *Alewyn,*
   S. 237.

54 Vgl. dazu im Kap. V, S. 94 dieser Arbeit (D. G. *Morhof,* »Unterricht von der Teutschen Sprache und Poesie«, Kiel 1682).

55 Vgl. »La Bibliothèque Françoise«, 2. Aufl. Paris 1667, S. 188; *Sorel* ordnet die
   spanischen Schelmenromane seinem Oberbegriff »romans comiques« unter (vgl. »Bibl.«
   S. 192).

56 Dt. Übers. des »Francion« (1662), Beginn des 10. Buchs, S. 658; vgl. auch »Bibl.
   Françoise«, S. 188 f.

57 Vgl.: »[...] les bons Livres Comiques sont des Tableaux naturels de la Vie hu-
   maine.« (*Sorel,* »De la Connoissance des Bons Livres«, Amsterdam 1672, S. 175).

58 Vgl. dt. »Francion«-Übers., S. 658.

59 Vgl. die Parallele zur Komödie. W. *Hinck* (»Das deutsche Lustspiel des 17. u. 18.
   Jhs.«, S. 44) spricht vom »Recht der ›Natürlichkeit‹ gegen den Zwang zivilisatorischer
   und gesellschaftlicher Konventionen in der commedia dell' arte«.

60 Vgl. »De la Connoissance«, S. 91; s. W. E. *Schäfer,* »Tugendlohn [...]«, S. 498.

61 Vgl. W. E. *Schäfer,* ebd.

62 »Simplicissimus«, I, 4; Ed. R. *Tarot,* S. 17.

63 Nach Cl. *Heselhaus* (»Simplicissimus-Interpretation«, S. 62 f.) auch des Schäferromans.

64 Vgl. Cl. *Heselhaus,* »Simplicissimus-Interpretation«, S. 56.

65 R. *Alewyn,* »Der Roman des Barock«, S. 30.

66 E. *Reichel* in seiner Dissertation über *Furetière:* »Gesellschaft und Geschichte im ›Roman Bourgeois‹ von Antoine Furetière«, Diss. Kiel 1966, S. 235.

67 Dabei wäre zu bedenken, daß das Schwinden der heilsgeschichtlichen Norm noch nicht
   auf ein Zunehmen der »realistischen« Tendenz (etwa im roman comique, bei Weise u.
   Beer) schließen läßt. Der Realismusbegriff R. Alewyns könnte von daher kritisch diskutiert werden.

68 Vgl. Johann *Fischart,* »Geschichtklitterung«-Vorrede; Ed. Düsseldorf 1963, S. 7 ff.

69 Vorrede zum »Satyrischen Pilgram«; Ed. W. *Bender,* S. 6.

70 Bzw. wiedergegeben *werden soll;* auch im »Realroman« (J. v. Stackelberg) kann es
   sich nur um die Darstellung eines Ausschnitts der Wirklichkeit handeln.

71 J. *v. Stackelberg,* »Von Rabelais bis Voltaire. Zur Geschichte des französischen Romans«, München 1970, S. 92.

72 Ed. W. *Bender,* S. 13.

73 Vgl. H. R. *Jauß,* »Ursprung u. Bedeutung der Ich-Form im ›Lazarillo de Tormes‹«,
   Romanist. Jb. 8, 1957, S. 290—311; hier S. 310.

74 H. *Baader* hat zudem überzeugend dargelegt, daß »nicht so sehr eine wie auch immer
   geartete literarische Tradition«, sondern der Erzählgegenstand selbst die autobiographische Form empfiehlt, insofern sie (die ihrem »Inhalt nach offene Satire« ist) »ein
   ästhetisches Recht der Dichter auf Mimesis gegen einen möglicherweise von den Dichtern selbst geteilten moralischen Anspruch der Gesellschaft an die Literatur« abschirmt
   u. die einzige epische Erzählform ist, die dem Autor (des »Lazarillo«) »die Freiheit
   ließ, nicht trennend zwischen die Personen der Dichtung und den Leser treten zu müssen.« (»Noch einmal zur Ich-Form im ›Lazarillo de Tormes‹«, Romanische Forschungen 76, 1964, S. 437—446; Zitate: S. 442, 444, 445, 444).

75 Vgl. dazu vor allem die Arbeiten von H. *Schöffler,* (»Protestantismus u. Literatur«, Leipzig 1922; Göttingen ²1958) u. W. *Iser,* (»Bunyans ›Pilgrim's Progress‹: Die kalvinistische Heilsgewißheit u. die Form des Romans«, in: »Festschrift f. W. Bulst«, Heidelberg 1960, S. 279—304).

76 Ed. H. *Tiemann,* Hamburg 1951, S. 6 f.

77 Vgl. dazu allg.: W. *Leiner,* »Begriff und Wesen des Anti-Romans in Frkr.«, Zs. f. frz. Sprache u. Literatur 74, 1964, S. 97—129.

78 W. C. *Booth,* »The self-conscious narrator in comic fiction before ›Tristram Shandy‹«, PMLA 67, 1952, S. 163—185.

79 B. *Morawe,* »Der Erzähler in den ›Romans comiques‹«, Neophilologus 47, 1963, S. 189.

80 Ebd.

81 Vgl. *Booth,* »The self-conscious narrator«, S. 165 ff.

81a Vgl. dazu T. W. *Berger,* »Don Quixote in Deutschland und sein Einfluß auf den deutschen Roman (1613—1800)«, Diss. Heidelberg 1908; außerdem W. *Brüggemann,* »Cervantes u. die Figur des Don Quijote in Kunstanschauung u. Dichtung der deutschen Romantik«, Münster 1958.

82 Vgl. Kap. I, 5.

83 Aegidius *Albertinus,* Vorrede zur dt. »Guzman«-Übers. (1615), S. A. iiijʳ.

84 Martin *Freudenhold,* Vorrede »An den Günstigen Leser« zur »Guzman«-Übers. von 1626, S.)(ijʳ.

85 »Erfolg hatten die simplicianischen Schriften keineswegs nur in den einfacheren Kreisen. Im Gegenteil spricht manches dafür, daß sie vom höfischen Publikum gern gelesen wurden.« (G. *Weydt,* »Nachahmung u. Schöpfung«, S. 428, Anm. 13); vgl. auch ders., »H. J. Christoffel von Grimmelshausen«, Stuttgart 1971, S. 113.

86 Änderungen ergeben sich hier in Dld. erst gegen Ende des 17. Jhs., als in den Vorreden zu *Weises* Romanen eine neue, bestimmte Leserschicht des gehobenen Bürgertums unmittelbar angesprochen wird. Nach einer Polemik gegen den *Simplicissimus* (»lederner saalbader«) heißt es in der Vorrede zu den »Drey ärgsten Ertz-Narren« (1672), S. 3: »Über Fürsten und Herrn haben andere gnug geklaget und geschrieben: Hier finden die leut ihren text / die entweder nicht viel vornehmer sind / als ich / oder die zum wenigsten leiden müssen / daß ich mich vor ihnen nicht entsetze.«

87 Vgl. dazu vor allem R. *Alewyn,* »Johann Beer«, S. 213 f. u. A. *Hirsch,* »Bürgertum u. Barock im deutschen Roman«, Köln ²1957, Kap. V.

88 Vgl. R. *Alewyn,* »J. Beer«, S. 213.

89 Vgl. ebd., S. 155.

90 Vgl. A. *Hirsch,* »Bürgertum u. Barock«, S. 71.

91 Vgl. »Satyrischer Pilgram«, Ed. W. *Bender,* S. 9.

92 *Sorel,* »Francion«; dt. Übers. 1662, S. 762; zit. bei M. *Koschlig,* »Das Lob des ›Francion‹ bei Grimmelshausen«, S. 64.

93 *Grimmelshausen,* »Satyrischer Pilgram«, Ed. W. *Bender,* S. 10; vgl. dazu R. *Alewyn,* »Johann Beer«, S. 139; Alewyn zitiert aus einer Vorrede des »Simplicianischen Welt-Kucker«, II (1679): »Ich sitze auch deßwegen nicht an meinem Schreibtisch / daß ich mit absonderlichen Red-Arthen die Welt erfüllen solte / sondern was ich schreib / schreib ich zur Lust [...]«.

III. Modifikationen des Schäferromans und ihre theoretischen Begründungen

1 Vgl. z. B. die »Jüngst-erbawete Schäfferey«, Leipzig 1624 oder »Die verwüstete vnd verödete Schäferey«, o. O. 1642.

2 Vgl. z. B. »Jüngst-erbawete Schäfferey Oder Keusche Liebes-Beschreibung [...]«, Leipzig 1624.

3 Vgl. die Romane (bzw. ihre deutschen Übersetzungen) von *d'Urfé, Monte-Mayor,*

Zesen, Stockfleth. Die »Jüngst-erbawete Schäfferey«; Matthias *Johnsohn* (= Johann Thomas), »Ljsjlle«, Frankfurt 1663; »Die verwüstete vnd verödete Schäferey«, o. O. 1642.

4 Vgl. dazu H. *Petriconi,* »Das neue Arkadien«, in: »Antike u. Abendland«, Bd. II, Hamburg 1946, S. 187—200.

5 In so unterschiedlichen Romanen wie *Sidneys* »Arcadia« (vgl. *Opitz*-Übers., zuerst 1629, Titel) und »Die verwüstete vnd verödete Schäferey«, 1642 (»Vorrede an den Gunsttragenden Leser«; vgl. »Schäferromane des Barock«, hrsg. v. K. *Kaczerowsky,* Hamburg 1970, S. 99).

6 Vgl. den Titel der »Arcadia«-Übers.: »[...] Ein sehr anmüthige Historische Beschreibung Arcadischer Gedicht vnd Geschichten / mit eingemängten Schäffereyen vnd Poesien [...]«, zit. Ausg. Frankfurt 1643.

7 Vgl. H. *Meyer,* »Der deutsche Schäferroman des 17. Jhs.«, Dorpat 1928 (= Diss. Freiburg 1927), S. 14. Eine Ausnahme bildet *Zesens* »Adriatische Rosemund«; vgl. dazu die Vorrede »Dem vernünftigen Läser«, Ed. M. H. *Jellinek,* Halle 1899, S. 6 f. — Zum deutschen Schäferroman vgl. außer der wegbereitenden Arbeit von H. *Meyer* vor allem A. *Hirsch,* »Bürgertum u. Barock im dt. Roman«, Köln ²1957, und jetzt auch K. *Kaczerowsky,* »Bürgerliche Romankunst im Zeitalter des Barock. Philipp v. Zesens ›Adriatische Rosemund‹«, München 1969.

8 Die folgende Zweiteilung in eine Gruppe: höfisch-aristokratischer (heroischer) und nicht-höfischer Schäferromane nimmt die von H. *Meyer* u. A. *Hirsch* getroffene Unterscheidung einer Gruppe der schäferlichen »Gesellschaftsdichtung« von einer der »Individualdichtung« intentional auf, ohne allerdings diese Gruppenbezeichnungen zu verwenden; denn einerseits kann die Schäferdichtung des 17. Jhs. noch nicht im Sinne der »Erlebnisdichtung« des 18. Jhs. interpretiert werden (Meyer u. Hirsch stellen die Beziehung von »Individualdichtung« und »Erlebnisdichtung« unmittelbar her), und andererseits kann auch eine nicht-höfische, dem Privaten zuneigende Schäferliteratur noch als Gesellschaftsdichtung gelten, insofern sie für einen zahlenmäßig begrenzteren Leserkreis (vornehmlich des kleinen Landadels) Medium des freundschaftlichen Austauschs ist. Vgl. im einzelnen dazu im folgenden.

9 »Nohtwendiger Vorbericht« zur »Diana von H. J. De Monte-Major, in zweyen Theilen Spanisch beschrieben / und aus denselben geteutschet Durch [...] Joh. Ludw. [...] *v. Kueffstein* [...]«, zit. Ausg. Nürnberg 1661, S.)()(jᵛ (Reprografischer Neudruck der Ausg. 1646: Darmstadt 1970). — Unter »waarer Geschichte« versteht *Harsdörffer* Historiographie; daß nicht dies die Intention der Autoren den niederen Romans ist, auch wenn sie immer wieder betonen, »Geschichte« zu schreiben, wurde mehrfach hervorgehoben.

10 H. A. *Stockfleth,* »Die Kunst- und Tugend-gezierte Macarie / Das ist: Historischer Kunst- oder Tugend-Wandel [...]«, Nürnberg 1669, Vorrede: »Nach Stands-Gebühr schuldig-geehrter und geliebter Leser!«, S.):(vᵛ; zu Stockfleths »Macarie«-Roman vgl. A. *Hirsch,* »Bürgertum und Barock«, S. 107 ff.

11 Vgl. A. *Hirsch,* ebd.

12 »Die verwüstete vnd verödete Schäferey / [...]«, Vorrede; Ed. K. *Kaczerowsky,* S. 99.

13 Vgl. den Titel von *Opitzens* Übersetzung der »Arcadia«, s. Anm. 6.

14 Vgl. die Vorrede zu *Stockfleths* »Macarie«, S.):():(ijʳff.

15 Dies ist etwa für *Zesens* »Adriatische Rosemund« immer wieder versucht worden; zuletzt von K. *Kaczerowsky,* »Bürgerliche Romankunst im Zeitalter des Barock«, S. 12 ff.

16 Vorrede zur »Verwüstete[n] vnd verödete[n] Schäferey«; Ed. K. *Kaczerowsky,* S. 99.

17 »Jüngst-erbawete Schäfferey [...]«, Vorrede: »An den Freundlichen Leser«, Ed. K. *Kaczerowsky,* S. 11.

18 Vgl. A. *Hirsch*, »Bürgertum u. Barock«, S. 17.
19 H. *Singer*, »Der deutsche Roman zwischen Barock und Rokoko«, Köln 1963, S. 107; vgl. auch S. 108 ff.
20 Zum Problem »Privatheit« und Roman vgl. Kap. IX, 1, S. 178 ff.
21 Vgl. Anm. 8, S. 222.
21a Hier zeigt sich der Schutzfunktionscharakter der Vorreden auch beim Schäferroman.
22 1629, S.):(ij`.
22a S. [)(iij`].
23 Vgl. A. *Hirsch*, »Bürgertum u. Barock«, S. 95; B. L. *Spahr*, »Der Barockroman als Wirklichkeit und Illusion«, in: »Dt. Romantheorien«, S. 26.
23a Vgl. Anm. 21a.
24 Vgl. A. *Doren*, »Wunschräume und Wunschzeiten«, in: »Utopie. Begriff u. Phänomen des Utopischen«, hrsg. v. A. *Neusüss,* Neuwied 1968, S. 126.
25 Vgl. M. *Horkheimer*, »Die Utopie«, in: »Utopie [...]«, hrsg. v. A. *Neusüss*, S. 178 ff.
26 Zur Ambivalenz im Begriff des Utopischen vgl. E. *Bloch*, »Arkadien und Utopien«, in: »Gesellschaft, Recht u. Politik«, hrsg. v. H. *Maus*, Neuwied 1968, S. 39—44; N. *Miller*, »Der empfindsame Erzähler. Untersuchungen an Romananfängen des 18. Jhs.«, München 1968, S. 348—350, u. R. *Bentmann*/M. *Müller*, »Die Villa als Herrschaftsarchitektur«, Frankfurt 1970, S. 59 ff. — N. *Miller,* der die Spannung des Utopischen beim Schäferroman angedeutet hat, scheint mir den Gedanken des »Nichtmehr« zu ausschließlich zu betonen, was dadurch bedingt ist, daß Miller vor allem d'Urfés »Astrée« vor Augen hat, ohne die deutschen nichthöfischen Schäferromane zu berücksichtigen.
27 »Diana«; »Nohtwendiger Vorbericht«, Ed. Nürnberg 1661, S.)(v`f.
28 Ebd., S. [)(vij`f.]. Vgl. auch *Harsdörffers* »Gesprächspiele«, II. Teil (1644), S. 100 bis 108; V. Teil (1645), S. 324 f.
29 Vgl. N. *Elias*, »Die höfische Gesellschaft«, S. 322.
30 Ebd., S. 366 ff. Über den Zusammenhang von »société réelle« und »société utopique« in *d'Urfés* »Astrée« vgl. J. *Ehrmann*, »Un paradis désespéré. L'amour et l'illusion dans l'Astrée«, New Haven/Paris 1963, Kap. V, S. 87 ff.
31 A. *Hirsch*, »Bürgertum und Barock [...]«, Köln ²1957, S. 90 ff.; H. *Singer*, »Der deutsche Roman zwischen Barock und Rokoko«, Köln 1963, S. 106 ff.
32 Vgl. dazu im Blick auf *Zesens* »Adriatische Rosemund« K. *Kaczerowsky*, »Bürgerliche Romankunst [...]«, S. 35.
33 »Die Schäferromane sind nicht nur durch ihre Stoffe vom Staats- und Liebesroman unterschieden, sie zeigen einen Menschentyp von anderer seelischer Struktur: unhöfische Menschen, unhöfische Schicksale, unhöfische Seelenlagen. Im Schäferroman fehlt vor allem die ethische Stilisierung des Lebens, die das Kennzeichen der höfischen Kultur ist; es fehlt das höfische Ethos und damit auch die für diese Kultur entscheidende menschliche Haltung.« (A. *Hirsch*, »Bürgertum und Barock«, S. 92).
34 A. *Hirsch*, ebd., S. 116.

IV. Romantheoretische Voraussetzungen und Ansätze in deutschen Poetiken und Abhandlungen des 17. Jahrhunderts bis zu Huet

1 *Heliodors* Roman ist auch der einzige, der schon bei Julius Caesar *Scaliger* lobende Erwähnung findet; vgl. J. C. *Scaliger*, »Poetices libri septem.« Faksimile-Neudruck der Ausg. von Lyon 1561 mit einer Einleitung von Aug. *Buck*, Stuttgart-Bad Cannstatt 1964, S. 144. Vgl. in Dld. etwa die Parallele bei August *Buchner*, »Poet. Aus dessen nachgelassener Bibliothek herausgegeben von Othone Prätorio«, Wittenberg 1665, S. 38 f. (Neudruck, zusammen mit der »Anleitung zur deutschen Poeterey«, hrsg. v. M. *Szyrocki*, Tübingen 1966).

2 Vgl. K. R. *Scherpe*, »Gattungspoetik im 18. Jh. Historische Entwicklung von Gottsched bis Herder«, Stuttgart 1968, S. 102.

3 J. *Dyck*, »Philosoph, Historiker, Orator und Poet — Rhetorik als Verständnishorizont der Literaturtheorie des XVII. Jhs.«, arcadia 4, 1969, S. 5; vgl. auch L. *Fischer*, »Gebundene Rede. Dichtung und Rhetorik in der literarischen Theorie des Barock in Dld.«, Tübingen 1968, S. 27 f.

4 Konrad *v. Hoeveln*, »Candorins Deutscher Zimber-Swan«, Lübeck 1667, S. 152. — Georg *Neumark*, »Poetische Tafeln / Oder Gründliche Anweisung zur Teutschen Verskunst [. . .]«, (Textteil v. Martin *Kempen*), Jena 1667, S. 59 f.; vgl. auch G. Ph. *Harsdörffer*, »Frauenzimmer Gesprächspiele«, Bd. I, XLVII: »Das Verlangen« (1641), Neudruck der Edition Nürnberg 1644, hrsg. v. I. *Böttcher*, Tübingen 1968, S. 234.

5 Vgl. L. *Fischer*, »Gebundene Rede«, S. 27.

6 L. *Fischer* unterscheidet hierbei zwei Phasen, wobei er zur ersten die literaturtheoretischen Arbeiten von Opitz, Buchner und Titz und zur zweiten die von Harsdörffer, Schottel, Neumark und Birken rechnet. Zu dieser Abfolge vgl. auch die Besprechung der Arbeit von Fischer durch J. *Dyck*, AfdA 98, 1969, S. 77.

7 Vgl. W. *Krauss*, »Zur französischen Romantheorie des 18. Jhs«, in: »Nachahmung u. Illusion«, hrsg. v. H. R. *Jauß*, München ²1969, S. 60.

8 A. *Hirsch* hat darauf hingewiesen, daß das starke Zunehmen der Romanproduktion am Ende des 17. Jhs. in Dld. ein Vorgang ist, dem innerhalb der Geschichte des Romans »eine nicht unbeträchtliche Bedeutung zukommt« (EG 9, 1954, S. 97).

9 Vgl. dazu die Arbeiten von K. *Dockhorn* (»Macht und Wirkung der Rhetorik«, Bad Homburg 1968), J. *Dyck* (»Ticht-Kunst. Deutsche Barockpoetik und rhetorische Tradition«, Bad Homburg 1966), L. *Fischer* (»Gebundene Rede«, Tübingen 1968), W. *Barner* (»Barockrhetorik. Untersuchungen zu ihren geschichtlichen Grundlagen«, Tübingen 1970), und den Artikel »Rhetorik« im RL, Bd. III, Berlin ²1971, S. 432 bis 456 von W. *Jens;* vgl. auch die dort angegebene Literatur.

10 J. *Dyck*, »Ticht-Kunst«, S. 35.

11 Vgl. J. *Dyck*, Rez. der Arbeit von L. *Fischer*, AfdA 98, 1969, S. 75.

12 In den beiden zitierten Arbeiten von *Dyck* und *Fischer* wird das Verhältnis von Rhetorik und Dichtung unterschiedlich akzentuiert; während Dyck die rhetorischen Wurzeln aller Poesie u. die Gemeinsamkeiten beider vor allem hervorhebt, versucht Fischer »inhaltliche« Unterscheidungsmerkmale herauszuarbeiten, die Rhetorik u. Dichtung voneinander trennen lassen. Die stellenweise recht massive Kritik Dycks an Fischer (AfdA-Besprechung) scheint mir trotz mancher Berechtigung im Ganzen doch überspitzt; gerade die (»notwendige«) Berücksichtigung neuer literarischer Formen (wie die des Romans) in den Poetiken zeigt, daß andere Momente der Poetizität doch eine erhebliche Rolle spielen — jenseits des Verskriteriums. — Zur Beziehung von Rhetorik u. Dichtung vgl. außer Dyck u. Fischer auch R. *Hildebrandt-Günther*, »Antike Rhetorik u. deutsche literarische Theorie«, Marburg 1966 (= Diss. Marburg 1962).

13 Aug. *Buchner*, »Poet«, Wittenberg 1665, S. 26.

14 Johann Peter *Titz*, »Zwey Bücher Von der Kunst Hochdeutsche Verse und Lieder zu machen«, Danzig 1642, S. A.

15 Vgl. L. *Fischer*, »Gebundene Rede«, S. 66; H. P. *Herrmann*, »Naturnachahmung und Einbildungskraft. Zur Entwicklung der deutschen Poetik von 1670 bis 1740«, Bad Homburg 1970, S. 77.

16 G. Ph. *Harsdörffer*, »Gesprächspiele«, V. Teil, Nürnberg 1645, S. 19.

17 G. *Neumark*, »Poetische Tafeln«, S. 32.

18 »Denn der Geschichtsschreiber und der Dichter unterscheiden sich nicht nur dadurch, daß der eine Verse schreibt und der andere nicht (IX, 2); [. . .] sie unterscheiden sich vielmehr darin, daß der eine erzählt, was geschehen ist, der andere, was geschehen könnte [. . .] (IX, 2)«. *Aristoteles*, »Poetik«; zit. nach der dt. Übers. v. O. *Gigon*, Stuttgart 1961, S. 39.

19 Vgl. A. *Buck,* Einleitung zu J. C. *Scaliger,* »Poetices libri septem«, Stuttgart-Bad Cannstatt 1964, S. X; außerdem M. *Imdahl,* Diskussionsbeitrag zu W. Krauss, »Zur frz. Romantheorie des 18. Jhs.«, in: »Nachahmung u. Illusion«, S. 192. Zur Nachahmungstheorie vgl. allg.: H. *Koller,* »Die Mimesis in der Antike. Nachahmung, Darstellung, Ausdruck«, Bern 1954; E. *Grassi,* »Die Theorie des Schönen in der Antike«, Köln 1962, S. 101 ff. und: John D. *Boyd,* »The Function of Mimesis and its Decline«, Cambridge/Mass. 1968, der von einer »idealistischen« (Plato), »realistischen« (Aristoteles) und »pragmatischen« (Horaz) Ausprägung spricht; vgl. außerdem: H. *Eizereif,* »Kunst: eine andere Natur. Historische Untersuchungen zu einem dichtungstheoretischen Grundbegriff«, Diss. Bonn 1951 (Masch.).

20 H. P. *Herrmann,* »Naturnachahmung u. Einbildungskraft«, S. 30; vgl. auch J. *Dyck,* »Ticht-Kunst«, S. 111 f.

21 *Horaz,* »De arte poetica liber«, 361—365; vgl. die lat.-dt. Ed. v. H. *Rüdiger,* S. 36.

22 Für das 17. Jh. vgl. etwa die Hinweise bei A. *Schöne,* »Emblematik und Drama im Zeitalter des Barock«, München 1964, S. 199 ff. u. L. *Fischer,* »Gebundene Rede«, S. 71.

23 A. *Buchner,* »Poet«, S. 27 f.; vgl. außerdem das »von Plutarch überlieferte Diktum des Simonides« (A. *Schöne),* auf das die Formel des Horaz zurückgeht, im Motto bei *Buchner:* »Poema est loquens pictura, Pictura est tacitum poema«; u. Joh. P. *Titz,* »Zwey Bücher von der Kunst Hochdeutsche Verse [...] zu machen«, S. Oiij: »[...] redendes Gemählde vnd lebendes Bild«; u. A. *Buchner,* Ed. M. *Szyrocki,* Tübingen 1966, S. 11 *.

24 G. Ph. *Harsdörffer,* »Poetischer Trichter, Die Teutsche Dicht- und Reimkunst, ohne Behulf der lateinischen Sprache, in VI Stunden einzugiessen [...]«, Teil II, Nürnberg 1648, S. 7; Kursivierung in den Texten von Buchner und Harsdörffer von mir. Zu Harsdörffer vgl. W. *Lockemann,* »Die Entstehung des Erzählproblems. Untersuchungen zur deutschen Dichtungstheorie im 17. und 18. Jh.«, Meisenheim 1963, S. 48—59, hier S. 53.

25 *Harsdörffer,* »Gesprächspiele« III, S. 55, vgl. W. *Lockemann,* »Die Entstehung des Erzählproblems«, S. 54.

26 *Harsdörffer,* »Gesprächspiele« V, S. 28.

27 H. *Blumenberg,* Diskussionsbeitrag zu W. *Krauss,* »Zur frz. Romantheorie«, in: »Nachahmung und Illusion«, S. 195.

28 Vgl. dazu Kap. VIII, 4: »Roman und Drama«, S. 169 ff.

29 Vgl. H. *Blumenbergs* Begriff der »garantierten Realität« (»Wirklichkeitsbegriff und Möglichkeit des Romans«, in: »Nachahmung u. Illusion«, S. 10 ff.); s. Kap. I, Anm. 84 dieser Arbeit, S. 214.

30 *Harsdörffer,* »Gesprächspiele« IV, S. 236.

31 Vgl. H. P. *Herrmann,* »Naturnachahmung und Einbildungskraft«, S. 77 ff.; auch zum Folgenden.

32 Im Unterschied zur frz. Romantheorie: Charles *Sorel* behandelt in seinen theoretischen Arbeiten sowohl den »roman héroique« als den »roman comique«.

33 Zit. nach der 2., erweiterten Aufl. Nürnberg 1644; Neudruck, hrsg. v. I. *Böttcher,* Tübingen 1968. Wichtige Passagen aus der 1. Aufl. (»Spiel vom Verlangen«) finden sich jetzt in der Ed. »Romantheorie«, hrsg. v. E. *Lämmert* u. a., S. 5—10.

34 »Gesprächspiele«, Bd. I, S. 236; am Rand: »Les Romans«. Im folgenden wird die entsprechende Seitenzahl (Zählung des Originaldrucks) dem wiedergegebenen Harsdörffer-Zitat im Text beigefügt.

35 Vgl. *Aristoteles,* »Poetik«, IX: »Darum ist die Dichtung auch philosophischer und bedeutender als die Geschichtsschreibung. Denn die Dichtung redet eher vom Allgemeinen; die Geschichtsschreibung vom Besonderen.« (Dt. Übers. O. *Gigon,* Ed. Stuttgart 1961, S. 39).

36 Vgl. die Ausdeutung bei Sigmund *v. Birken* (Kap. I).

37 Vgl. die Verwandtschaft zur »Arzt- und Pillenformel«.

38 Vgl. »Schalttbit«, S. 259—262.

39 »Mythoscopia Romantica: oder Discours Von den so benanten Romans [. . .]« (1698); vgl. dazu Kap. VII, 1, S. 122 ff.

40 Vgl. S. 265 ff. »Vespasian von Lustgau / ein alter Hofmann«, dem Harsdörffer die Schiedsrichter-Funktion überträgt, zählt der Reihe nach spanische, italienische, französische und antike Werke auf, »welche bereit verteutschet« (267), bzw. »welche seines verständigen Erachtens noch in Teutsch zu bringen / und uns zu verlangen seyn möchten« (265). Diese Aufzählung wird ergänzt durch eine Liste von ins Deutsche übersetzten berühmten hohen Romanen (u. a. »Diana«, »Arcadia«, »Astrée«, »Argenis«, »Ibrahim«), die der Verteidiger der Romane, »Reymund Discretin«, der »gereist- und belesene(r) Student« beisteuert.

41 Daniel *Richter*, »Thesaurus oratorius novus. Oder Ein neuer Vorschlag / wie man zu der Rednerkunst / nach dem Ingenio dieses Seculi, gelangen / und zugleich eine Rede auf unzehlich viel Arten verändern könne«, Nürnberg 1660, Kap. XX: »Von den Special-Reden und Schrifften«, S. 216. Ein Abdruck findet sich jetzt in der Anthologie von D. *Kimpel* u. C. *Wiedemann*, »Theorie u. Technik des Romans im 17. u. 18. Jh.«, Bd. I, S. 8.

42 Zu K. *v. Hoeveln* und G. *Neumark* vgl. Anm. 4; in Johann Joachim *Eschenburgs* »Entwurf einer Theorie und Literatur der schönen Wissenschaften« wird der Roman noch 1789 (1. Aufl. 1783) innerhalb der Abteilung »Rhetorik« (»Historische Schreibart«) behandelt.

43 Vgl. die Vorreden des hohen Romans u. Sigmund *v. Birkens* Romanklassifizierung in seiner Poetik (dazu weiter im folgenden).

44 Zu *Birken* vgl. auch W. *Lockemann*, »Die Entstehung des Erzählproblems«, S. 58 f.

45 Vgl. etwa die Arbeit von E. *Schwarz*, »Der schauspielerische Stil des deutschen Hochbarock. H. A. v. Ziglers ›Asiatische Banise‹«, Diss. Mainz 1956 (Masch.).

46 »Thesaurus oratorius novus«, S. 216.

47 Vgl. die Komödiendefinition M. *Opitzens:* »Die Comedie bestehet in schlechtem wesen vnnd personen: redet von hochzeiten / gastgeboten / spielen / betrug vnd schalckheit der knechte / ruhmrätigen Landtsknechten / buhlersachen / leichtfertigkeit der jugend / geitze des alters / kupplerey vnd solchen sachen / die täglich vnter gemeinen Leuten vorlauffen. Haben derowegen die / welche heutiges tages Comedien geschrieben / weit geirret / die Keyser vnd Potentaten eingeführet; weil solches den regeln der Comedien schnurstracks zuwieder laufft.« (»Buch von der Deutschen Poeterey«, Ed. R. *Alewyn*, S. 20).

48 Im XI. Kap. seiner Rhetorik, in dem *Richter* von der auch für den Roman erforderlichen »artificialen Disposition« handelt, führt er neben *Barclays* »Argenis« auch *Sidneys* »Arcadia« auf.

49 D. *Richter*, »Thesaurus oratorius novus«, S. 208.

50 Vgl. H. *Steinmetz*, »Die Komödie der Aufklärung«, Stuttgart 1966, S. 6.

51 Vgl. W. *Hinck*, »Das deutsche Lustspiel des 17. u. 18. Jhs. [. . .]«, S. 172 ff.

52 D. *Richter*, »Thesaurus [. . .]«, S. 209 f.

53 Zit. nach dem Abdruck in der Anthologie von *Kimpel/Wiedemann*, S. 9. (Die zitierte Textstelle bezieht sich auf das Exordium).

54 D. *Richter*, »Thesaurus [. . .]«, S. 214 f.

55 »Die alleredelste Zeit-Verkürtzung Der Gantzen Welt: Vermittelst eines anmuthigen und erbaulichen Gesprächs / Welches ist dieser Art / die Sechste / Und zwar eine Brachmonats-Unterredungen / Beschrieben und fürgestellet Von Dem Rüstigen«, Frankfurt 1668 (Zum Roman: S. 167—180). Einzelne Auszüge sind jetzt neugedruckt in der Ed. »Romantheorie«, hrsg. v. E. *Lämmert* u. a., S. 16—18.

56 Vgl. F. *Schalk*, »Die europäische Aufklärung«, in: »Propyläen-Weltgeschichte«, hrsg. v. G. *Mann*, Bd. VII, o. J., S. 504.

57 »Die alleredelste Zeit-Verkürtzung Der Gantzen Welt [...]«, S. 167. Die Seitenangaben werden im folgenden den Zitaten beigefügt.

58 »Von Hertzen lieb ist es mir und meinen Herren Gesellschafftern (fieng der Rüstige hierauf an zu reden) daß mein Sinnreicher Kleodor / einen zwar kurtzen / aber jedoch wolaußgesonnenen Discurs, von Lesung nutzlicher Historien und Geschichte hat wollen herfür bringen / und zugleich behaupten / daß hierinn die alleredelste Zeitverkürtzung der gantzen Welt bestehe / welche Meynung / dieweil sie nicht scheinet übel gegründet seyn / wir nicht eben wollen tadeln / viel weniger verwerffen / können ihme doch gleichwol auch noch zur Zeit keinen völligen Beyfall geben / in Betrachtung die übrige Meynunge auch noch erstlich müssen gehöret werden [...]« (S. 178). Den zum Schiedsrichter auserwählten »Nobilidor« läßt Rist dann die Meinung akzeptieren, daß die Lektüre solcher Bücher »die alleredelste Zeitverkürtzung« sei, legt ihm aber selber die Feststellung in den Mund, daß das »Kunst*machen*« (»wann man allerhand gute natürliche Kunststücklein für sich nimt / und solche grundrichtig außzuarbeiten / oder zu verfertigen / ist bemühet«), die »alleredelste Zeitverkürtzung« bedeute (S. 179 f.).

59 U. a. werden »Tristant«, »Lanzelot«, »Die schöne Magelone« und die »Melusine« genannt (vgl. S. 167 f.).

60 Exemplarisch läßt sich diese historische Periodisierung und Einteilung noch 1742 in *Zedlers* »Universal Lexicon aller Wissenschaften und Künste«, (Bd. 32, Sp. 700—703) beobachten, wo den »alten« Romanen antike und mittelalterliche und den »neuern Romanen« solche des 17. Jhs. zugezählt werden. »Barock«-Romane (und besonderes Lob erhalten *Lohenstein* und *Anton Ulrich*) sind also noch für Zedler »neue« Romane im Unterschied zu den »alten«, antiken und mittelalterlichen. Zur Frage der historischen Klassifizierung des Romans in Enzyklopädien vgl. W. F. *Greiner*, »Studien zur Entstehung der engl. Romantheorie an der Wende zum 18. Jh.«, Tübingen 1969, S. 217 ff.; zu *Zedler:* S. 220 ff.

61 Zu den »Amadis«-Kritikern vgl. die untersuchten Roman-Vorreden der Autoren; zu den Verteidigern: M. *Opitz*, »Aristarchus, sive de contemptu linguae Teutonicae«, hrsg. v. G. *Witkowski*, Halle 1967 (Unveränderter Nachdruck der 1. Aufl.), S. 156 f.; Justus Georg *Schottel*, »Ausführliche Arbeit von der Teutschen Haubt-Sprache [...]«, Braunschweig 1663, S. 1193 (Neudruck hrsg. v. W. *Hecht*, 2 Bde., Tübingen 1967); Daniel Georg *Morhof*, »Unterricht von der Teutschen Sprache und Poesie [...]«, Kiel 1682, S. 693; zu Pierre Daniel *Huet* im einzelnen im nächsten Kapitel.

62 »Aristarchus«, zit. Ed. S. 156.

63 J. G. *Schottel*, »Ausführliche Arbeit von der Teutschen Haubt-Sprache«, S. 1186: »Dieses ist unlaugbar / daß dieses Buch von dem Teutschen Hercule nach solcher Romanschen Schreibart (wie mans nennet / und die aus der Welt gar abzubringen mancher vergebens und ohn uhrsach angst hat) zum ersten die Gottesfurcht und Christliche Gebür / und daher rührende Belohnung / nach anweisung der Exempel / unvermerkt und bey erzehlung ergetzender Hendel mit beybringet; das gute wo es recht ist / bleibt gut / gesuchte Ergerniß kan man allerwegen / auch in der Bibel / wers gern haben und annehmen wil / antreffen.« Vgl. außerdem das überschwengliche Lob für *Buchholtz* in K. *v. Hoevelns* »Candorins Deutsche[m] Zimber Swan«, Lübek 1667, S. 152 f.

64 Vgl. dazu W. E. *Schäfer*, »Hinweg nun Amadis und Deinesgleichen Grillen«, GRM XLVI, NF. XV, 1965, S. 375 f.

65 Sigmund *von Birken*, »Teutsche Rede- bind- und Dicht-Kunst / oder Kurze Anweisung zur Teutschen Poesy / mit Geistlichen Exempeln [...]«, Nürnberg 1679, S. 293 ff. Die wichtigten Passagen jetzt in der Ed. »Romantheorie«, hrsg. v. E. *Lämmert* u. a., S. 26 f.

66 Vgl. »Teutsche Rede- bind- und Dicht-Kunst«, S. 296 u. den Anfang der »Vor-Rede« (Seitenangaben im folgenden im Text).

67 Als Musterbeispiel für den »reinen« Schäferroman in Dld. gilt *Opitzens* »Schäfferey

von der Nimfen Hercinie« (1630): »Die erste in Teutschland / gleichwie auch die edelste / ist Opitzens unvergleichliche Hercinie: maßen auch er der erste und edelste T. Poet ist.« (S. 301).

68 Vgl. dazu W. *Lockemann*, »Die Entstehung des Erzählproblems«, S. 67 u. K. *Scherpe,* »Gattungspoetik im 18. Jh.«, S. 7 ff.

69 Vgl. dazu: O. *Brunner*, »Adeliges Landleben und europäischer Geist. Leben und Werk Wolf Helmhards von Hohberg 1612—1688«, Salzburg 1949, mit wichtigen Beiträgen auch zum höfischen Staats- und Schäferroman.

70 Medias-in-res-Erzähltechnik; Verwicklung und Enträtselung der Geschichte: psychische und moralische Konstanz der Figuren (Tugend - Laster - Schema). Vgl. dazu S. 306 f.

71 Zur Katharsis--Formel vgl. im Zusammenhang mit einer vergleichbaren Wendung bei Daniel *Omeis* (»Gründliche Anleitung zur Teutschen accuraten Reim- und Dicht-Kunst [...]«, Nürnberg 1704, S. 232) H. P. *Herrmann*, »Naturnachahmung u. Einbildungskraft«, S. 49 f.

72 Vgl. etwa den Begriff »GeschichtGedicht« bei Johann *Hofmann*, »Lehr-mässige Anweisung Zu der Teutschen Verß- und Ticht-Kunst«, Nürnberg 1702, S. 137. — Die romantheoretische Konsistenz des *Huetschen* »Traité« und seine zukunftsoffenen Intentionen ohne geschichtstheologische Einengungen verdrängen *Birkens* Romantheorie in der Folgezeit in Dld. fast vollständig.

V. Huets Romantheorie und ihre Rezeption in Deutschland

1 Der von Mme. *de Lafayette* unter Mitarbeit von *Segrais* verfaßte und unter seinem Namen veröffentlichte Roman, zu dem *Huet* die romantheoretische Einleitung beisteuerte, trägt den Titel: »Zayde Histoire Espagnole, par Monsievr de Segrais. Avec vn Traitté de l'Origine des Romans, par Monsievr Hvet«, A Paris [...] 1670. Eberhard Werner *Happels* Roman, der eine vollständige deutsche Übersetzung des »Traité« im III. Buch, Kap. III — VIII, enthält, erschien unter dem Titel: »Der Insulanische Mandorell, Ist eine Geographische Historische und Politische Beschreibung Aller und jeden Insulen Auff dem gantzen Erd-Boden / Vorgestellet In einer anmüthigen und wohlerfundenen Liebes- und Helden-Geschichte: Worbey auch sonsten allerhand schöne Discurse und Materien, insonderheit der Uhrsprung der so genanten Romanen, gründlich und in einer guten Teutschen Redens-Arth an- und außgeführt werden. Alles genommen auß den bewehrtesten so neuen als alten Scribenten. Auffgesetzet · von Eberhardo Guernero Happelio«, Hamburg 1682. — Die Erstausgabe des »Traité« und die Happel-Übers. sind in einem Faksimiledruck, hrsg. v. H. *Hinterhäuser*, Stuttgart 1966 erschienen; die 8. Ausg. des »Traité« (1711) legte Arend *Kok* in einer kritischen Ausg., Amsterdam 1942, vor; hier findet sich auch ein Verzeichnis der verschiedenen Ausgaben u. Übersetzungen des »Traité«. — Zur Huet-Literatur vgl. die Angaben in der Ed. H. *Hinterhäuser*, S. 30* f.; außerdem die Einleitung zu A. Koks Ausg.: »La théorie du roman d'après Huet et ses contemporains«, S. 51 ff., H. Hinterhäusers Nachwort zu seiner Ed., u. W. F. *Greiner*, Studien zur Entstehung der engl. Romantheorie [...]«, S. 75 ff. — Eine Geschichte der Huet-Rezeption in Dld. liegt (bis auf einzelne Hinweise bei M. L. *Wolff*, »Geschichte der Romantheorie«, Nürnberg 1915 [= Diss. München 1911], S. 44 ff., B. *Markwardt*, »Geschichte der deutschen Poetik«, Bd. I, u. H. *Hinterhäuser*, Nachwort zur Huet-Ed.) bisher nicht vor; die folgenden Untersuchungen möchten einen Beitrag zu dieser Geschichte liefern.

2 Giovanni Battista Giraldi *Cinzio*, Discorso al comporre dei romanzi«, (1554); Giovanni Battista *Pigna*, »De Romanzi«, (1554); vgl. dazu M. L. *Wolff*, »Geschichte der Romantheorie«, S. 8 ff.

3 Vorrede zum »Ibrahim«-Roman der *Mlle. de Scudéry* (1641); vgl. dazu Kap. I, S. 10 f.;

Jean *Chapelain,* »Dialogue de la lecture des vieux romans«, (1646); vgl. dazu I. *Behrens,* »Die Lehre von der Einteilung der Dichtkunst vornehmlich vom 16. bis 19. Jh.«, Halle 1940, S. 136.

4 H. *Hinterhäuser,* Nachwort zur Huet-Ed., S. 9*, bezeichnet folgende drei Gesichtspunkte als wichtigste Faktoren: »eine Apologie des Romans, Grundzüge einer Romanästhetik und eine Geschichte der Gattung von den ersten Anfängen bis zur Gegenwart des Schreibenden.«

5 Der Zukunftsaspekt scheint mir gerade bei einer genaueren Betrachtung der Huet-Rezeption in Dld. offenkundig zu sein. H. *Hinterhäuser* u. J. *v. Stackelberg* (»Von Rabelais bis Voltaire [...]«, S. 11) betonen wohl etwas zu sehr das Rückwärtsgewandte des »Traité«, während die folgenden Überlegungen demgegenüber vor allem den Übergangscharakter Huets (zwischen Vergangenheit und Zukunft) deutlich machen möchten.

6 »[...] ce que l'on appelle proprement Romans sont des fictions d'aventures amoureuses, écrites en Prose avec art, pour le plaisir & l'instruction du Lecteurs«. (»De l'origine des Romans«, S. 4 f.). Die zitierte dt. Übers. *Happels:* S. 574. Die Seitenzahlen beziehen sich auf die faksimilierten Originalausgaben. Im folgenden wird nach der Happel-Übers. zitiert; Seitenangaben im Text.

7 Vgl. vor allem die theologisch begründete Romankritik; dazu im VII. Kap., S. 121 ff. dieser Arbeit.

8 Vgl. die Besprechung von *Wielands* »Agathon« in der »Allgemeinen deutschen Bibliothek«, hrsg. v. Friedrich *Nicolai,* Bd. VI, 1, Berlin 1768, S. 190—211.

9 Auch der »Zayde«-Roman, den *Happel* in seiner deutschen Übers. nicht erwähnt.

10 Vgl. H. *Singer,* »Der deutsche Roman zwischen Barock und Rokoko«, S. 172; vgl. außerdem das Nachwort von H. *Hinterhäuser.*

11 Vgl. dazu: E. *Köhler,* »Madame de Lafayettes ›La Princesse de Clèves‹. Studien zur Form des klassischen Romans«, Hamburg 1959.

12 Vgl. H. *Singers* Begriff des »Komödienromans«, der sich vor allem am Beispiel des galanten Romans Christian Friedrich *Hunolds* orientiert. Zur Kritik an Singers Klassifizierung vgl. W. F. *Greiner,* »Studien zur Entstehung der engl. Romantheorie«, S. 198 ff.

13 Außer der Liebesroman-Definition wird am häufigsten *Huets* Geschichte des Romans aufgenommen.

14 Vgl. Kap. III, S. 48 f.

15 Eine Ausnahme bildet nur die Berücksichtigung des französischen psychologischen Kurzromans bei Christian *Thomasius;* vgl. dazu im nächsten Kapitel, S. 112 ff.

16 »Unterricht von der Teutschen Sprache und Poesie [...]«, Kiel 1682, S. 691.

17 *Tentzel,* »Monatliche Unterredungen Einiger Guten Freunde von Allerhand Büchern und andern annehmlichen Geschichten [...]«, Januarius 1696, o. O. 1696, S. 55; vgl. auch *Omeis,* »Gründliche Anleitung zur Teutschen accuraten Reim- und Dicht-Kunst [...]«, Nürnberg 1704, S. 214 ff.: »Von einigen großen und weitleuftigen Gedichten / dergleichen sind Die Helden-Gedichte und Romans.«

18 Zit. nach der lateinischen Rezension dieser Abhandlung in den »Acta Eruditorum«, Leipzig 1684, S. 433. Die Abhdlg. selbst blieb mir, trotz intensiver Suche, unzugänglich. M. L. *Wolff* (»Geschichte der Romantheorie [...]«, Nürnberg 1915, S. 66 ff.) scheint der letzte gewesen zu sein, der den Essay der S. E. *Prasch* auswerten konnte.

19 Vgl. Kap. VII, S. 121 ff.

20 Christian Friedrich *Hunold,* »Die Verliebte und Galante Welt« (1700), Vorrede; zit. bei H. *Singer,* »Der galante Roman«, Stuttgart 1961, S. 43.

21 »Vollständige Deutsche Poesie / in drey Theilen / [...]«, Leipzig 1688, S. 348; vgl.: Kap. VII: »Von den Romainen oder Liebes-Gedichten« (vgl. diese Kapitelüberschrift!).

22 J. *Volckmann,* »Q. D. B. V. De Fabulis Romanensibus antiquis et recentiori-

bus [...]«, Kiel 1703, § II, S. 5; gleichlautend bei G. *Pasch,* »De variis modis moralia tradendi liber [...]«, Kiel 1707, § XXXIII, S. 180.

23 »Raisonnement über die Romanen. Gedruckt im Jahr / 1708«, S. 15; 16; 31 in der Reihenfolge der zitierten Textstellen. Diese Abhandlung ist ohne Verfasser- und Ortsangabe erschienen; M. L. *Wolff* (»Geschichte der Romantheorie«) und B. *Markwardt* (»Geschichte der deutschen Poetik I«) vermuten, daß Erdmann *Neumeister* der Autor ist.

24 Vorrede zu: »Die Allerneueste Art / Zur Reinen und Galanten Poesie zu gelangen [...] Von Menantes«, Hamburg 1707; vgl. dazu: Kap. VII, 3: Opern- und Romankritik, S. 133 ff.

25 H. *Singer,* »Der galante Roman«, S. 43, auch zum Folgenden.

26 H. *Singer,* ebd., S. 34.

27 Vgl. J. *Volckmann,* De Fabulis Romanensibus [...]«, §§ VI und VII; G. *Pasch,* »De variis modis moralia tradendi liber«, §§ XXXVII u. XXXVIII.

28 Dies deutet sich etwa schon bei W. E. *Tentzel,* »Monatliche Unterredungen [...]«, (1696) S. 57 an, obwohl er gleichzeitig betont, daß es ihm fernliege, »daß ich hiermit so viel gesaget wissen wolte / als ob all- und jede profane Liebes-Geschichte / in Romainen-Art geschrieben / verwerfflich wären [...]« (ebd.).

29 Vgl. G. W. *Hegel,* »Ästhetik«, hrsg. v. F. *Bassenge,* Berlin o J., Bd. II, S. 452 f. und G. *Lukács,* »Die Theorie des Romans«, Ed. Neuwied 1962. In der Geschichte des Romans läßt sich dieser Ablösungsprozeß schon bei der Entstehung des antiken Romans beobachten; vgl. dazu O. *Weinreich,* »Der griechische Liebesroman«, S. 22 ff.

30 Im Unterschied zu den Bestimmungen der »Ibrahim«-Vorrede, wo von einer Vermischung von Erfundenem und Historischen die Rede ist (entsprechend auch bei Stubenberg und Birken), betont *Huet* die eindeutige Dominanz des Fiktiven.

31 Vgl. dazu etwa neuere Arbeiten von H. R. *Jauß* und R. *Koselleck,* worauf später zurückzukommen sein wird.

32 Im französischen Original: »fiction«. *Happel* übersetzt also nicht mit »Erfindung«, statt dessen spricht er von »Auszierung«. Der Gedanke des Fiktionalen tritt also bei *Huet* viel stärker hervor.

33 Vgl. Christian Friedrich *Hunolds* parallele Unterscheidung in »fictiones actionum« (realistische) und »fictiones rerum« (allegorische). (»Menantes Academische Neben-Stunden [...]«, Halle ²1726, S. 53; zuerst 1713).

34 Vgl. dazu vor allem: R. *Bray,* »La Formation de la Doctrine Classique en France«, Paris 1927.

35 G. *May* (»L'histoire a-t-elle engendré le roman?«, Revue d'Histoire Littéraire LV, 1955, S. 155 ff.) u. E. *Köhler* (»Madame de Lafayettes ›La Princesse de Clèves‹«, S. 15) haben darauf aufmerksam gemacht, daß das Postulat der »bienséance« im Umkreis des klassischen Romans abgewertet wird und »bienséance« und »vraisemblance« in einen Gegensatz zueinander geraten.

36 Vgl. R. *Bray,* »La Formation de la Doctrine Classique«, S. 208.

37 Die damit angeschnittenen Probleme können hier nicht erörtert werden; für eine genaue Bestimmung der Wahrscheinlichkeitsforderung Huets müßte dessen literarhistorische Stellung im zeitgenössischen Umkreis im einzelnen untersucht werden.

38 Vgl. H. *Kortum,* »Charles Perrault und Nicolas Boileau. Der Antike-Streit im Zeitalter der klassischen Literatur«, Berlin 1966, S. 57.

39 Die Unterscheidung *Huets* von »Roman Comiques« und »grands Romans« (S. 9) wird in der *Happel*-Übers. übergangen; dieser Hinweis auf den roman comique fehlt also in der deutschen Fassung. Allerdings wird der komische Roman auch bei Huet nicht weiter erörtert. Vgl. dazu im 4. Abschnitt dieses Kapitels, S. 91 ff.

40 In Ansätzen etwa bei M. D. *Omeis,* »Gründliche Anleitung [...]«, V. Kap., S. 214 ff.

41 Vgl. schon etwa die »Ibrahim«-Vorrede.

42 H. *Hinterhäuser*, Nachwort zur Huet-Ed., S. 16*.
43 Vgl. *Aristoteles*, »Poetik«, Kap. VIII.
44 Vgl. »Ibrahim«-Vorrede und Buch X des »Clélie«-Romans (1661).
45 J. *Volckmann*, »De Fabulis Romanensibus«, S. 5, G. *Pasch*, »De variis modis moralia tradendi liber«, S. 180.
46 H. *Hinterhäuser* hat darauf hingewiesen, daß *Huet* dem »Wunderbaren« einen »freilich eng umhegte[n] und immer überwachte[n] Bezirk im Gefüge des Kunstwerks« einräumt (vgl. Nachwort zur Ed., S. 15*). Über die im Unterschied dazu entscheidende romantheoretische Rolle des »Wunderbaren« bei den Schweizer Poetikern im 18. Jh. vgl. Kap. VIII, 2 u. 3.
47 Vgl. G. *Pasch*, »De variis modis [...]«, S. 181.
48 A. Ch. *Rotth*, »Vollständige Deutsche Poesie«, S. 352.
49 W. E. *Tentzel*, »Monatliche Unterredungen«, S. 43.
50 M. D. *Omeis*, »Gründliche Anleitung«, S. 218.
51 A. Ch. *Rotth*, »Vollständige Deutsche Poesie«, S. 350.
52 Ebd., S. 349.
53 Ebd. Vgl. die bezeichnende Wendung noch im »Raisonnement über die Romanen«, (1708), S. 30: »Man kan ja auch zur Noth [!] wohl bey seines gleichen bleiben / und grosse Herren gar aus dem Spiel lassen [...]«.
54 M. D. *Omeis*, »Gründliche Anleitung«, S. 218; vgl. *Birken*, »Teutsche Rede- bind- und Dicht-Kunst«, S. 307. Kursivierung im Huet-Zitat von mir.
55 D. G. *Morhof*, »Unterricht von der Teutschen Sprache und Poesie«, S. 691. Zum »Klassizisten« Morhof vgl. das Nachwort von H. *Boetius*, Ed. der 2. Ausg. des »Unterrichts« von 1700, Bad Homburg 1969, S. 401—446.
56 Justus *Lipsius* unterscheidet: »Mythhistoria et Historia: Illa, quae fabulas vero mixtas; ista quae purum et merum verum habet. In illa poetae sunt [...].« (»Epistola ad N. Hacquevilium«, 1600); vgl. W. *Voßkamp*, »Untersuchungen zur Zeit- u. Geschichtsauffassung«, S. 53, Anm. 120.
57 D. G. *Morhof*, »Dissertatio de Historia, ejusque Scriptoribus«, Leiden 1750, S. 36.
58 Ebd., S. 37.
59 Vgl. J. *Volckmann*, »De Fabulis Romanensibus«, S. 32; »Raisonnement über die Romanen«, S. 16. Allerdings werden hier sachkundige Exkurse weniger aus strukturellen Gründen abgelehnt, als vielmehr mit dem Argument, ernsthafte Materien und Liebesgeschichten »schickt[en] sich nicht zusammen«.
60 M. D. *Omeis*, »Gründliche Anleitung«, S. 218.
61 Gemeint sind die Romane von *Buchholtz, Barclay, Anton Ulrich, d'Urfé* und *Mlle. de Scudéry*.
62 M. D. *Omeis*, »Gründliche Anleitung«, S. 219.
63 Vgl. S. 574.
64 Lokaaß = frz. »amorce« (Lockspeise, Köder, Zünder).
65 Vgl. H. *Blumenberg*, »Die Vorbereitung der Aufklärung als Rechtfertigung der theoretischen Neugierde«, in: »Europäische Aufklärung«, H. *Dieckmann*-Fs., hrsg. v. H. *Friedrich* u. F. *Schalk*, München 1967, S. 25, auch zum Folgenden.
66 Ebd., S. 25.
67 Vgl. dazu H. *Hinterhäuser*, Nachwort zur Ed., S. 12*.
68 Allerdings könne sich dann auch die Gefahr ergeben, daß der Roman von den Wissenschaften ablenke (vgl. S. 626).
69 W. E. *Tentzel*, »Monatliche Unterredungen«, S. 53.
70 Kennzeichen des honnête homme sind eine gänzlich verweltlichte Moralität des gesellschaftlichen Konformismus und »politischen« Verhaltens und eine möglichst vielseitige Beherrschung geselliger Kommunikationsmittel (Brief und Konversation, Musik und Tanz). Vgl. dazu im Zusammenhang mit Christian *Weise* und *Thomasius* im nächsten Kapitel.

71 *Huet* sieht außerdem eine öffentlich-politische Wirkung des Romans für die Frauenbildung (und Frauenemanzipation in Frkr.); vgl. S. 625.
72 »Raisonnement über die Romanen«, (1708), S. 10 f. u. 11.
73 Zu S. E. *Prasch* vgl. M. L. *Wolff,* »Geschichte der Romantheorie«, S. 68; *Omeis,*
   »Gründliche Anleitung«, S. 219 f.
74 *Morhof,* »Unterricht«, S. 695; ders., »Polyhistor [...]«, Lübeck 1707, T. III, S. 4;
   Volckmann, »De Fabulis«, § IV; *Pasch,* »De variis modis«, § XXXV, S. 187 ff.
75 *Morhof,* »Polyhistor«, S. 4 f.; *Rotth,* »Vollständige Deutsche Poesie«, S. 350 f.;
   Pasch, ebd.
76 Vgl. vor allem im »Raisonnement über die Romanen«, S. 22.
77 Vgl. ebd., S. 20, 22, 26.
78 Ebd., S. 26 f.
79 Ebd., S. 25.
80 Ebd., S. 5.
81 H. *Hinterhäuser,* Nachwort zur Huet-Ed., S. 20*.
82 Vgl. E. R. *Curtius,* »Europäische Literatur u. lateinisches Mittelalter«, Bern ³1961,
   S. 38 f. u. S. 388; außerdem (zur antiken Herkunftsgeschichte dieses Schemas): F. J.
   Worstbrock, »Translatio artium. Über die Herkunft u. Entwicklung einer kulturhistorischen Theorie«, AKG 47, 1965, S. 1—22.
83 Vgl. dazu: W. *Goez,* »Translatio Imperii. Ein Beitrag zur Geschichte des Geschichts-
   denkens u. der pol. Theorien im MA u. der frühen Neuzeit«, Tübingen 1958.
84 »[...] dieser Roman ist wohl das vernunfftigste und bestgesetzte Werck von allen /
   die von dieser Arth jemahlen an den Tag sind kommen / und welches den Ruhm / den
   Grichenland / Italien und Spanien in den Romanen bekommen hatten / gäntzlich wieder vernichtet und außgewischet hat.« (S. 628).
85 Darin, daß *Huet* mit *d'Urfés* »Astrée« ein exemplarisches Beispiel des »hohen«
   Romans zum Vorbild erklärt, bestätigt sich wiederum der ambivalente Charakter des
   »Traité«, der andererseits (und dies ist das Entscheidende) beim Roman — im Unterschied zum Epos — für Personen »mittleren Standes« eintritt.
86 Als dessen höchste Vollendung der klassische Roman *Mme. de Lafayettes* gelten kann.
87 Vgl. dazu W. *Krauss,* »Geist und Widergeist der Utopien«, in: »Perspektiven und
   Probleme. Zur frz. u. dt. Aufklärung u. andere Aufsätze«, Neuwied 1965, S. 340 ff.
   — Auf das Nichtberücksichtigen der beiden zuerst genannten Spielarten des Romans
   bei *Huet* ist wiederholt hingewiesen worden (vgl. *Hinterhäuser*-Nachwort), das Fehlen der utopischen Romane hat man bisher nicht beachtet.
88 Vgl. dazu auch H. *Hinterhäuser,* Nachwort, S. 22*.
89 Vgl. W. *Krauss,* »Geist und Widergeist der Utopien«, S. 340 f.; H. *Coulet,* »Le Roman
   jusqu'à la Révolution«, Bd. II, S. 282 f.
90 Vgl. Kap. VIII, 1, S. 145 ff.
91 Vgl. *Morhof,* »Unterricht«, S. 691 ff.; *Rotth,* »Vollständige Deutsche Poesie«, S. 353 f.
92 Vgl. z. B. *Tentzel,* »Monatliche Unterredungen«, S. 51 ff.; *Omeis,* »Gründliche Anleitung«, S. 217 ff.
93 Vgl. *Morhof,* »Unterricht«, S. 694; ders., »Polyhistor«, S. 1072.
94 Vgl. Ed. der 2. Ausg. (1700) von H. *Boetius,* S. 356.
95 Vgl Bd. III, Lib. I, Cap. 1, Nr. 5, S. 4 f.
96 S. 210—221.

VI. Christian Weises Poetik des »Politischen Romans« und Christian Thomasius'
romantheoretische Klassifizierung an der Wende vom 17. zum 18. Jahrhundert

1 Da bisher keine Einzeluntersuchungen zur Romantheorie und -kritik bei *Weise* und
  Thomasius vorliegen, werden deren theoretische Positionen im folgenden ausführlich
  dargelegt.

2 Vgl. allg.: E. *Cohn*, »Gesellschaftsideale und Gesellschaftsroman des 17. Jhs.«, Berlin 1921, Kap. I: »Lehrer der Weltklugheit, Vollender in Dld. (Thomasius u. Weise)«, S. 4 ff., bes. S. 27 ff.; im einzelnen dazu am Schluß dieses Kapitels.

3 »Christian Weisens / Kurtzer Bericht vom Politischen Näscher / wie nehmlich Dergleichen Bücher sollen gelesen / und Von andern aus gewissen Kunst-Regeln nachgemachet werden [...]«, Leipzig 1680. D. *Kimpel* u. C. *Wiedemann* haben die wichtigsten Abschnitte aus dieser 175 Seiten umfassenden Abhandlung in ihrer Anthologie (Bd. I. S. 20—31) abgedruckt. — Zur Weise-Literatur vgl. vor allem die Arbeiten: R. *Becker*, »Chr. Weises Romane u. ihre Nachwirkung«, Diss. Berlin 1910; A. *Hirsch*, »Bürgertum u. Barock«, Kap. III, S. 40 ff.; K. *Schaefer*, »Das Gesellschaftsbild in den dichterischen Werken Chr. Weises«, Diss. Berlin 1960, u. W. *Barner*, »Barockrhetorik. Untersuchungen zu ihren geschichtlichen Grundlagen«, Tübingen 1970, Teil II, Kap. 3: »Der Werdegang eines großen Barockrhetors: Christian Weise«, S. 190—220.

4 Vgl. »Kurtzer Bericht«, S. 3 u. S. IX.

5 Vgl. auch die Vorreden seiner Romane (dazu Kap. II, S. 30 ff.).

6 Die römischen Ziffern beziehen sich (auch im folgenden) auf die einzelnen (kurzen) Kapitel der Abhandlung *Weises*. Die wiedergegebenen Zitate sind, sofern nicht ausdrücklich angegeben, neugedruckt in der Anthologie: »Theorie u. Technik des Romans im 17. u. 18. Jh.«, hrsg. v. D. *Kimpel* u. C. *Wiedemann*, Bd. I, S. 20 ff.

7 Vgl. E. *Bloch*, »Christian Thomasius, ein deutscher Gelehrter ohne Misere«, Frankfurt 1963, S. 42 (auch in: »Naturrecht u. menschliche Würde«) u. F. *Valjavec*, »Geschichte der abendländischen Aufklärung«, Wien 1961, S. 196. Vgl. in diesem Zusammenhang: *Thomasius*, »Höchstnöthige Cautelen [...]«, Halle 1713, Bd. I, § 33 u. 34 und dessen Verteidigung Epikurs in der Auseinandersetzung mit Tschirnhaus (in den »Monatsgesprächen«).

8 Vgl. den Unterschied zur Kantischen »pietistisch-mönchischen Trennung von Neigung und Pflicht« (dazu E. *Bloch*, »Chr. Thomasius«, S. 44).

9 Vgl. dazu M. *Beaujean*, »Der Trivialroman in der zweiten Hälfte des 18. Jhs.«, Bonn 1964.

10 »Den wer eine Historie erzehlen wil / der thut am besten / daß er die Personen mit solchen Umständen gleichsam abmahlet / als wen die Zuhörer in eine Comödie geführet würden / da sie alles auf dem Schauplatze mit leibhaftigen Augen anzusehen hätten« (LVIII). Diese Passage ist in der *Kimpel/Wiedemann*-Anthologie nicht abgedruckt. Vgl. die Parallelen zu D. *Richters* Feststellungen (»Thesaurus oratorius novus«, S. 216).

11 Die Kapitelangaben (röm. Ziffern) beziehen sich, auch im folgenden, auf den 2. Teil des »Kurtzen Berichts«.

12 Vgl. K. *Lazarowicz*, »Verkehrte Welt. Vorstudien zu einer Geschichte der dt. Satire«, Tübingen 1963, S. 10.

13 Vgl. dazu R. *Hildebrandt-Günther*, »Antike Rhetorik u. deutsche literarische Theorie«, V. Kap.: »Dichtkunst ist Propädeutik der Rhetorik«, (Christian *Weise*), S. 60 ff.

14 Vgl. 2. Teil, XVIII.

15 Vgl. Nikomachische Ethik II, 2.

16 Zit. aus dem »Bäurischen Macchiavellus« bei K. *Schaefer*, »Das Gesellschaftsbild in den dichterischen Werken Chr. Weises«, S. 16. Zur Vielschichtigkeit des »Politicus«-Begriffs bei Weise vgl. ebd., S. 15—18; 24—29, u. vor allem: H. A. *Horn*, »Chr. Weise als Erneuerer des dt. Gymnasiums im ZA des Barock. Der ›Politicus‹ als Bildungsideal«, Weinheim 1966, u. W. *Barner*, »Barockrhetorik«, S. 217 ff.

17 Vgl. etwa die Vorrede zum »Politischen Näscher«, Leipzig 1693.

18 Vgl. H. A. *Horn*, »Chr. Weise«, S. 72.

19 Dresden 1698.

20 *Weise*, »Politische Fragen«, S. 430; vgl. dazu *Horn*, »Chr. Weise«, S. 64.

21 Vgl. *Horn*, ebd., S. 57.

22 *Weise*, »Politische Fragen«, S. 516; zit. bei *Horn*, »Chr. Weise«, S. 70.

22 a Diese Textpassage ist in der Anthologie von *Kimpel* u. *Wiedemann* nicht abgedruckt.

23 In dieser historischen Phase am Ende des 17. Jhs., und noch immer unter den verheerenden Auswirkungen des dreißigjährigen Krieges leidend, ist bürgerliche Aufklärung in Dld. anders nicht denkbar. Zum Problem Roman und Bürgertum vgl. im einzelnen Kap. IX, 1, S. 178 ff.

24 Vgl. dazu R. *Koselleck*, »Kritik und Krise. Ein Beitrag zur Pathogenese der bürgerlichen Welt«, Freiburg 1959.

25 A. *Hirsch*, »Bürgertum u. Barock«, S. 52.

26 Vgl. den Beginn des VIII. Kap., S. 142 f. dieser Arbeit.

27 Zur *Thomasius*-Literatur vgl. R. *Lieberwirth*, »Chr. Thomasius. Sein wissenschaftliches Lebenswerk. Eine Bibliographie«, Weimar 1955 (Thomasiana, H. 2). Vgl. außerdem den Sammelbd.: »Chr. Thomasius. Leben u. Lebenswerk«, hrsg. v. M. *Fleischmann*, Halle 1931 u. die im 4. Jg. der Wiss. Zs. d. M.-Luther-Univ. Halle-Wittenberg, Ges.- u. Sprachwiss. Reihe, 1955, erschienenen Aufsätze. Zu den »Monatsgesprächen«, auf die sich die folgenden Überlegungen vor allem beziehen, vgl. Th. *Woitkewitsch*, »Thomasius' ›Monatsgespräche‹. Eine Charakteristik«, in: »Börsenblatt f. d. Dt. Buchhandel«, Frankf. Ausg., Jg. 25, Nr. 51 (1969), Histor. Teil LXXII, S. 1483—1494. Eine Auswahl »Deutscher Schriften« des Thomasius (mit Literaturhinweisen) hat jetzt P. *v. Düffel*, Stuttgart 1970, vorgelegt.

28 H. O. *Burger*, »Deutsche Aufklärung im Widerspiel zu Barock und Neubarock«, GRM XLIII, NF. XII, 1962, S. 154.

29 »Höchstnöthige Cautelen Welche ein Studiosus Juris, Der sich zu Erlernung Der Rechts-Gelahr[t]heit Auff eine kluge und geschickte Weise vorbereiten will / zu beobachten hat [...]«, Halle 1713, S. 160. Seitenangaben der folgenden Zitate aus den »Cautelen« im Text.

30 »Höchstnöthige Cautelen«, S. 152, Anm. c.

31 Thomasius: »Die gröste Kunst eines Satyrici bestehet darinnen / daß er zweideutig schreibet / doch so / daß der Leser den verborgenen Verstand und die rechte Meinung ohne sonderbahre Mühe errathen kann.« (»Cautelen«, S. 158).

32 Literarische Hauptformen der Romankritik und -reflexion bilden charakteristischerweise der Dialog und die Rezension; zusammenfassende Bemerkungen finden sich in den »Cautelen« (vgl. S. 149 ff.).

33 »Freymüthige Lustige und Ernsthaffte iedoch Vernunfft- und Gesetz-mäßige Gedancken Oder Monats-Gespräche, über allerhand, fürnehmlich aber Neue Bücher / Durch alle zwölff Monate des 1688. und 1689. Jahrs durchgeführet von Christian Thomas«, Halle 1690, S. 664 (August 1689, S. 646—686: Besprechung von *Lohensteins* »Arminius«).

34 September 1689, Halle 1689, S. 687—806; vgl. vor allem S. 695 ff., außerdem: »Höchstnöthige Cautelen«, S. 159 f., Nr. 40, Anm. a, wo nicht nur der »Amadis«, sondern auch »die Autores des Hercules und der Ariane« kritisiert werden, weil sie »sich die Menschen anders vorgestellet / als sie sind / und die Liebes-Begebenheiten sich so abstract eingebildet / daß man kaum einem Engel dergleichen Conduite zutrauen solte; Von ihren Helden rühmen sie gantz unglaubliche Thaten / in denen erdichteten Reden nehmen sie den Character der Personen / die sie vorbringen / nicht inacht u. s. w.«

35 Vgl. dazu H. P. *Herrmann*, »Naturnachahmung u. Einbildungskraft«, S. 27 ff.

36 »Monatsgespräche«, September 1689, S. 696. D. *Kimpel* und C. *Wiedemann* haben zu Recht die wichtigsten Passagen dieser Thomasius-Rez. in ihre Anthologie (Bd. I, S. 50—56) aufgenommen. Im folgenden wird nicht nur die Seitenzahl des Originaldrucks, sondern auch die des Neudrucks (hinter dem Semikolon) jeweils im Text angegeben.

37 Vgl. den Titel des Romans: »Africanischer Tarnolast, Das ist: Eine anmuthige Liebes- und Helden-Geschichte von einem Mauritanischen Printzen und einer Portogallischen Printzeßin / worinnen gar seltzame Glücks-Veränderungen / höchst verwunderliche

Abentheuren / insonderheit aber die Africanischen Sachen grossen Theils angeführet / auch sonst allerhand leßwürdige Dinge fürgebracht werden«, Ulm 1689.

38 Vgl. die entsprechende Kritik an *Buchholtz*; s. Anm. 34.
39 Vgl. H. P. *Herrmann*, »Naturnachahmung u. Einbildungskraft«, S. 167 (im Zusammenhang der Dichtungstheorien *Bodmers* u. *Breitingers*).
40 »Monatsgespräche«, August 1689, S. 646—686. Seitenzahlen im Text. Einzelne Passagen der *Lohenstein*-Rez. sind neugedruckt in der *Kimpel/Wiedemann*-Anthologie (Bd. I, S. 47—50) u. in der Ed. von E. *Lämmert* u. a., S. 46—50.
41 Ebd., Januar 1688, S. 41 ff.
42 Ebd., November 1689, S. 949—1005.
43 Diese Abgrenzung zeigt schon hier das soziologische Charakteristikum des Sich-Absetzens »nach unten«, das W. *Martens* in seiner Untersuchung über die Moralischen Wochenschriften im 18. Jh. mehrfach hervorgehoben hat. Vgl. dazu bei *Thomasius* den »Discours Welcher Gestalt man denen Frantzosen in gemeinem Leben und Wandel nachahmen solle?«, Ed. P. v. *Düffel*, S. 43.
44 Vgl. auch »Monatsgespräche«, S. 657.
45 Vgl. K. *Kaczerowsky*, »Bürgerliche Romankunst im ZA des Barock«.
46 Vgl. *Thomasius'* »Discours«, Ed. P. v. *Düffel*, S. 13 ff. u. S. 45.
47 Vgl. »Monatsgespräche«, S. 662.
48 S. 661.
49 Auch die angegebenen Musterbeispiele bestätigen dies: *Barclays* »Argenis«, *de Scudérys* »Clélie« u. *Anton Ulrichs* »Aramena« und »Octavia«.
50 Vgl. S. 660.
51 Beim »Don Quijote« betont *Thomasius*, wie die Vorredner deutscher Übersetzungen des Romans, fast ausschließlich den satirischen Aspekt. (Vgl. die Vorreden zur ersten dt. Übers. 1648 — identisch mit der von 1669 —, Neudruck, hrsg. v. H. *Tiemann*, Hamburg 1928; zu der von 1682 [o. O.] u. der Leipzig 1734). Erst seit *Bodmers* Interpretation »Von dem Character des Don Quixote und des Sanscho Pansa« (»Critische Betrachtungen über die Poetischen Gemählde der Dichter«, Zürich 1741, S. 518—547) wird auch die Frage der Charaktere theoretisch reflektiert. Vgl. etwa in der Vorrede zur »Don Quijote«-Übers. von F. J. *Bertuch*, Weimar 1775—77: »Ueber das Leben und die Schriften des Miguel de Cervantes Saavedra«, (Bd. I, 1775).
52 *Furetières* Roman wird in der gesamten deutschen Romantheorie des 17. und 18. Jhs. m. W. sonst nirgends berücksichtigt.
53 Vgl. die bezeichnende Ablehnung obszöner Darstellungen in *Sorels* »Francion« (S. 662).
54 Vgl. den Titel des von *Thomasius* (S. 27) zitierten Romans »Mademoiselle de Benonville«, [Liège 1686].
55 Auffallend und erstaunlich ist allerdings, daß *Thomasius* den klassischen Roman *Mme. de Lafayettes* nicht beachtet. Vgl. dazu im einzelnen weiter unten.
56 Über Kurzromane in der 1. Hälfte des 17. Jhs. vgl. R. W. *Baldner*, »Aspects of the Nouvelle in France between 1600 and 1660«, MLQ 22, 1961, S. 356.
57 Vgl. W. F. *Greiner*, »Studien zur Entstehung der engl. Romantheorie«, S. 168 ff.
58 K. *Friedrich*, »Eine Theorie des ›Roman nouveau‹ (1683)«, Romanist. Jb. 14, 1963, S. 106.
59 Vgl. dazu in diesem Zusammenhang vor allem die Arbeiten von W. *Krauss* u. W. *Pabst*. Ausführliche Literaturangaben zur Theorie und Geschichte der Novelle bei B. *v. Wiese:* »Novelle«, Stuttgart 1963 (Sammlung Metzler) u. K. K. *Polheim*, »Novellentheorie u. Novellenforschung«, Stuttgart 1965 (= Referat aus der DVjs.).
60 Vgl. dazu W. F. *Greiner*, »Studien zur Entstehung der engl. Romantheorie«, S. 188 f.
61 Herr Christoph kann als Prototyp des gebildeten deutschen Bürgers im ausgehenden 17. Jh. angesehen werden. Sein eigentlicher Kontrahent, Herr David, ist Theologe und »Schulmann«. Außer diesen beiden diskutieren die Herren Augustin (»ein ge-

236

reisseter Cavalier«) u. Benedict (»ein gelehrter Mann«). Einzelne Abschnitte der Romandiskussion sind neugedruckt in der *Kimpel/Wiedemann*-Ed. (Bd. I. S. 43—47) und in der Anthologie von *Lämmert* u. a., S. 39—45; allerdings fehlen in beiden Ausgaben Passagen zum kurzen (frz.) Liebesroman. Vgl. dazu im folgenden.

62 *Thomasius* läßt Herrn Christoph bekennen, daß er sich auch an Romanen, »welche eine unerbare Liebe vorstellen / belustige« (S. 25).

63 Vgl. die typische Dreieckskonstellation (eine Frau »zwischen« zwei Männern) in den angegebenen Romanen: »L'Heureux page, nouvelle galante«, Köln 1687; »Les Conquêtes amoureuses du marquis de Grana dans les Pays-Bas«, Köln o. J.; [Isaac *Claude*], »Le Comte de Soissons, nouvelle galante«, Köln 1677. Die vollständigen Titel der bei Thomasius fragmentarisch zitierten Romane hat P. *v. Düffel* ermittelt (vgl. Ed. des 1. »Monatsgesprächs«, Januar 1688, in: »Dt. Schriften«, S. 25 ff.).

64 Der Roman »L'Heureux page [...]« beruft sich beispielsweise auf einen Bericht, der »für einen Jahre in den Zeitungen gemeldet wurde« (S. 25).

65 Vgl. dazu K. *Friedrich*, »Eine Theorie des ›Roman nouveau‹«, S. 108.

66 Vgl. S. 23.

67 Vgl. etwa die Charakterisierung der Romanfiguren »Marquis de Grana« oder des »Grafen de Soissons« (S. 50 ff.).

68 Vgl. die Parallelen zu Chr. *Weises* Intentionen, die »Lehre« als Vergnügen zu vermitteln.

69 Vgl. seine Kenntnis des heroischen und komischen Romans.

70 Die Tendenz zur Aufschwellung hat H. *Singer* eindringlich am Vergleich der Romane *Préchacs* (»L'Illustre Parisienne«, 1679) und *Hunolds* (»Die Liebens-Würdige Adalie«, 1702) vorgeführt. (Vgl. »Der dt. Roman zwischen Barock und Rokoko«, S. 20 ff.). W. F. *Greiners* Kritik (»Studien zur Entstehung der engl. Romantheorie«, S. 198 ff.) scheint mir überspitzt, wenn er jegliche Eigenständigkeit des deutschen »galanten Romans« *(Singer)* ablehnt und sie statt dessen zur Gruppe der »äußerst vitalen und populären [...] Kurzromane« (S. 199) rechnet. Das ist schon aufgrund ihres zuweilen durchaus beachtlichen Umfangs kaum ohne Schwierigkeiten möglich; allerdings hat Greiner recht, wenn er den Kurzroman als eine eigenständige Form hervorhebt u. nicht als »Schwundform« des Großromans (Singer) interpretiert.

71 Vgl. K. *Friedrich*, »Eine Theorie des ›Roman nouveau‹« (Neudruck und Interpretation der romantheoretischen Abhandlg.).

72 Auch vom »galanten Roman« vermögen weiterwirkende Intentionen kaum auszugehen; sie erregen vor allem ein aktuelles, zeitbedingtes Interesse.

73 Diese Frage bedürfte ausführlicher Erörterungen; zu untersuchen wären dabei in erster Linie die Rezeptions-Bedingungen in Dld.

74 »Monatsgespräche«, August 1689, S. 646—686 u. Dezember 1689, S. 1141—1144 (Anhang).

75 Über die zeitgenössischen »Arminius«-Rezensionen vgl. D. *Kafitz*, »Lohensteins ›Arminius‹. Disputatorisches Verfahren und Lehrgehalt in einem Roman zwischen Barock und Aufklärung«, Stuttgart 1970, S. 35 ff. — Die seit E. *Verhofstadts* Lohenstein-Buch (Brügge 1964) neu einsetzende Diskussion auch über den »Arminius«-Roman (vgl. vor allem die neueren Arbeiten von *Kafitz*; G. *Spellerberg*, »Verhängnis u. Geschichte«; E. *Szarota*, »Lohensteins ›Arminius‹ als Zeitroman« — alle 1970 erschienen —) kann an dieser Stelle nicht aufgenommen und weitergeführt werden (vgl. dazu die Übersicht bei B. *Asmuth*, »D. Casper v. Lohenstein«, Stuttgart 1971, S. 62 ff.). Hier geht es lediglich darum, die Interpretation Thomasius' nachzeichnend zu verdeutlichen.

76 Vgl. dazu die neueren Interpretationen, etwa bei D. *Kafitz*.

77 S. 666 f.

78 Bei der Analyse des Romans müßte wohl in Zukunft auch noch mehr als bisher von dieser Fragestellung ausgegangen werden. Die Zweiteilung von »zeitgemäßer Mor-

hofscher Polyhistorie und herkömmlicher barocker Erzählkunst« (N. *Miller*, »Der empfindsame Erzähler [...]«, München 1968, S. 79) bildet nur die eine Seite des Problems. Deshalb scheint mir Miller die Problematik nicht zu treffen, wenn er meint, Lohensteins Werk »sollte sowohl eine Enzyklopädie *wie* ein Werk der Dichtung werden« (ebd.). Der »Arminius« ist ein dichterisches Werk *als* enzyklopädischer Roman.

79 Vgl. »Vorbericht an den Leser«, S. c 2^r u. c 3^v.

80 D. *Kafitz*, »Lohensteins ›Arminius‹«, S. 52; außerdem S. 37, Anm. 51.

81 Vgl. den Titel seines Buches; s. Anm. 75. G. *Müller* (vgl. »Barockroman u. Barockromane«, in: Litwiss. Jb. IV. 1929, S. 1—29) hat in der wiss. Forschung zum ersten Mal auf diese Technik hingewiesen.

82 Vgl. *Hunolds* Vorrede zu: »Die Allerneueste Art Zur Reinen und Galanten Poesie zu gelangen [...]«, Hamburg 1707 (»Wir haben kein schöner Muster zur Nachfolge in der Poesie als dieses Buch«, S. [a 6^v]) u. *Gebauers* »Vorbericht«; vgl. dazu im I. Kap., S 24 dieser Arbeit.

83 Mai 1689 u. Juni 1690; vgl. *Kafitz*, S. 45.

84 *Tentzel*, »Monatliche Unterredungen«, Mai 1689 u. 1690; *Schröter*, »Gründliche Anweisung zur deutschen Oratorie [...]«, Leipzig 1704; *Männling*, »Arminius Enucleatus«, (1708) u. »Lohensteinius Sententiosus«, (1710); vgl. *Kafitz*, S. 45—49.

85 *Kafitz*, S. 44.

86 Vgl. im I. Kap., S. 19 f.

87 Vgl. S. 1143.

88 »Allgemeine Anmerckungen«, III. Kap., S. 8 ff.

89 S. 680. Hinweise darauf schon im »Vorbericht« zum »Arminius«, S. c 2^v.

90 Lohenstein-Rez., S. 664.

91 Dt. Übers.: Sultzbach 1689; Thomasius-Rez.: »Monatsgespräche«, Nov. 1689, S. 949—1005.

92 Zum utopischen »Staatsroman« vgl. vornehmlich unter bibliographischen Aspekten: J. *Prys*, »Der Staatsroman des 16. u. 17. Jhs. u. sein Erziehungsideal«, Würzburg 1913, zur Forschungslage: K. *Reichert*, »Utopie und Staatsroman«, DVjs. 39, 1965, S. 259—287.

93 »Vorrede an den Leser«, S. 2.

94 Vgl. den Titel: »Geographisches Kleinod / Aus Zweyen sehr ungemeinen Edelgesteinen bestehend; Darunter der Erste Eine Historie der Neu-gefundenen Völcker Sevarambes genannt / [...] Der Ander aber vorstellet / Die Seltzamen Begebenheiten Herrn T. S. Eines Englischen Kauff-Herrens [...].«

95 Zu dem den »Sevaramben« hinzugefügten Werk: »wenig merkwürdige Dinge darinnen anzutreffen« (S. 950).

96 Vgl. dazu etwa die Arbeit von B. *Mildebrath*, »Die deutschen ›Avanturiers‹ des 18. Jhs.«, Diss. Würzburg 1907, u. W. *Krauss*, »Geist u. Widergeist der Utopien«, in: »Perspektiven u. Probleme«, S. 331 ff.

97 Vgl. dazu W. *Voßkamp*, »Theorie u. Praxis der literarischen Fiktion in J. G. Schnabels Roman ›Die Insel Felsenburg‹«, (I: »Rechtfertigung u. Wahrheitsanspruch der Robinsonaden-Literatur«), GRM XLIX, NF. XVIII, 1968, S. 131 ff.

98 »Vorrede an den Leser«, S. 3 f. Noch könne, versichert der Vorredner seinen Lesern, das Geschilderte als Roman erscheinen, aber bald werde sich alles als wahr erweisen: »Also daß man nunmehro eben so wenig dran zweifflet / als an den Historien von Peru, Mexico und China / welche man doch zu erst auch vor Romans hielt« (S. 2). Der Autor kann die unvollkommenen geographischen Kenntnisse nutzen, um utopische Darstellungen als wahr auszugeben.

99 »Vorrede an den Leser«, S. 1.

100 Vgl. Kap. VII, 3 u. VIII, 1, S. 134 ff. u. S. 145 ff.

101 S. 968—1005.   102 »Vorrede an den Leser«, S. 9.

238

VII. Die Kritik des »alten« Romans als eine Voraussetzung für die Entstehung des »neuen«: die Kontinuität der Diskontinuität des Romans

1 Für die Tradition des »hohen Romans« vgl. etwa: H. *Singer,* »Der dt. Roman zwischen Barock u. Rokoko«; für die des »niederen«: M. *Götz,* »Der frühe bürgerliche Roman in Dld. (1720—1750)«, Diss. München 1958.

2 In Dld. spielen dabei an englischen Vorbildern *(Defoe, Richardson)* orientierte Romane eine besondere Rolle. Zur Abgrenzung des Begriffs »bürgerlicher Roman« (im 18. Jh.) vgl. im einzelnen Kap. IX, 1, S. 178 ff. dieser Arbeit.

3 Vgl. dazu im einzelnen weiter unten.

4 Umfassendere Untersuchungen, wie sie H. *Schöffler* (»Protestantismus u. Literatur«, Göttingen ²1958) über die Entwicklung der engl. Literatur im 18. Jh. unter diesem Gesichtspunkt vorgelegt hat, fehlen für die deutsche Literaturgeschichte bisher; auf Einzeluntersuchungen wird an den entsprechenden Stellen hingewiesen.

5 Die Romankritik in den deutschen Moralischen Wochenschriften (vgl. W. *Martens,* »Die Botschaft der Tugend. Die Aufklärung im Spiegel der dt. Moral. Wochenschriften«, Stuttgart 1968, S. 492 ff.) impliziert sowohl moraltheologische als kultursoziologische (vor allem bürgerlich-antihöfische) Momente. In den vierziger Jahren kommen in stärkerem Maße ästhetische Gesichtspunkte hinzu; radikale calvinistische Fiktionskritik findet sich nicht. Insgesamt liefern die Wochenschriften ein (allerdings gemäßigtes u. wenig akzentuierendes) Spiegelbild fast aller romankritischen Strömungen am Beginn des 18. Jhs.

6 Zitiert wird nach dem Faksimile-Neudruck der Originalausgabe von 1698, hrsg. v. W. E. *Schäfer,* Bad Homburg 1969. Über G. *Heidegger* vgl. die Diss. von U. *Hitzig,* »Gotthard Heidegger, 1666—1711«, Winterthur 1954. — W. E. *Schäfer* (»Hinweg nun Amadis [...]«, GRM NF. XV, 1965) u. W. F. *Greiner* (»Studien zur Entstehung der engl. Romantheorie«) haben auf entsprechende frz. u. engl. Abhandlungen (François *de la Noue,* »Discours politiques et militaires«, Basel 1587; Nathaniel *Ingelo,* »Bentivolio and Urania, In four books. By N. I. D. D.«, London 1660) hingewiesen.

7 Vgl. das Nachwort zum Neudruck von W. E. *Schäfer.*

8 Vgl. *Heideggers* Kritik an der lutherischen u. katholischen Läßlichkeit; »Mythoscopia«, S. 75.

9 »Mythoscopia«, S. 14; vgl. dazu H. *Schöffler,* »Protestantismus u. Literatur«, S. 2.

10 Vgl. *Schöffler,* ebd., S. 2 ff. u. das Nachwort von W. E. *Schäfer.*

11 »Mythoscopia«, S. 70.

12 Auf die prinzipielle Unvereinbarkeit »theologischer Wahrheitsaussage« u. »dichterischer Aussage« hat W. *Kohlschmidt* (»Theologische u. dichterische Aussage der Wahrheit«, in: Reformatio, Jg. 1957, S. 11—23) hingewiesen: »Die Dichter [...] lügen im Sinne erkenntniskritisch, theologisch, philosophisch, historisch definierter und definierbarer Wahrheit« (S. 22).

13 Vgl. auch das Nachwort W. E. *Schäfers,* S. 350.

14 Bezeichnenderweise verteidigt *Leibniz,* als kompetentester zeitgenössischer Kritiker *Heideggers,* ausdrücklich die utopischen Tendenzen des Romans u. den utopischen Staatsroman selbst: »Allein es scheinet / daß solches eben nicht ungereimt / wenn unter erdichteten Beschreibungen und erzehlungen / schöne ideen / so sonst in der Welt mehr zuzwünschen als anzutreffen seyn / vorgestellet werden: davon in den Scuderischen Romanen selbst einige nicht geringe proben anzutreffen. Wie dan auch dergleichen in denjenigen Büchern zu ersehen / die eine erwünschte Regierung gedichts-weise vorgestellet.« (»Monathlicher Auszug aus allerhand neu-herausgegebenen / nützlichen und artigen Büchern«, Hannover 1700, Bd. I, Dez., S. 885 f.). In der Anthologie von E. *Lämmert* u. a. findet sich jetzt ein Auszug aus dieser Rez., in dem auch die hier wiedergegebene Passage enthalten ist (vgl. S. 57). F. *Wahrenburg* weist anhand einer Briefstelle nach, daß *Leibniz* der Autor ist, obwohl »die meisten Beiträge [dieser Zeit-

schrift] von [Joh. Georg] *Eccard* [Leibnizens Sekretär] stammen« (vgl. Lämmert-Ed., S. 58).

15 »Protestantismus u. Literatur«, Kap. I: »Der britische Frühprotestantismus u. die weltliche Literatur«, S. 1 ff.

16 »Protestantismus u. Literatur«, S. 151 ff. Zur Diskussion u. Kritik der Religionssoziologie Max *Webers* vgl. J. *Matthes*, »Kirche u. Gesellschaft«, Hamburg 1969, S. 58 ff. u. den im 1. Bd. dieser »Einführung in die Religionssoziologie« (Hamburg 1967) abgedruckten Aufsatz von R. *Bendix*, S. 142—163.

17 Dazu W. *Iser*, »Bunyans Pilgrim's Progress. Die kalvinistische Heilsgewißheit u. die Form des Romans«, in: Bulst-Fs., S. 279 ff.; vgl. außerdem A. *Sann*, »Bunyan in Dld.«, Gießen 1951.

18 Vgl. vor allem die Vorreden zum I. u. II. Teil des »Robinson«; dazu schon P. *Geissler*, »Defoes Theorie über Robinson Crusoe«, Halle 1896; zur »Robinson«-Literatur s. die bei R. *Weimann* (Interpretation, in: »Der engl. Roman«, Bd. I, Düsseldorf 1969, S. 393) angegebenen Werke.

19 Zuletzt wieder bei H. P. *Herrmann*, »Naturnachahmung u. Einbildungskraft«, S. 213 ff.

20 Vgl. dazu weiter unten.

21 Vgl. etwa in dem »Monatlichen Gespräch Einiger guten Freunde. Von Allerhand Geist- und Weltlichen Dingen«, hrsg. v. *Tschudi*, Zürich 1715 ff.; s. H. *Schöffler*, »Das literarische Zürich 1700—1750«, Frauenfeld, S. 63; vgl. auch Anm. 67 dieses Kapitels, S. 241 f.

22 »Mythoscopia«, S. 214 ff.

23 Vgl. ebd., S. 205.

24 »Mythoscopia«, S. 208.

25 Ebd., Vorbericht, S. XXXIX.

26 »Mythoscopia«, S. 40.

27 Vgl. außerdem S. 112 f., 115, 119, 202.

28 Vgl. dazu W. F. *Greiner*, »Studien zur Entstehung der engl. Romantheorie«, S. 210 f.

29 »Mythoscopia«, »Zuschrifft«, o. S.

30 Vgl. das im Zusammenhang mit *Thomasius'* Diskussion des Kurzromans Erörterte; außerdem W. F. *Greiner*, »Studien«, S. 168.

31 Dazu weiter unten.

32 Vgl. dazu im nächsten Abschnitt.

33 »Seine Erzehlungen sind (wie ich meine / auß Mißverstand der Roman-Gesetzen) so abscheulich verviertheilt / und an weit entlegne Ohrt zerstreuet / daß sie das Gemüth ohne greuliche fatiques und abschleiffen des Gedechtnuß nicht zusamen schmiegen kan« (88).

34 *Heidegger* überträgt die Forderung nach der Einheit der Zeit im Drama auf den Roman; vgl. die Anm. zu *Schäfers* Ed., S. 290 f.

35 Vgl. E.-P. *Wieckenberg*, »Zur Geschichte der Kapitelüberschrift«, S. 112 ff.

36 *Heidegger* spricht von einer »durch [die] Vorfahren glücklich polirten Sprache« (S. 90).

37 In neueren Arbeiten ist darauf zu Recht hingewiesen worden; vgl. U. *Hitzig*, »G. Heidegger«, Winterthur 1954, S. 79 ff.; D. *Kafitz*, »Lohensteins ›Arminius‹«, S. 50; W. E. *Schäfer*, Nachwort zur Ed., S. 323 f.; H. P. *Herrmann*, »Naturnachahmung u. Einbildungskraft«, S. 213 ff.

38 *Bodmer* betont darin, daß er es »nicht nöthig« fände, »ein mehrers, als schon gesagt ist, zu Vertheidigung der Mythoscopia hinzuzusetzen, gleichwie Heidegger selbst in denen Censuren seiner beyden Tadler* keinen neuen Grund zum Behuf der Romanen gefunden hat / welcher von ihm nicht zum Voraus wäre widerlegt und erklärt worden [. . .]« (S. 22). * Gemeint sind die schon zitierte Rez. von *Leibniz* (s. Anm. 14) u. die Besprechung von Nicolaus Hieronymus *Gundling*, »Neue Unterredungen«, Lützen

1702 (Heft März); vgl. S. 10 ff. u. S. 13 ff. der Einleitung *Bodmers*. Auszüge aus der *Gundling*-Rez. jetzt in der Ed. von *Lämmert* u. a., S. 58—61.

39 »Die Discourse der Mahlern«, III. Teil, 13. Diskurs, Zürich 1722, S. 97.

40 G. H.*** = zweifellos Gotthard Heidegger; vgl. das bewußte Anknüpfen an *Boileaus* lukianischen Dialog »Les héros de roman«, in dem die Helden der großen frz. Barockromane lächerlich gemacht werden.

41 »Discourse der Mahlern«, III. Teil, Zürich 1722, S. 110.

42 Vgl. dazu die ausgezeichnete Diss. von W. *Schmitt*, »Die pietistische Kritik der ›Künste‹. Untersuchungen über die Entstehung einer neuen Kunstauffassung im 18. Jh.«, Köln 1958.

43 Vgl. dazu E. *Hirsch*, »Geschichte der neueren evang. Theologie im Zusammenhang mit den allg. Bewegungen des europ. Denkens«, Gütersloh 1949, Bd. II, vor allem Kap. 20 u. 21; M. *Schmidt*, »Pietismus«, in: RGG V, Tübingen ³1961, Sp. 370—381 (mit ausführlichen Literaturangaben); außerdem: »Das ZA des Pietismus«, hrsg. v. M. *Schmidt* u. W. *Jannasch*, Bremen 1965 (vgl. die Einleitung von M. Schmidt u. das Literaturverzeichnis). Zum Problem Pietismus u. Literatur: s. G. *Kaiser*, »Pietismus und Patriotismus im literarischen Dld. Ein Beitrag zum Problem der Säkularisation«, Wiesbaden 1961, Kap. 1 u. 2; S. 5—31 (außerdem die dort angegebene Literatur).

44 Dazu vor allem: H. R. G. *Günther*, »Psychologie des deutschen Pietismus«, DVjs. 4, 1926, S. 144—176; F. *Stemme*, »K. Ph. Moritz u. die Entwicklung von der pietistischen Autobiographie zur Romanliteratur der Erfahrungsseelenkunde«, Diss. Marburg 1950; ders., »Die Säkularisation des Pietismus zur Erfahrungsseelenkunde«, ZfdPh. 72, 1953, S. 144—158; außerdem die Interpretation des »Anton Reiser« von H. J. *Schrimpf*, in: »Der dt. Roman«, Düsseldorf 1965, Bd. I, S. 102 ff.

45 Vgl. dazu am Schluß dieses Abschnittes: Anm. 67.

46 W. *Schmitt*, »Die pietistische Kritik der ›Künste‹«, S. 13.

47 Vgl. M. *Schmidt*, »Pietismus«, in: RGG V, Sp. 371.

48 Hieronymus *Freyer*, »Vom Romanlesen« (1730), in: H. F., »Programmata Latino-Germanica cum addimento Miscellaneorum vario«, Halle 1737, S. 449—478 (20. Programmschrift), hier S. 460 u. 454.

49 Vgl. Christian *Gerber*, »Unerkannte Sünden der Welt / sammt einem Bericht / von den Sünden der Menschen nach ihrem Tode [. . .]«, Dresden 1708 (zuerst 1690), XVI. Kap.: »Ob die Jugend sündige / wenn sie Liebes-Geschichte / oder so genannte Romanen / und andere liederliche Schrifften lieset / und ihren Zeit-Vertreib oder Ergetzlichkeit darinnen suchet?«, S. 117—135; besonders S. 121.

50 H. *Freyer*, »Vom Romanlesen«, S. 456.

51 Ch. *Gerber*, »Unerkannte Sünden«, S. 123.

52 Vgl. die genauen Titel in Anm. 48 u. 49.

53 Vgl. *Gerber*, S. 129 f. u. *Freyer*, S. 457.

54 Vgl. auch ebd., S. 128 f.

55 Vgl. dazu allg. W. *Schmitt*, »Die pietistische Kritik der ›Künste‹«, S. 69; vgl. außerdem J. *Reichel*, »Dichtungstheorie und Sprache bei Zinzendorf«, Bad Homburg 1968 (= Diss. Berlin 1968), S. 94 ff.

56 Vgl. die bei F. *Stemme*, »Die Säkularisation des Pietismus zur Erfahrungsseelenkunde«, ZfdPh. 72, 1953, S. 152, zitierte Formulierung *Kants* (»Anthropologie in pragmatischer Hinsicht«): »Das Bemerken ist noch nicht ein Beobachten seiner selbst. Das letztere ist eine methodische Zusammenstellung der an uns selbst gemachten Wahrnehmungen, welche den Stoff zum Tagebuch eines Beobachters seiner selbst abgibt [. . .].«

57 Vgl. die bei M. *Schmidt*, RGG V, Sp. 376 f. aufgeführten biographischen Sammelwerke von Gottfried *Arnold*, »Leben der Gläubigen«, (1701); Johann Heinrich *Reitz*, »Historie der Wiedergeborenen«, (1701—26); Christian *Gerber*, »Historie der Wiedergeborenen in Sachsen«, (1725/29); Gerhard *Tersteegen*, »Auserwählte Lebensbeschrei-

bungen heiliger Seelen«, (1733—53); u. August Hermann *Franckes* Autobiographie »Anfang und Fortgang meiner Bekehrung«, (1692); ein Auszug daraus findet sich in der Ed. »Das Zeitalter des Pietismus«, S. 68 ff.; vgl. außerdem den dort (S. 249 ff.) abgedruckten »Bericht über seine Bekehrung« von John *Wesley.*

58 »Säkularisierung« wird hier im Sinne T. *Rendtorffs* (»Zur Säkularisierungsproblematik. Über die Weiterentwicklung der Kirchensoziologie zur Religionssoziologie«) als ein »Säkularisat« verstanden, d. h. als ein »christliches Erbe, das in der Gesellschaft, in bestimmten Verhaltensweisen oder Einstellungen, realisiert und aus seinem ursprünglichen Kontext herausgelöst worden ist«. Vgl. den Abdruck dieses Aufsatzes bei J. *Matthes,* »Religion u. Gesellschaft«, Hamburg 1967, S. 208 ff. (Zitat: S. 212); zum Begriff u. Problem »Säkularisierung«, ebd., S. 74 ff., u. vor allem H. *Blumenberg,* »Säkularisierung — Kritik einer Kategorie des geschichtlichen Unrechts« (»Die Legitimität der Neuzeit«, Teil I), Frankfurt/M. 1966.

59 F. *Stemme,* »Die Säkularisation [...]«, S. 158.

60 W. *Iser,* »Bunyans Pilgrim's Progress«, Bulst-Fs., S. 88; vgl. außerdem die Bunyan-Interpretation von E. *Stürzl,* in: »Der engl. Roman«, Bd. I, Düsseldorf 1969, S. 106.

61 W. *Schmitt,* »Die pietistische Kritik [...]«, S. 25.

62 H. R. G. *Günther,* »Psychologie des deutschen Pietismus«, DVjs. 4, 1926, S. 164 f.

63 Zur antihöfischen Tendenz (vergleichbar der Heideggers), vgl. *Gerber,* »Unerkannte Sünden«, S. 125 u. 132; *Freyer,* »Vom Romanlesen«, S. 476.

64 Vgl. etwa E. v. *Kahler,* »Die Verinnerung des Erzählens«, NR 70, 1959, S. 1—54; S. 177—220.

65 Vgl. J. H. *Schrimpf,* Interpretation des Romans, in: »Der dt. Roman«, Bd. I, S. 104 f.

66 *Freyer,* »Vom Romanlesen«, S. 457 (Kursivierung von mir).

67 Hingewiesen sei an dieser Stelle darauf, daß *in romantheoretischen, bzw. -kritischen Texten,* die *der lutherischen Orthodoxie* nahestehen, eine eigentümliche Doppelheit zu beobachten ist, insofern neben für den Roman (»negativen«) theologischen Argumenten (Unwahrhaftigkeit, Zeitverderb) auch (»positive«) »wissenschaftliche« und moralische Aspekte auftauchen, die eine Totalverdammung aller Romane ausschließen. An zwei Beispielen, den von einem anonymen Autor verfaßten *»Gedancken von Romainen«* in den *»Observationes Miscellaneae«* (Leipzig 1715, Bd. II, S. 708—732) und *Gottfried Ephraim Scheibels »Die Unerkannten Sünden der Poeten«* (Leipzig 1734, Kap. XV: »Von dem Lesen liederlicher Bücher«, S. 85—89), mag dies kurz verdeutlicht werden. Beide Texte wiederholen die bekannten Einwände gegenüber dem Roman, indem sie nachdrücklich sowohl auf die unumstößliche Wahrheit der Bibel als auf den eschatologischen Zeitfaktor eines zeitraubenden Romanlesens hinweisen, gleichzeitig bemühen sie sich jedoch um eine kritische Differenzierung unter Gesichtspunkten, die vor allem den »wissenschaftlichen« Charakter (Historien- und andere Realienvermittlung), eine moralisch-pädagogische Absicht und pragmatische Intentionen betonen: »Etliche [Romane] haben nicht das Haupt-Absehen die Leser mit Liebes-Begebenheiten zu divertiren, sondern vielmehr die alte, oder neuere Historie auf eine angenehme Manier vorzutragen, dabey gute Moralia, und Lebens-Regeln zu geben, derer man sich in der Conversation nothwendig bedienen muß.« (»Gedancken von Romainen«, S. 726) *Buchholtz'* »Hercules« und »Herculiscus«, *Lohensteins* »Arminius«, *Happels* Schriften und »vielleicht auch« *Barclays* »Argenis« und »Euphormia« sind deshalb nach Meinung des Verfassers der »Gedanken« »nicht so gar zu verwerffen, sondern haben allerdings ihren Nutzen. Sie dienen zu einer honetten Belustigung des Gemüthes, sie bringen einem dasjenige mit leichter Mühe bey, was man in andern, mit metaphysischen und paedantischen Grillen angefüllten Büchern mit sauren Schweiß erlernen muß« (S. 730). Einen Wert erhalten die Romane aufgrund ihres instrumentalen, moralisch-pädagogischen Charakters; je weniger ein Roman »Roman« genannt werden kann, desto eher findet er seine pragmatische, utilitaristische Rechtfertigung.

Das, was den Roman in den Augen seiner »begierigen« zeitgenössischen Leser aber in
erster Linie zum Romanvergnügen macht, die Dominanz von »Liebes-Begebenheiten«,
findet, wie bei *Heidegger* und den Pietisten, unter moral- und kulturkritischen Aspekten schärfste Ablehnung. Diese Intention wird besonders anschaulich in der Abhandlung von *Scheibel,* die zunächst eine ausführliche Kritik aller zu verwerfenden »galanten Bücher« (von Christian *Gryphius, Hunold* u. a.) enthält, dann die Frage einer
rechtmäßigen Lektüre aufwirft und schließlich Moralische Wochenschriften bzw. ihnen
zugeordnete »neue« Romane empfiehlt: »Und will man ja etwas annehmliches lesen,
sind moralische Schrifften uns zu ernsthafft, ey so nimm doch den Spectateur, oder
kanstu, mein Poete, nicht Frantzösisch, so nimm den Hamburgischen Patrioten in die
Hände, worinnen die christlichsten Gedancken zu deiner Erbauung anzutreffen; zu
welchen ich billig den Telemaque, Englischen Robinson und Ramsegs Cyrum rechne,
die ihr verdientes Lob in gantz Europa von den gelehrtesten Leuten erlanget, und
sonder Anstoß können gelesen werden« (S. 88). Die ursprünglich theologisch motivierte Kritik wird ins Bürgerlich-Moralische gewendet, die Polemik gegenüber den
»galanten Büchern« erweist sich als ein antihöfisches, anti-»politisches« Moment, deren
exemplarischer Ausdruck die Moralischen Wochenschriften sind. Nicht der Roman
selber liefert Maßstäbe, an denen er gemessen wird, sondern die Moralischen Wochenschriften schreiben die kritischen Prinzipien vor. In dem wiedergegebenen Zitat spiegelt sich die besondere Rolle der Wochenschriften, die den Kampf mit dem »alten«
(»galanten« und »politischen«) Roman aufnehmen (und gewinnen). Erst als die neuen
Romane die Wochenschriften ablösen, nehmen jene endgültig ihren Platz ein. (Vgl.
dazu W. *Martens,* »Die Botschaft der Tugend«, S. 496 ff.).

68 Vgl. dazu im einzelnen Kap. VIII, 4: »Roman und Drama«, S. 169 ff.

69 Ein kurzer Hinweis findet sich — unter deutlich abwertendem Gesichtspunkt — m. W.
lediglich bei K. *Borinksi:* »Die Antike in Poetik und Kunsttheorie«, Bd. II. Aus dem
Nachlaß hrsg. v. R. *Newald,* Leipzig 1924, S. 178.

70 Philipp Balthasar *Schütz/Sinold,* »Die glückseligste Insel auf der ganzen Welt, oder
das Land der Zufriedenheit [...]«, Nürnberg 1749, § 10: »Von denen Comödien
und Opern«, S. 147—150; hier S. 149.

71 Vgl. dazu die »Einführung« von W. *Flemming* zu dessen Ed.: »Die Oper«, DLE,
Reihe Barock. Barockdrama, Bd. 5, Darmstadt [2]1965, S. 12 ff.

72 Vgl. »Ges. Schriften v. J. Chr. Gottsched«, hrsg. v. E. *Reichel,* Berlin o. J., Bd. IV,
S. 171—178 u. S. 219—227.

73 Vgl. »Versuch einer Critischen Dichtkunst [...]«, Leipzig [4]1751 (Photomechan. Nachdruck, Darmstadt 1962), S. 731—755.

74 Leipzig 1734; 10. Stück (1734), S. 268—314; 12. St. (1734), S. 603—638.

75 »Zufällige Gedanken von dem Bathos in den Opern«, in: »Anti-Longin«, Leipzig
1734; vgl. S. XXIII—LXII.

76 An verschiedenen Stellen der einzelnen Bde., z. B. 1751, S. 201 ff.; 1753, S. 696 ff.;
1756, S. 373 ff.

77 Ludewig Friedrich *Hudemann,* »Proben einiger Gedichte und Poetischen Uebersetz-
zungen. Denen ein Bericht beygefüget worden, welcher von den Vorzügen der Oper
vor den Tragischen und Comischen Spielen handelt«, Hamburg 1732, vgl. vor allem
S. 147 ff.; Johann Friedrich *v. Uffenbach,* »Gesammelte Neben-Arbeit in gebundenen
Reden [...]«, Hamburg 1733, Vorrede.

78 Zur Operndiskussion bei Gottsched vgl. die Arbeiten von A. R. *Neumann,* »Gottsched
versus the Opera«, Monatshefte XLV, 1953, S. 297—307; J. *Birke,* »Gottsched's Opera
Criticism and Its Literary Scources«, Acta Musicologica 31, 1959, S. 194—200; W.
Rieck, »Joh. Chr. Gottsched. Eine kritische Würdigung seines Gesamtwerks unter besonderer Berücksichtigung seiner Theorie von der Dichtkunst in ihrer nationalen u.
sozialen Bedeutung«, Habil.-Schrift Potsdam 1968, Bd. II, S. 414 ff.

79 »Versuch einer Critischen Dichtkunst«, ⁴1751, S. 739; Seitenzahlen im folgenden im Text.

80 Johann Adolph *Scheibe,* »Des critischen Musikus 23. Stück«, Leipzig ²1745, S. 224; (zuerst Hamburg 1737—40).

81 Ebd.

82 Über den Roman »im Spannungsfeld von Fabel und Epos« vgl. Kap. VIII, 1, S. 145 ff.

83 J. *Birke,* »Christian Wolffs Metaphysik u. die zeitgenössische Literatur- und Musiktheorie: Gottsched, Scheibe, Mizler«, Berlin 1966, S. 37.

84 F. *Winterling,* »Das Bild der Geschichte in Drama und Dramentheorie Gottscheds und Bodmers«, Diss. Frankfurt/M. 1955, S. 22.

85 J. *Birke,* »Chr. Wolffs Metaphysik [. . .]«, S. 37.

86 H. P. *Herrmann* (»Naturnachahmung u. Einbildungskraft«) unterschätzt m. E. diese wichtige Leistung Gottscheds und verkennt damit seine Bedeutung im Hinblick auf die Schweizer, bei denen er — etwas zu einseitig — den entscheidenden Neubeginn der Dichtungstheorie sieht. Zur Kritik des Buches von *Herrmann* vgl. jetzt: J. *Bruck/E. Feldmeier/H. Hiebel/K. H. Stahl,* »Der Mimesisbegriff Gottscheds u. der Schweizer«, ZfdPh 90, 1971, S. 563—578.

87 Vgl. *Leibniz,* »Die Theodizee«, Ed. Hamburg ²1968, S. 124 f., und Chr. *Wolff,* »Vernüfftige Gedancken von Gott, Der Welt und der Seele des Menschen [. . .], benutzte Ausg.: Halle ⁸1741, S. 16 f.

88 »Es geht auf den Mangel der Wahrscheinlichkeit in der Folge und Verknüpfung der Opernfabeln. Nach der Weltweisheit entsteht alle Wahrheit aus dem Satze des zureichenden Grundes. Wo man also alles in einander, das ist, das folgende von einer jeden Begebenheit in dem vorhergehenden auf eine begreifliche Weise gegründet antrifft; da ist Wahrscheinlichkeit [. . .] Hergegen fehlt es keiner Art von Fabeln an dieser Art der Verknüpfung mehr, als den Opernfabeln«. (*Gottsched,* »Beyträge Zur Critischen Historie Der Deutschen Sprache«, 10. St. (1734), S. 294; zit. bei W. *Rieck,* »Gottsched«, S. 417).

89 Vgl. bei *Bodmer* und *Breitinger;* dazu im Kap. VIII, 2, S. 152 ff. Zu den philosophischen Voraussetzungen (s. *Leibniz,* »Die Theodizee«, Ed. Hamburg 1968, S. 100 ff.) vgl. H. *Blumenberg,* »Nachahmung der Natur. Zur Vorgeschichte der Idee des schöpferischen Menschen«, Studium Generale 10, 1957, S. 266—283; hier: S. 273.

90 Vgl. die Ansätze bei Johann Adolf *Schlegel;* dazu im Kap. VIII, 3, S. 160 ff.

91 R. *Daunicht,* der auf die beiden Gottsched-Kritiker hingewiesen hat (»Die Entstehung des bürgerlichen Trauerspiels in Deutschland«, Berlin ²1965, S. 118—121), ordnet deren Einwände den »irregulären Elementen in der frühklassizistischen deutschen Tragödie bis zum Ende der Vorherrschaft Gottscheds« zu.

92 v. *Uffenbach,* Vorrede zu: »Gesammelte Neben-Arbeit [. . .]«, S. c 2ᵛ. Sein Wunsch sei, formuliert Uffenbach, »daß alle Künste und Wissenschaften immer wüchsen, und wir das sogenannte Meisterstück menschlicher Erfindungs-Kunst, den Zusammenfluß aller poetischen und musicalischen Schönheiten, den Sammel-Platz aller sinnlichen Ergötzlichkeiten nicht verlöhren oder untergehen liessen«. (S. c 5ᵛf.).

93 »Deutsche Gedichte, Bestehend in Musicalischen Schau-Spielen [. . .] Sammt einer Vorrede [. . .] und Gedancken von der Opera«, Hamburg 1708 (Zur Oper: S. 74—114).

94 »Proben einiger Gedichte [. . .]«, Hamburg 1732 (Vorbericht).

95 B. *Feind,* »Gedancken von der Opera«, S. 77.

96 *Hudemann,* »Vorbericht«, S. 153.   97 Ebd.

98 Vorrede, S. c 2ʳ, Anm.   99 Ebd., S. b 2ᵛ.

100 Ebd., S. b 3ʳ.   101 Ebd., S. b 5ʳ.

102 R. *Daunicht,* »Die Entstehung des bürgerlichen Trauerspiels«, S. 118 ff. Wenn in der deutschen Operndikussion in der 1. Hälfte des 18. Jhs. ein Widerschein der frz. »Querelle« nachgewiesen werden könnte, was im einzelnen zu untersuchen wäre, erhöbe sich die Frage, ob der »Übergang von klassischer, d. h. spekulativer, künstleri-

scher, ästhetischer u. ethischer Betrachtung zur historischen« (K. *Reinhardt*) in Dld. erst mit *Winckelmanns* »Geschichte der Kunst des Altertums«, (1764) einsetzt. (Vgl. H. R. *Jauß*, »Ästhetische Normen u. geschichtliche Reflexion in der ›Querelle des Anciens et des Modernes‹«, in: »Parallèle des Anciens et des Modernes en ce qui regarde les Arts et les sciences par M. Perrault de l'Academie Française [...]«, München 1964, S. 9).

103 Vgl. ebd. S. 13; außerdem H. R. *Jauß*, »Literarische Tradition und gegenwärtiges Bewußtsein der Modernität«, in: »Literaturgeschichte als Provokation«, Frankfurt 1970, S. 29 ff., u. *ders.*, »Schlegels u. Schillers Replik auf die ›Querelle des Anciens et des Modernes‹«, in: »Literaturgeschichte als Provokation«, S. 71 ff., u. W. H. *Luschka*, »Die Rolle des Fortschrittsgedankens in der Poetik u. literarischen Kritik der Franzosen im ZA der Aufklärung«, München 1926 (= Diss. München 1925). *

104 »Die Allerneueste Art [...]«; Vorrede, S. e^r.

105 Gemeint sind vor allem Romane; vorher ist von »denen Romanen und der Poesie« die Rede.

106 »Die Allerneueste Art«; Vorrede, S. e 5.

107 Über die Parallelen zwischen Oper u. Roman bei der strukturellen Anwendung des Heliodor-Schemas vgl. Julius Bernhard *v. Rohr*, »Einleitung zur Ceremoniel-Wissenschafft Der Privat-Personen [...]«, Berlin ²1730, II. Teil, XI. Kap. § 7, S. 497.

108 »Critischer Musikus [...]«, Leipzig 1745, S. 71.

109 Bei seiner traditionellen Zuordnung: Trauerspiel — »Hofleben«; Komödie — »Stadtleben«; »Schäferspiele« — »unschuldiges Landleben« bleibt für die Oper kein Platz (vgl. »Beyträge Zur Critischen Historie [...]«, 10. St. (1734), S. 309, und W. *Rieck*, »Gottsched«, S. 419).

110 »Beyträge [...]«, Bd. III. 12. St., S. 635; zit. nach W. *Rieck*, »Gottsched«, S. 425.

111 »J. Chr. Gottsched [...]«, S. 431; vgl. auch schon: L. *Balet*, »Die Verbürgerlichung der deutschen Kunst, Literatur und Musik im 18. Jh.«, Leipzig 1936.

112 »Anleitung zur Poesie / Darinnen ihr Ursprung / Wachsthum / Beschaffenheit und rechter Gebrauch untersuchet und gezeiget wird«, Breslau 1725, S. 168 .

113 *Hudemann*, »Proben einiger Gedichte [...]«; Vorbericht, S. 149.

114 Ebd., S. 49.

VIII. Der Roman und das Problem seiner poetologischen Zuordnung und Abgrenzung im 18. Jahrhundert bis zu Friedrich von Blanckenburg

1 Vgl. die zeitgenössischen Definitionen von Johann Bernhard *Basedow* (»Lehrbuch prosaischer und poetischer Wohlredenheit [...]«, Kopenhagen 1756, S. 620) u. Johann Gotthelf *Lindner* (»Lehrbuch der schönen Wissenschaften [...]«, 2. Bd., Königsberg 1768, § 41), in denen die Figuren des neuen Romans als »Privatpersonen« und das Milieu als das des »Privatlebens« bestimmt werden. Zur »Privatheit« des bürgerlichen Romans in der 1. Hälfte des 18. Jhs., vor allem seit 1740, vgl. — auch unter literatursoziologischem Aspekt — Kap. IX, 1, S. 178 ff.

2 Vgl. dazu vor allem H. K. *Kettler*, »Baroque tradition in the literature of the German enlightment 1700—1750«, Cambridge [1943] u. H. *Singer*, »Der deutsche Roman zwischen Barock u. Rokoko«, S. 87 ff.: »Das Fortleben der Gattungen des 17. Jhs.«

3 Vgl. die zentrale literaturgeschichtliche Bedeutung der Romane *Defoes*, *Prévosts*, *Marivaux'*, *Richardsons* und *Fieldings* auch für die deutsche Romanentwicklung; dazu im einzelnen weiter unten.

4 Artikel: »Roman«, in: »Encyclopédie ou Dictionnaire raisonné [...]«, Bd. XIV, S. 342. Vgl. außerdem: Johann Christoph *Stockhausen*, »Critischer Entwurf einer auserlesenen Bibliothek [...]«, Berlin 1752, S. 84 f. (zu Marivaux u. Prévost), S. 90 f. (zu Richardson).

5 »Beurtheilung des deutschen Original-Romans, Sophiens Reise von Memel nach Sachsen«, »Teutscher Merkur« 1773, II, 1; S. 79.

6 »Unter den Deutschen hat man die wenigsten Romane, welche gut genennt werden könnten. Ich glaube nicht, daß Sie die Gedult haben, die Octavia und Aramena, den Herkules und Herkuliskus durchzulesen. Der Arminius, die Banise und dergleichen sind nicht für unsere Bibliothek. Ich weiß also nichts vorzuschlagen, als etwa den redlichen Mann am Hofe, und das Leben der Schwedischen Gräfin von G.*« (*Stockhausen*, »Critischer Entwurf [...]«, Berlin 1752, S. 92). In ähnlichem Sinne beklagt W. E. *Neugebauer* die Situation des Romans in Deutschland, nachdem er die französischen Muster (Prévost und Marivaux) vor allem aufgrund ihrer natürlichen Charakterschilderungen gerühmt hat: »Wo findet man aber in den teutschen Romanen diese Schilderey, ist es möglich, daß man in der Welt solche Personen findet, wie sie uns in diesen Büchern geschildert werden? Diese Schriften sind nichts als eine Zusammenhäuffung von unnatürlichen Dingen; Die Charakter sind übel geschildert und niemahlen einander gleich. Die so gerühmte Banise ist zwar getreu, aber ihr Charakter ist nicht recht menschlich: er ist zu sehr ohne Fehler, als daß er solte natürlich seyn: sie spricht zu schwülstig und zu gekünstelt, auch in den heftigsten Bewegungen, und welcher Mensch wird in dergleichen Gefahren die Worte klauben? öfters aber begehet sie auch Dinge, welche diesem Charakter ganz ungleich sind.« (W. E. *Neugebauer*, »Der teutsche Don Quichotte«, Faksimiledruck nach der Ausgabe von 1753, hrsg. v. E. *Weber*, Stuttgart 1971, S. 264 f.; vgl. das 4. Kap.: »Critik über die teutsche Romane«, S. 262—267).

7 Zur »Insel Felsenburg« vgl.: F. *Brüggemann*, »Utopie u. Robinsonade«, Weimar 1914; H. *Mayer*, »Die alte u. die neue epische Form [...]«, in: »Von Lessing bis Th. Mann«, Pfullingen 1959; H. *Steffen*, »Schnabels ›Insel Felsenburg‹ u. ihre formengeschichtliche Einordnung«, GRM, NF. XII, 1961, S. 51—61; W. *Voßkamp*, »Theorie u. Praxis der literarischen Fiktion in Schnabels Roman [...]«, GRM, N.F. XVIII, 1968, S. 131 bis 152. Zu M. v. Loen: K. *Reichert*, »Utopie u. Satire in J. M. v. Loens Roman ›Der redliche Mann am Hofe‹«, (1740), GRM, NF. XV, 1965, S. 176—194. Zur »Schwedischen Gräfin«: F. *Brüggemann*, »Gellerts ›Schwedische Gräfin‹, der Roman der Weltu. Lebensanschauung des vorsubjektivistischen Bürgertums«, Aachen 1925; K. *May*, »Das Weltbild in Gellerts Dichtung«, Frankfurt 1928.

8 Zur Kritik an M. *Sommerfelds* Feststellung, es gäbe, mit Ausnahme von *Blanckenburg*, bis zur Klassik nur eine »unterirdische Geschichte« der deutschen Romantheorie vgl. Anm. 5 der Einleitung dieser Arbeit, S. 206.

9 Über generelle Ursachen einer verzögerten Romanentwicklung in Dld. vgl. schon Johann Heinrich *Merck*, »Ueber den Mangel des epischen Geistes in unserm lieben Vaterlande«, »Teutscher Merkur« 1778; II, 1, S. 48—56. Neudruck in den Anthologien von *Kimpel/Wiedemann* (Bd. II, S. 5—10) u. *Lämmert* u. a. (S. 156—160).

10 Dies wird vor allem im Übergang von Gottsched zu Bodmer/Breitinger und Joh. Adolf Schlegel zu zeigen sein. Vgl. dazu allg.: O. *Walzel*, »Das Prometheussymbol von Shaftesbury zu Goethe«, München ²1932; die im Sammelbd. »Nachahmung und Illusion« (hrsg. v. H. R. *Jauß*, München 1969) gedruckten Referate u. Diskussionsbeiträge des Gießener Kolloquiums 1963; K. R. *Scherpe*, »Gattungspoetik im 18. Jh. Historische Entwicklung von Gottsched bis Herder«, Stuttgart 1968; H. P. *Herrmann*, »Naturnachahmung u. Einbildungskraft. Zur Entwicklung der deutschen Poetik von 1670 bis 1740«, Bad Homburg 1970.

11 Vgl. in diesem Kap. Abschnitt 3, S. 160 ff.

12 Vgl. dazu vor allem A. *Nivelle*, »Kunst- u. Dichtungstheorien zwischen Aufklärung u. Klassik«, Neubearb. Ausg., aus d. Französischen übers., Berlin 1960 u. A. *Baeumler*, »Das Irrationalitätsproblem in der Ästhetik u. Logik des 18. Jhs. bis zur Kritik der Urteilskraft«, Tübingen 1967 (= Neudruck der 1. Aufl.: »Kants Kritik der Urteilskraft. Ihre Geschichte u. Systematik«, Bd. 1, Halle 1923).

13 Vgl. A. *Baeumler*, »Das Irrationalitätsproblem«, S. 54. Zu dem gesamten Fragenkomplex s. die im vorigen Kap. (Anm. 102 u. 103) zitierten Arbeiten von H. R.
Jauß.
14 K. R. *Scherpe*, »Gattungspoetik im 18. Jh.«, vgl. S. 169 ff.
15 Vgl. dazu im einzelnen die zum Abschnitt 4: »Roman und Drama« angegebene
Literatur, S. 251 ff.
16 Sichtbar ist dies etwa in der romantheoretisch fruchtbaren Aufnahme dramentheoreti-
scher Momente in Blanckenburgs »Versuch über den Roman«.
17 6. Stück, Leipzig 1733, S. 274—293. Der Anfang der Rez. (S. 274—276) ist jetzt neugedruckt in der Ed. von *Lämmert* u. a., S. 71 f.
18 Ebd., S. 274.
19 Vgl. die im vorigen Kap. zitierten Textstellen aus den »Discoursen der Mahlern«,
S. 129.
20 Rez. der »Asiatischen Banise«, »Beyträge [...]«, S. 290; vgl. auch *Gottscheds* Besprechung von »Bodmers critischer Abhandlung von dem Wunderbaren in der Poesie«,
»Beyträge [...]«, 24. St., 1740, S. 661 u. sein »Handlexikon oder Kurzgefaßtes Wörterbuch der schönen Wissenschaften und freyen Künste«, Leipzig 1760, Sp. 1028. In
den »Vernünftigen Tadlerinnen« (I. Teil, Leipzig 1725, S. 16) urteilt Gottsched zwar
noch weniger streng, nimmt aber in das »Verzeichniß einer teutschen Frauenzimmer-
Bibliothec« nur einen Roman (*Fénelons* »Télémaque«) auf.
21 Rez. der »Asiatischen Banise«, »Beyträge«, 6. St., S. 292.
22 »Anleitung zur Poesie«, S. 157 f.
23 S. 159. Über die Roman-»Regeln« im Rahmen logisch-rationaler und moralischer
Prinzipien des Dichtungsbegriffs vgl. weiter unten in diesem Abschnitt.
24 Vgl. das vorige Kapitel. Über die philosophischen Grundlagen und Voraussetzungen
der neuen Kunsttheorie vornehmlich bei Christian *Wolff* vgl. vor allem: J. *Birke*,
»Chr. Wolffs Metaphysik u. die zeitgenössische Literatur- u. Kunsttheorie [...]«,
Kap. I.
25 »Critische Dichtkunst«, Leipzig ⁴1751 (Neudruck Darmstadt 1962), S. 150.
26 Zur Literatur über die Fabel vgl. E. *Leibfried*, »Fabel«, Stuttgart 1967. Eine die
theoretische Entwicklung der Fabel vorzüglich nachzeichnende Arbeit liegt in der Diss.
von W. *Briegel-Florig* (»Geschichte der Fabelforschung in Dld.«, Freiburg 1965) vor.
Für den hier zu erörternden Zusammenhang von Fabel und Roman vgl. außerdem:
W. *Kayser*, »Die Grundlagen der dt. Fabeldichtung des 16. u. 18. Jhs.«, Archiv 160,
1931, S. 19—33. Das Buch von K. *Doderer* (»Fabeln. Formen. Figuren. Leben«, Zürich
1970) liefert eine mit anschaulichen Bild- u. Textbeispielen versehene Gesamtdarstel-
lung, allerdings ohne theoretische Probleme im einzelnen genauer zu erörtern.
27 Vgl. W. *Briegel-Florig*, »Geschichte der Fabelforschung«, S. 46.
28 Dazu im nächsten Abschnitt. Die historische Entwicklung im 18. Jh. (von Chr. Wolff
bis zu Lessing u. Herder) hat W. *Briegel-Florig* »Geschichte der Fabelforschung«,
Kap. III: »Rationalismus«, S. 39 ff., aufgezeigt.
29 »Die Grundlagen der deutschen Fabeldichtung [...]«, S. 53.
30 Vgl. Kap. IX, 1, S. 178 ff.   31 Vgl. E. *Leibfried*, »Fabel«, S. 67.
32 Vgl. K. R. *Scherpe*, »Gattungspoetik«, S. 41.
33 »Critische Dichtkunst«, (⁴1751), S. 151 ff. Seitenzahlen im Text beziehen sich im folgenden auf diese Ausgabe.
34 «[...] darinnen fast lauter Götter und Helden, oder königliche und fürstliche Personen vorkommen [...]«, (»Critische Dichtkunst«, ⁴1751, S. 154).
35 Dabei ist es nicht so, wie man aufgrund der Gegenüberstellung: »Staatsroman« (zum
Epos gehörig) — »adelicher und bürgerlicher Roman« (u. a. zu den äsopischen Fabeln
gehörig) annehmen könnte, daß der Roman generell in eine Gruppe »hoher« und
»niederer« Spielarten eingeteilt u. danach beurteilt würde, *Gottsched* behandelt vielmehr in seinem Romankapitel *den* Roman sowohl unter Gesichtspunkten und Fragestellungen des Epos als auch unter denen der Fabel. — M. *Sommerfeld* (»Roman-

theorie u. Romantypus«, S. 7) hat zwar kurz darauf hingewiesen, daß das »poetische Element« des Romans »reiner u. größer im Heldenepos« erscheine, »sein didaktisches [dafür] in der Fabel« — auf Gottscheds Anstrengungen, den Roman in der Abgrenzung und Anlehnung an beide Dichtarten zu bestimmen (im Rahmen einer verbindlichen, übergeordneten Fabeltheorie), geht er nicht ein.

36 Auf die Parallelen zwischen der Epentheorie *Le Bossus* (vgl. die dt. Übers. von *Zopf*, mit einer Einleitung von G. F. *Meier*, 1753, S. 10) und *Gottscheds* haben schon Theoretiker des 18. Jhs. (kritisch) hingewiesen: »Bossu und Herr Gottsched wollen, daß ein einziger moralischer Satz die Seele der Epopee, wie der Esopischen Fabel seyn müsse. Hierwider kann man sehr vieles einwenden.« (Joh. Bernh. *Basedow*, »Lehrbuch prosaischer u. poetischer Wohlredenheit«, Kopenhagen 1756, S. 616).

37 ⁴1751; »Des I. Abschnitts V. Hauptstück«, S. 505—528.

38 Vgl. den Hinweis bei W. *Brauer* (»Geschichte des Prosabegriffs von Gottsched bis zum Jungen Deutschland«, Frankfurt 1938, S. 6), der die Bedeutung des übergeordneten, nicht gattungsspezifischen Fabelbegriffs zu gering einschätzt.

39 Vgl. den Unterschied zu den Schweizern; dazu im nächsten Abschnitt.

40 »Beyträge [...]«, 6. St., S. 287 u. 288.

41 Selbst bei den Schweizern ist diese Absicherungstendenz durch historische Richtigkeit noch zu spüren (vgl. Bodmers »Aramena«-Rez.).

42 Vgl. »Critische Dichtkunst«, S. 514.

43 Ebd., S. 505; vgl. außerdem bes. S. 514.

44 Vgl. ebd., S. 509. Helmhard *v. Hohbergs* Versepos »Der Habspurgische Ottobert« wird wegen seines Heliodor-Schemas als Roman, nicht als Epos eingestuft (s. *Gottscheds* Rez. in den »Beyträgen [...]«, 8. St. (1734), S. 563).

45 Hamburger Ausg., Bd. IX, ⁵1964, S. 262.

47 Vgl. »Crit. Dichtkunst«, S. 524.

47 Vgl. Anm. 35.

48 »Beyträge [...]«, 6. St., S. 292.

49 Vgl. dazu im abschließenden Kap. IX, S. 179 ff.

50 »Discourse der Mahlern«, XIV. Diskurs, S. 110.

51 Vgl. ebd. Als Ausnahmen gelten *Barclays* »Argenis« und *Fénelons* »Télémaque«.

52 »Critische Betrachtungen über die Poetischen Gemählde Der Dichter. Mit einer Vorrede von Johann Jacob Breitinger«, Zürich 1741, S. 518—547.

53 Ebd., S. 548—570. Wichtige Auszüge beider Rezensionen liegen jetzt neugedruckt vor in der Anthologie von *Lämmert* u. a. (S. 72—76 zum »Don Quijote«; S. 76—79 zur »Aramena«).

54 Darauf hat K. *Scherpe* (»Gattungspoetik«, S. 182) zu Recht eindringlich hingewiesen. Vgl. in diesem Zusammenhang außerdem die Arbeiten zur Dichtungstheorie der Schweizer von: S. *Bing*, »Die Naturnachahmungstheorie bei Gottsched u. den Schweizern u. ihre Beziehung zu der Dichtungstheorie der Zeit«, Würzburg 1934 (= Diss. Köln 1934); P. *Böckmann*, »Formgeschichte der deutschen Dichtung«, Bd. I, Hamburg 1949, S. 567—578; W. *Bender,* »Nachwort« zum Neudruck von Joh. Jac. Breitingers ›Critische Dichtkunst‹, (1740), 2. Bd., Stuttgart 1966 (s. auch die dort angegebenen Literaturhinweise); u. H. P. *Herrmann*, »Naturnachahmung u. Einbildungskraft«, Kap. III.

55 »Critische Betrachtungen über die Poetischen Gemählde Der Dichter«, S. 518 f. (*Lämmert*-Ed. S. 72 f.). Seitenzahlen im Text beziehen sich im folgenden auf diese Abhandlung Bodmers (Originaldruck). Liegt ein Neudruck der zitierten Passage bei *Lämmert* vor, wird die Seitenzahl dieser Ed. mit angegeben (hinter dem Semikolon).

56 *Bodmer* meint damit vor allem den »Frauendienst« u. einen »falschen« Liebes- und Ehrbegriff (vgl. »Critische Betrachtungen«, S. 519).

57 »Critische Betrachtungen [...]«; 13. Abschnitt: »Von den persönlichen Charactern« (S. 385 ff.); die hier wiedergegebene Stelle (S. 412 u. 413) zitiert S. *Bing*, »Die Naturnachahmungstheorie [...]«, S. 95.

58 W. *Preisendanz,* »Die Auseinandersetzung mit dem Nachahmungsprinzip in Dld. u. die besondere Rolle der Romane Wielands (Don Sylvio, Agathon)«, in: »Nachahmung u. Illusion«, S. 75. Zum Dichter als Schöpfer vgl. auch O. *Walzel,* »Das Prometheussymbol [...]«, S. 38 ff.

59 S. *Bing,* »Die Naturnachahmungstheorie [...]«, S. 95.

60 Vgl. die Charakterisierung der »Aramena«, »Critische Betrachtungen«, S. 549.

61 Über die konkreten Forderungen *Bodmers* an den Roman im Rahmen der Wahrscheinlichkeitslehre vgl. weiter unten. Vgl. dazu auch die in *Breitingers* »Dichtkunst« (S. 138) angegebenen »Grundsätze«, nach denen das Wahrscheinliche »von der Einbildung beurtheilet« werden soll.

62 Vgl. H. P. *Herrmann,* »Naturnachahmung u. Einbildungskraft«, S. 254 ff.

63 Vgl. A. *Schöne,* »Zum Gebrauch des Konjunktivs bei Robert Musil«, in: »Deutsche Romane von Grimmelshausen bis Musil«, (Interpretationen, hrsg. v. J. *Schillemeit,* Bd. III), Frankfurt 1966, S. 308 ff. auch zum Folgenden. Der Beitrag *Schönes* ist die überarbeitete Fassung eines Aufsatzes, der zuerst im Euph. 55, 1961, S. 196—220, erschienen ist.

64 Vgl. vor allem O. *Walzel,* »Das Prometheussymbol [...]«, S. 37 ff.

65 Vgl. die Diskussion zwischen H. *Blumenberg* u. D. *Henrich* über den Beitrag von W. *Preisendanz,* »Die Auseinandersetzung mit dem Nachahmungsprinzip [...]«, in: »Nachahmung u. Illusion«, S. 200 f.

66 *Breitinger,* »Critische Dichtkunst«, Bd. I, S. 61.

67 »Der verwickelte Knote eines Romans ist nur dann preiswürdig, wenn er der Natur der Umstände gemäß gemachet wird [...]. So wenig ich aber die Mittel loben kan, womit der Knote in diesem Roman geknüpfet worden, um so vielmehr muß ich die Kunst anpreisen, mit welcher er am Ende aufgelöset worden« (S. 569).

68 *Bodmers* Bemerkungen dokumentieren eine erste Stufe gegenüber der romantheoretischen Reflexion *Blanckenburgs* und J. J. *Engels,* die die *konstitutive* Zusammengehörigkeit beider Faktoren erkennen und erläutern.

69 »Das Wahrscheinliche muß demnach von der Einbildung beurtheilet werden, [...]. Man muß also das Wahre des Verstandes und das Wahre der Einbildung wohl unterscheiden; es kan dem Verstand etwas falsch zu seyn düncken, das die Einbildung für wahr annimmt [...]« (*Breitinger,* »Critische Dichtkunst«, Bd. I, S. 138). Vgl. dazu auch F. *Winterling,* »Das Bild der Geschichte in Drama und Dramentheorie Gottscheds und Bodmers«, S. 100.

70 Über die Zusammengehörigkeit von Möglichkeits- und Kausalitätsbegriff vgl. H. W. *Arndt,* »Der Möglichkeitsbegriff bei Christian Wolff u. Johann Heinrich Lambert«, Diss. Göttingen 1959, S. 8 ff. u. ö.

71 Über die (von *Du Bos'* Empfindungstheorie ausgehende) Intention der Schweizer, »das Herzbewegende poetischer Darstellung« in den Vordergrund zu rücken, vgl. W. *Preisendanz,* »Die Auseinandersetzung mit dem Nachahmungsprinzip [...]«, S. 75; zur Wirkungsabsicht des Romans durch das »Wunderbare« s. weiter unten.

72 Vgl. dazu im einzelnen Kap. IX, 2, S. 186 ff.

73 »[...] denn was ist Dichten anders, als sich in der Phantasie neue Begriffe und Vorstellungen formieren, deren Originale nicht in der gegenwärtigen Welt der würcklichen Dinge, sondern in irgend einem andern möglichen Welt-Gebäude zu suchen.« (*Breitinger,* »Dichtkunst«, Bd. I, S. 60).

74 *Breitinger,* »Dichtkunst«, I, S. 129.

75 Ebd., S. 130.

76 Ebd., S. 129.

77 Vgl. W. *Preisendanz* (»Die Auseinandersetzung mit dem Nachahmungsprinzip«, S. 78 ff.), der darauf zu Recht aufmerksam gemacht hat.

78 Vgl. H. P. *Herrmann,* »Naturnachahmung u. Einbildungskraft [...]«, S. 259.

79 *Breitinger,* »Dichtkunst«, I, S. 131.

80 Ebd., S. 133.

81 W. *Preisendanz*, »Die Auseinandersetzung [. . .]«, S. 79.
82 *Breitinger*, »Dichtkunst«, I, S. 132; über die Verbindung von Wunderbarem u. Wahrscheinlichem s. auch ebd., S. 140.
83 W. *Preisendanz*, »Die Auseinandersetzung [. . .]«, S. 79.
84 Vgl. ebd., S. 77.
85 Vgl. »Don Quijote«-Besprechung, S. 543.
86 *Breitinger*, »Critische Dichtkunst«, I. Bd., S. 466.
87 Über romantheoretische Aspekte der Zeitschriftenrezensionen vgl. vor allem im nächsten Kapitel.
88 Vgl. dazu allg.: H. *Bieber*, »J. A. Schlegels poetische Theorie in ihrem historischen Zusammenhange untersucht«, Berlin 1912; A. *Tumarkin*, »Die Überwindung der Mimesislehre in der Kunsttheorie des XVIII. Jhs.«, in: »Festgabe f. S. Singer«, Tübingen 1930, S. 40—55; S. *Bing*, »Die Naturnachahmungstheorie [. . .]«; K. *Scherpe*, »Gattungspoetik im 18. Jh.«, S. 190—205; Chr. *Siegrist*, »Batteux-Rezeption und Nachahmungslehre in Dld.«, in: »Geistesgeschichtliche Perspektiven«, hrsg. v. G. *Großklaus*, Bonn 1969, S. 171—190. Auch auf die romantheoretische Bedeutung der Schlegelschen Positionen ist bereits mehrfach, zumindestens kurz, hingewiesen worden; vgl. die bei K. *Scherpe* (»Gattungspoetik«, S. 196, Anm. 18) zitierten Stellen in den Arbeiten von *Markwardt* (»Poetik«, Bd. II), *Brauer* (»Geschichte des Prosabegriffs [. . .]«), H. *Bieber* (»J. A. Schlegels poetische Theorie [. . .]«) u. in E. *Lämmerts* Nachwort zur Blanckenburg-Ed. Vgl. außerdem W. *Lockemann*, »Die Entstehung des Erzählproblems«, S. 160. — In den folgenden Überlegungen sollen vor allem der Zusammenhang der Kritik traditioneller regelhafter Maßstäbe u. einer normativen Gattungssystematik (wie sie neuerdings Scherpe überzeugend dargelegt hat) mit den Ansätzen einer neuen romantheoretischen Offenheit und die besondere Rolle des »Wunderbaren« untersucht werden.
89 *Batteux*, »Einschränkung der schönen Künste auf einen einzigen Grundsatz. Aus dem Französischen übersetzt und mit einem Anhange einiger eignen Abhandlungen versehen«, Leipzig 1751; 2. verbess. u. vermehrte Aufl. 1759; 3. verb. u. verm. Aufl. 1770.
90 J. A. *Schlegel*, Batteux-Übers., ¹1751, S. 287 (³1770, II. Bd., S. 192); vgl. W. *Lockemann*, »Entstehung des Erzählproblems«, S. 152.
91 »Theorie der Poesie nach den neuesten Grundsätzen / und Nachricht von den besten Dichtern nach den angenommenen Urtheilen von M. Christian Heinrich Schmid«, Leipzig 1767/68; dazu weiter unten.
92 J. A. *Schlegel/Batteux*, ²1759, S. XXII f.
93 Vgl. Chr. *Siegrist*, »Batteux-Rezeption u. Nachahmungslehre in Dld.«, S. 180.
94 Vgl. *Schlegel/Batteux*, ²1759, S. XXIII.
95 Vgl. dazu allg.: A. *Baeumler*, »Das Irrationalitätsproblem in der Ästhetik u. Logik des 18. Jhs.«, I. Teil, u. das im Zusammenhang mit der Metakritik an *Gottscheds* Opernkritik Erörterte.
96 Vgl. *Schlegel/Batteux*, ³1770, Bd. I, S. 290, Anm. 120.
97 Vgl. ebd., S. 301, Anm. 126. Über die »historische« Argumentation *Schlegels*, die die hemmende Verpflichtung »der Alten« überwinden möchte, ·vgl. auch schon in der 1. Aufl. 1751, S. 307 f. (dazu *Scherpe*, »Gattungspoetik«, S. 195).
98 *Schlegel/Batteux*, ³1770, S. 301 f.
99 *Schlegel* hält ein »Erreichen« oder »Übertreffen« der »Alten« für möglich (vgl. ³1770, S. 301, Anm. 126).
100 *Schlegel/Batteux*, ¹1751, S. 309; zit. nach *Scherpe*, »Gattungspoetik«, S. 193; nur geringfügig stilistisch modifiziert auch in den anderen Aufl., vgl. ³1770, Bd. II, S. 254.
   — Bei *Wieland* finden sich der Schlegelschen Tendenz vergleichbare Formulierungen: »Da die ganze Natur das Object der Poesie ist, so muß es nothwendig vielerley Arten von Gedichten geben, und selbige sind so gar nicht erschöpft, daß erfindsame Köpfe immer noch neue Arten erfinden oder die schon erfundnen perfectionieren können.«

(»Theorie und Geschichte der Red-Kunst und Dicht-Kunst [1757]«, Akademie-Ausg. Bd. IV, S. 343).

101 Vgl. *Scherpe*, ebd. Vgl. auch dessen Untersuchungen zu *Schlegels* Bemühen um eine neue Ordnung der Dichtkunst, der eine umfassendere Definition der Poesie (»sinnlichster Ausdruck des Schönen und Guten«) zugrunde liegt als das strenge Nachahmungspostulat.

102 *Schlegel*, ²1759, S. 37. Vgl. auch die *Batteux*-Übersetzung Philipp Ernst *Bertrams* (»Die Schöne[n] Künste aus einem Grunde hergeleitet [...]«, Gotha 1751, S. 38 f.). — Die Zahlenangaben im Text beziehen sich im folgenden auf die 2. Aufl. der Batteux-Übers. Schlegels und dessen eigene Abhandlungen zu dieser Übersetzung. Wichtige Passagen liegen neugedruckt vor in der Anthologie von *Kimpel* u. *Wiedemann* (Bd. I, S. 84—88). Einen Auszug aus der 1. Aufl. (1751) jetzt in der Ed. von *Lämmert* u. a., S. 96 f.

103 Vgl. auch *Schlegel*, ²1759, S. 345.

104 J. B. *Du Bos*, »Réflexions critiques sur la poésie et sur la peinture«, Paris ¹1719 (T. I, Sect. 49). Vgl. in der dt. Übers. von Gottfried B. *Funke* (»Kritische Betrachtungen über die Poesie und Mahlerey, aus dem Französischen des Herrn Abtes Dü Bos«), Bd. I, Breslau 1769, S. 448 ff. (Die dt. Übers. erschien zuerst in 3 Teilen, Kopenhagen 1760/61).

105 Außer der Komödie wird von den nicht-hohen Dichtarten auch die Fabel genannt (vgl. S. 346).

106 Kursivierung von mir.

107 K. *Scherpe*, »Gattungspoetik«, S. 103.

108 ²1759, S. 431 ff.

109 Vgl. ebd., S. 434.

110 *Schlegel*, ³1770, S. 310; s. auch ²1759, S. 437.

111 »Er [der Roman] hat sein eigentümliches ächtes Wunderbares, welches von jenem unächten dadurch sich unterscheiden läßt, daß es mit dem Wahrscheinlichen sich verträgt.« (435) Vgl. *Breitingers* Formulierung vom »vermummeten Wahrscheinlichen«.

112 *Schlegel*, ³1770, S. 310 u. 306.

113 Ebd., S. 316.

114 »Theorie der Poesie nach den neuesten Grundsätzen [...]«, Leipzig 1767, Kap. 16: »Von der Epopee«, S. 394—441. Die romantheoretischen und -kritischen Erörterungen dieser Poetik sind m. W. bisher noch nicht untersucht worden.

115 K. *Scherpe* (»Gattungspoetik«, S. 93) spricht von einem »Musterbeispiel klassifikatorischer Akribie«.

116 *Schmid*, »Theorie der Poesie«, S. 398; Seitenangaben im folgenden im Text.

117 Diese naheliegende Zweiteilung hatte *Gottsched* in der 4. Aufl. seiner »Critischen Dichtkunst« (S. 154) zwar auch schon vorgenommen (worauf im 1. Abschnitt dieses Kapitels [Fabel — Epos] hingewiesen wurde), bei der historischen Herleitung, vor allem aber bei der Regelkritik der Romane, orientierte sich *Gottsched* dann aber wieder am klassischen Epos.

118 »Teutscher Merkur« 1773; IV, 3, S. 250. K. *Wölfel* hat, indem er auf diesen Beleg aufmerksam machte, völlig zu Recht betont, »daß die Gleichrangigkeit der beiden Gattungen [Roman und Epos] in dieser Zeit* bereits keine allzu fremde Vorstellung mehr war« (»Fr. v. Blanckenburgs ›Versuch über den Roman‹«, in: »Deutsche Romantheorien«, S. 41, Anm. 31). Ein Novum allerdings stellt die gleichrangige kritische Erörterung der beiden epischen Dichtarten in einer Poetik dar. (*Vgl. etwa auch in der »Neuen Bibliothek der schönen Wissenschaften«, I, 1766, 2. St., S. 230).

119 »Theorie der Poesie nach den neuesten Grundsätzen«, S. 394 ff.

120 *D'Urfés* »Astrée« gilt, wie bei *Huet*, als der beste Roman dieses Genres.

121 »Der Beifall, den sie erhielt, stürzte den Geschmack an jenen abentheuerlichen und ungeheuren Romanen. Sie zeichnet sich, wie die Asträa, vor allen andern aus, die in

diese Klasse gehören, in welchen die merkwürdigsten Arbeiten von lauter Frauen-
zimmern sind [. . .]« (»Theorie der Poesie«, S. 421).

122 Über *Richardsons* Romane; »Theorie der Poesie«, S. 432.

123 Über *Marivaux'* Romane; »Theorie der Poesie«, S. 423.

124 Vgl. dazu im nächsten Abschnitt: »Roman und Drama«.

125 »Neue Bibliothek der schönen Wissenschaften und freyen Künste«, Leipzig 1774, Bd.
16, 2. St., S. 177—256. Faksimiledruck hrsg. u. mit einem Nachwort versehen von E.
Th. *Voss*, Stuttgart 1964.

126 Über die »nahe Verwandtschaft des Dramas mit der Epopee« vgl. auch das Kap.:
»Von dem Drama« in *Schmids* »Theorie der Poesie«, S. 441 ff.

127 Vgl. »Theorie der Poesie«, S. 435; der »Robinson Crusoe« wird nur in einer Anm.
genannt.

128 In der anonym erschienenen, romantheoretisch wichtigen Abhandlung »Einige Gedanken und Regeln von den deutschen Romanen«, auf die im nächsten Kap. im einzelnen
zurückzukommen ist, wird der Roman sogar (schon 1744) als übergeordnete Dichtart
der »ungebundenen Rede« bezeichnet: »Ein Roman zeiget nur einen allgemeinern Begriff an, und hat ausser den Heldengedichten noch andere Arten unter sich. [. . .] Ein
gutes ungebundenes Heldengedicht bleibt also dem ohngeachtet ein Roman, ob es
gleich wahre Begebenheiten fürtraget.« (»Critische Versuche ausgefertigt durch Einige
Mitglieder der Deutschen Gesellschaft in Greifswald«, 2. Bd., Greifswald 1744, S.
24 u. 26).

129 Vgl. W. F. *Greiner,* »Studien zur Entstehung der engl. Romantheorie«, S. 51 f.

130 Daß solche Parallelisierungen auch im 17. und frühen 18. Jh. zu beobachten sind,
wurde bei der Besprechung *Harsdörffers, Daniel Richters* und der Theorie des »roman
comique« hervorgehoben; H. G. *Winter* (»Probleme des Dialogs u. des Dialogromans
in der dt. Literatur des 18. Jhs.«, Wirkendes Wort 20, 1970, S. 33 ff.) hat auf die
Forderung, dramatisch statt episch zu erzählen, auch anhand einzelner Bemerkungen
bei *Gottsched, Breitinger* und *Bodmer* hingewiesen. Vgl. auch schon den Hinweis E.
Lämmerts im Nachwort zur Blanckenburg-Ed., S. 562.

131 Die Diskussion der prinzipiellen Frage, ob das Drama erst in der Moderne die dominierende Rolle für die Romantheorie übernimmt und damit das Epos in dieser Funktion ablöst (*Jauß*) — oder ob sich der Roman generell »nach dem Vorbild des Epos am
Drama orientiert«, weil das Drama seit Aristoteles theoretisch seine Vorrangstellung
behauptet und auch die Eposkriterien bestimmt (*Greiner*), kann hier nicht aufgenommen werden. Zu verkennen ist allerdings nicht eine »außerordentlich starke Wechsel-
beziehung zwischen Drama und Roman [. . .] in der Neuzeit« (*Lukács*), deren Intensität mit der Parallelisierung in der Zeit vor der Mitte des 18. Jhs. (*Jauß* sieht in
Diderots »Éloge de Richardson« [1761] den entscheidenden Wendepunkt) kaum zu
vergleichen ist. Zur Diskussion dieses Fragenkomplexes vgl.: H. R. *Jauß,* »Zeit und
Erinnerung in M. Prousts ›A la recherche du temps perdu‹. Ein Beitrag zur Theorie
des Romans«, Heidelberg 1955, S. 14 ff.; ders., »Nachahmungsprinzip u. Wirklichkeitsbegriff in der Theorie des Romans von Diderot bis Stendhal«, in: »Nachahmung
u. Illusion«, S. 157 ff.; G. *Lukács,* »Der historische Roman (Kap. II: ›Historischer
Roman u. historisches Drama‹)«, Berlin 1955 (zuerst 1937) u. W. F. *Greiner,* »Studien
zur Entstehung der engl. Romantheorie«, S. 44 ff.

132 *Richardson* hat selbst mehrfach auf die »dramatische Schreibweise seiner Romane hin-
gewiesen; vgl. etwa »Preface« und »Postscript« zur »Clarissa«. *Diderot* bezeichnet die
Romane »Pamela«, »Clarissa« und »Grandison« als »trois grands drames« (»Éloge de
Richardson«, in: »Œuvres Esthétiques«, hrsg. v. P. *Vernière*, Paris 1968, S. 33).
In einem »Sendschreiben über die Sittlichkeit der Tragödie [. . .]« von Christian *Sincer*
heißt es 1762 im 7. Bd. der »Bibliothek der schönen Wissenschaften u. der freyen
Künste«, 2. St., S. 214: »Die Clarissa ist ein völlig tragischer Roman, und sie ist unter
den Romanen eben das, was eine nach der Erklärung des Aristoteles ausgearbeitete
Tragödie unter den Schauspielen seyn wird, nämlich die liebenswürdigste und nütz-

lichste Tragödie, die seyn kann, mit einem Wort, das wahre Muster aller Tragödien.«
Zum Problem Roman und Drama bei Richardson vgl.: L. *Schücking,* »Die Grundlagen
des Richardson'schen Romans«, GRM XII, 1924, S. 21—42 (I) u. S. 88—110 (II);
I. *Konigsberg,* »S. Richardson & the Dramatic Novel«, Lexington 1968, vor allem S.
102 ff.; L. *Borinski,* »Der englische Roman des 18. Jhs.«, Frankfurt 1968, S. 121 ff.;
W. *Voßkamp,* »Dialogische Vergegenwärtigung beim Schreiben und Lesen. Zur Poetik
des Briefromans im 18. Jh.«, DVjs. 45, 1971, S. 99 ff.

133 Vgl. N. *Miller,* »Das Spiel von Fügung u. Zufall. Versuch über Marivaux als Romancier«; Nachwort zu Millers Ed. der Romane »Das Leben der Marianne«, »Der
Bauer im Glück«, München 1968, S. 869 f. u. vor allem: W. G. *Deppe,* »History versus Romance. Ein Beitrag zur Entwicklungsgeschichte u. zum Verständnis der Literaturtheorie Henry Fieldings«, Münster 1965; s. dazu auch die Rez. v. U. *Broich,* Archiv 206, 121. Jg., 1969, S. 222 f.

134 Vgl. dazu vornehmlich: H.-G. *Winter,* »Probleme des Dialogs u. des Dialogromans in
der dt. Literatur des 18. Jhs.«, Wirk. Wort 20, 1970, S. 33—51; vgl. außerdem G.
Bauer, »Zur Poetik des Dialogs. Leistungen u. Formen der Gesprächsführung in der
neueren dt. Literatur«, Darmstadt 1969.

135 Christian Fürchtegott *Gellert,* »Briefe, nebst einer Praktischen Abhandlung von dem
guten Geschmacke in Briefen«, Leipzig 1751; (vgl. jetzt den Faksimile-Neudruck in
dem Bd.: Ch. F. *Gellert,* »Die epistolographischen Schriften.« Nach den Ausgaben
von 1742 u. 1751 hrsg. v. R. M. G. *Nickisch,* Stuttgart 1971). Johann Wilhelm *Schaubert,* »Anweisung zur Regelmäsigen Abfassung Teutscher Briefe und besonders der
Wohlstandsbriefe [...]«, Jena 1751; Johann Christoph *Stockhausen,* »Grundsätze
wohleingerichteter Briefe, Nach den neuesten und bewährtesten Mustern der Deutschen
und Ausländer [...]«, Helmstedt 1751. Vgl. dazu vor allem: R. M. G. *Nickisch,* »Die
Stilprinzipien in den dt. Briefstellern des 17. u. 18. Jhs. Mit einer Bibliographie zur
dt. Briefschreiblehre (1474—1800)«, Göttingen 1969, S. 161 ff.

136 Einen Höhepunkt und Abschluß könnte man in *Goethes* und *Schillers* Abhandlung:
»Über epische und dramatische Dichtung« sehen.

137 In: »Neue Erweiterungen der Erkenntnis und des Vergnügens«, Bd. VI, Leipzig 1755,
St. 31, S. 1—25; vgl. dazu: J. *Krueger,* »Zur Frühgeschichte der Theorie des bürgerlichen Trauerspiels«, in: »Worte und Werte. B. Markwardt-Fs.«, Berlin 1961, S. 177 bis
192.

138 A. *Wierlacher* (»Das bürgerliche Drama. Seine theoretische Begründung im 18. Jh.«,
München 1968, S. 9) weist darauf hin, daß sich in Dld. »die weitaus größte Zahl von
Theoretikern um die neue Gattung bemüht«; vgl. die dort gegebene Aufzählung der
wichtigsten dramentheoretischen Dokumente. — Die Beziehungen zwischen Theorie und
Praxis des bürgerlichen Dramas und dem neuen bürgerlichen, vor allem an englischen
Vorbildern orientierten Roman sind vielfältiger Natur und bedürften einer eingehen-
den, speziellen Analyse, die im Zusammenhang dieses Kapitels nicht geleistet werden
kann, sie würde Umfang und Intention der Arbeit sprengen. Manches von dem im folgenden Ausgeführten muß deshalb thesenhaft bleiben; verwiesen sei jedoch auf das
abschließende Kapitel, in dem auf inhaltliche Aspekte des bürgerlichen »Privat-Romans« eingegangen wird. Hier sind die Parallelen zwischen Roman und Drama besonders evident.

139 Vgl. meinen Aufsatz zum Briefroman: »Dialogische Vergegenwärtigung [...]«,
S. 97 ff.

140 Benutzte Ausgabe: »C. F. Gellerts sämmtliche Schriften«, 4. Theil, Leipzig 1769, S.
3—96. *Gellert* weist selbst auf den Zusammenhang von Brief und Briefroman hin
(vgl. ebd., S. 92).

141 Vorrede zum Roman: »Geschichte einiger Veränderungen des menschlichen Lebens, In
dem Schiksale des Herren Ma***«, Leipzig 1753, S. 3—26. Die wichtigsten Passagen
jetzt in der Ed. von *Lämmert* u. a., S. 98—103.

142 D. *Kimpel* (»Der Roman der Aufklärung«, Stuttgart 1967, S. 74 ff.) hat m. E. zu

Recht auf die Bedeutung der Brieftheorie Gellerts auch für Blanckenburg u. Engel hingewiesen; ob man allerdings schon von einer allgemeinen »Prosatheorie« sprechen kann, sei dahingestellt. Vgl. die modifizierende Kritik von J. *Jacobs,* »Gellerts Dichtungstheorie«, in: »Literaturwiss. Jb. der Görres-Ges.«, NF 10, 1969, S. 96. Die Ausführungen von *Tröltsch* sind bisher noch nicht untersucht worden.

143 Charakteristisch dafür ist etwa H. *Homes* Kritik an *Le Bossus* Ependefinition, wenn er kategorisch feststellt: »Die Tragödie und das epische Gedicht sind im Wesentlichen sehr wenig verschieden« und in einer Anmerkung hinzufügt: »Die Werke des Geistes fließen in einander, wie die Farben; in ihren starken Tinten sind sie leicht zu unterscheiden; aber sie sind so vieler Mannichfaltigkeit, und so viel verschiedner Formen fähig, daß wir niemals sagen können, wo die eine Art endigt, und die andre beginnt.« (H. *Home,* »Grundsätze der Kritik«, Bd. II, Ed. Leipzig ⁴1772, S. 398; Anm. S. 399; 1. dt. Übers. 1763).

144 »Quelle différence de peindre un effet, ou de le produire!« heißt es in *Diderots* »De la poésie dramatique« (1758), Ed. P. *Vernière,* Paris 1968, S. 216. Vgl. auch H. *Home,* »Grundsätze der Kritik«, Bd. II, S. 399.

145 *Tröltsch,* »Von dem Nuzen der Schauspiels-Regeln bei den Romanen«, S. 22; *Lämmert*-Ed., S. 103.

146 »Einige Gedanken und Regeln von den deutschen Romanen«, »Critische Versuche«, Bd. II, Greifswald 1744, S. 29.

147 »Praktische Abhandlung von dem guten Geschmacke in Briefen« (1751), Ed. »Sämtl. Schriften«, Bd. IV, Leipzig 1769, S. 64; vgl. außerdem ebd., S. 37, 44 u. 51. Über *Gellerts* »mittlere« literaturtheoretische Position zwischen *Gottsched* und den Schweizern vgl. J. *Jacobs,* »Gellerts Dichtungstheorie«, S. 96 ff.

148 H. *Home,* »Grundsätze der Kritik«; dt. Übers., Bd. II, Ed. Leipzig ⁴1772, S. 399 u. 400.

149 Vgl. 37. Brief von *Engels* »Ideen zu einer Mimik«, 1785/86; zit. im Anhang der Ed. v. E. Th. *Voss:* »J. J. Engel, Ueber Handlung, Gespräch und Erzehlung«, Stuttgart 1964, S. 153. Über die Tradition einer »Ästhetik der Rhetorik« auch noch im 18. Jh. vgl. K. *Dockhorn,* »Macht u. Wirkung der Rhetorik«, S. 126.

150 Vgl. vor allem die in Anm. 131 zitierten Arbeiten von H. R. *Jauß.*

151 »Praktische Abhandlung [...]«, zit. Ed., S. 78. Vgl. auch D. *Kimpel,* »Der Roman der Aufklärung«, S. 76. — Über die »Gemühts-Character[e] der mit in dem Drama begriffenen Personen [...]« und die »Würkung des unwiederstehbaren Pathos auch auf [die] unempfindlichsten Gemühter« im »Clarissa«-Roman vgl. Albrecht *v. Haller* in seiner Rez. des III. Roman-Teils in den »Göttingischen Gelehrten Anzeigen« (1749). Bei der Besprechung des I. u. II. Teils des Romans (1748) hatte die Zs. schon auf Richardsons Mittel, »die vielen besondern kleinen Begebenheiten und Unterredungen lebhaft und umständlich abzuschildern«, aufmerksam gemacht, damit *Gellerts* und *Diderots* (s. Éloge de Richardson«) Hinweise auf die Rolle des Details in einer »lebhaften« Erzählung, bzw. im Roman andeutungsweise vorwegnehmend. *Hallers* Rez. sind neugedruckt in dem Bd.: »Hallers Literaturkritik«, hrsg. v. K. S. *Guthke,* Tübingen 1970; s. S. 57—59.

152 »Von dem Nuzen der Schauspiels-Regeln bei den Romanen«, S. 8 f.; *Lämmert*-Ed., S. 100.

153 Vgl. H. *Home,* »Grundsätze der Kritik«, zit. Ed., Bd. I, S. 117 ff.

154 Fr. *v. Blanckenburg,* »Versuch über den Roman (1774)«, Faksimiledruck mit einem Nachwort hrsg. v. E. *Lämmert,* Stuttgart 1965, S. 493.

155 J. J. *Engel,* »Ueber Handlung, Gespräch und Erzehlung«, Faksimiledruck der 1. Fassung von 1774 aus der »Neuen Bibliothek der schönen Wissenschaften und der freyen Künste«, hrsg. u. mit einem Nachwort versehen v. E. Th. *Voss,* Stuttgart 1964, S. 231 ff.; s. außerdem im Anhang, S. 146 ff.

156 *Home,* »Grundsätze der Kritik«, zit. Ed., Bd. I, S. 117.

157 Ebd., S. 118.

158 J. J. *Engel,* »Ueber Handlung, Gespräch und Erzehlung«, *Voss*-Ed., S. 231 f.; die folgenden Zahlenangaben im Text beziehen sich auf diese Ausg. Engels Auffassungen habe ich ausführlich in meinem Aufs.: »Dialogische Vergegenwärtigung [...]«, (S. 97 ff.) untersucht.

159 Vgl. J. J. *Engel, Voss*-Ed., S. 154 f.

160 *Home,* »Grundsätze der Kritik«, zit. Ed., Bd. I, S. 120.

161 *Blanckenburg,* »Versuch über den Roman«, S. 495.

162 *Home,* »Grundsätze«, Bd. I, S. 121.

163 Vgl. vor allem: A. *Wierlacher,* »Das bürgerliche Drama«, Kap. II u. III (»Der neue Held«; »Realismus«).

164 Vgl. »Éloge de Richardson«, Ed. P. *Vernière,* S. 30 ff.

165 Vgl. »Versuch über den Roman«, S. 257 u. 259; außerdem S. 261 u. S. 494 u. 519.

166 »Éloge de Richardson«, S. 30 f. Vgl. H. R. *Jauß,* »Nachahmungsprinzip u. Wirklichkeitsbegriff in der Theorie des Romans von Diderot bis Stendhal«, in: »Nachahmung u. Illusion«, S. 159 ff. u. 237 ff. — Über Zuordnungsmöglichkeiten von bürgerlichem Roman und sozialem Kontext im 18. Jh. vgl. im nächsten Kap. (IX, 1) S. 178 ff.

167 »Praktische Abhandlung von dem guten Geschmacke in Briefen«, zit. Ed., S. 77. Kursivierung von mir.

168 »Ueber Handlung, Gespräch und Erzehlung«, S. 247 u. 248.

169 »Vom Nuzen der Schauspiels-Regeln bei den Romanen«, S. 21; *Lämmert*-Ed., S. 103.

170 »Der Tugendhafte muß beständig tugendhaft sein, und der Lasterhafte beständig lasterhaft« (*Tröltsch,* ebd., S. 16).

171 6. Jg., S. 106—109. Diese wichtige Besprechung ist der Forschung bisher unbekannt geblieben.

172 Vgl. aber dessen »Werther«-Rez.; dazu im abschließenden Kapitel.

173 Vgl. »Versuch über den Roman«, S. 390.

174 Ebd.

175 »Versuch über den Roman«, S. 391.

176 Ebd., S. 390.

IX. Spannungen im Begriff und in der Konzeption des bürgerlichen Romans bis zu Blanckenburgs »Versuch über den Roman«

1 Eine scharfe Abtrennung gattungspoetologischer und strukturimmanenter romantheoretischer Probleme ist dabei keineswegs beabsichtigt, vielmehr darf der der wechselseitige Zusammenhang nicht außer acht gelassen werden. Die folgenden Überlegungen knüpfen deshalb an Fragen der im vorigen Kap. erörterten Probleme bewußt an; der Zusammenhang zwischen beiden Kapiteln ist ohnehin schon dadurch gegeben, daß bereits bei der Besprechung von *Gottscheds* und der Schweizer Dichtungstheorie Rezensionen ausführlich berücksichtigt wurden.

2 Alle drei Fragenbereiche zielen auf umfassendere Probleme des »bürgerlichen Romans« im 18. Jh. überhaupt, die deshalb in diesem Kapitel auch nicht ausdiskutiert werden können, sondern teilweise eher thesenhaft angedeutet sind. In einer Reihe von neueren Arbeiten (die an den entsprechenden Stellen angegeben werden) liegen bereits wichtige Einzelergebnisse vor, an die im folgenden angeknüpft wird mit der Absicht, vor allem die vorhandenen Spannungen und Antinomien in der theoretischen Begründung des bürgerlichen Romans sichtbar zu machen. Die zweite Absicht liegt darin, in der dokumentierenden Beschreibung und kritischen Analyse romantheoretischer Texte vor *Blanckenburg* zu zeigen, inwieweit bis 1774 in diesen Dokumenten die wichtigsten theoretischen Positionen Blanckenburgs vorweggenommen sind, bzw. präludierend anklingen: Lassen die analysierten Texte der drei Jahrzehnte 1740—1770 diese Phase als eine »Vorgeschichte« zum »Versuch über den Roman« erscheinen? Inwieweit stellt Blanckenburgs Romantheorie deshalb eine »Summe« dieser Tendenzen dar?

3 Johann Bernhard *Basedow,* »Lehrbuch prosaischer und poetischer Wohlredenheit in

verschiedenen Schreibarten [. . .]«, Kopenhagen, 1756, S. 620 (Kursivierung von mir); vgl. außerdem Joh. Gotthelf *Lindner,* »Lehrbuch der schönen Wissenschaften insonderheit der Prose und Poesie«, Leipzig (2 Bde.), Bd. II, 1768, S. 261 ff.; vgl. Anm. 1, S. 244, zu Kap. VIII, 1 u. M. *Sommerfeld,* »Romantheorie und Romantypus«, S. 9 f.

4 Vgl. vor allem: I. *Watt,* »The Rise of the Novel«, London 1966 (zuerst 1957), S. 36 bis 61: »The Reading Public and the Rise of the Novel«. Unter dem Aspekt der Entstehung einer »öffentlichen Meinung« bzw. des Druckereiwesens und Buchhandels in England: M. *Schlenke,* »England und das Friderizianische Preußen 1740—1763. Ein Beitrag zum Verhältnis von Politik u. öffentlicher Meinung im England des 18. Jhs.«, Freiburg 1963, S. 64: »Den größten Anteil an dieser Entwicklung hatte die wirtschaftlich und politisch aufstrebende ›Mittelklasse‹, angeführt von den Geschäftsleuten und Händlern der City und der großen Provinzstädte. Auch die unteren Schichten dieser ›Mittelklasse‹ standen [. . .] nicht abseits.« Vgl. ebd. S. 52 ff.

5 Über die Verbindung des psychologischen Faktors mit dem ökonomischen vgl. F. *Borkenau,* »Der Übergang vom feudalen zum bürgerlichen Weltbild. Studien zur Geschichte der Philosophie der Manufakturperiode«, Paris 1934 (Neudruck: Darmstadt 1971), S. 519. Über die »große Wendung zum Privaten, zum Landleben und zur Familie«, vgl. L. *Borinski,* »Der englische Roman des 18. Jhs.«, S. 67 ff. Zu literatursoziologischen Fragen des englischen Familien-Romans vgl. L. *Schücking,* »Die puritanischen Familie in literar-soziologischer Sicht«, Bern 1964.

6 R. *Koselleck,* »Kritik und Krise [. . .]«, Freiburg 1959, S. 41 ff.; H. *Arendt,* »Vita activa oder Vom tätigen Leben«, Stuttgart 1960, S. 39; J. *Habermas,* »Strukturwandel der Öffentlichkeit«, Neuwied ¹1962, S. 55 ff.; vgl. auch schon H. *Gerth,* »Die sozialgeschichtliche Lage der bürgerlichen Intelligenz um die Wende des 18. Jhs.«, Berlin 1935 (= Diss. Frankfurt 1933), S. 103.

7 Vgl. J. *Habermas,* »Strukturwandel [. . .]«, S. 41.

8 Vgl. ebd., S. 53 ff. Über die Entstehung eines neuen Lesepublikums und dessen Lektüre in Dld. vgl. W. *Martens,* »Lektüre bei Gellert«, in: »Fs. für R. Alewyn«, Köln 1967, S. 123—150; *ders.,* »Die Botschaft der Tugend«, Stuttgart 1968, u. R. *Engelsing,* »Der Bürger als Leser. Die Bildung der protestant. Bevölkerung Dlds. im 17. u. 18. Jh. am Beispiel Bremens«, in: »Archiv für Geschichte des Buchwesens«, Bd. III, Frankfurt 1961, Sp. 205—368.

9 Vgl. dazu besonders die umfassende Studie von W. *Martens,* »Die Botschaft der Tugend«; außerdem P. *Currie,* »Moral Weeklies and the Reading Public in Germany, 1711—1750«, in: Oxford German Studies, Bd. III, 1968, S. 69—86.

10 »Der Mensch, eine moralische Wochenschrift«, 2. Teil, Halle 1751, 64. St., S. 201 f. u. 205.

11 Hingewiesen sei an dieser Stelle darauf, daß die Begriffe »Bürger«, »bürgerlich« im folgenden verstanden werden im Sinne von Charakterisierungen des »Bürgertums« *als sozialer Schicht* und dadurch geprägter Denkhaltungen und Moralvorstellungen — nicht im Sinne des Begriffs »Staatsbürger« als Mitglied der Gesellschaft; beide Bedeutungen des Wortes »bürgerlich« kommen, wie etwa R. *Alewyn* zu Recht hervorgehoben hat, nebeneinander im 18. Jh. vor.

12 K.-I. *Flessau* (»Der moralische Roman. Studien zur gesellschaftskritischen Trivialliteratur der Goethezeit«, Köln 1968) hat verschiedene Spielarten dieses Typs untersucht und sich um eine Differenzierung dieses Begriffs (vgl. Kap. I der Arbeit) bemüht. Wichtig allerdings erscheint mir, darauf hinzuweisen, daß nicht die Tatsache, daß der Roman des 18. Jhs. ein »moralischer« ist, das Entscheidende ausmacht (denn auch im 17. Jh. unterliegt der Roman moralischen Postulaten), sondern daß erst eine bestimmte Neudefinition des Moralbegriffs unter dem Gesichtspunkt »privater« und »ökonomischer« Tugenden seine gesellschaftskritische und bürgerlich-emanzipatorische Funktion im 18. Jh. bewirkt.

13 Vgl. schon die besondere Rolle, die *Richardsons* Romanen in Ch. H. *Schmids* Poetik zuerkannt wird (s. Kap. VIII, 3, S. 166 ff. dieser Arbeit).

14 »Versuch über den Roman«, Ed. E. *Lämmert*, S. 17.

15 Wenn K. *Wölfel* (»Fr. v. Blanckenburgs ›Versuch über den Roman‹«, in: »Deutsche Romantheorien«, S. 35) diese Gegenüberstellung als »eine pure Übernahme« dessen bezeichnet, »was die Theorie des ›bürgerlichen Trauerspiels‹ zuvor konstatierte, als sie die neue Gattung vom ›heroischen‹ Trauerspiel abrückte«, muß zugleich darauf hingewiesen werden, daß dieser Gegensatz seit *Richardsons* Romanen evident ist. *Blanckenburgs* Unterscheidung also sowohl von daher, als vom bürgerlichen Trauerspiel abgeleitet und geprägt worden sein kann.

16 Greifswald 1751. Das rezensierte Buch »Amusemens d'un Prisonnier« (Paris 1750) wird als geschmacklos abgelehnt; solche Bücher würden die Lust an Romanen gänzlich verderben, meint der Rezensent, »wenn nicht dann und wann eine Pamela oder Clarissa käme« (S. 81).

17 »Critische Nachrichten«, Bd. II, S. 82 u. 82 f. Kursivierung von mir. Die zitierte Passage findet sich jetzt auch in der Ed. von *Lämmert* u. a., S. 90.

18 Vgl. ebd., S. 82 f.

19 A. *v. Haller*, »Beurtheilung der berühmten Geschichte der Clarissa«, in: »Sammlung kleiner Hallerischer Schriften«, 2 Theile, Bern ²1772, S. 296 (zuerst 1755). Vgl. den Hinweis auf diesen Essay bei L. M. *Price*, »Die Aufnahme englischer Literatur in Dld. 1500—1960«, Bern 1961, Kap. XIII: »Richardson und der moralisierende Roman« (S. 169 ff.).

20 Dies sind nach *Haller* charakteristische Merkmale, auf die Richardsons Romane — im Unterschied zu denen Marivaux' — Bezug nehmen (vgl. »Beurtheilung [...]«, ebd., S. 297 f.).

21 *Haller*, »Beurtheilung«, S. 308. Die hier zitierten Sätze (1755 geschrieben) erinnern, teilweise bis in den Wortlaut hinein, an die Diderotschen Beobachtungen in der »Éloge de Richardson« (1761); vgl. Ed. P. *Vernière*, S. 30 ff.

22 »Critische Versuche ausgefertigt durch Einige Mitglieder der Deutschen Gesellschaft in Greifswald«, Bd. II (1744), S. 48. Es ist das Verdienst von D. *Kimpel* u. C. *Wiedemann* (»Theorie u. Technik«, Bd. I), auf diese bisher nicht beachtete Abhandlung aufmerksam gemacht zu haben; wichtige Passagen sind in dieser Anthologie abgedruckt (vgl. S. 69—76).

23 Vgl. dazu im einzelnen den 3. Teil meines Aufsatzes zur Poetik des Briefromans: »Der Briefroman und die poetologische Relevanz des Lesens«, DVjs. 45, 1971, S. 106 ff.

24 »Das englische Wort ›sentimental‹ bedeutete im 18. Jh. nur sekundär [...] tränenreiche Rührseligkeit, primär die an Lockesche ›sensation‹ (Sinneswahrnehmung) anknüpfende, sich mit dieser auf das innigste verschmelzende, unmittelbare, feinfühlige ›Empfindung‹.« (E. *Wolff*, »Der englische Roman im 18. Jh.«, Göttingen 1964, S. 43 f.)

25 Ed.: H. *Fielding*, »›Joseph Andrews‹ and ›Shamela‹, ed. with an Introduction and notes by M. C. *Battestin*«, London 1965, S. 7—12 (»Author's Preface«).

26 Vgl. »Joseph Andrews«, III. Buch, 1. Kap.

27 »Author's Preface«, Ed. *Battestin*, S. 8; s. auch ebd., S. 12.

28 Im einführenden 1. Kap. des »Tom Jones« vergleicht Fielding seinen Roman mit einem zubereiteten Gericht, das kein anderes als »die menschliche Natur« sei.

29 »Author's Preface« zum »Joseph Andrews«, Ed. *Battestin*, S. 7.

30 Zur Gegenüberstellung romantheoretischer Unterschiede zwischen *Richardson* und *Fielding* in Dld. vgl. das »Schreiben über einige englische Romane« in den »Neue[n] Erweiterungen der Erkenntnis und des Vergnügens«, Bd. V, Leipzig 1755, 27. St., S. 332 ff. (»Die Romane des Fielding haben Schönheiten, die die Richardsonischen gar nicht besitzen [...]«); u. A. *v. Hallers* »Tagebuch seiner Betrachtungen über Schriftsteller und über sich selbst«, Ed. Bern 1787, Teil I, S. 61 f. (»Herr Fielding besitzt eine große Kenntnis des menschlichen Herzens. Nur gehört er zu den Mahlern, die

lieber getreue als schöne Gemälde liefern, und es für keinen Fehler ansehen, der Gegenstand sey auch schon häßlich, wenn nur die Ähnlichkeit getroffen ist. Er ist ein flämmischer Mahler.«) Während die erste Abhandlung *Fielding* den Vorzug gibt, bleibt für *Haller Richardson* das große Vorbild. — Deutlich ist die entschiedene Hinwendung zu Fielding in den 60iger und 70iger Jahren in Dld. vor allem bei *Wieland* (vgl. »Don Sylvio« I, 1—3; »Agathon«, Vorbericht zur 1. Ausg. 1766/67 u. V, 8; vgl. dazu die Arbeit von G. *Matthecka,* »Die Romantheorie Wielands und seiner Vorläufer«, Diss. Tübingen 1956), Johann Timotheus *Hermes* (»Sophiens Reise von Memel nach Sachsen«, 1. Ausg. 1770—72, XII. Brief des 1. Bdes., s. Ed. F. *Brüggemann,* DLE 13, Leipzig 1941, Neudruck: Darmstadt 1967, S. 70 ff.) u. bei Fr. *v. Blanckenburg* (1774).

31 Rez. des »Joseph Andrews« in: »Frankfurtische Gelehrte Zeitungen«, 1745, S. 370.

32 Rez. der deutschen »Amelia«-Übers., in: »Frankfurt. Gelehrte Zeitungen«, 1752, S. 535.

33 Vgl. Ed. F. *Brüggemann,* S. 70—74; s. Anm. 30 u. vgl. außerdem Joh. Hch. *Merck,* »Über den Mangel des epischen Geistes in unserm lieben Vaterlande«, »Der Teutsche Merkur«, 1778, S. 48 ff.

34 Auf die Einseitigkeit der Blanckenburgischen Konzeption haben schon zeitgenössische Rezensenten des »Versuchs« kritisch hingewiesen und zu bedenken gegeben, ob denn die (äußeren) Begebenheiten im Roman überhaupt keine Rolle spielten; vgl. »Göttingische gelehrte Anzeigen«, 1774, S. 790; »Neue Bibliothek der schönen Wissenschaften«, XVIII, 2 (1776), S. 283 f.

35 Samuel *Johnson* in seiner Zeitschrift »The Rambler«, No. 4 vom 31. März 1750; zit. nach N. *Miller,* »Charaktere und Karikaturen. Über die Romankunst H. Fieldings«, im Anhang zur Ed.: »Sämtliche Romane in 4 Bden.«, dt. Übers. München 1965, Bd. I, S. 698. W. F. *Greiner* (»Studien zur Entstehung der engl. Romantheorie«, S. 230 ff.) hat auf Hermann Andreas *Pistorius'* Vorrede zur dt. Übers. von Charlotte *Lennox'* »Female Quixote« (1754) hingewiesen, in der auf ähnliche Weise wie bei *Johnson* die neuen »natürlichen« Romane (»Marivaux und seine noch glücklichern Nachfolger im Natürlichen, Richardson und Fielding«) den alten »Heldenromanen« gegenübergestellt werden.

36 Angemerkt sei hierbei, daß der deutsche Landadel weder aufgrund seiner politischen Funktion, noch aufgrund seiner ökonomisch-sozialen Stellung mit der engl. Gentry unmittelbar parallelisiert werden kann. Zur Darstellung des Milieus der Gentry im Roman vgl. E. *Ewald,* »Abbild u. Wunschbild der Gesellschaft bei Richardson u. Fielding«, Diss. Köln 1935, S. 73; zur Transponierung des Ideals bürgerlich-familiärer Geselligkeit in die Oberschicht: ebd., S. 19 ff.

37 Vgl. A. *Wierlacher,* »Das bürgerliche Drama«, S. 69.

38 Vgl. ebd., S. 63. *Wierlacher* bezieht sich bei dieser Gegenüberstellung auf *Gottscheds* Rede über die Schauspiele (1729). Auch die im Zusammenhang mit der Abgrenzung von Fabel, Epos und Roman hervorgehobene Zweiteilung der Fabeln in »erhabene« und »niedrige« (vgl. »Critische Dichtkunst«, [4]1751, S. 154), wobei zu den erhabenen die »Staatsromane«, zu den niedrigen »die adelichen und bürgerliche[n] Romane« gerechnet werden, deutet diese Klassifizierung an.

39 Zum Problem des Kleinbürgertums im 18. Jh. in Dld. (oberhalb, z. T. auch innerhalb dieser Schicht verläuft die Grenze gegenüber dem »gebildeten Mittelstand«), vgl. R. *Stadelmann* u. W. *Fischer,* »Die Bildungswelt des deutschen Handwerkers um 1800. Studien zur Soziologie des Kleinbürgers im Zeitalter Goethes«, Berlin 1955, u. H. *Möller,* »Die kleinbürgerliche Familie im 18. Jh. Verhalten u. Gruppenkultur«, Berlin 1969.

40 »Einige Gedanken und Regeln von den deutschen Romanen«, in: »Critische Versuche«, S. 25.

41 Vgl. H. *Böhme,* »Prolegomena zu einer Sozial- und Wirtschaftsgeschichte Dlds. im 19. u. 20. Jh.«, Frankfurt 1968, S. 22 u. 23.

42 Ebd., S. 23 f.

43 L. *Borinski,* »Der englische Roman des 18. Jhs.«, S. 139 u. 251.

44 Abgedruckt im Anhang zum Faksimile-Neudruck des Romans »Der redliche Mann am Hofe; Oder die Begebenheiten des Grafens von Rivera [...]«, Frankfurt/M. 1742 (¹1740), hrsg. v. K. *Reichert,* Stuttgart 1966, S. 577—584.

45 »Die vertheidigte Sitten-Lehre«, ebd., S. 577.

46 Ebd., S. 580; Seitenzahlen im folgenden im Text.

47 Vgl. den Titel der Abhdlg.: »Die vertheidigte Sitten-Lehre [...]«.

48 Vgl. *Hegel,* »Ästhetik«, Bd. II, Ed. *Bassenge,* S. 452.

49 Vgl. Christoph Martin *Wieland,* »Geschichte des Agathon«. Unveränderter Abdruck der Editio princeps (1767), bearb. v. K. *Schaefer,* Berlin 1961, S. 272 (IX. Buch, 2. Kap.).

50 Vgl. W. *Krauss,* »Zur Bedeutungsgeschichte von ›romanesque‹ im 17. Jh.«, in: W. K., »Ges. Aufs. zur Lit. u. Sprachwissenschaft«, Frankfurt/M. 1949, S. 400—429.

51 »Einige Gedanken und Regeln von den deutschen Romanen«, in: »Critische Versuche«, S. 37 f.

52 »Beurtheilung der berühmten Geschichte der Clarissa [...]«, (zuerst 1755), S. 297.

53 »Briefe die Neueste Litteratur betreffend«, Bd. X, 17. — 20. St., hier S. 258.

54 IX. Buch, 2. Kap.; *Schaefer*-Ed., S. 272; vgl. Anm. 49.

55 Ebd., S. 115; vgl. auch *Gerstenbergs* Rez. des »Agathon« in der »Hamburgischen Neuen Zeitung«, (18. 4. 1768), Ed. O. *Fischer,* Berlin 1904, S. 47.

56 J. J. *Engel, Voss*-Ed., S. 186.

57 Ebd.; vgl. die im Abschnitt 4 des vorigen Kapitels (»Roman und Drama«) angegebenen Parallelen auch in Blanckenburgs »Versuch«.

58 Zum »Anwendungs«- und Moralproblem des bürgerlichen Romans vgl. im nächsten (3.) Abschnitt; zur Abgrenzung des neuen vom früheren Pragmatismus-Begriff vgl. auch J. *Schönert,* »Roman und Satire im 18. Jh.«, Stuttgart 1969, S. 85.

59 G. *Jäger,* »Empfindsamkeit und Roman. Worgeschichte, Theorie und Kritik im 18. u. frühen 19. Jh.«, Stuttgart 1969, S. 114 ff.; W. *Hahl,* »Reflexion und Erzählung. Ein Problem der Romantheorie von der Spätaufklärung bis zum programmatischen Realismus«, Stuttgart 1971, Kap. II; vgl. außerdem die Hinweise bei J. *Schönert,* »Roman und Satire«, S. 81 ff.

60 G. *Jäger,* »Empfindsamkeit und Roman«, S. 115; vgl. W. *Hahl,* »Reflexion und Erzählung«, S. 48 ff.

61 G. *Jäger,* »Empfindsamkeit«, S. 115.

62 Vgl. die bei *Jäger* und *Hahl* im einzelnen angegebenen Belege.

63 Vgl. Joh. Chr. *Gatterer,* »Vom historischen Plan, und der darauf sich gründenden Zusammenfügung der Erzählung«, in: »Allgemeine Historische Bibliothek«, Bd. I, Halle 1767, S. 15—89; hier: S. 84.

64 Ebd., S. 80. Vgl. auch die Rez. Thomas *Abbts* über: »Harenberg, Pragmatische Geschichte des Ordens der Jesuiten«, Halle 1760, in: »Briefe, die Neueste Litteratur betreffend«, IX. Teil, Berlin 1761, 151. Brief, S. 118 f.

65 J. Chr. *Gatterer,* »Vom historischen Plan«, S. 85.

66 Vgl. Fr. *Meinecke,* »Die Entstehung des Historismus«, hrsg. v. C. *Hinrichs,* München 1959, S. 39.

67 Vgl. dazu Fr. *Meinecke,* »Die Entstehung des Historismus«, Kap. I.

68 R. *Koselleck,* »Historia Magistra Vitae. Über die Auflösung des Topos im Horizont neuzeitlich bewegter Geschichte«, in: »Natur und Geschichte. Fs. f. K. Löwith«, Stuttgart 1967, S. 204; vgl. außerdem den Diskussionsbeitrag von R. *Warning* zu R. *Koselleck,* »Der Zufall als Motivationsrest in der Geschichtsschreibung«, in: »Die nicht mehr schönen Künste. Grenzphänomene des Ästhetischen«, hrsg. v. H. R. *Jauß,* München 1968, S. 572.

69 R. *Koselleck,* »Historia Magistra Vitae [...]«, in: »Löwith-Fs.«, S. 204.

70 H. R. *Jauß,* Diskussionsbeitrag zu R. *Koselleck,* »Der Zufall als Motivationsrest [...]«, in: »Die nicht mehr schönen Künste«, S. 573.

71 Vgl. G. *Jäger*, »Empfindsamkeit und Roman«, S. 119, u. W. *Hahl*, »Reflexion und Erzählung«, S. 54.

72 Gleichviel ob man, wie *Jauß*, mehr den Gedanken der Ablösung des Epischen durch das Dramatische in der Moderne hervorhebt oder, wie *Greiner*, eine Neubelebung der ursprünglich und stets gegebenen Affinität von Epos und Drama betont — in jedem Fall wird die wichtige poetologische und geschichtstheoretische Bedeutung des Dramatischen doch wohl von *Hahl* (vgl. »Reflexion und Erzählung«, S. 61) unterschätzt.

73 Vgl. Chr. M. *Wieland*, »Geschichte des Agathon«, IX, 2 (Ed. K. *Schaefer*, S. 272; vgl. Anm. 49).

74 »Das Schlüsselwort, noch von Leibniz eingeführt, heißt Perfektibilität, das die traditionelle Naturteleologie mit deren eigenen Mitteln unterlaufen und den emanzipatorischen Anspruch des Bürgertums ontologisch legitimieren soll. Nach dieser Theorie [...] sind die Dinge nicht deshalb vollkommen, weil sie, wie es die Aristotelische Substanz- und Wesensontologie fordert, unveränderlich sind, sondern umgekehrt: ihre Veränderlichkeit ist der Grund dafür, daß sie, und zwar in einem höheren Sinne, vollkommen genannt werden können. Perfektion ist nur als Perfektibilität, d. h. als Prozeß der Vervollkommnung möglich.« (M. *Riedel*, »Fortschritt u. Dialektik in Hegels Geschichtsphilosophie«, NR 80, 1969, S. 480).

75 G. *Jäger* und W. *Hahl* gehen auf diese Problematik nicht ein.

76 Fr. *Meinecke*, »Zur Geschichte des Historismus. Aphorismen: Allgemeines über Historismus und Aufklärungshistorie«, in: »Zur Theorie u. Philosophie der Geschichte« (Werke, Bd. IV), Stuttgart 1959, S. 222; vgl. außerdem: A. *Kraus*, »Vernunft und Geschichte«, Freiburg 1963, S. 38, u. K. *Löwith*, »Weltgeschichte und Heilsgeschehen«, Stuttgart ³1953, S. 99 ff.

77 »Die Entstehung des Historismus«, S. 77 ff.

78 Ebd., S. 141.

79 Fr. *Meinecke*, »Zur Geschichte des Historismus. Aphorismen«, S. 226.

80 Vgl. R. *Koselleck*, »Historia Magistra Vitae«, S. 197; dazu auch Fr. *Meinecke*, »Zur Geschichte des Historismus«, S. 222.

81 Fr. *Meinecke* hat darauf hingewiesen, daß dies schon bei *Leibniz* zu beobachten ist (vgl. »Die Entstehung des Historismus«, S. 36).

82 »Einige Gedanken und Regeln von den deutschen Romanen«, in: »Critische Versuche«, Bd. II, S. 27.

83 Ebd., S. 37 f.

84 Vgl. ebd.

85 »Beurtheilung des Romainenlesens«, in: »Der Gesellige«, 200. St., Halle ²1764, S. 351 (1. Aufl. 1750). In gleichem Sinne etwa bei Carl Friedrich *Tröltsch*, »Der Fränkische Robinson [...]«, Onolzbach 1751, Vorrede: »Allgemeine Gedanken von den Romanen«.

86 »Wielands Gesammelte Schriften«, hrsg. v. der Preußischen Akademie der Wissenschaften, Berlin 1909 ff., Bd. IV, S. 342.

87 Ebd., S. 344.

88 Vgl. z. B. »Agathon«: V, 8 (Ed. K. *Schaefer*, S. 113 f.); IX, 5 (Ed. K. *Schaefer*, S. 318).

89 Vgl.: »Über das Historische im Agathon (1773)«, in: »C. M. Wieland's sämmtliche Werke«, Leipzig: Göschen 1853 ff., Bd. IV, S. 15. Vgl. auch das (Horaz-)Motto des Romans: »Quid Virtus et quid Sapientia possit / Utile proposuit nobis exemplum«.

90 Vgl. den »Vorbericht« zur 1. Ausgabe (1766/67), Ed. K. *Schaefer*, S. 1 ff.

91 Die folgenden Überlegungen können an zwei sorgfältige Untersuchungen zur Romanpoetik *Wielands*, von G. *Matthecka* (»Die Romantheorie Wielands und seiner Vorläufer«, Diss. Tübingen 1956) und K. *Oettinger* (»Phantasie und Erfahrung. Studien zur Erzählpoetik C. M. Wielands«, München 1970) anknüpfen. — *Matthecka* hat bereits von dem »Nebeneinander der rationalen und empirischen Methode als Formen von Wielands Erkenntnis« gesprochen u. festgestellt: »Die sinnliche Natur untersteht

der empirischen Wirklichkeit, die höhere Natur glaubt an eine höhere sittliche Macht. Metaphysisch-spekulativ ist dieser Gegensatz nicht gelöst« (S. 183 f.). Daß es sich um einen Gegensatz zwischen empirischer und rationaler Methode des Erkennens handelt, erscheint mir jedoch fraglich, eher dürfte es sich um zwei prinzipiell unterschiedene Intentionen (erkenntnistheoretischer und moralphilosophischer Art) handeln, die miteinander in Einklang gebracht werden müssen, parallel zur Aufklärungshistorik. — Oettinger hat, worauf an den entsprechenden Stellen hingewiesen wird, vor allem die Einwirkungen »moderner« philosophischer Strömungen (Locke, d'Alembert) auf die poetologischen Wandlungen bei Wieland hervorgehoben. — Auf eine Erörterung der Erzählprobleme bei Wieland kann hier verzichtet werden; vgl. dazu die bei C. *Sommer* (»C. M. Wieland«, Stuttgart 1971 [Sammlung Metzler]) verzeichnete Literatur.

92 Vgl. K. *Oettinger*, »Phantasie und Erfahrung«, S. 68.

93 Vgl. »Agathon«, V, 8; Ed. *Schaefer*, S. 115; »Don Sylvio« I, 1—3; Ed. »C. M. Wieland's sämmtliche Werke«, Leipzig: Göschen 1853, Bd. I, S. 1—10.

94 »Agathon« VIII, 6; Ed. K. *Schaefer*, S. 249.

95 »Agathon« XI, 4; Ed. K. *Schaefer*, S. 404.

96 »Agathon«, V, 8; Ed. K. *Schaefer*, S. 113 f.

97 »Phantasie und Erfahrung«, S. 47 ff.

98 »Wielands Gesammelte Schriften« (Akademie-Ausg.), Bd. III, S. 91.

99 Vgl. ebd.

100 Vgl. K. *Oettinger*, »Phantasie und Erfahrung«, S. 52 ff.

101 Vgl. Kap. VIII, 2 b, S. 154 ff. dieser Untersuchungen.

102 Vgl. K. *Oettinger*, »Phantasie und Erfahrung«, S. 66.

103 Gotthold Ephraim *Lessing*, Rez.: *Toussaint*, »Histoire des Passions ou Avantures du Chevalier Shroop [...]«, à la Haye 1751. In: »Berlinische Privilegirte Zeitung: Im Jahr 1751«, (Ed. K. *Lachmann* — F. *Muncker*, Bd. IV, S. 295; jetzt auch abgedruckt in der Ed. von E. *Lämmert* u. a., S. 91 f.

104 »Agathon«, V, 8; Ed. K. *Schaefer*, S. 114.

105 Ebd.

106 Ed. K. *Schaefer*, S. 1.

107 »Agathon«, Vorbericht; Ed. K. *Schaefer*, S. 3. In Klammern: Zusatz in der 3. Ausgabe des »Agathon« von 1794.

108 Vgl. dazu vor allem die Arbeiten von: G. *Matthecka*, »Die Romantheorie Wielands und seiner Vorläufer«, Diss. Tübingen 1956; W. *Preisendanz*, »Die Auseinandersetzung mit dem Nachahmungsprinzip in Dld. u. die besondere Rolle der Romane Wielands (Don Sylvio, Agathon)«, in: »Nachahmung u. Illusion«, bes. S. 89 ff.; W. *Buddecke*, »C. M. Wielands Entwicklungsbegriff und die ›Geschichte des Agathon‹«, Göttingen 1966 (zuerst als Diss. Göttingen 1958).

109 »Weil nach unserm [des Autors] Plan der Character unsers Helden auf verschiedene Proben gestellt werden sollte, durch welche seine Denkensart und seine Tugend erläutert, und dasjenige, was darinn übertrieben, und unächt war, nach und nach abgesondert würde [...]« (Vorbericht zur 1. Ausg.; Ed. K. *Schaefer*, S. 4).

110 »Über das Historische im Agathon« (1773), in: »C. M. Wieland's sämmtliche Werke«, Leipzig: Göschen 1853, Bd. IV, S. 15.

111 »Wielands Ges. Schriften« (Akademie-Ausg.), Bd. IV, S. 339. Nur unter den Voraussetzungen dieser Teleologie-Vorstellung kann auch das Problem des Zufalls bei Wieland »gelöst« werden; dieser, in der Romanpraxis so auffallend virulente Faktor (vgl. K. *Oettinger*, »Phantasie und Erfahrung«, S. 87; W. *Hahl*, »Reflexion und Erzählung«, S. 42) kann nur deshalb theoretisch so unproblematisch erscheinen, weil er als integrierbar in einem System gedacht wird, in dem letzten Endes auch die »tausend unvermeidlichen Zufälle« (Wieland) »das Menschengeschlecht auf die unumkehrbare Bahn der unendlichen Vervollkommnung drängen«. (Vgl. R. *Koselleck*, »Der Zufall als Motivationsrest in der Geschichtsschreibung«, in: »Die nicht mehr schönen Künste«, S. 140).

112 Auf die dominierende Rolle des *Wielandschen* Erzählers haben vor allem seit W. *Kaysers* Aufsatz »Entstehung und Krise des Romans« (zuerst 1954) die neueren Wieland-Untersuchungen unter verschiedenen Aspekten nachdrücklich hingewiesen.

113 Vgl. schon den Hinweis darauf in H. W. *v. Gerstenbergs* Rez. in der »Hamburgischen Neuen Zeitung« (62. St., 18. 4. 1768), abgedruckt in »H. W. *v. Gerstenbergs* Rezensionen [...]«, hrsg. v. O. *Fischer*, Berlin 1904, S. 47.

114 Vgl. K. *Oettinger*, »Phantasie und Erfahrung«, S. 88 ff.

115 Vgl. K. *Wölfel*, »Fr. v. Blanckenburgs ›Versuch über den Roman‹«, in: »Deutsche Romantheorien«, S. 49 f. Anmerkung 44.

116 Vgl. ebd., S. 52 ff.

117 *Blanckenburg*, »Versuch über den Roman«, S. 400.

118 Vgl. K. *Wölfel*, »Fr. v. Blanckenburgs ›Versuch [...]‹ «, S. 55 f.

119 *Blanckenburg*, »Versuch«, S. 397 f.

120 K. *Wölfel* (vgl. den Schluß seiner Blanckenburg-Interpretation) sieht hierin das »utopische Moment« des »Versuchs«.

121 Vgl. K. *Wölfel*, »Fr. v. Blanckenburgs ›Versuch‹«, S. 57.

122 Zur Romandichtung liegen zwei neuere Arbeiten von N. *Miller* (»Der empfindsame Erzähler. Untersuchungen an Romananfängen des 18. Jhs.«, München 1968) u. G. *Jäger* (»Empfindsamkeit und Roman«, Stuttgart 1969) vor, die das Problem »Empfindsamkeit« im deutschen Roman des 18. Jhs. untersuchen. Während bei Miller Fragen des Romananfangs seit *Lohenstein* im Vordergrund der Erörterung stehen (vgl. dazu meine Rez.: ZfdPh. 88, 1969, S. 621—626), liefert die Arbeit von *Jäger* wichtige Beiträge vor allem zur definitorischen Abgrenzung von »Empfindsamkeit« mit ausgezeichneten Quellenbelegen (vgl. das ausführliche Literaturverzeichnis, auch zur Romantheorie). Daß die Untersuchung von Jäger dem gestellten Thema dennoch insgesamt nur erst bedingt gerecht werden kann, liegt m. E. daran, daß die beiden Problemkreise »Empfindsamkeit« und »Roman« zu sehr voneinander abgetrennt sind. Eine, die beiden Faktoren in ihrer Verflechtung aufzeigende, vermittelnde Diskussion fehlt (bis auf Ansätze zur »Werther«-Frage) noch.

123 In dem historischen Moment, in dem Dichtung als »Empfindungskunst« charakterisiert wird, ergibt sich für einen Roman als Form der Darstellung von Empfindungen eine neue Legitimationsmöglichkeit; insofern sind die Tendenz zur emotionalen Verinnerlichung und die theoretische Emanzipation des Romans unmittelbar miteinander verknüpft.

124 Vgl. »Einige Gedanken und Regeln von den deutschen Romanen«, in: »Critische Versuche«, Bd. II (1744), S. 49.

125 Vgl. das »Werther«-Kap. in G. *Jägers* Arbeit (»Empfindsamkeit und Roman«, S. 93 bis 103) und die Untersuchungen von P. *Müller*, »Zeitkritik und Utopie in Goethes ›Werther‹«, Berlin 1969, und K. *Scherpe*, »Werther und Wertherwirkung. Zum Syndrom bürgerlicher Gesellschaftsordnung im 18. Jh.«, Bad Homburg 1970. Zur Kritik dieser Arbeit (von konträren Positionen aus) vgl. die Rez. von G. *Bauer*/G. *Mattenklott* (alternative 14, 1971, S. 88—90) u. G. *Kaiser* (Euph. 65, 1971, S. 194—199).

126 »Einige Gedanken und Regeln von den deutschen Romanen«, in: »Critische Versuche«, Bd. II (1744), S. 43.

127 Dem Historiker wird noch nicht jene Fähigkeit des psychologisch-analysierenden Aufdeckens geheimer Ursachen und Triebfedern zugetraut, die die zwei Jahrzehnte später entstandenen geschichtstheoretischen Texte der Aufklärungshistoriker, vor allem der Göttinger Schule, ausdrücklich zur Aufgabe der Historiographie erklären; deshalb kann der Autor der »Critischen Versuche« noch 1744 »mit Recht behaupten, daß der Dichter da anfange, wo der Geschichtschreiber aufgehöret hat« (S. 43).

128 »Einige Gedanken und Regeln [...]«, S. 28.

129 »Beurtheilung des Romainenlesens«, in: »Der Gesellige, eine moralische Wochenschrift«, 200. St., Bd. II, Halle ²1764 (zuerst 1750), S. 354. (Kursivierung von mir).

130 Ebd. Als solch »moralische Gedichte« werden vor allem »Pamela« und »Clarissa« angesehen.

131 Barthold Hinrich *Brockes*, »Physikalische und moralische Gedanken über die drey Reiche der Natur [...] als des Irdischen Vergnügens neunter und letzter Theil«, Hamburg 1748, S. 554; vgl. den gesamten Gedichtzyklus, S. 553—559.

132 Vgl. H.-R. *Altenhein*, »Geld und Geldeswert im bürgerlichen Schauspiel des 18. Jhs.«, Diss. Köln 1952, S. 85 ff.; H. *Birk*, »Bürgerliche und empfindsame Moral im Familiendrama des 18. Jhs.«, Diss. Bonn 1964 (vgl. vor allem S. 147 ff.); A. *Wierlacher*, »Das bürgerliche Drama«, München 1968, S. 117 ff. Die Gegenüberstellung »Gesellschaftsmoral« — »empfindsame Moral« findet sich in diesen Arbeiten.

133 Daß die Dichtungstheorie eo ipso den Gedanken der Einheit des bürgerlichen Tugendbegriffs besonders hervorhebt und damit ihre Problematik in der Dichtungspraxis bewußt »überspielt«, läßt sich etwa an *Sulzers* Artikel »Empfindung« exemplarisch ablesen; (vgl. »Allgemeine Theorie der Schönen Künste«, Bd. II, Leipzig ²1786, S. 46).

134 Vgl. etwa P. *Michelsen*, »Darstellung des Inneren. Die Romantheorie Fr. v. Blanckenburgs«, in: P. M., »Lawrence Sterne und der deutsche Roman des 18. Jhs.«, Göttingen 1962, S. 142.

135 Vgl. »Briefe, die Neueste Litteratur betreffend«, Bd. X., 1761, S. 258. Die ausführliche *Rousseau*-Rez. umfaßt den 166.—170. Brief (S. 255—310). Kurze Auszüge daraus sind abgedruckt in den Anthologien von *Kimpel* und *Wiedemann* (Bd. I, S. 89—92) und E. *Lämmert* u. a. (S. 108—112). In der letzteren findet sich (S. 118 f.) auch ein Auszug aus der Antwort *Mendelssohns* an *Hamann* (im Anschluß an dessen Replik): »Fulberti Kulmii Antwort an Abälardum Virbium im Namen des Verfassers der fünf Briefe die neue Heloise betreffend«, (»Briefe, die Neueste Lit. betr.«, Bd. XII, 192. Brief, Berlin 1762); zur Diskussion zwischen Mendelssohn und Hamann vgl. jetzt die Hinweise von F. *Wahrenburg* (Ed., S. 117 u. 119).

136 Ebd., S. 273.

137 Vgl. ebd., S. 291 u. S. 284.

138 Moses *Mendelssohn*, »Briefe über die Empfindungen« (1755), in: »Schriften zur Philosophie, Ästhetik u. Apologetik [...]«, hrsg. v. M. *Brasch*, Bd. II, Leipzig 1880 (Neudruck: Hildesheim 1968), S. 31. Mendelssohn veranschaulicht die Naturteleologie hier am Bild des Baumes; das wiedergegebene Zitat schließt die an dieses Bild anknüpfende Betrachtung ab.

139 Abgedruckt in: »Sturm und Drang. Kritische Schriften«, hrsg. v. E. *Loewenthal*, Heidelberg o. J., S. 97—104.

140 Ebd., S. 99 f.

141 Ebd., S. 103.

142 Vgl. die Arbeiten von: P. *Michelsen*, »Darstellung des Inneren«, in: »L. Sterne u. der deutsche Roman des 18. Jhs.«, Göttingen 1962; E. *Lämmert*, Nachwort zum Faksimiledruck des »Versuchs«, Stuttgart 1965; K. *Wölfel*, »Fr. v. Blanckenburgs ›Versuch über den Roman‹«, in: »Deutsche Romantheorien [...]«, Frankfurt/M. 1968, und W. *Hahl*, »Reflexion und Erzählung«, Stuttgart 1971.

143 »Versuch über den Roman«, Ed. E. *Lämmert*, S. 392.

144 Ebd., S. 60.

145 Vgl. *Blanckenburg*, »Versuch«, S. 355; dazu vor allem K. *Wölfel*, »Fr. v. Blanckenburgs ›Versuch [...]‹«, in: »Dt. Romantheorien«, S. 45 f. Daß bereits zeitgenössische Kritiker des »Versuchs« dessen Einseitigkeit bemängeln, wurde schon betont (vgl. Anm. 34 dieses Kapitels, S. 257).

146 »Versuch«, S. 252.

147 *Blanckenburg* kann hier unmittelbar an die poetologischen Einsichten Joh. Ad. *Schlegels* anknüpfen, von denen im Kap. VIII, 3, S. 160 ff., ausführlich gesprochen wurde.

148 »Versuch«, S. 69. In einer Rez. der »Pamela« in den »Frankfurtischen Gelehrten Zeitungen«, (4. Jan. 1742, S. 9) findet sich eine frühe Parallele zu *Blanckenburgs* Intention, den Zusammenhang der Entstehung eines Romans mit den »Sitten der Zeit«

(»Versuch«, S. XIII) hervorzuheben: »[. . .] die Beurtheilung derselben [der »wohl-geschriebenen Romanen«] wird soviel richtiger, und ihr Geschmack so viel sicherer, wann man von den Sitten der Zeiten in welchen, und der Lebensart derjenigen Nation, vor welche sie geschrieben worden, schon vorher einige Kentniß hat [. . .].«

149 Zuerst erschienen in der »Neuen Bibliothek der schönen Wissenschaften und der freyen Künste«, Leipzig 1770, Bd. X, 1; S. 1—37; Forts.: Bd. X, 2; S. 189—210. Zit. nach der Ausg.: Chr. *Garve*, »Sammlung einiger Abhandlungen Aus der Neuen Bibl. d. sch. Wiss. u. d. freyen Künste«, Leipzig 1779, S. 116—197. Ein kürzerer Auszug jetzt in der Ed. von *Lämmert* u. a., S. 136—138. *Blanckenburg*, der sich an verschiedenen Stellen seines »Versuchs« auf *Garve* beruft, bezieht sich nicht ausdrücklich auf diesen Aufsatz, sondern auf Garves Abhandlung »Über das Intereßirende«. Die Zahlen im Text beziehen sich im folgenden auf die Seitenangaben des Garveschen Essays. Sofern ein Neudruck der zitierten Passage bei *Lämmert* vorliegt, folgt die Seitenangabe dieser Ed. hinter dem Semikolon.

150 »Versuch über den Roman«, S. 356.

151 »Die Epopöe gestaltet eine von sich aus geschlossene Lebenstotalität, der Roman sucht gestaltend die verborgene Totalität des Lebens aufzudecken und aufzubauen [. . .] — das Suchen ist nur der vom Subjekt aus gesehene Ausdruck dafür, daß sowohl das objektive Lebensganze wie seine Beziehung zu den Subjekten nichts selbstverständlich Harmonisches an sich hat — [. . .] So objektiviert sich die formbestimmende Grundgesinnung als Psychologie der Romanhelden: sie sind Suchende.« (»Theorie des Romans«, Neuwied ³1965, S. 57 f., vgl. auch S. 64 u. ö.).

152 Vgl. *Hegel*, »Ästhetik«, Bd. II, Ed. Fr. *Bassenge,* Stuttgart o. J., S. 452.

153 Vgl. dazu vor allem: P. *Michelsen*, »Darstellung des Inneren«, in: »L. Sterne [. . .]«, S. 149 ff.; K. *Wölfel*, »Fr. v. Blanckenburgs ›Versuch‹«, in: »Dt. Romantheorien«, S. 45 f., u. J. *Sang*, »Chr. Fr v. Blankenburg und seine Theorie des Romans«, Diss. München 1967, S. 79 ff. Seitenzahlen des »Versuchs« finden sich im folgenden im Text.

154 Daher kritisiert *Blanckenburg* auch die seiner Meinung nach aufgesetzte Moral in den Romanen *Richardsons* und *Rousseaus*.

155 *Blanckenburg* geht also von einer möglichen »Kongruenz« von Empfindensdarstellung im Werk und Empfindenserregung beim Leser aus; der Roman ist Organon und Instrument zugleich. (Vgl. dazu P. *Michelsen*, »Darstellung des Inneren«, S. 151, u. D. *Harth*, »Romane und ihre Leser«, GRM NF. XX, 1970, S. 172).

156 Vgl. »Versuch über den Roman«, S. 424 f.; 430 f.

157 Vgl. M. *Riedel*, »Fortschritt und Dialektik in Hegels Geschichtsphilosophie«, NR 80, 1969, S. 480.

158 In der »Neuen Bibliothek der schönen Wissenschaften und der freyen Künste«, Bd. XVIII, 1. St., Leipzig 1775, S. 46—95.

159 Vgl. die in Anm. 125 zitierten Arbeiten von G. *Jäger*, P. *Müller* u. K. *Scherpe*.

160 »Neue Bibliothek [. . .]«, S. 50; Seitenzahlen der »Werther«-Rez. im folgenden im Text. Neudruck in: »Zeitgenössische Rezensionen u. Urteile über Goethes ›Götz‹ und ›Werther‹«, hrsg. v. H. *Blumenthal*, Berlin 1935, S. 75—99. Auszüge in der Anthologie von *Kimpel/Wiedemann* (Bd. I, S. 138—141).

161 J. *Sang*, »Chr. Fr. v. Blanckenburg [. . .]«, Diss. München 1967, S. 96, spricht daher von einer »Formalyse« des Rezensenten.

162 Vgl. auch S. 72 u. 73.

163 J. *Sang* (»Chr. v. Blanckenburg [. . .]«, S. 100) sieht zwar eine Trennung von »Moral-lehre und Dichtung«, geht aber auf die Problematisierung der Vollkommenheitsvorstellung durch Blanckenburg selbst nicht ein.

164 Kursivierung von mir.

165 »Also, lieber Göthe, noch ein Kapitelchen zum Schluße; und je cynischer je beßer!« (*Lessing* an Joh. Joachim *Eschenburg*, 26. 10. 1774, in: Lessing, »Sämtliche Schriften«, Ed. *Lachmann-Muncker,* Bd. XVIII, S. 116; vgl. G. *Jäger*, »Empfindsamkeit und Roman«, S. 96).

166 Vgl. Th. W. *Adorno,* »Ästhetische Theorie«, Frankfurt/M. 1970, S. 335.

167 Bezeichnenderweise gibt es eine Parallele in *Gerstenbergs* Besprechung des »Agathon«, wenn der Rezensent betont: »[...] da niemand leicht behaupten wird für mehr als Eine Classe von Lesern schreiben zu können: so ist es billig, das moralische Verdienst eines großen Dichters von seinem poetischen zu unterscheiden, zumal wenn sich darthun läßt, daß selbst auf jener Waage der wahrscheinliche Nutzen den wahrscheinlichen Schaden weit überwiegt.« (Rez. in der »Hamburgischen Neuen Zeitung«, 18. 4. 1768; Ed. O. *Fischer,* S. 48).

AKG   = Anzeiger für deutsches Altertum
AfdA   = Archiv für Kulturgeschichte
Archiv = Archiv für das Studium der neueren Sprachen und Literaturen
DLE   = Deutsche Literatur. Sammlung literarischer Kunst- und Kulturdenkmäler in
         Entwicklungsreihen. In Gemeinschaft mit Dietrich Kralik hrsg. v. Heinz Kin-
         dermann, Leipzig: Reclam (Fotomechanische Nachdrucke Darmstadt: Wissen-
         schaftliche Buchgesellschaft)
DU   = Der Deutschunterricht
DVjs. = Deutsche Vierteljahrsschrift für Literaturwissenschaft und Geistesgeschichte
EG   = Etudes Germaniques
Euph. = Euphorion. Zeitschrift für Literaturgeschichte
GRM   = Germanisch-Romanische Monatsschrift
JEGPh = Journal of English and Germanic Philology
MLN   = Modern Language Notes
MLQ   = Modern Language Quarterly
NR   = Neue Rundschau
PMLA   = Publications of the Modern Language Association of America
RF   = Romanische Forschungen
RGG   = Die Religion in Geschichte und Gegenwart. Handwörterbuch für Theologie
         und Religionswissenschaft
RL   = Reallexikon der deutschen Literaturgeschichte
ZfdPh = Zeitschrift für deutsche Philologie

I. Quellen*

1. Romantheorie, Poetik, Rhetorik, Ästhetik, Operntheorie, Geschichtstheorie, Allgemeines

Adelung, Johann Christoph: Ueber den Deutschen Styl. 3 Theile. Berlin 1785 [UB Göttingen]

Adelung, Johann Christoph: Versuch eines vollständigen grammatisch-kritischen Wörterbuchs der Hochdeutschen Mundart ... Teil 3. Leipzig 1777, S. 1475: »Der Roman«.

[Algarotti, Francesco]: Versuche über die Architectur, Mahlerey und musicalische Opera aus dem Italiänischen des Grafen Algarotti übersetzt von *R. E. Raspe . . .*, Kassel 1769. [UB Göttingen]

Anonym: Was halten die Gelehrten von denen ›Reflexions sur les Romans‹? In: Der Unpartheyische BIBLIOTHECARIUS. Welcher Die Urtheile derer Gelehrten von Gelehrten und ihren Schrifften aufrichtig entdecket. 3. Theil. Leipzig 1713, S. 262—265. [UB Göttingen]

Anonym: Gedanken von Romainen. In: OBSERVATIONES MISCELLANEAE, oder Vermischte Gedancken über allerhand Theologische / Politische / Historische / und andere zur Antiquität und Ausführung der Historie der Gelehrsamkeit dienende curieuse Materien / ... Leipzig 1713 ff.; Bd. II, 1715, S. 708—732. [UB Göttingen]

Anonym: Anleitung zur Poesie / Darinnen ihr Ursprung / Wachsthum / Beschaffenheit und rechter Gebrauch untersuchet und gezeiget wird. Breslau 1725. [UB Göttingen]

Anonym: Einige Gedanken und Regeln von den deutschen Romanen. In: Critische Versuche ausgefertiget durch Einige Mitglieder der Deutschen Gesellschaft in Greifswald. 2. Bd. Greifswald 1744, S. 21—51. [SB München]

Anonym: Von der Kunst zu lesen. In: Der Mensch, eine moralische Wochenschrift. 2. Teil. 64. St. Halle 1751, S. 201—209. [HAB Wolfenbüttel]

Anonym: Von dem Nachtheile des Romanlesens. In: Der Zuschauer. Aus dem Engländischen übersetzt. 9. Teil. 636. St. 2. Aufl. Leipzig 1751, S. 1—6. [LB Düsseldorf]

Anonym: Schreiben über einige englische Romane. In: Neue Erweiterungen der Erkenntnis und des Vergnügens. Frankfurt und Leipzig 1753 ff.; Bd. V, 1755, S. 332—336. [UB Göttingen]

Anonym: Untersuchung, ob es erlaubt sey, Romainen zu lesen? In: Der Gesellige, eine

* Das Quellenverzeichnis ist in drei Abteilungen gegliedert: (1.) Romantheorie, Poetik, Rhetorik, Ästhetik, Operntheorie, Geschichtstheorie, Allgemeines; (2.) Romanvorreden, Romannachschriften, romanimmanente theoretische Texte; (3.) Romanrezensionen in Zeitschriften. Diese Aufteilung impliziert keine Klassifizierung der Texte nach ihrer romantheoretischen Bedeutung; vielmehr liefern gerade Romanvorreden und Romanrezensionen des 17. und 18. Jhs. oft wesentlich wichtigere Beiträge zur Romantheorie als die in der ersten Gruppe verzeichneten Dokumente. — Das Literaturverzeichnis wurde Anfang Oktober 1971 abgeschlossen, so daß das »Werkverzeichnis« in der Anthologie: Romantheorie. Dokumentation ihrer Geschichte in Dld. 1620—1880. Hrsg. v. E. Lämmert u. H. Eggert, K.-H. Hartmann, G. Hinzmann, D. Scheunemann, F. Wahrenburg, Köln 1971, S. 367 ff. nicht mehr berücksichtigt werden konnte. Vgl. dazu Anm. 5 in der »Einleitung« meiner Arbeit.

moralische Wochenschrift. 2. Bd. 200. St. Neue Aufl. Halle 1764, S. 349—354. [StB Hameln]

Aristoteles: Dichtkunst, ins Deutsche übersetzt, Mit Anmerkungen und besondern Abhandlungen, versehen, von *Michael Conrad Curtius,* . . . Hannover 1753. [UB Köln]

Aritoteles: Poetik. Übersetzung, Einleitung und Anmerkungen von Olof Gigon. Stuttgart 1961.

[Bährens, Johann Christian Friedrich]: Ueber den Werth der Empfindsamkeit besonders in Rücksicht auf die Romane. Nebst einer Nachschrift über den sittlichen Werth der Empfindsamkeit von Johann August Eberhard. Halle 1786. [StB Wuppertal]

Bahrdt, Carl Friedrich: Handbuch der Moral für den Bürgerstand. Tübingen und Reutlingen 1789. [UB Köln]

Basedow, Johann Bernhard: Lehrbuch prosaischer und poetischer Wohlredenheit in verschiedenen Schreibarten und Werken zu academischen Vorlesungen eingerichtet. Kopenhagen 1756. [UB Göttingen]

Batteux, Charles: Die Schöne Künste aus einem Grunde hergeleitet. Aus dem Französischen des Herrn Abt Batteux übersetzt von *P. E. B[ertram].* Gotha 1751. [UB Göttingen]

Batteux, Charles: Einleitung in die Schönen Wissenschaften. Nach dem Französischen des Herrn Batteux, mit Zusätzen vermehret von *Karl Wilhelm Ramler.* Bd. 1—4 in 2 Bdn. 2. und verbesserte Auflage Leipzig 1762—63 (1. Auflage 1756—58). [UB Göttingen]

Batteux, Charles: Einschränkung der Schönen Künste auf einen einzigen Grundsatz; aus dem Französischen übersetzt, und mit verschiednen eignen damit verwandten Abhandlungen begleitet von *Johann Adolf Schlegeln.* 2., verbess. u. verm. Aufl. Leipzig 1759 (1. Aufl. 1751). [UB Göttingen]

Batteux, Charles: Einschränkung der Schönen Künste auf einen einzigen Grundsatz; aus dem Französischen übersetzt, und mit verschiednen eignen damit verwandten Abhandlungen begleitet von *Johann Adolf Schlegeln.* 2 Teile. Dritte von neuem verbessere und vermehrte Auflage. Leipzig 1770. [UB Köln]

Baumgarten, Alexander Gottlieb: Aesthetica. Pars 1. 2. (Frankfurt a. d. Oder) 1750—58 (Nachdruck: Hildesheim 1961).

[Birken, Sigmund von]: Teutsche Rede- bind- und Dicht-Kunst / oder Kurze Anweisung zur Teutschen Poesy / mit Geistlichen Exempeln: verfasset durch Ein Mitglied der höchstlöblichen Fruchtbringenden Gesellschaft Den Erwachsenen. Samt dem Schauspiel Psyche und Einem Hirten-Gedichte. Nürnberg 1679. [SB München]

Blanckenburg, Christian Friedrich von: Versuch über den Roman. Leipzig und Liegnitz 1774 (Faksimiledruck der Originalausgabe, mit einem Nachwort von Eberhard Lämmert. Stuttgart 1965).

Blanckenburg, Christian Friedrich von: Litterarische Zusätze zu Johann George Sulzers allgemeiner Theorie der schönen Künste, in einzelnen, nach alphabetischer Ordnung der Kunstwörter auf einander folgenden, Artikeln abgehandelt. 3 Bde. Leipzig 1796—98. [UB Götingen]

[Bodmer, Johann Jacob und Breitinger, Johann Jacob]: Die Discourse der Mahlern. Theil 1—4. Zürich 1721—23. [UB Göttingen]

Bodmer, Johann Jacob: Brief-Wechsel Von der Natur Des Poetischen Geschmackes. Dazu kömmt eine Untersuchung Wie ferne das Erhabene im Trauerspiele Statt und Platz haben könne; Wie auch von der Poetischen Gerechtigkeit. Zürich 1736 (Faksimiledruck nach der Ausg. v. 1736 mit einem Nachwort v. Wolfgang Bender. Stuttgart 1966).

Bodmer, Johann Jacob: Critische Abhandlung von dem Wunderbaren in der Poesie und dessen Verbindung mit dem Wahrscheinlichen in einer Vertheidigung des Gedichtes Joh. Miltons von dem verlohrnen Paradiese; Der beygefügt ist Joseph Addisons Abhandlung von den Schönheiten in demselben Gedichte. Zürich 1740 (Faksimiledruck nach der Ausg. v. 1740 mit dem Nachwort v. Wolfgang Bender. Stuttgart 1966).

Bodmer, Johann Jacob: Critische Betrachtungen über die Poetischen Gemählde Der Dichter. Mit einer Vorrede von Johann Jacob Breitinger. Zürich 1741. [UB Göttingen]

[Bohse, August]: Talanders getreuer Wegweiser zur Teutschen Rede-Kunst und Briefver-
fassung: Oder / Aufrichtige Anleitung / Wie so wohl bey Hofe / als auch in bürgerli-
chen Angelegenheiten / eine geschickte Compliment, gute Oration, und wohl-fließender
Brief einzurichten / . . . Leipzig 1692. [UB Göttingen]
Boileau-Despréaux, Nicolas: L'Art poétique. Die Dichtkunst. Französisch und Deutsch.
Übersetzt und herausgegeben von Ute und Heinz Ludwig Arnold. Stuttgart 1967 (zuerst 1674).
Bouterwek, Friedrich: Philosophie der Romane. In: Kleine Romanen-Bibliothek. Herausgegeben von Karl Reinhard. Erstes Bändchen. Göttingen 1798, S. 3—12. [UB Göttingen]
Breitinger, Johann Jacob: Critische Abhandlung von der Natur, den Absichten und dem
Gebrauche der Gleichnisse. Mit Beyspielen aus den Schriften der berühmtesten alten und
neuen Scribenten erläutert. Durch Johann Jacob Bodmer besorget und zum Drucke befördert. Zürich 1740 (Faksimiledruck nach der Ausgabe v. 1740 mit einem Nachwort
von Manfred Windfuhr. Stuttgart 1967).
Breitinger, Johann Jacob: Critische Dichtkunst Worinnen die Poetische Mahlerey in Ab-
sicht auf die Erfindung Im Grunde untersuchet und mit Beyspielen aus den berühmtesten
Alten und Neuern erläutert wird. Mit einer Vorrede eingeführet von Johann Jacob Bodemer. Zürich und Leipzig 1740 (Faksimiledruck nach der Ausg. von 1740 mit einem
Nachwort von Wolfgang Bender. Stuttgart 1966).
Breitinger, Johann Jacob: Fortsetzung Der Critischen Dichtkunst Worinnen die Poetische
Mahlerey In Absicht auf den Ausdruck und die Farben abgehandelt wird, mit einer Vor-
rede von Johann Jacob Bodemer. Zürich und Leipzig 1740 (Faksimiledruck, Bd. 2, hrsg.
v. Wolfgang Bender. Stuttgart 1966).
Brockes, Barthold Hinrich: Lobgedichte auf die Pamela. In: B. H. Brockes, Physikalische
und moralische Gedanken über die drey Reiche der Natur, Nebst seinen übrigen nach-
gelassenen Gedichten, als des Irdischen Vergnügens in GOTT neunter und letzter Theil.
Hamburg 1748, S. 553—558. [Germ. Inst. Köln]
Buchner, August: Anleitung zur Deutschen Poeterey. — Poet. Faksimile-Neudruck hrsg. v.
Marian Szyrocki. Tübingen 1966.
[Buchner, August]: August Buchners POET. Aus dessen nachgelassener Bibliothek heraus
gegeben von Othone Prätorio. Wittenberg 1665. [UB Göttingen]
[Carpzow, Friedrich Benedikt]: Rez. REFLEXIONS SUR LES ROMANS par Madame
S. E. P[rasch] id est, Consideratio Fabularum Romanensium, facta per Dominam S. E. P.
Ratisbonae, 1684, in: Acta Eruditorum; Sept. 1684. Leipzig 1684, S. 433—434. [UB Göt-
tingen]
Corvinus, Gottlieb Siegmund [Ps. Amaranthes]: Nutzbares / galantes und curiöses Frau-
enzimmer-LEXIKON . . . Leipzig 1715 (Artikel: ›Romain‹, Sp. 1658). [UB Göttingen]
Cruser, Theodor: Die erste Anmerckung. Unvermuthete Gedanken über das 24. Capitel
des I. Buchs Mosis. In: Vergnügung Müßiger Stunden, Oder Allerhand nützliche Zur
heutigen galanten Gelehrsamkeit dienende Anmerckungen. Leipzig 1713 ff.; Bd. I, 1715,
S. 19—82 (S. 30—31 zu Heidegger). [UB Göttingen]
Dahlmann, Peter: Schauplatz Der Masquirten und Demasquirten Gelehrten bey ihren verdeckten und nunmehro entdeckten Schrifften / Aus gewissen Anzeigungen / glaubwür-
digen Nachrichten / und wahrscheinlichen Conjecturen bewährter Männer / nach ihren
vornehmsten Denckwürdigkeiten / samt Beyfügung neuer Raisonnements und Autoritäten kürtzlich dargestellet. . . Leipzig 1710. [Germ. Inst. Köln]
Degen, Johann Friedrich: Einige Gedanken über den Roman. Ansbach 1777. [UB Bonn]
Diderot, Denis: Œuvres Esthétiques. Textes établis, avec introductions, bibliographies,
chronologie, notes et relevés de variantes, par Paul Vernière. Paris 1968 (Classiques
Garnier).
Diderot, Denis: Ästhetische Schriften. Hrsg. v. Friedrich Bassenge. Aus dem Französischen
übersetzt von Friedrich Bassenge und Theodor Lücke. Mit einer Einleitung von Fr. Bas-
senge. 2 Bde. Frankfurt/M. 1968.
[Du Bos, Jean Baptiste]: Kritische Betrachtungen über die Poesie und Mahlerey, aus dem

Französischen des Herrn Abtes Dû Bos. Theil 1—3. Kopenhagen 1760—61. [Übers. v. Gottfried B. Funke]; zuerst: Paris 1719. [UB Köln; StB Braunschweig]

[Dusch, Johann Jacob]: Briefe zur Bildung des Geschmacks an einen jungen Herrn von Stande. Theil 1—6. Leipzig und Breslau 1764—73. [UB Göttingen]

[Elmenhorst, Hinrich]: Q. D. B. V. Dramatologia Antiquo-Hodierna, Das ist: Bericht von denen OPER-Spielen / Darinnen gewiesen wird / was sie bey den Heyden gewesen / und wie sie des darbey vorgegangenen abgöttischen und lasterhafften Thuens halber von den Patribus und Kirchen-Lehrern verworffen /... Hamburg 1688. [SB Hamburg]

[Engel, Johann Jakob]: Ueber Handlung, Gespräch und Erzehlung. In: Neue Bibliothek der schönen Wissenschaften und der freyen Künste, Bd. 16, 2. St. Leipzig 1774, S. 177—256 (Faksimiledruck der ersten Fassung von 1774 aus der ›Neuen Bibliothek der schönen Wissenschaften und der freyen Künste‹ hrsg. u. mit einem Nachwort versehen ˙v. Ernst Theodor Voss. Stuttgart 1964).

Faber, D. Johann Heinrich: Anfangsgründe der Schönen Wissenschaften zu dem Gebrauche seiner akademischen Vorlesungen. Mainz 1767. [UB Göttingen]

Feind, Barthold: Deutsche Gedichte / Bestehend in Musicalischen Schau-Spielen / Lob-Glückwünschungs- Verliebten und Moralischen Gedichten / Ernst- und schertzhafften Sinn- und Grabschrifften / Satyren / Cantaten und allerhand Gattungen. Sammt einer Vorrede Von dem Temperamente und Gemühts-Beschaffenheit eines Poeten / und Gedancken von der Opera. Erster Theil. Stade 1708. [HAB Wolfenbüttel]

Freyer, Hieronymus: ORATORIA in tabulas compendiarias redacta et ad usum ivventvtis scholasticae accomodata. Editio sexta. Halle 1736. [UB Halle]

Freyer, Hieronymus: Das XX. PROGRAMMA Vom Romanenlesen den 29. Martii 1730. In: Hieronymi Freyeri PROGRAMMATA LATINO-GERMANICA cum ADDI-MENTO MISCELLANEORUM VARIO. Halle 1737, S. 449—478. [UB Halle]

Garve, Christian: Sammlung einiger Abhandlungen. Aus der Neuen Bibliothek der schönen Wissenschaften und der freyen Künste. Leipzig 1779. [StB Trier]

Garve, Christian: Ueber Gesellschaft und Einsamkeit. 2 Bde. Breslau 1797 und 1800. [UB Göttingen]

Gatterer, Johann Christoph: Vom historischen Plan, und der darauf sich gründenden Zusammenfügung der Erzählung. In: Allgemeine Historische Bibliothek von Mitgliedern des königlichen Instituts der historischen Wissenschaften zu Göttingen. Herausgegeben von Johann Christoph Gatterer. Bd. I. Halle 1767, S. 15—89. [StB Trier]

Gellert, Christian Fürchtegott: Praktische Abhandlung von dem guten Geschmacke in Briefen. In: C. F. Gellerts Sämmtliche Schriften. Vierter Theil. Leipzig 1769, S. 3—96 (zuerst 1751).

Gellert, Christian Fürchtegott: Moralische Vorlesungen. Erster Band, nach des Verfassers Tode herausgegeben von Johann Adolf Schlegeln und Gottlieb Leberecht Heyern. Leipzig 1770. [UB Köln]

Gerber, M. Christian: Unerkannte Sünden der Welt / sammt einem Bericht / von den Sünden der Menschen nach ihrem Tode; Aus GOTTES heiligem Wort der sichern Welt zu ihrer Bekehrung vor Augen gestellet /... Nach der fünfften Edition. 3 Bde. Dresden 1708; Bd. I, S. 117—135: »Das XVI. Capitel. Handelt die Frage / Ob die Jugend sündige / wenn sie Liebes-Geschichte / oder so genannte Romanen / und andere liderliche Schrifften lieset / und ihren Zeit-Vertreib oder Ergetzlichkeit darinnen suchet?«. [UB Göttingen]

Gerstenberg, Heinrich Wilhelm von: (s. ›Hamburgische Neue Zeitung‹; Litverz. I, 3).

[Gottsched, Johann Christoph]: Die Vernünftigen Tadlerinnen. Erster Jahr-Theil 1725. Leipzig o. J. andrer Jahr-Theil 1726. Leipzig 1727. [UB Göttingen]

Gottsched, Johann Christoph: Erste Gründe der gesammten Weltweisheit, darinn alle philosophische Wissenschaften, in ihrer natürlichen Verknüpfung, in zweyen Theilen abgehandelt werden... 2 Bde. Leipzig ⁴1743 (zuerst 1731). [UB Göttingen]

Gottsched, Johann Christoph: Zufällige Gedanken von dem Bathos in den Opern. In: Anti-Longin, Oder die Kunst in der Poesie zu kriechen, anfänglich von dem Herrn

D. Swift den Engelländern zum besten geschrieben, itzo zur Verbesserung des Geschmacks bey uns Deutschen übersetzt, und mit Exempeln aus Englischen, vornemlich aber aus unsern Deutschen Dichtern durchgehends erläutert. Leipzig 1734. [UB Göttingen]

Gottsched, Johann Christoph: Versuch einer Critischen Dichtkunst für die Deutschen: Darinnen erstlich die allgemeinen Regeln der Poesie, hernach alle besonderen Gattungen der Gedichte, abgehandelt und mit Exempeln erläutert werden:... Zweyte und verbesserte Auflage. Leipzig 1737. [UB Göttingen]

Gottsched, Johann Christoph: Versuch einer Critischen Dichtkunst durchgehends mit den Exempeln unserer besten Dichter erläutert. Anstatt einer Einleitung ist Horazens Dichtkunst übersetzt, und mit Anmerkungen erläutert. Diese neue Ausgabe ist, sonderlich im II. Theile, mit vielen neuen Hauptstücken vermehrt,... Vierte sehr vermehrte Auflage, mit allergnädigster Freyheit. Leipzig 1751 (Photomechanischer Nachdruck dieser Ausgabe: Darmstadt 1962).

[Gottsched, Johann Christoph]: Handlexikon oder Kurzgefaßtes Wörterbuch der schönen Wissenschaften und freyen Künste. Zum Gebrauche der Liebhaber derselben herausgegeben, von Johann Christoph Gottscheden,... Leipzig 1760 (Artikel: ›Romane‹, Sp. 1406—1408). [UB Göttingen]

Gottsched, Johann Christoph: (S. ›Beyträge Zur Critischen Historie...‹; Litverz. I, 3).

Gracian, Baltasar: HOMME DE COUR, Oder: Kluger Hof- und Welt-Mann, Nach Monsieur Amelot de la Houssaie, seiner Franzosischen Version, ins Teutsche übersetzet, von SILENTES. Nebst (S. T.) Herrn CHRISTIANI THOMASII, Judicio vom Gracian. Andere Auflage, welche durchgehends mit grossen Fleiß aufs neue übersehen, und an vielen Orten verbessert worden. Augsburg 1715 (zuerst 1711). [Leop. Soph. B Überlingen]

Gundling, Nicolaus Hieronymus: Neuer Unterredungen Dritter Monat oder Martius, Darinnen so wol schertz- als ernsthafft über allerhand gelehrte und ungelehrte Bücher und Fragen Freymüthig und unpartheyisch raisoniret wird. Lützen 1702, S. 255—271: Kritik an Heideggers ›Mythoscopia Romantica‹.

[Gundling, Nicolaus Hieronymus]: Nicolaus Hieronymus Gundlings Satyrische Schriften. Jena und Leipzig 1738 (vgl. S. 230—250). [UB Göttingen]

Haller, Albrecht von: Tagebuch seiner Beobachtungen über Schriftsteller und über sich selbst. Zur Karakteristik der Philosophie und Religion dieses Mannes, hrsg. v. Johann Georg Heinzmann, 2 Teile. Bern 1787. [Germ. Inst. Kiel]

Haller, Albrecht von: Beurtheilung der berühmten Geschichte der Clarissa. Aus der französischen Urkunde übersetzt durch Hrn. D. Z.*). In: Sammlung kleiner Hallerischer Schriften. Zweite, verbesserte und vermehrte Aufl., 2 Theile. Bern 1772; Theil 1, S. 293—315. [UB Köln]

[Haller, Albrecht von]: Hallers Literaturkritik. Hrsg. v. Karl S. Guthke. Tübingen 1970 (Freies Deutsches Hochstift. Reihe der Schriften, Bd. 21).

Hamann, Johann Georg: ABÄLARDUS VIRBIUS an den Verfasser der fünf Briefe, die neue Heloise betreffend (1761). In: Sturm und Drang. Kritische Schriften. Plan und Auswahl v. Erich Loewenthal. Heidelberg o. J., S. 97—104.

Harsdörffer, Georg Philipp: Frauenzimmer Gesprächspiele. Faksimile-Neudruck, hrsg. v. Irmgard Böttcher. Bd. I—IV: Tübingen 1968; Bd. V—VIII: Tübingen 1969; »Das Verlangen« in: FRAUENZJMMER GESPRECHSPJELE / so bey Ehr- und Tugendliebenden Gesellschaften / mit nutzlicher Ergetzlichkeit / beliebt und geübet werden mögen / Erster Theil... Nürnberg 1644, S. 230—272 (1. Ausg. 1641); Faksimile-Neudruck, Bd. I, Tübingen 1968, S. 252—294.

Harsdörffer, Georg Philipp: Poetischer Trichter. Die Teutsche Dicht- und Reimkunst, ohne Behuf der Lateinischen Sprache / in VI. Stunden einzugiessen... I. und II. Teil Nürnberg 1647/1648. III. Teil: Prob und Lob der Teutschen Wolredenheit. Das ist: des Poetischen Trichters Dritter Theil... Nürnberg 1653 (Reprograf. Nachdruck der Originalausgabe Nürnberg 1650 [1. Teil]; Nürnberg 1648 [2. Teil] und Nürnberg 1653 [3. Teil] ohne den »Fünffachen Denkring der Teutschen Sprache«: Darmstadt 1969).

Hederich, M. Beniamin: Känntniß der vornehmsten Schriftsteller vom Anfange der Welt bis zur Wiederherstellung der Wissenschaften. Zwote viel verbesserte und vermehrte Ausgabe. 2 Bde. Wittenberg und Zerbst 1767. [UB Köln]

Hegel, Georg Wilhelm Friedrich: Ästhetik. Mit einer Einführung von Georg Lukács. Nach der zweiten Ausgabe Heinrich Gustav Hothos (1842) redigiert und mit einem ausführlichen Register versehen von Friedrich Bassenge. Zweite Auflage Frankfurt/M. o. J.

Heidegger, Gotthard: MYTHOSCOPIA ROMANTICA: oder DISCOURS Von den so benanten ROMANS, Das ist / Erdichteten Liebes-Helden- und Hirten-Geschichten: Von dero Uhrsprung / Einrisse / Verschidenheit / Nütz- oder Schädlichkeit: Samt Beantwortung aller Einwürffen / und vilen besondern Historischen / und anderen anmühtigen Remarques. Zürich 1698. [UB Göttingen]

Heidegger, Gotthard: MYTHOSCOPIA ROMANTICA oder Discours von den so benanten Romans. Faksimileausgabe nach dem Originaldruck von 1698. Hrsg. v. Walter Ernst Schäfer. Bad Homburg 1969 (Ars poetica, Texte, Bd. 3).

Heidegger, Gotthard: Kleinere deutschen Schrifften. (Hrsg. v. Johann Jacob Bodmer). Zürich 1732. [UB Göttingen]

Herwig, M. Johann Justus: Grundriß der eleganten Litteratur. Zum Gebrauch seiner Vorlesungen. Würzburg 1774. [UB Köln]

Höckert, Martinus: Q. F. F. Q. S. Dissertatio Gradualis, De Fabulis Romanensibus. . . Upsala 1743. (Zusammengebunden mit: *Volckmannus, Jacobus,* De Fabulis Romanensibus antiquis et recentioribus. . . Kiel 1703). [SB Berlin: Xa 8334ᵃ]

[Hoeveln, Konrad von]: Candorins Deutscher Zimber Swan Darin Des Hochlöbl: ädelen Swan-Ordens Anfang / Zunamen / Bewandnis / Gebräuche / Satsungen / Ordensgesätse / samt der Hoch-ansähel: Geselschafter Ordens-Namen entworfen. Lübeck 1667. (Vgl. S. 147—161). [UB Göttingen]

Hoffmann, Johann Adolf: Zwey Bücher von der Zufriedenheit nach den Gründen der Vernunft und des Glaubens. 11. Aufl. Hamburg 1748. [StB Trier]

[Hofmann, Johann]: Lehr-mässige Anweisung Zu der Teutschen Verß- und Ticht-Kunst / Wie dieselbige Der studirenden Jugend Durch leichte Regeln / mit gutem Vortheil / Grund-mässig beyzubringen sey, in Drey unterschiedlichen Theilen aus bewährten Poeten Lehrartig zusammen getragen. Nürnberg 1702, S. 137—143: »Von Denen Romanen« (20. Capitel). [Pfälz. B Speyer]

Home, Henry: Elements of Criticism. In three Volumes, Second Edition. Edinburgh 1763 (¹1762). [UB Göttingen]

Home, Heinrich: Grundsätze der Kritik. 2 Bde. Aus dem Englischen übersetzt, von *Johann Nikolaus Meinhard.* Nach der vierten Englischen verbesserten Ausgabe. Leipzig 1772. [UB Köln]

Hudemann, Ludewig Friedrich: Proben einiger Gedichte und Poetischen Übersetzungen. Denen ein Bericht beygefüget worden, welcher von den Vorzügen der Oper vor den Tragischen und Comischen Spielen handelt. Hamburg 1732. [SB Hamburg]

Huet, Pierre Daniel: Traité de l'Origine des Romans. Paris 1670. Deutsche Übers. v. *Eberhard Werner Happel.* In: Der Insulanische Mandorell. . . Hamburg 1682. Faksimiledrucke nach der Erstausgabe von 1670 und der Happelschen Übersetzung von 1682 mit einem Nachwort von Hans Hinterhäuser. Stuttgart 1966.

Huetius, Petrus Daniel: Liber de origine fabularum romanensium, ad Joannem Renaldum Segreaesium. Gallico Latinè reddidit *Gulielmus Pyrrho.* Den Haag 1682. [UB Köln]

Huet, Pierre-Daniel: Traité de l'Origine des Romans. Edition critique accompagnée d'une introduction et de notes. Huitième Edition. Revuë et augmentée d'une Lettre touchant Honoré d'Urfé, Auteur de l'Astrée. Paris 1711. Door *Arend Kok.* Amsterdam 1942.

[Hunold, Christian Friedrich / Neumeister, Erdmann]: Die Allerneueste Art / zur Reinen und Galanten Poesie zu gelangen. Allen Edlen und dieser Wissenschafft geneigten Gemühtern / Zum Vollkommenen Unterricht / Mit überaus deutlichen Regeln / und angenehmen Exempeln ans Licht gestellet / Von *Menantes.* Hamburg 1707. [UB Göttingen]

[Hunold, Christian Friedrich]: MENANTES Academische Neben-Stunden Allerhand neuer Gedichte, Nebst Einer Anleitung Zur vernünftigen Poesie. Andere Auflage. Halle und Leipzig 1726 (¹1713). [Germ. Inst. Köln]

/Hunold, Christian Friedrich]: Die beste MANIER in Honnêter Conversation sich höflich und behutsam aufzuführen und in kluger CONDUITE zu leben. Aus recht schönen Frantzösischen MAXIMEN und eigenen Einfällen verfertiget von *Menantes.* Hamburg 1742. [Germ. Inst. Köln]

Jablonski, Johann Theodor: Allgemeines LEXICON der Künste und Wissenschaften Zweyter Theil von N bis Z. o. O. und o. J., S. 1213: »Roman«. [UB Heidelberg]

Jaucourt, Louis Chevalier de: »ROMAN«. In: Encyclopédie ou Dictionnaire raisonné... Tome XIV (1765). S. 341—343. [UB Göttingen]

Kempe, Martin: Neugrünender Palm-Zweig Der Teutschen Helden-Sprache und Poeterey / In einer Gebundenen Lob-Rede vorgestellet Und mit Philologischen Anmerkungen erkläret. Jena 1664. [LB Hannover]

Kiliani, Johann Andres: Das unverantwortliche Unternehmen der Verfasser der Romanen [...]. Bremen 1736. [LB Hannover]

Kinderling, Johann Friedrich August: Grundsäzze der Beredsamkeit zum Gebrauche der Schulen. 3 Teile. Magdeburg 1771. [UB Freiburg]

/Klopstock, Meta]: Geschichte der Meta Klopstock in Briefen. Hrsg. v. Franziska u. Hermann Tiemann. Bremen 1962; (vgl. S. 544 ff.: Richardson—M. Klopstock-Briefwechsel).

König, Johann Christoph: Philosophie der schönen Künste. Nürnberg 1784. [UB Göttingen]

Köster, Martin Gottfried: Ueber die Philosophie der Historie. Gießen 1775. [SB München]

/Langlois — dit Fancan]: Le Tombeau des Romans où il est discouru. I. Contre les Romans. II. Pour les Romans. Paris 1626. [LB Dresden]

Le Bossu, René: Traité du poëme epique. Paris 1675 [UB Göttingen]

Le Bossu, René: Abhandlung vom Heldengedicht Nach der neuesten französischen Ausgabe übersetzet und mit einigen critischen Anmerkungen begleitet von *D. Johann Heinrich Z*** [Zopf].* Nebst einer Vorrede Hrn. *Georg Friedrich Meiers,...* Halle 1753. [UB Göttingen]

[Leibniz, Gottfried Wilhelm]: Eduard Bodemann, Leibnizens Briefwechsel mit dem Herzoge Anton Ulrich von Braunschwieg-Wolfenbüttel. In: Zeitschrift des historischen Vereins für Niedersachsen. Jg. 1888. Hannover 1888, S. 224.

[Leibniz, Gottfried Wilhelm]: Rez. von Heideggers ›Mythoscopia Romantica‹; in: ›Monathlicher Auszug aus allerhand neu-herausgegebenen / nützlichen und artigen Büchern‹ hrsg. v. Johann Georg v. Eccard. Hannover 1700, Bd. I, 6. St., S. 882—894. [UB Göttingen]

Leibniz, Gottfried Wilhelm: Die Theodizee. Übersetzung von Artur Buchenau. Einführender Essay von Morris Stockhammer. Zweite, durch ein Literaturverzeichnis und einen einführenden Essay von Morris Stockhammer ergänzte Auflage. Hamburg 1968 (Philosophische Bibliothek, Bd. 71).

Lenglet du Fresnoy, Nicolas [Ps. C. Gordon de Percel]: De l'usage des romans, où l'on fait vour leur utilité & leurs différens caracteres: avec une bibliothèque des romans, accompagnée de remarques critiques sur leur choix & leur editions. Par M. le C. Gordon De Percel. Tome I. Amsterdam 1734. [UB Göttingen]

Lessing, Gotthold Ephraim: (Rez.: Toussaint, Histoire des Passions; s. ›Berlinische Privilegirte Zeitung‹; Litverz. I, 3).

*Allgemeines LEXICON Der Künste und Wissenschaften; Oder Kurtze Beschreibung des Reichs der Natur, de[r] Himmel und himmlischen Cörper, der Lufft, der Erden, samt denen bekannten Gewächsen, der Thiere, Steine und Ertze, des Meeres und der darinn lebenden Geschöpffe;... Leipzig 1721, S. 631: »Roman«. [UB Göttingen]

Lichtenberg, Georg Christoph: Vorschlag zu einem Orbis pictus für deutsche dramatische Schriftsteller, Romanen-Dichter und Schauspieler Nebst einigen Beyträgen dazu,... In: Göttingisches Magazin der Wissenschaften und Litteratur, herausgegeben von Georg

Christoph Lichtenberg und Georg Forster. Jg. 1, 3. St. 1780, S. 467—498. Jg. 4, 1. St. 1785, S. 162—175. [UB Göttingen]

Lichtenberg, Georg Christoph: Über den deutschen Roman. In: Vermischte Schriften. Neue Original-Ausgabe. Bd. II. Göttingen 1867, S. 215—221. [UB Göttingen]

Lindner, Johann Gotthelf: Lehrbuch der schönen Wissenschaften, insonderheit der Prosa und Poesie. 2 Theile. Königsberg und Leipzig, Bd. I: 1767, Bd. II: 1768. [SB München]

Lindner, Johann Gotthelf: Kurzer Inbegrif der Aesthetik, Redekunst und Dichtkunst. 2 Theile. Königsberg und Leipzig 1771/72. [UB Köln]

Locke, John: An Essay Concerning Human Understanding (1690). Hrsg. v. J. W. Yolton, 2 Bde. London/New York 1961 (Everymans Library 332 und 984).

Loen, Johann Michael: Die vertheidigte Sitten-Lehre durch Exempeln. Bey Gelegenheit einer sehr höflichen Critic über den redlichen Mann am Hof, an den Weyland gelehrten Superintendenten zu Memmingen, Herrn Christian Erhardt, den 12. September 1741. Neudruck im Anhang zu: J. M. v. Loen, Der redliche Mann am Hofe. Faksimiledruck nach der Ausg. von 1742 mit einem Nachwort v. Karl Reichert. Stuttgart 1966, S. 577—584.

Loen, Johann Michael von: Gesammlete Kleine Schrifften: Besorget und herausgegeben von J. C. Schneidern. 1. Theil Frankfurt o. J.; 2. Theil Frankfurt o. J.; 3. Theil Frankfurt 1751; 4. Theil (hrsg. v. J. B. Müllern) Frankfurt 1752. [UB Göttingen]

Loen, Johann Michael von: Von dem Nutzen und der Einrichtung einer Bibliothek. In: Des Herrn von Loen Freie Gedanken zur Verbesserung des Menschlichen Gesellschaft. Dritte verbesserte Aufl. Frankfurt und Leipzig 1752, S. 494—545. [UB Halle]

Pseudo-Longinos: Vom Erhabenen. Griechisch und Deutsch von Reinhard Brandt. Darmstadt 1966.

[Mauchart, Immanuel David]: Untersuchungen über das Vergnügen am Historischen, besonders an Romanen. In: Phänomene der menschlichen Seele. Eine Materialien-Sammlung zur künftigen Aufklärung in der Erfahrungs-Seelenlehre von Immanuel David Mauchart. Stuttgart 1789, S. 153—174. [SB München]

Mauvillon, Jakob und Unzer, Ludwig August: Ueber den Werth einiger Deutschen Dichter und über andere Gegenstände den Geschmack und die schöne Litteratur betreffend. Ein Briefwechsel. Erstes Stück (Bd. I) 1771; Zweytes Stück (Bd. II) 1772. Frankfurt und Leipzig 1771 u. 1772. [UB Göttingen]

Meier, Georg Friedrich: Untersuchung Einiger Ursachen des verdorbenen Geschmacks der Deutschen, in Absicht auf die schönen Wissenschaften. Halle 1746. [UB Göttingen]

Meier, Georg Friedrich: Beurtheilung der Gottschedischen Dichtkunst. Halle 1747. [UB Göttingen]

Meier, Georg Friedrich: Anfangsgründe aller schönen Wissenschaften. Theil 1—3. Halle 1748—50. [UB Göttingen]

Meier, Georg Friedrich: Betrachtungen über den ersten Grundsatz aller schönen Künste und Wissenschaften. Halle 1757. [UB Göttingen]

Mendelssohn, Moses: Briefe über die Empfindungen (1755). In: Schriften zur Philosophie, Ästhetik und Apologetik. Mit Einleitungen, Anmerkungen und einer biographisch-historischen Charakteristik Mendelssohns hrsg. v. Moritz Brasch, Bd. II. Leipzig 1880. Neudruck Hildesheim 1968. S. 15—96.

Mendelssohn, Moses: (Rez.: Rousseau, La Nouvelle Héloise; s. ›Briefe, die Neueste Litteratur betreffend‹; Litverz. I, 3).

[Mistelet]: Ueber die Empfindsamkeit in Rücksicht auf das Drama, die Romane und die Erziehung, vom Herrn Mistelet. Aus dem Französischen übersetzt. Altenburg 1778. [UB Köln]

Morhof, Daniel Georg: Unterricht von der Teutschen Sprache und Poesie / deren Uhrsprung / Fortgang und Lehrsätzen. Wobey auch von der reimenden Poeterey der Ausländer mit mehren gehandelt wird. Kiel 1682. [Germ. Inst. Kiel]

Morhof, Daniel Georg: Unterricht von der Teutschen Sprache und Poesie. Hrsg. v. Henning Boetius. (Text der 2. Ausgabe von 1700). Bad Homburg 1969 (Ars poetica. Texte, Bd. 1).

Morhof, Daniel Georg: POLYHJSTOR, in tres tomos, Literarium,... Philosophicum et Practicum,... divisus. Opus posthumum... Lübeck 1707 (Zum Roman: TOM. I, Lib. VII, Cap. 3, Nr. 20, S. 384—386; TOM. III, Lib. I, Cap. 1, Nr. 5, S. 4—5). [UB Göttingen]

Morhof, Daniel Georg: Dissertatio de Historia, ejusque Scriptoribus. Leiden 1750 (Zum Roman: Cap. X: »De Varietate Historiæ ejusque Scribendæ ratione«, S. 36—46). [UB Göttingen]

Moscherosch, Hans Michael: Visiones De Don De Quevedo. Das ist: Wunderliche Satyrische vnd Warhafftige Gesichte Philanders von Sittewalt. In welchen Aller Welt Wesen / Aller Menschen Händel / mit jhren Natürlichen Farben der Eytelkeit / Gewalts / Heucheley vnd Thorheit / bekleidet offensichtlich auff die Schaw geführet / als in einem Spiegel dargestellet / vnd von Männiglichen gesehen werden... Teil 1. 2. o. O. 1645 (Zum Roman: T. I, S. 24—28; S. 112; S. 350—355). [UB Bonn]

Neumark, Georg: Poetische TAFELN / Oder Gründliche Anweisung zur Teutschen Verskunst aus den vornehmsten Authorn in funfzehen Tafeln zusammen gefasset / mit ausführlichen Anmerkungen erklähret / Und den Liebhabern Teutscher Sprache und derer kunstmeßigen Reinigkeit zu sonderbahrem Gefallen an den Tag gegeben. Jena 1667 (Vgl. Kap. III: »Von der alten Poeten Fabeln und den Ursachen / warum die Deutsche Poeterey verachtet sey«, S. 30—47 u. Anm. über die Erste Tafel, S. 57—65). [UB Freiburg]

[Neumeister, Erdmann]: Specimen Dissertationis Historico-Criticæ de Poëtis Germanicis hujus seculi præcipuis, In Academia quadam celeberrima publice ventilatum a M. E. N. o. J. 1706. [UB Göttingen]

Nicolai, Friedrich: Briefe über den itzigen Zustand der schönen Wissenschaften in Deutschland (1755). Hrsg. v. Georg Ellinger. Berlin 1894 (Berliner Neudrucke. Dritte Serie. Bd. II).

Omeis, Magnus Daniel: Gründliche Anleitung zur Teutschen accuraten Reim- und Dicht-Kunst / durch richtige Lehr-Art / deutliche Reguln und reine Exempel vorgestellet: worinnen erstlich von den Zeiten der Alten und Neuen Teutschen Poesie geredet, hernach nebst andern Lehr-Sätzen auch von den Symbolis Heroicis oder Devisen, Emblematibus, Rebus de Picardie, Romanen, Schau-Spielen, der Bilder-Kunst, Teutschen Stein-Schreib-Art u. a. Curieusen Materien gehandelt wird; samt einem Beitrage von der T. Rechtschreibung, worüber sich der Löbl. Pegnesische Blumen-Orden verglichen. Hierauf folget eine Teutsche Mythologie, darinnen die Poetische Fabeln klärlich erzehlet, und derer Theologisch-Sittlich- Natürlich- und Historische Bedeutungen überall angefüget werden; wie auch eine Zugabe von etlich-gebundenen Ehr- Lehr- und Lieb-Gedichten. Welches alles zu Nutzen und Ergetzen der Liebhaber T. Poesie verfaßet ... Nürnberg 1704. [Germ. Inst. Köln]

Opitz, Martin: Aristarchus, sive de contemptu linguae Teutonicae. In: M. Opitz, Teutsche Poemata. Abdruck der Ausgabe von 1624 mit den Varianten der Einzeldrucke und der späteren Ausgaben. Hrsg. v. G. Witkowski, Halle 1967 (Unveränderter Nachdruck der 1. Aufl.; Neudrucke deutscher Literaturwerke, Nr. 29).

Opitz, Martin: Buch von der Deutschen Poeterey. Breslau 1624. Nach der Edition v. Wilhelm Braune, neu hrsg. v. Richard Alewyn. Tübingen 1963 (Neudrucke deutscher Literaturwerke. NF. 8).

Pasch, Georgius: De variis modis MORALIA tradendi liber. Accedit introductio in rem literariam MORALEM veterum sapientiæ antistitum... Kiel 1707 (Zum Roman: Cap. II: »De ratione tractandi per apologos, ubi commentandi affinitatem et fabulæ romansenses et fictæ respublicæ simul examinantur«, S. 178—221). [UB Göttingen]

Pemberton, Henry: Observations on poetry, Especially the Epic: Occasioned by the late poem upon Leonidas. London 1738. [UB Göttingen]

[Planelli, Antonio]: Dell' OPERA IN MUSICA. Neapel 1772. [UB Göttingen]

Raisonnement über die ROMANEN. Gedruckt im Jahr / 1708. (Verfasser vermutlich Erdmann Neumeister). [UB Heidelberg]

Rappolt, Friedrich: Poetica Aristotelica sive veteris tragoediae expositio, ... Leipzig 1678. [UB Göttingen]

Reichard, Heinrich August Ottocar [Hrsg.]: Bibliothek der Romane. 8 Bde. (in 4). Berlin 1778—1782. [UB Göttingen]

Reimmann, Jacob Friedrich: Versuch einer Einleitung In die HISTORIAM LITTERA-RIAM. Insgemein und derer Teutschen insonderheit. In VI. verschiedene TOMOS... Halle 1713 (Zum Roman: Bd. V, 1710, S. 296—300). [UB Göttingen]

Richter, Daniel: THESAURUS ORATORIUS NOVUS. Oder Ein neuer Vorschlag / wie man zu der Rednerkunst / nach dem Ingenio dieses Seculi, gelangen / und zugleich eine Rede auf unzehlich viel Arten verändern könne. Nürnberg 1660 (Zum Roman: Cap. XX: »Von den Special-Reden und Schrifften«, S. 189—219). [LB Hannover]

Riedel, Friedrich Justus: Theorie der schönen Künste und Wissenschaften ein Auszug aus den Werken verschiedener Schriftsteller. Jena 1767. [UB Göttingen]

[Rist, Johann]: Die alleredelste Zeit-Verkürtzung Der Gantzen Welt: Vermittelst eines anmuthigen und erbaulichen Gespräches / Welches ist dieser Art / die Sechste / Und zwar eine Brachmonats-Unterredungen / Beschrieben und fürgestellet von Dem Rüstigen. Frankfurt 1668 (Zum Roman: S. 167—180). [UB Göttingen]

Rohr, Julio Bernhard von: Einleitung zur Ceremoniel-Wissenschafft Der Privat-Personen / Welche Die allgemeinen Regeln / die bey der Mode, den Titulaturen / dem Range / den Complimens... Insonderheit dem Wohlstand nach von einem jungen Teutschen Cavalier in Obacht zu nehmen / ... (2. vermehrte Aufl.). Berlin 1730 [UB Göttingen]

Rotth, Albrecht Christian: Vollständige Deutsche Poesie / in Drey Theilen, Deren der I. Eine Vorbereitung... II. Eine fernere Anleitung zu den insgemein üblichen Gedichten... III. Eine richtige Einleitung zu den vor andern so beniemten Poetischen Gedichten... Leipzig 1688. [UB Göttingen]

Saint-Mard, Rémond de: Sur L'OPERA in: Oeuvres, Tome V, Amsterdam 1749, S. 141—284. [UB Göttingen]

Scaliger, Julius Caesar: Poetices Libri Septem. Faksimile-Neudruck der Ausgabe von Lyon 1561 mit einer Einleitung von August Buck. Stuttgart-Bad Cannstatt 1964.

Scheibe, Johann Adolph: Critischer MUSIKUS. Neue, vermehrte und verbesserte Auflage. Leipzig 1745. [UB Göttingen]

[Scheibel, Gottfried Ephraim]: Die Unerkannte Sünden Der Poeten Welche man Sowohl in ihren Schrifften als in ihrem Leben wahrnimmt. Nach den Regeln des Christentums und vernünfftiger Sittenlehre geprüfet Von Gottfried Ephraim Scheibel... Leipzig 1734, S. 85—89: »Das XV. Capitel. Von dem Lesen liederlicher Bücher«; S. 176—182: »Das XXV. Capitel. Von Opern«. [UB Göttingen]

Schmid, M. Christian Heinrich: Theorie der Poesie nach den neuesten Grundsätzen und Nachricht von den besten Dichtern nach den angenommenen Urtheilen ... 1. u. 2. Theil Leipzig 1767/68. Zusäzze zur Theorie der Poesie. 3. u. 4. Sammlung. Leipzig 1769. [UB Bonn]

Schottel, Justus Georg: Teutsche Vers- oder Reim-Kunst darin Unsere Teutsche Müttersprache So viel dero süßeste Poesis betrifft in eine richtige form der Kunst zum ersten mahle gebracht worden. Wolfenbüttel 1645. [UB Göttingen]

Schottel, Justus Georg: Ausführliche Arbeit Von der Teutschen Haubt-Sprache, Worin enthalten Gemelter dieser Haupt-Sprache Uhrankunft, Uhraltertum, Reinlichkeit, Eigenschaft, Vermögen, Unvergleichlichkeit, Grundrichtigkeit, zumahl die Sprachkunst und Verskunst Teutsch und guten theils Lateinisch völlig mit eingebracht, wie nicht weniger die Verdopplung, Ableitung, die Einleitung, Nahmwörter, Authores vom Teutschen Wesen und Teutscher Sprache, von der Verteutschung, Item die Stammwörter der Teutschen Sprache samt der Erklärung und derogleichen viel merckwürdige Sachen. Abgeteilet in Fünf Bücher... Braunschweig 1663. Faksimile-Neudruck, hrsg. v. Wolfgang Hecht, 2 Bde. Tübingen 1967.

Schröter, Christian: Gründliche Anweisung zur deutschen ORATORIE nach dem hohen und Sinnreichen Stylo Der unvergleichlichen Redner unsers Vaterlandes besonders Des vortrefflichen Herrn von Lohensteins in seinem Großmüthigen Herrmann und andern herrlichen Schrifften. Leipzig 1704. [UB Köln]

[Schubart, Christian (Friedrich Daniel)]: Vorlesungen über die schöne Wissenschaften für Unstudierte von Herrn Professor Schubart. Herausgegeben von einem seiner ehemaligen Zuhörer. Augsburg 1777. (2. Titelblatt: Kurzgefaßtes Lehrbuch der schönen Wissenschaften für Unstudierte von Herrn Professor Schubart. Herausgegeben von einem seiner ehemaligen Zuhörer. Münster 1777), S. 78—91: »Von den Romanen«. [UB Köln]

[Schütz/Sinold, Philipp Balthasar]: Die glükseligste Insel auf der ganzen Welt, oder das Land der Zufriedenheit. Dessen Regierungs-Art, Beschaffenheit, Fruchtbarkeit, Sitten der Einwohner, Religion, Kirchen-Verfassung, und dergleichen, samt der Gelegenheit wie solches / Land entdecket worden, ausführlich erzehlet wird, von Ludwig Ernst von Faramond... Nürnberg 1749, S. 147—150 (§ 10): »Von denen Comödien und Opern«. [UB Göttingen]

[Scudéry, Madeleine de]: Les Conversations sur divers Sujets par Mademoiselle de Scudery. Amsterdam 1682 (s. auch Litverz. I, 2). [UB Göttingen]

[Scudéry, Madeleine de]: Kluge Unterredungen Der in Frankreich berühmten Mademoiselle de Scudery, worinnen Über unterschiedliche Sachen sehr nachdenkliche Gedanken / und lehrrichtige Gespräche enthalten. (Erster und zweiter Teil.) Aus dem Französischen in das Teutsche gebracht / und mit beygesetzten Figuren und Gedichten erweitert durch die bey den Blumen-Hirten an der Pegnitz so genannte *Erone.* Nürnberg 1685. [UB Göttingen]

Shaftesbury, Anthony Earl of: Soliloquy or Advice to an Author (1711). In: Characteristics of Men, Manners, Opinions, Times, etc. By the Right Honourable Anthony Earl of Shaftesbury. Ed. John M. Robertson. In two Volumes, Vol. I. Gloucester, Mass. 1963, S. 103—234.

Shaftesbury, Anthony Earl of: Ein Brief über den Enthusiasmus. Die Moralisten. Ins Deutsche übertragen und eingeleitet von Dr. Max Frischeisen-Köhler. Leipzig 1909 (Philos. Bibliothek, Bd. 111).

[Sorel, Charles]: La Bibliothèque Françoise, De M. C. SOREL Premier Historiographe de France. Seconde Edition. Revuë & augmentée. Paris 1667 (zuerst Paris 1664). [UB Göttingen]

Sorel, Charles: DE LA CONNOISSANCE DES BONS LIVRES, OU EXAMEN DE PLUSIEURS AUTHEURS. Amsterdam 1672 (zuerst Paris 1671). [LB Düsseldorf]

[Stockhausen, Johann Christoph]: Critischer Entwurf einer auserlesenen Bibliothek für den Liebhaber der Philosophie und schönen Wissenschaften. In einigen Sendschreiben an einen Freund. Berlin 1752, S. 77—94: »Viertes Sendschreiben. Von den Romanen«. [HAB Wolfenbüttel]

Stolle, Gottlieb: Anleitung Zur Histroie der Gelahrtheit, denen zum besten, so den Freyen Künsten und der Philosophie obliegen, in dreyen Theilen nunmehr zum viertenmal verbessert und mit neuen Zusätzen vermehret, herausgegeben. Jena 1736. (Zum Roman im V. Kap.: »Von der Poesie«, S. 240—252 u. in den »Zusätzen und Ausbesserungen«, S. 97—100). [UB Göttingen]

[Sulzer, Johann George]: Allgemeine Theorie der Schönen Künste in einzeln, nach alphabetischer Ordnung der Kunstwörter auf einander folgenden, Artikeln abgehandelt, von Johann George Sulzer, Mitglied der Königlichen Academie der Wissenschaften in Berlin. 2 Teile. (Teil I, A—J) Leipzig 1773; (Teil II, K—Z) Leipzig 1775. [UB Köln]

[Tentzel, Wilhelm Ernst]: Monatliche Unterredungen Einiger Guten Freunde von Allerhand Büchern und andern annehmlichen Geschichten. Allen Liebhabern Der Curiositäten zur Ergetzlichkeit und Nachsinnen heraus gegeben. JANVARIVS 1696. o. O. 1696. [UB Göttingen]

Theorie und Technik des Romans im 17. und 18. Jahrhundert. Hrsg. v.*Dieter Kimpel* und *Conrad Wiedemann.* Bd. I. Barock und Aufklärung. Bd. II. Spätaufklärung, Klassik und Frühromantik. Tübingen 1970 (Deutsche Texte, Bd. 16 und 17).

Thomasius, Christian: Schertz- und Ernsthaffter, Vernüfftiger [!] und Einfältiger Ge-

dancken / über allerhand Lustige und nützliche Bücher und Fragen Erster Monath oder
JANUARIUS, in einem Gespräch vorgestellet von der Gesellschafft derer Müßigen.
Frankfurt und Leipzig 1688, S. 22 ff. [Germ. Inst. Köln]

Thomasius, Christian: Höchstnöthige CAUTELEN Welche ein STUDIOSUS JURIS, Der
sich zu Erlernung Der Rechts-Gelahrheit [!] Auff eine kluge und geschickte Weise vorbereiten will / zu beobachten hat. Nebst einem dreyfachen und vollkommenen Register.
. . . Halle 1713, S. 149—169: Zur Poesie und Rhetorik, u. a. zum Roman. [SB München]

Thomasius, Christian: Deutsche Schriften. Ausgewählt und herausgegeben von Peter von
Düffel. Stuttgart 1970 (Reclams Universal-Bibl. 8369—71).

Thomasius, Christian: (Rez.: Lohenstein, Arminius; Happel, Africanischer Tarnolast;
Veiras, Geschichte der Sevaramben; s. ›Freymüthige Lustige. . . Gedancken Oder Monats-
Gespräche‹; Litverz. I, 3).

Titz, Johann Peter: Zwey Bücher Von der Kunst Hochdeutsche Verse und Lieder zu machen. Danzig 1642. [UB Tübingen]

Uffenbach, Johann Friedrich von: Gesammelte Neben-Arbeit in gebundenen Reden,
Worinnen, nebst einer Poetischen Auslegung des Sinnebildes CEBETIS des Thebaners,
verschiedene Moralische Schrifften, zu Ausbesserung menschlicher Sitten, enthalten, Und
nebst einer Vorrede von der Würde derer Singe-Gedichte, Mit dessen Genehmhaltung an
das Licht gestellet. Hamburg 1733. [SB Hamburg]

Vavassor, Franciscus: De Ludicra Dictione Liber in quo tota iocandi ratio ex veterum
scriptis aestimatur. Paris 1658 (Lib. I, S. 146—158: »Heliodorus et similes«). [UB Göttin-
gen]

Vockerodt, Gottfried: Mißbrauch der freyen Künste / insonderheit Der Music / . . . nebst
der Frage. . . Was. . . von Opern und Comödien zu halten sey? Franckfurt 1697 (III.
Cap. »Von der Beschaffenheit und Würckungen der heutigen Opern und Comoedien«,
S. 122 ff.). [B der Frank. Stiftungen Halle]

Volckmannus, Jacobus: Q. D. B. V. De Fabulis Romanensibus antiquis et recentioribus. . .
Kiel 1703. (Vgl. Pasch, Georg: De variis modis moralia tradendi liber. . .). [SB Berlin]

[Wächtler, Johann Christian]: Commodes MANUAL, Oder Hand-Buch / Darinnen zu
finden I. Eine compendieuse Methode zu einer galanten Conduite /. . . II. Ein voll-
kömmliches Dictionaire / in welchem die meisten in civili vitâ vorkommenden Termini
und gewöhnlichen Redens-Arten ordine Alphabetico eingerichtet /. . . III. Die vornehmsten Heydnischen Nomina Propria, so in Romanen, Operen, Poësie, Mahlereyen, und
sonst gebraucht werden / gleichfalls nach dem Alphabet eingerichtet und erkläret. IV. Le
Secretaire d'Amour . . . V. Allerhand mündliche Complimenten in Teutsch- und Frantzösischer Sprache,. . . auch zum vierdten mahl verbessert, und vermehrter ediret von
Johann Christian Wächtlern. Leipzig 1722 (vgl. S. 19—21). [UB Freiburg]

Wedel, Benjamin: Geheime Nachrichten und Briefe von Herrn MENANTES Leben und
Schrifften. Köln 1731 (vgl. S. 146—149: Brief Hunolds an seinen Bruder). [UB Göttin-
gen]

Weise, Christian: Kurtzer Bericht vom Politischen Näscher / wie nehmlich Dergleichen
Bücher sollen gelesen / und Von andern aus gewissen Kunst-Regeln nachgemachet werden. Leipzig 1680. [SB München]

Weise, Christian: Curiöse Gedancken Von Deutschen Versen / Welcher gestalt Ein Studie-
render in dem galantesten Theile der Beredsamkeit was anständiges und practicables
finden sol / damit er Gute Verse vor sich erkennen / selbige leicht und geschickt nach-
machen endlich eine kluge Maße darinn halten kan: wie bißhero Die vornehmsten Leute
gethan haben / welche / von der klugen Welt / nicht als Poeten / sondern als polite Redner sind aestimirt worden. o. O. 1692. [UB Göttingen]

Weise, Christian: Politische Fragen, Das ist: Gründliche Nachricht Von der POLITICA, Welcher Gestalt Vornehme und wolerzogene Jugend hierinne Einen Grund legen / So dann
aus den heutigen Republiquen gute Exempel erkennen / Endlich auch in practicablen
Stats-Regeln den Anfang treffen soll / Nechst einer ausführlichen Vorrede und einem
zulänglichen Register. Dresden 1693. [UB Bonn]

Wieland, Christoph Martin: Gesammelte Schriften. Hrsg. v. d. Deutschen Kommission der Königlich Preußischen Akademie der Wissenschaften. 1. Abteilung: Werke (Bd. IV: Prosaische Jugendwerke, hrsg. v. Fritz Homeyer und Hugo Bieber). Berlin 1916, S. 303 bis 420: »Theorie und Geschichte der Red-Kunst und Dicht-Kunst« (1757).

Wieland, Christoph Martin: (Romanvorreden; theoretische Texte im ›Don Sylvio‹ und ›Agathon‹, s. Litverz. I, 2).

Wolff, Christian: Vernünfftige Gedancken Von dem Gesellschaftlichen Leben der Menschen Und insonderheit Dem gemeinen Wesen Zu Beförderung der Glückseeligkeit des menschlichen Geschlechtes /... (4. Auflage). Frankfurt 1736. [UB Göttingen]

Wolff, Christian: Vernünftige Gedancken von Gott, der Welt und der Seele des Menschen, Auch allen Dingen überhaupt, Den Liebhabern der Wahrheit mitgetheilet... Die Achte Auflage hin und wieder vermehret. Halle 1741. [UB Köln]

Zedler, Johann Heinrich: Grosses vollständiges Universal-Lexikon. Bd. 32. Leipzig und Halle 1742, Sp. 700—703: »Romanen, Romainen, Romans«.

Das *Zeitalter des Pietismus.* Hrsg. v. Martin Schmidt und Wilhelm Jannasch. (Klassiker des Protestantismus. Hrsg. v. Christel Matthias Schröder. Bd. VI). Bremen 1965 (Sammlung Dieterich. Bd. 271).

Zesen Philipp von: Durch-aus vermehrter und zum dritt- und letzten mahl in dreien teilen aus gefärtigter Hoch-deutscher Helikon und Grund-richtige Anleitung zur hoch-deutschen Dicht- und Reim-kunst. Wittenberg 1649. [UB Göttingen]

Zesen, Philipp von: (Romanvorreden; s. Litverz. I, 2).

2. Romanvorreden, theoretische Texte in Romanen

Adamantes [Ps.]: Die wohlprobirte Treue in einer kurtzen Helden- und Liebes-Geschichte / vorgestellt von ADAMANTES. Frankfurt und Leipzig 1716. (Angebunden an: Der wohlversuchte Amant in verschiedenen Liebes-Intriquen vorgestellt von ADAMANTES. Frankfurt und Leipzig 1716). (»Vorrede an den Geneigten Leser!«). [HAB Wolfenbüttel]

[Alemán, Mateo]: Lebens-Beschreibung des Land-Störtzers Gusman von Alfarache [ins Deutsche übers.] von Aegidius Albertinus. o. O. 1615. (Vorrede von Albertinus). [StB Trier]

[Alemán, Mateo]: Der Landstörtzer GVSMAN, Von Alfarche, oder Picaro, genant. Dritter Theil / ... Auß dem Spanischen Original erstmals an jetzo verteutscht Durch Martinum Frewdenhold. Frankfurt 1626. (Vorrede von Frewdenhold). [StB Trier]

Amadis: Erstes Buch. Nach der ältesten deutschen Bearbeitung hrsg. v. Adelbert von Keller. Darmstadt 1963 (Unveränd. fotomechanischer Nachdruck der Ausgabe Stuttgart 1857 [= Band XL der Bibliothek des Literarischen Vereins in Stuttgart]). (»Vorrede. Des Teutschen Tranßlatoris, an den Läser«).

Amydor [Ps.]: Publius Cornelius Scipio der AFRICANER Helden und Liebes-Geschichte / ... In einer Roman Vorgestellet ... Von Amydor. (2 Bde.). Frankfurt und Leipzig 1696 (Bd. I); 1698 (Bd. II). (Vorreden zum 1. u. 2. Bd.). [UB Göttingen]

[Andreae, Johann Valentin]: J. V. A. Reise nach der Insul CAPHAR SALAMA, Und Beschreibung der darauf gelegenen Republic Christiansburg, Nebst einer Zugabe Von Moralischen Gedancken, in gebundener und ungebundener Rede. Heraus gegeben von D. S. G. Esslingen 1741. (»Vorbericht an den Leser«); (zuerst lateinisch: Straßburg 1619). [Thurn u. Taxische Hof B Regensburg]

Anonym: Die kluge und närrische Welt / denen Klugen zur Aufmunterung denen Narren aber zur Warnung in einen überaus lustigen Roman mit satyrischer Feder entworffen / von S. M. o. O. 1723. (Vorrede: »Kluger Leser«). [UB Göttingen]

Anonym: Sonderbare und merkwürdige Begebenheiten des nordischen Hyacinthus. Frankfurt und Leipzig 1757. (»Vorrede«). [UB Göttingen]

Anonym: Der Englische Einsiedler oder Die wundervolle Begebenheiten und seltenen Unglücks-Fälle eines Engländers, Philip Quarll... Aus dem Englischen übersetzet... Hamburg ²1732 (zuerst 1728). (»Des Englischen Verlegers Vorbericht«). [UB Göttingen]

[Anton Ulrich, Herzog v. Braunschweig-Wolfenbüttel]: Die Durchleuchtige Syrerinn Aramena. Der Erste Theil: Der Erwehlten Freundschaft gewidmet. Nürnberg 1669. *(Sigmund v. Birken:* »Vor-Ansprache zum Edlen Leser«). [UB Göttingen]

[Anton Ulrich]: Die Durchleuchtige Syrerinn Aramena. Der Dritte Theil: Der Bluts-Freundschaft gewidmet. Nürnberg 1671. *(Catharina v. Greiffenberg,* Lobgedicht am Anfang des 3. Bdes.; Neudruck: B. L. Spahr, Anton Ulrich and Aramena, S. 190—193: »Über die Tugend-vollkommene unvergleichlich-schöne Aramena«). [UB Göttingen]

[Aramene (Ps.)]: Die Durchlauchtigste MARGARETHA von Oesterreich / In einer Staats- und Helden-Geschichte / Der galanten Welt zu vergnügter Gemühts-Ergätzung communiciret von ARAMENEN. Hamburg 1716. (»Vorrede an den Leser«). [HAB Wolfenbüttel]

Barclay, Johann: Argenis. Paris 1621. [UB Köln]

Barclay, Johann: Argenis Deutsch gemacht durch *Martin Opitzen* Mit schönen Kupffer Figuren Nach dem Frantzösischen Exemplar. Breslau 1626. (»Dedication«; II. Buch, 14. Kap.: »Der Zweck des Nicopompus / dahin auch der Author siehet. Fürstellung dieses Buchs«). [UB Göttingen]

[Barclay, Johann]: Die Übersetzung von John Barclays Argenis. In: *Martin Opitz,* Gesammelte Werke. Kritische Ausgabe. Hrsg. v. George Schulz-Behrend. Bd. III. 1. Teil und 2. Teil. Stuttgart 1970. (Bibliothek des Literarischen Vereins in Stuttgart. Publikation 296 und 297).

[Beer, Johann]: Zendorii à Zendoriis Teutsche Winter-Nächte oder die ausführliche und denkwürdige Beschreibung seiner Lebens-Geschichte,... (1682). (J. Beer, Die teutschen Winter-Nächte & Die kurzweiligen Sommer-Täge. Hrsg. v. R. Alewyn. Frankfurt 1963) (Vorrede: »Unterricht an den geneigten Leser«; IV. Buch, 1. und 7. Kap.).

[Biondi, Giovanni Francesco]: EROMENA: Das ist / Liebs- und Heldengedicht / In welchem / nechst seltenen Begebenheiten / viele kluge Gedancken / merckwürdige Lehren / verständige Gespräche / und verborgene Geschichte zu beobachten. Von Herrn Johann Frantz Biondi / ... in Welscher Sprache beschrieben / ... in die Hochteutsche übersetzet. Durch Ein Mitglied der Hochlöblichen Fruchtbringenden Gesellschafft / den Unglückseligen... Nürnberg / 1667 [Dt. Übers. v. *Johann Wilhelm v. Stubenberg]. (G. Ph. Harsdörffer:* »Des Spielenden Vorrede. Den Inhalt und die Dolmetschung dieses ersten Theils der Eromena betreffend«). [HAB Wolfenbüttel]

[Bohse, August]: Der getreuen BELLAMIRA wohlbelohnte Liebes-Probe: Oder / Die triumphirende Beständigkeit / In einem curieusen Roman Der galanten Welt Zu vergönner Gemüths-Ergötzung an das Licht gegebenen von *Talandern.* Leipzig 1692. (Vorrede). [UB Göttingen]

[Bohse, August]: Die getreue Sclavin DORIS in einen annehmlichen Liebes- und Helden Roman / Der galanten Welt zu vergönneter Gemühts-Ergötzung vorgestellet von *Talandern.* o. O. 1699. (Dedikation und Vorrede). [UB Göttingen]

[Bohse, August]: Die Liebenswürdige Europäerin CONSTANTINE In einer wahrhafftigen und anmuthigen Liebes-Geschichte dieser Zeit Der galanten und curieusen Welt zu vergönneter Gemüths-Ergötzung vorgestellet von *Talandern.* Frankfurt und Leipzig 1698 (Unveränderter fotomechan. Nachdruck: Frankfurt/M. 1970). (»Vorrede. Hochgeneigter Leser«; »Andere Vorrede. an den Hochgeneigten Leser«).

[Buchholtz, Andreas Heinrich]: Des Christlichen Teutschen Groß-Fürsten Herkules Und Der Böhmischen Königlichen Fräulein Valiska Wunder-Geschichte, In acht Büchern und zween Theilen abgefasset, Und allen Tugendliebenden Gemüthern zur Ergötzlichkeit ans Licht gestellet. (2 Theile). Braunschweig 1676 (1. Aufl. 1659). (Vorrede: »Freundliche Erinnerung An den Christlichen Tugendliebenden Leser des Teutschen Herkules / Welcher gebeten wird / diese Geschichte nicht vorzunehmen / ehe und bevor er folgende kurtze Vermahnung durchgelesen und vernommen hat«). [UB Bonn]

[Buchholtz, Andreas Heinrich]: Des Christlichen Teutschen Groß-Fürsten Herkules Und

der Böhmischen Königl. Fräulein Valiska Wunder-Geschichte... Braunschweig 1744.
(Vorrede: »Geneigter Leser«). [HAB Wolfenbüttel]

[Buchholtz, Andreas Heinrich]: Der Christlichen Königlichen Fürsten Herkulßikus und
Herkuladißla / auch Ihrer Hochfürstlichen Gesellschafft anmuthige Wunder-Geschichte;
In sechs Büchern abgefasset / und allen GOtt- und Tugendergebenen Seelen zur An-
frischung der Gottesfurcht / und ehrliebenden Ergetzlichkeit auffgesetzet; Anjetzo aber
auf Verlangen etlicher guter Freunde wieder herausgegeben. Frankfurt und Leipzig 1713.
(1. Aufl. 1665). (Vorrede: »An den gewogenen gottseeligen Leser«). [UB Göttingen]

Camus, Jean-Pierre: Agathonphile (1621). Ed. P. Sage. Genf 1951, S. 108—128: »Éloge
des histoires dévotes pour la défence et intelligence d'Agathonphile«.

Camus, Jean-Pierre: Dilude de Pétronille (1626). Teilabdruck in der Ed. v. H. Coulet,
Le Roman jusqu'à la Révolution. Anthologie. Paris 1968, S. 29—32.

Cervantes Saavedra, Miguel de: Don Kichote de la Mantzscha, Das ist: Juncker Harnisch
auß Fleckenland / Auß Hispanischer Spraach in hochteutsche vbersetzt. Kauff mich: Vnd
liß mich. Rewts dich: So friß mich. Odr ich Bezahl dich. Frankfurt/M. 1648. (Erster
Theil Der abenthewrlichen Geschichte des scharpffsinnigen Lehns- vnd Rittersassen /
Juncker Harnisches auß Fleckenland / Auß dem Spanischen ins Hochteutsche versetzt
Durch Pahsch Basteln von der Sohle. Hoff Geißmar 1648). Neudruck mit einem Nachwort v. Hermann Tiemann. Hamburg 1928. (Vorrede: »Dem Leser«).

[Cervantes Saavedra, Miguel de]: DON QVIXOTE Von MANCHA, Abentheurliche Geschichte. Erster Theil. Basel und Frankfurt 1682. (»Vorrede«). [UB Tübingen]

[Cervantes Saavedra, Miguel de]: Des berühmten Ritters, Don Quixote von Mancha, Lustige und sinnreiche Geschichte, abgefasset von Miguel Cervantes Saavedra. (2 Theile).
Leipzig 1734. (Bd. 1: »Vorrede des Übersetzers«). [UB Freiburg]

[Cervantes Saavedra, Miguel de]: Leben und Thaten des weisen Junkers Don Quixote von
Mancha. Neue Ausgabe, aus der Urschrift des Cervantes, nebst der Fortsetzung des
Avellaneda. In sechs Bänden von *Friedrich Justus Bertuch.* Weimar und Leipzig 1775 bis
1777. (Bd. I [1775]: »Ueber das Leben und die Schriften des Miguel de Cervantes
Saavedra«, S. III—XVI; Bd. I, S, XVII—XXVIII: »Cervantes Vorrede«). [UB Bochum]

Defoe, Daniel: The Life & Strange Surprizing ADVENTURES of ROBINSON CRUSOE
of YORK, MARINER... Written by Himself. Vol. I (1719). The Farther Adventures of
Robinson Crusoe. Being the Second and Last Part of his Life, and the Strange Surprizing Accounts of his Travels Round three Parts of the Globe. Written by Himself...
Vgl. II (1719). The Shakespeare Head Edition of the Novels and Selected Writings of
Daniel Defoe. Robinson Crusoe. Vol. I—III. Oxford 1927 (»The Preface« zum 1. und
2. Teil).

[Defoe, Daniel]: Das Leben und die gantz ungemeinen Begebenheiten des berühmten En-
gelländers / Mr. Robinson Crusoe,... (Ins Deutsche übersetzt von *M. Ludwig Friedrich
Vischer*). Hamburg 1720 (2 Bde.). (Vorrede des deutschen Übersetzers). [UB Göttingen]

Defoe, Daniel: Romane in zwei Bänden. Hrsg. v. Norbert Miller. München 1968.

Diderot, Denis: OEuvres romanesques. Texte établis, préfacés et annotés par Henri
Bénac, avec une chronologie de P. Vernière. Ed. illustrée. Paris 1962.

Fielding, Henry: Joseph Andrews (1742); Ed.: H. Fielding, ›Joseph Andrews‹ and ›Shamela‹. Ed. with an Introduction and notes by Martin C. Battestin. London 1965.
(»Author's Preface«).

Fielding, Henry: The History of Tom Jones (1749). Introduction by A. R. Humphreys.
In two Volumes. London / New York 1963 (Everyman's Library). (Vol. I: Dedication;
Chapter I: »The introduction to the work, or brill of fare to the feast«).

Fielding, Henry: Amelia (1752). Introduction by George Saintsbury. In two volumes.
London 1962 (Everyman's Library). (Dedication; Chapter I: »Containing the exordium,
etc.«).

Fielding, Henry: Sämtliche Romane in vier Bänden. Hrsg., mit Anmerkungen und einer
Einführung in die Romankunst Henry Fieldings versehen von Norbert Miller. München
1965 (Bd. I und IV); München 1966 (Bd. II und III).

Fischart, Johann: Geschichtklitterung (Gargantua). Text der Ausgabe letzter Hand von 1590. Mit einem Glossar hrsg. v. Ute Nyssen. Nachwort von Hugo Sommerhalder. Illustration nach Holzschnitten aus den Songes drolatiques de Pantagruel von 1565. Düsseldorf 1963. (Vorrede: »An alle Klugkröpffige Nebelverkappte NebelNebuloner, Witzersauffte Gurgelhandthirer und ungepalirte Sinnversauerte Windmüllerische Dürstaller oder Pantagruelisten«).

[Furetière, Antoine]: Le ROMAN BOURGEOIS. Ouvrage comique. Paris 1666. (»Advertissement du Libraire, au Lecteur«). [HAB Wolfenbüttel]

Gellert, Christian Fürchtegott: Leben der Schwedischen Gräfinn von G** (1746—1748). In: C. F. Gellerts sämmtliche Schriften. Vierter Theil. Leipzig 1769, S. 243—450.

Grimmelshausen, Hans Jacob Christoffel v.: Satyrischer Pilgram (1667). Hrsg. v. Wolfgang Bender. Abdruck der beiden Erstausgaben mit den Lesarten der zu Lebzeiten des Dichters erschienenen Ausgaben. Tübingen 1970 (Grimmelshausen. Gesammelte Werke in Einzelausgaben. Unter Mitarbeit von Wolfgang Bender und Franz Günter Sieveke, hrsg. v. Rolf Tarot). (Vor allem: »Vorred«, »Gegenschrifft des Authors«; »An den Leser«).

Grimmelshausen, Hans Jacob Christoffel v.: Der Abentheurliche Simplicissimus Teutsch und Continuatio des abentheurlichen Simplicissimi. Hrsg. v. Rolf Tarot. Abdruck der beiden Erstausgaben (1669) mit den Lesarten der ihnen sprachlich nahestehenden Ausgaben. Tübingen 1967 (Grimmelshausen, Ges. Werke in Einzelausgaben). (1. Kapitel der ›Continuatio‹: »Ist ein kleine Vorrede und kurtze Erzehlung / wie dem neuen Einsidler sein Standt zuschlug«).

Grimmelshausen, Hans Jacob Christoffel v.: Der seltzame Springinsfeld. Hrsg. v. Franz Günter Sieveke. Abdruck der Erstausgabe von 1670 mit den Lesarten der 2. Ausg. Tübingen 1969 (Gr., Ges. Werke in Einzelausgaben). (»Das III. Capitel«).

Grimmelshausen, Hans Jacob Christoffel v.: Das wunderbarliche Vogelnest (1672). Hrsg. v. Rolf Tarot. Abdruck der beiden Erstausgaben mit den Lesarten der zu Lebzeiten erschienenen Ausgaben. Tübingen 1970 (Gr., Ges. Werke in Einzelausgaben). (Beschluß des 1. Teils: S. 140—141; »Privilegia und Freyheiten / so diesem Tractätlein verliehen« und »Vorrede an den geneigten Leser« zum 2. Teil: S. 145—150).

Grimmelshausen, Hans Jacob Christoffel v.: Des Durchleuchtigen Printzen Proximi und Seiner ohnvergleichlichen Lympidae Liebs-Geschicht-Erzehlung. Hrsg. v. Franz Günter Sieveke. Abdruck der Erstausg. v. 1672. Tübingen 1967 (Gr., Ges. Werke in Einzelausgaben). (»Vorrede«).

[Happel, Eberhard Werner]: Der Insulanische Mandorell, Ist eine Geographische Historische und Politische Beschreibung Aller und jeden INSULEN Auff dem gantzen Erd-Boden / ... In einer anmühtigen und wohlerfundenen Liebes- und Helden-Geschichte ... Hamburg 1682. (Dedicatio von Thomas Roos). [UB Göttingen]

[Happel, Eberhard Werner]: Der Ungarische Kriegs-ROMAN, Oder Außführliche Beschreibung / Deß jüngsten Türcken-Krieges / ... Unter einer anmuthigen Liebes- und Helden-Geschichte auf Romanische Weise in einer reinen ůngezwungenen Teutschen Redens-Arth verfasset und mit allerhand Nutz- und ergötzlichen Historischen / Politischen und dergleichen leßwürdigen Sachen angefüllt / ... Ulm 1685. (»Vorrede. Geneigter Leser«). [UB Göttingen]

[Happel, Eberhard Werner]: Der Italiänische SPINELLI, Oder So genanter Europaeischer Geschicht-ROMAN, Auff Das 1685. Jahr... in einer zierlich-erfundenen und wolgesetzten Liebes- und Helden-Geschichte. Ulm 1685. (»Vorrede. Günstiger und nach Standes-Gebühr Geehrter Leser!«). [UB Göttingen]

[Happel, Eberhard Werner]: Der Bayrische MAX, Oder so genannter Europaeischer Geschicht-ROMAN, Auf das 1691. Jahr; In welchem in einer Liebes- und Helden-Geschichte die denckwürdigste Wunder-Begebnüsse / ... beschrieben werden. o. O. 1692. (»Vorbericht und Anrede«). [UB Göttingen]

Heliodorus, Das ist / Die überaus liebreiche und nützliche Histori / in welcher Höfflichkeit und Tugend / Zucht und Erbarkeit / Glück und Unglück / Freud und Leid / Gunst

und Neid / mit vielen guten Lehrn / ... dargestellt werden... Nürnberg o. J. (Vorrede: »An den Leser«). [UB Göttingen]
[Heliodor]: Theagenes und Chariklea. Eine Aethiopische Geschichte in zehn Büchern. Aus dem Griechischen des Heliodor übersetzt. Leipzig 1767. (»Vorbericht«). [SB München]
Heliodor: Aithiopika. Die Abenteuer der schönen Chariklea. Ein griechischer Liebesroman. Übertragen von Rudolf Reymer. Mit einem Essay ›Zum Verständnis des Werkes‹ und einer Bibliographie von Otto Weinreich. Nach der Textausgabe von R. M. Rattenburg und T. W. Lumb »Héliodore, Les Éthiopiques« (Théagène et Chariclée) Collection Budé, Paris 1935—43, revidiert v. Ludwig Mader. Hamburg 1962 (Rowohlts Klassiker, Bd. 5).
Hermes, Johann Timotheus: Sophiens Reise von Memel nach Sachsen. Ausgewählte Teile aus der Erstausgabe von 1770—72. Hrsg. v. Fritz Brüggemann. Darmstadt 1967. Unveränd. reprograf. Nachdruck der Ausgabe Leipzig 1941 (DLE. Reihe Aufklärung. Bd. 13). (XII. Brief des 1. Bdes., S. 66—76).
[Herolander]: Die unvergleichliche Helden-Thaten und beglückte Regierung des Durchleuchtigsten Sächß. Königes HENGISTO und seiner Ihn begleitenden Helden Der Galanten Welt In einen Liebs-Roman zu geziemender Gemüths-Ergötzung vorgestellet von HEROLANDERN. Dresden 1699. (»Vorrede. Hochgeneigter Leser«). [HAB Wolfenbüttel]
Hunold, Christian Friedrich: Die liebenswürdige Adalie. Faksimiledruck nach der Ausgabe von 1702. Mit einem Nachwort von Herbert Singer. Stuttgart 1967.
Kindermann, M. Balthasar: C. SALUSTII CRISPI Römische Geschicht-Beschreibung / Den liebhabenden alter Römischen Geschichten / in Teutsch übersetzet / ... Wittenberg 1662. (»Zuschrift«). [LB Hannover]
[La Calprenède, Gauthier de Coste de]: Der vortrefflichen Egyptischen Königin / Cleopatra / Curiöse Staats- und Liebes-Geschicht. Vormahls von dem Hrn. Calprenede in Frantzösischer Sprach geschrieben / nunmehro aber in Hoch-Teutsche Sprach übersetzet Durch J. W. Worinnen auch zugleich die alte Römische Historien mit vorgestellet werden. Hamburg 1700. (Vorrede: »Geneigter Leser«). [UB Göttingen]
[La Calprenède, Gauthier de Coste de]: Des durchleuchtigsten Pharamunds / curiöse Liebes- und Helden-Geschicht / Oder Frantzösischer Kriegs- Siegs- Lob- und Liebes-Thaten Erster Theil... Aus dem Frantzösischen in das Hoch-Teutsch übersetzt / Durch *Johann Philipp Ferdinand Pernauer* / ... o. O. u. J. (»Zuschrifft«). [UB Göttingen]
La Roche, Sophie v.: Geschichte des Fräuleins von Sternheim (1771/72). Hrsg. v. Fritz Brüggemann. Darmstadt 1964. Unveränd. fotomechanischer Nachdruck der Ausgabe Leipzig 1938 (DLE. Reihe Aufklärung. Bd. 14). (Vorrede des Herausgebers der Erstausgabe von *Christoph Martin Wieland;* Brief der »Madame Leidens an Emilien«, bes. S. 219—221).
[Lazarillo de Tormes]: Leben vnd Wandel Lazaril von Tormes: Vnd beschreibung, Waß derselbe fur vnglück vnd widerwertigkeit außgestanden hat. Verdeutzscht 1614. Nach der Handschrift herausgegeben und mit Nachwort, Bibliographie und Glossar versehen von Hermann Tiemann. Hamburg 1951. (Vorrede).
Loen, Johann Michael v.: Der Redliche Mann am Hofe; Oder die Begebenheiten Des Grafens von Rivera. In einer auf den Zustand der heutigen Welt gerichteten Lehr- und Staats-Geschichte. Vorgestellet von Dem Herrn von *** Mit Kupfern. Frankfurt/M. 1742. Faksimiledruck nach der Ausgabe von 1742. Mit einem Nachwort von Karl Reichert. Stuttgart 1966. (»Vorbericht«).
Lohenstein, Daniel Casper v.: Großmüthiger Feldherr Arminius oder Herrmann, Als Ein tapfferer Beschirmer der deutschen Freyheit / Nebst seiner Durchlauchtigen Thußnelda In einer sinnreichen Staats- Liebes- und Helden-Geschichte Dem Vaterlande zu Liebe Dem deutschen Adel aber zu Ehren und rühmlichen Nachfolge In zwey Theilen vorgestellet / Und mit annehmlichen Kupffern gezieret. Leipzig 1689 u. 1690. (»Vorbericht an den Leser«; »Anmerckungen über den Lohensteinischen Arminius«).
Lohenstein, Daniel Casper v.: Großmüthiger Feld-Herr Arminius oder Herrmann, Nebst

seiner Durchlauchtigsten Thusnelda in einer sinnreichen Staats- Liebes- und Helden-Geschichte dem Vaterlande zu Liebe dem Deutschen Adel aber zu Ehren und rühmlicher Nachfolge in Vier Theilen vorgestellet und mit saubern Kupfern ausgezieret. Andere und durch und durch verbesserte und vermehrte Auflage. Leipzig 1731. (»Vorrede der neuen Auflage« von *George Christian Gebauer*).

Marivaux, Pierre Carlet de: OEuvres Choisies De Marivaux. 2 Bde., Paris 1901 (Bd. II); 1903 (Bd. I). Tome I: La vie de Marianne... Le paysan parvenu.

Marivaux, Pierre Carlet de: Romane. Das Leben der Marianne. Der Bauer im Glück. In der Übersetzung von Paul Baudisch. Hrsg. v. Norbert Miller. München 1968. (Vgl. auch den Essay des Hrsgs.: »Das Spiel von Fügung und Zufall. Versuch über Marivaux als Romancier«, S. 863—928).

[Montemayor, Jorge de]: DIANA, von H. J. de Monte-Major, in zweyen Theilen Spanisch beschrieben / und aus denselben geteutschet Durch Weiland Den Wolgebornen Herrn / Herrn Johann Ludwigen / Freyherrn von Kueffstein / etc. Anjetzo aber Mit deß Herrn C. G. Polo zuvor niegedolmetschtem dritten Theil vermehret / und Mit reinteutschen Red- wie auch neu-üblichen Reimarten ausgezieret Durch G. P. H. Nürnberg 1661. (»Nohtwendiger Vorbericht«). [HAB Wolfenbüttel]

Montemayor, Jorge de: DIANA. Teil I—III. Reprografischer Nachdruck der Ausg. Nürnberg 1646. Darmstadt 1970.

[Montreux, Nicolas de]: Die Schäffereyen Von der schönen Juliana. Das ist: Von den Eygenschafften vnnd vngleichen Würckungen der Liebe / ein herrliches Gedicht: in Gestalt einer History / von etlichen Schäffern vnd Schäfferinnen / ... außgetruckt / vnnd ... ans Liecht gegeben. Durch OLLENICEM du MONT-SACRÉ, [...]. Frankfurt/M. 1604. (Vorrede: »Dem Edlen Vesten Juckhern / Melchiorn Anthony von Hagenbach / seinem insonders großgünstigen Junckhern«). (Dt. Übers. v. F. C. von Borstel [?]). [UB Tübingen]

[Neugebauer, Wilhelm Ehrenfried]: Der teutsche Don Qvichotte, Oder die Begebenheiten des Marggraf von Bellamonte / Komisch und satyrisch beschrieben; aus dem Französischen übersezt. Faksimiledruck nach der Ausgabe 1753. Mit einem Nachwort [hrsg.] v. E. Weber. Stuttgart 1971, IV. Kap.: »Critik über die teutsche Romane«, S. 262—267.

[Neville, Henry]: Wahrhaffte und merckwürdige Lebensbeschreibung JORIS PINES von Dublin aus Irrland bürtig... Aus dem Englischen übersetzet. (Vierte Auflage) o. O. 1744 (Engl. Erstausgabe 1667). (»Vorrede. Geneigter Leser«). [UB Göttingen]

[Nicolai, Friedrich]: Das Leben und die Meinungen des Herrn Magister Sebaldus Nothanker. Berlin 1773—76. (Vorrede zum 1. Bd.).

Opitz, Martin: Schäfferey von der Nimfen Hercinie (Breslau 1630). Hrsg. v. Peter Rusterholz. Stuttgart 1969 (Reclams Universal-Bibl. 8594). (Dedikation: »Dem Hochwolgebornen Herrn Hansen Vlrichen / Schaff-Gotsch genant / ...«).

Opitz, Martin: (Argenis-Übers. s. Barclay, Johann).

Prasch, Johann Ludwig: PSYCHE CRETICA, oder Geistlicher Roman / von der Menschlichen Seelen / wegen seiner Vortrefflichkeit aus dem Lateinischen ins teutsche übersetzet... Leipzig 1705. (»Vorrede. Geneigter Leser« von *Georg Serpilius*). [UB Göttingen]

Prévost d'Exiles, Antoine-François: Histoire du chevalier des Grieux et de Manon Lescaut. Texte établi avec introduction, notes, relevé des variantes, bibliographie, glossaire et index par Fréderic Deloffre et Raymond Picard. Paris 1965 (Classiques Garnier).

Richardson, Samuel: PAMELA or, Virtue Rewarded. In a Series of Familiar Letters from a Beautiful Young Damsel to her Parents:... (1740). The Shakespeare Head Edition of the Novels of Samuel Richardson. Vol. I—IV. Oxford 1929. (»Preface to Volume II«; »Conclusion«).

Richardson, Samuel: Clarissa or, The History of a Young Lady: Comprehending the most Important Concerns of Private Life (1747/48). The Shakespeare Head Edition of the Novels of Samuel Richardson. Vol. I—VIII. Oxford 1930. (»Preface«; »Postscript referred to in the preface« am Schluß des Romans).

Richardson, Samuel: CLARISSA: Preface, Hints of Prefaces, and Postscript. Introduction by R. F. Brissenden. Los Angeles 1964.

Richardson, Samuel: Clarissa, Die Geschichte eines vornehmen Frauenzimmers, von demjenigen herausgegeben, welcher die Geschichte der Pamela geliefert hat: und nunmehr aus dem Englischen in das Deutsche übersetzt. Göttingen 1749. (Vorrede zum 3. Teil). [UB Göttingen]

Richardson, Samuel: Clarissa, Neuverdeutscht und Ihro Majestät der Königin von Großbrittannien zugeeignet von Ludwig Theobul Kosegarten, Bd. 1—8, Leipzig 1790—1793. (Bd. I ohne Richardson-Vorrede, aber mit lobpreisender Vorrede des dt. Übersetzers S. X—XII; Bd. VIII: Nachschrift, S. 661—694). [UB Göttingen]

Richardson, Samuel: The History of Sir Charles Grandison In a Series of Letters published from the Originals by the Editor of Pamela and Clarissa (1753/54). Shakespeare Head Edition of the Novels of S. Richardson. Vol. I—VI. Oxford 1931. (»Preface«; »Concluding Note by the Editor«).

Richardson, Samuel: Geschichte Herrn Carl Grandison. In Briefen entworfen von dem Verfasser der Pamela und der Clarissa. Zweyte verbesserte und mit Kupffern versehene Auflage. Aus dem Englischen übersetzt. 2 Bde. Leipzig 1759. (Vorrede). [UB Göttingen]

Romanciers du XVIIe Siècle. Sorel — Scarron — Furetière — Madame de la Fayette. Textes présentés et annotés par Antoine Adam. Paris 1958. (Bibliothèque de la Pléiade). (Der Bd. enthält: Charles Sorel, Histoire comique de Francion; Scarron, Le Romant comique; Furetière, Le Roman bourgeois; Madame de La Fayette, La Princesse de Clèves, nebst Varianten; mit Anmerkungen und einem einleitenden Essay des Hrsgs.: »Le roman français au XVIIe siècle«).

Rousseau, Jean-Jacques: Julie ou La Nouvelle Héloïse. Lettres de deux amants habitants d'une petite ville au pied des Alpes recueillies et publiées par Jean-Jacques Rousseau (1761). Introduction, chronologie, bibliographie, notes et choix de variantes par René Pomeau. Paris 1960. (Classiques Garnier). (»Préface«; »Préface de Julie ou entretien sur les romans«).

[Scarron, Paul]: Des Herrn Scarron Comischer Roman. Hamburg 1752 (»Vorbericht«). [SB Bamberg]

Jüngst-erbawete *Schäfferey* / Oder Keusche Liebes-Beschreibung / Von der Verliebten Nimfen AMOENA, Vnd dem Lobwürdigen Schäffer AMANDUS, Besagten beyden Amanten, so wol zu bezeigung höchstthulicher Gunstgewogenheit vbersetzet / Durch A. S. D. D. Leipzig 1632. In: Schäferromane des Barock. Hrsg. v. Klaus Kaczerowsky. Hamburg 1970 (Rowohlts Klassiker. Texte deutscher Literatur 1500—1800, Bd. 530/531). (»Vorrede. An das Adeliche / lieb-löbliche Frawenzimmer«. — »An den Freundlichen Leser«).

Die verwüstete vnd verödete *Schäferey/* Mit Beschreibung deß betrogenen Schäfers Leorianders Von seiner vngetrewen Schäferin Perelina. Gedruckt im Jahr 1642. In: Schäferromane des Barock. Hrsg. v. Klaus Kaczerowsky. Hamburg 1970 (Rowohlts Klassiker. Texte deutscher Literatur 1500—1800, Bd. 530/531). (»Vorrede an den Gunsttragenden Leser«).

Schäfferey / Auß dem Frantzösischen ANTONII MONTCHRESTIENS. Hoch-Teutsch Ubergesetzet / Vnd mit nothwendigen Anmerckungen vnd Kupfferstücken / nach Inhalt des Gantzen Werckes / Vermehret Von August Augspurgern. Dresden 1644. (»Der Vor-Redner CVPIDO«). [UB Göttingen]

Spanische Schelmenromane. Hrsg., mit Anmerkungen und einem Nachwort versehen von Horst Baader. Bd. I: Das Leben des Lazarillo von Tormes. Seine Freuden und Leiden (Übertragen von Helene Henze). Mateo Alemán, Das Leben des Guzmán von Alfarache (Übertragen von Rainer Specht). München 1964; Bd. II: Francisco de Quevedo, Das Leben des Buscón (Übertragen von Herbert Koch). Vicente Espinel, Das Leben des Schildknappen Marcos von Obregón (Übertragen von Rainer Specht). München 1965.

Schnabel, Johannes Gottfried: Insel Felsenburg (Wunderliche FATA einiger See-Fahrer, absonderlich ALBERTI JULII, eines gebohrnen Sachsens, . . . entworffen Von dessen Bruders-Sohnes-Sohnes-Sohne, Mons. Eberhard Julio Curieusen Lesern aber zum vermuthlichen Gemüths-Vergnügen ausgefertiget, auch par Comission dem Drucke übergeben Von GISANDERN. Bd. I. Nordhausen 1731). Hrsg. v. Wilhelm Voßkamp. Hamburg 1969 (Rowohlts Klassiker. Texte deutscher Literatur 1500—1800, Bd. 522/523). (»Vorrede. Geneigter Leser!«). [Originalausgabe: UB Leipzig]

[Scudéry, Madeleine de]: ARTAMÈNE, ou LE GRAND CYRUS. 10 Bde. Paris 1650— 1653. (Bd. I: »Au Lecteur«). [HAB Wolfenbüttel]

[Scudéry, Madeleine de]: Ibrahims oder Des Durchleuchtigen Bassa Und Der Beständigen Isabellen Wunder- Geschichte [ins Deutsche übersetzt v. *Ph. v. Zesen*]. 2 Bde. Amsterdam 1645. (Bd. I: »Schuzräde An die unüberwündlichste Deutschinne«). [Frz. Ausg.: Ibrahim ou l'illustre Bassa. 4 Bde. Paris 1641, »Preface«). [UB Göttingen]

[Scudéry, Madeleine de]: CLELIA: Eine Römische Geschichte / Durch Herrn von Scuderi,... in Französischer Sprache beschrieben; anitzt aber ins Hochdeutsche übersetzet Durch Ein Mitglied der hochlöbl. Fruchtbringenden Gesellschaft den Unglückseligen *(Johann Wilhelm v. Stubenberg).* 10 Bücher in 5 Bänden. Nürnberg 1664. (Bd. I: »Zuschrifft«; Bd. I: S. 868—869; Bd. IV: S. 778—793; Bd. V: »Schlußerinnerung an den wehrten Leser«). (Frz. Ausg.: CLÉLIE, Histoire romaine. 10 Bde. Paris 1654—1660). [HAB Wolfenbüttel]

Selimenes [Ps.]: Die wunderbahre und erstaunens-würdige Begebenheiten des Herrn von LYDIO, Worinnen dessen fast unglaubliche und unerhörte FATA enthalten,... Mit untermengten curieusen Geschichten anderer Personen / von ihme selbst beschrieben; der neu begierigen Welt aber mitgetheilet durch SELIMENEM. Andere Auflage, Frankfurt und Leipzig 1732. (Vorrede: »Geneigter Leser«). [UB Göttingen]

[Sidney, Philip]: ARCADIA Der Gräffin von Pembrock. Das ist; Ein sehr anmüthige Historische Beschreibung Arcadischer Gedicht vnd Geschichten / mit eingemängten Schäffereyen vnd Poesien... fleissig vnd trewlich übersetzt Durch Valentinum Theocritum von Hirschberg... Frankfurt/M. 1629. (»Vorrede« von *Matthaeus Merian*). [UB Bonn]

[Sorel, Charles]: LE BERGER EXTRAVAGANT. Ou parmy des fantasies amoureuses l'ont voit les impertinences des Romans & de la Poësie. Rouen 1639. (Bd. I: »Preface«). (Erste Ausg. 1627). [HAB Wolfenbüttel]

[Sorel, Charles]: Warhafftige vnd lustige Histori / Von dem Leben des Francion. Auffgesetzt Durch Niclas von Mulinet zu Parc / einem Lottringischen von Adel An vielen Orten auß des Scribenten seinem mit eigner Hand geschriebenem Buch / vermehret und ergrössert; Nunmehr den lustigen Gemüthern zu mehrer Ergetzung außm Frantzösischen ins Teutsch versetzet. o. O. 1662. (»An den Francion«; »Erinnerung an den Leser / den Scribenten dieses Buches betreffend«; Anfang des I. Buches — S. 15—17: Zusatz des dt. Übers. —; VIII. Buch, S. 513—518; S. 524; S. 574—577; X. Buch, S. 658—665; S. 760 bis 769). (Frz. Ausg.: Histoire comique de Francion, ¹1623). [HAB Wolfenbüttel]

[Stockfleth, Heinrich Arnold]: Die Kunst- und Tugend-gezierte Macarie / Das ist: Historischer Kunst- und Tugend-Wandel In hochteutscher Sprach beschrieben / Und In einer anmuthigen Liebes-Geschicht vorgestellet;... Von dem Unter den Preiß-würdig-gekrönten Pegnitz-Hirten so genannten DORUS. Nürnberg 1669. (Vorrede: »Nach Stands-Gebühr schuldig-geehrter und geliebter Leser«). [UB Göttingen]

[Terrasson, Jean]: Geschichte des egyptischen Königs Sethos. Aus dem Französischen übersetzt von Matthias Claudius. Breslau 1777. (»Vorrede«). (Frz. Ausg.: »Sethos, histoire ou vie tirée des monuments anecdotes de l'ancienne Egypte, traduite d'un manuscrit grec«, 1732). [UB Göttingen]

THEATRUM AMORIS, Oder Schawplatz der Liebe. Das ist: Eine schöne vnd vberauß anmühtige Histori von CARITEA der verliebten Princessin auß Cypern. Vnderschieden in Drey Theil nach den Namen der drey GRATIEN, vnd Erstlichen Frantzösisch beschrieben / Anjetzo aber auffs New vbersehen / Zum andern mal getruckt / vnd mit Schönen kupfferstücken gezieret. Frankfurt/M. 1644. (»Vorrede an den günstigen Leser«). [HAB Wolfenbüttel]

THEATRI AMORIS, Oder Schawplatz der Liebe Ander Theil. Darinnen begriffen / Die

vberauß schöne vnd anmuhtige Histori der verliebten Loziae, einer Hispanischen Princessin. Erstmals Frantzösisch beschrieben von Anthonio du Perier. Frankfur/M. 1644.
(»Vorrede vber gegenwertige Histori«). [HAB Wolfenbüttel]

THEATRI AMORIS, Oder Schawplatz der Liebe Dritter Theil. Darinnen begriffen Die
sehr anmuhtige Histori von keuscher vnd beständiger Liebe Endymionis... Frankfurt/M.
1644. (Vorrede: »An den günstigen Leser«). [HAB Wolfenbüttel]

[Tröltsch, Carl Friedrich]: Der Fränkische Robinson Oder der Mann nach der Vorschrift
der Tugend in den ausserordentlichen Begebenheiten Des Freiherrn von G***. Onolzbach 1751. (Vorrede: »Allgemeine Gedanken von den Romanen«). [SB München]

[Tröltsch, Carl Friedrich]: Geschichte einiger Veränderungen des menschlichen Lebens, In
dem Schiksale des Herren Ma*** Mit einer Vorrede Von dem Nuzen der Schauspiels-
Regeln bei den Romanen. Leipzig 1753. [SB München]

[D'Urfé, Honoré]: Die Schäfferinn Astrea. Durch H. Honorat. von Urfe erstlich in
Frantzösisch beschrieben: Jetzo newlich In hochteutzsche Sprach versetzet / etc. (1.—3.
Teil). Halle 1624. (4. Teil). Leipzig 1635. (Bd. I: »Vorrede«). (Frz. Ausg.: »L'Astrée,
où par plusieurs histoires et sous personnes de bergers et d'autres sont déduits les divers
effets de l'honneste amitié«, [1]1607—1627). [HAB Wolfenbüttel]

[Veiras d'Alais, Denis und Anonym]: Geographisches Kleinod / Aus Zweyen sehr ungemeinen Edelgesteinen bestehend; Darunter der Erste Eine Historie der Neu-gefundenen
Völcker SEVARAMBES genannt / Welche einen Theil des Dritten festen Landes / so
man sonsten das Süd-Land / nennet / bewohnen; Darinnen eine gantz neue und eigentliche Erzehlung von der Regierung / Sitten / Gottes-Dienst / und Sprache dieser denen
Europäischen Völckern biß anhero noch unbekannten Nation enthalten: Der Ander aber
vorstellet / Die Seltzamen Begebenheiten Herren T. S. Eines Englischen Kauff-Herrens:
Welcher von den Algierischen See-Räubern zum Sclaven gemacht / und in das Innwen-
dige Land von Africa / geführet worden... anfänglich durch den Autoren selbst geschrieben / hernach in offentlichen Druck in Englischer Sprache heraus gegeben / Durch
A. Roberts. Anietzo in Hoch-teutscher Sprache mit vielen schönen Kupfern denen Liebhabern mitgetheilet. Sultzbach 1689. (›Geschichte der Sevaramben‹ zuerst 1677 [1. Teil]
und 1678/79 [2. Teil]); (»Vorrede an den Leser«). [SB München]

Weise, Christian: Politischer Näscher / Aus Unterschiedenen Gedancken hervor gesucht /
Und Allen Liebhabern zur Lust / Allen Interessenten zu Nutz / Nunmehro in Druck befördert. Leipzig 1693. (»Vorrede«). [UB Bonn]

Weise, Christian: Die Drey ärgsten Ertz-Narren In der gantzen Welt / beschrieben durch
Catharinum Civilem. Leipzig 1704. (Vorrede: »Hochwerther Leser!«). [UB Bonn]

Wezel, Johann Carl: Herrmann und Ulrike, ein komischer Roman. 4 Bde. Leipzig 1780.
Neudruck hrsg. v. C. G. v. Maassen. München 1919. (Vorrede zum 1. Bd.).

Wieland, Christoph Martin: Der Sieg der Natur über die Schwärmerei oder Die Abenteuer des Don Sylvio von Rosalva (1764). In: C. M. Wieland's sämmtliche Werke. Leipzig: Göschen 1853, Bd. I und II. (Buch I, Kap. 1—3).

Wieland, Christoph Martin: Geschichte des Agathon. Unveränderter Abdruck der Editio
princeps (1767). Bearbeitet von Klaus Schaefer. Berlin 1961. (»Vorbericht«; Buch V,
Kap. 8; VIII, 6; IX, 2; IX, 5 u. a. In der 2. Ausg. [1773]: »Über das Historische im
Agathon«. In der 3. Ausg. [1794]: »Vorbericht«).

Wieland, Christoph Martin: Vorrede des Herausgebers zum »Fräulein v. Sternheim« (s.
Sophie La Roche).

Zesen, Philipp v.: Ritterholds von Blauen Adriatische Rosemund (1645). Neudruck hrsg.
v. Max Hermann Jellinek. Halle 1899 (Neudrucke deutscher Litteraturwerke des XVI.
u. XVII. Jhs. No. 160—163). (Vorrede: »Dem vernünftigen Läser«).

Zesen, Philipp v.: Assenat; das ist Derselben / und des Josefs Heilige Stahts- Lieb- und
Lebens-geschicht / mit mehr als dreissig schönen Kupferstükken gezieret. Amsterdam
1670. (Vorrede: »Dem Deutschgesinten Leser«). [UB Göttingen]

Zesen, Philipp v.: Assenat 1670. Hrsg. v. Volker Meid. Tübingen 1967 (Faksimile-Neudruck; Deutsche Neudrucke. Reihe: Barock 9).

Zesen, Philipp v.: Simson / eine Helden- und Liebes-Geschicht / Mit dreissig schönen Kupferstükken gezieret. Nürnberg 1679. (Vorrede: »Dem Deutsch- und treu-gesinnetem Leser«). [UB Göttingen]

Zigler und Kliphausen, Heinrich Anshelm v.: Die Asiatische Banise / Oder Das blutigdoch muthige Pegu / Dessen hohe Reichs-Sonne bey geendigtem letztern Jahr-Hundert an dem Xemindo erbärmlichst unter- an dem Balacin aber erfreulichst wieder auffgehet... Alles in Historischer / und mit dem Mantel einer annehmlichen Helden- und Liebes-Geschichte bedeckten Warheit beruhende... Auffgesetzet von H. A. v. Z. U. K. Leipzig 1689. Vollständiger Text nach der Ausgabe von 1707 unter Berücksichtigung des Erstdrucks von 1689. Mit einem Nachwort von Wolfgang Pfeiffer-Belli. München 1965.

Zigler und Kliphausen, Heinrich Anshelm v.: Asiatische Banise, Oder blutiges doch muthiges Pegu, In Historischer und mit dem Mantel einer Helden- und Liebes-Geschicht bedeckten Wahrheit beruhende. Diesem füget sich bey eine aus dem Italiänischen übersetzte Theatralische Handlung, benennet: Der tapfere Heraclius. Leipzig 1738. (Vorrede: »Nach Standes-Gebühr Geehrter Leser!«). [UB Göttingen]

3. Romanrezensionen in Zeitschriften*

Deutsche Acta Eruditorum, Oder Geschichte der Gelehrten, Welche den gegenwärtigen Zustand der Litteratur in Europa begreiffen. Leipzig 1712—1739. 43. Theil (1716), S. 457 bis 460: Le Sage, Gil Blas; 51. Theil (1717), S. 186—187: allg. zum Roman anläßlich einer Besprechung von ›De la science du Monde... par M. de Callieres‹; 104. Theil (1725), S. 572—585: zur Entstehungsgesch. des Romans u. zu Huet: Besprechg. von ›Idea della storia dell'Italia Lettera...‹; 146. Theil (1729), S. 124—125; Zum Roman anläßlich einer Rez. von ›Der Madame Lambert Gedancken von der Auferziehung‹. [UB Göttingen]

Almanach der deutschen Musen. Leipzig, Berlin, Frankfurt 1770—1781. II. Bd. (1771), S. 130—133; und III. Bd. (1772), S. 134—136: Hermes, Sophiens Reise von Memel nach Sachsen; IV. Bd. (1773), S. 102: Wieland, Don Sylvio; V. Bd. (1774), S. 85—86: Nicolai, Sebaldus Nothanker; VIII. Bd. (1777), S. 108—109: Miller, Siegwart; X. Bd. (1779), S. 138—139: Hippel, Lebensläufe. [UB Göttingen]

Wöchentliche Anzeigen zum Vortheil der Liebhaber der Wissenschaften und Künste. (3 Bde.). Zürich 1764—1766. (»Zürchische Gelehrte Anzeigen«). I. Bd. (1764), S. 294—298: Wieland, Don Sylvio. [UB Göttingen]

Monatlicher Auszug / Aus allerhand neu-herausgegebenen / nützlichen und artigen Büchern. (Hrsg. v. J. G. v. Eccard; 3 Bde.). Hannover 1700—1702. III. Bd. (1702), 2. St., S. 5 bis 34: Veiras d'Alais, Sevaramben (dt. Übers.). [UB Göttingen]

Westphälische Bemühungen zur Aufname [!] des Geschmaks und der Sitten. Lemgo 1753 bis 55. II. Bd. (1753), 12. St., S. 451—461: Cervantes' Werke. [UB Göttingen]

Beyträge Zur Critischen Historie Der Deutschen Sprache, Poesie und Beredsamkeit, hrsg. von Einigen Mitgliedern der Deutschen Gesellschaft in Leipzig. (Bd. 1—8; 1.—32. St.). Leipzig 1732—44. 6. St. (1733), S. 274—293: Zigler, Asiatische Banise; 8. St. (1734), S. 541—577: v. Hohberg, Der Habsburgische Ottobert (die Rez. dieses Versepos enthält auch Hinweis zum Roman). [UB Göttingen]

Allgemeine Deutsche Bibliothek. Berlin 1765 ff. I. Bd. (1765), 2. St., S. 97—107: Wieland, Don Sylvio; II. Bd. (1766), 2. St., 269—272: Rubrik »Romanen«, in der (seit diesem St.) im folgenden fast regelmäßig Kurzrezensionen erscheinen. VI. Bd. (1768), 1. St., S. 50 bis 53: Hermes, Miß Fanny Wilkes; VI. Bd. (1768), 1. St., S. 190—211: Wieland, Agathon; XV. Bd. (1771), 1. St., S. 12—23: Hermes, Sophiens Reise von Memel nach Sachsen; XVI. Bd. (1772), 2. St., S. 469—479; La Roche, Fräulein v. Sternheim; XXVI. Bd. (1775), 1. St., S. 102—168: Goethe, Werther. [UB Köln]

---

* Es werden im folgenden nicht sämtliche in den aufgeführten Zeitschriften enthaltene Romanbesprechungen verzeichnet, vielmehr handelt es sich um eine Auswahl unter romantheoretischem und romankritischem Aspekt bis zu Goethes »Werther«. Die Romantitel werden abgekürzt wiedergegeben.

Auserlesene Bibliothek der neuesten deutschen Litteratur. (20 Bde.). Lemgo 1772—1781.
I. Bd. (1772), S. 202—227: La Roche, Fräulein v. Sternheim; III. Bd. (1773), S. 134 bis
161: Wieland, Der goldene Spiegel; IV. Bd. (1773), S. 625—645: Wieland, Agathon (2.
Ausgabe); V. Bd. (1774), S. 190—193: Nicolai, Sebaldus Nothanker; VIII. Bd. (1775),
S. 500—511: Goethe, Werther; XV. Bd. (1779), S. 416—423: Reichard, Bibliothek der
Romane (Anthologie). [UB Göttingen]
Deutsche Bibliothek der schönen Wissenschaften. Hrsg. v. Herrn Geheimdenrath *Klotz.*
Halle 1768 ff. I. Bd. (1768), 3. St., S. 11—55: Wieland, Agathon; II. Bd. (1768), 8. St.,
S. 725—727: Le Sage, Gil Blas; IV. Bd. (1770), 14. St., S. 313—319: Wieland, Don Sylvio
(frz. Übers., Wieland u. der dt. Roman). [UB Göttingen]
Bibliothek der schönen Wissenschaften und der freyen Künste. Leipzig 1757—1765. VII. Bd.
(1762), 2. St., 201—250: Christian Sincer: »Sendschreiben über die Sittlichkeit der Tragödie...« u. Antwort der Zs.-Redaktion; darin S. 209—215: Über ›Clarissa‹ als »das
wahre Muster aller Tragödien«). [UB Bonn]
Neue Bibliothek der schönen Wissenschaften und der freyen Künste. Leipzig 1765 ff.
I. Bd. (1766), 2. St., S. 230—234: Zum Roman allg., bes. zum Spanischen;II. Bd. (1766),
2. St., S. 355—356: Hermes, Miß Fanny Wilkes; IV. Bd. (1767), 2. St., S. 333—338: Heliodor, Aithiopika (dt. Übers. v. Meinhard); XVII. Bd. (1775), 2. St., S. 217—223: Zum
moral. u. pol. Roman (A. v. Haller, Usong); XVII. Bd. (1775), ? St., S. 257—284: Ni
colai, Sebaldus Nothanker; XVIII. Bd. (1775), 1. St., S. 46—95: Goethe, Werther; XIX.
Bd. (1776), 2. St., S. 269—292: Hermes, Sophiens Reise... [UB Bonn]
Briefe, die Neueste Litteratur betreffend. Berlin 1759—66. IX. Teil (1761), S. 118—125:
Thomas Abbt, Rez.: Harenberg, Pragmatische Geschichte des Ordens der Jesuiten;
X. Teil (1761), S. 255—310: Moses Mendelssohn, Rez.: Rousseau, Julie ou la Nouvelle
Héloise; XIX. Teil (1764), S. 159—174: »Ursachen, warum es an deutschen Fieldings
unter uns mangelt. Von der Begierde Romane zu schreiben. Freywells beglückte Tugend,
ein Roman, dessen Erdichtung ist ganz schlecht u. der V. besitzet nicht den geringsten
Geschmack noch Urtheil«. [UB Köln]
*Freymüthige Lustige und Ernsthaffte iedoch Vernunfft- und Gesetz-mäßige Gedancken Oder
Monats-Gespräche,* über allerhand, fürnehmlich aber Neue Bücher / Durch alle zwölff
Monate des 1688. und 1689. Jahrs durchgeführet von *Christian Thomas.* Halle 1690.
Aug. 1689, S. 646—686: Lohenstein, Arminius; Sept. 1689, S. 687—806: E. W. Happel,
Africanischer Tarnolast; Nov. 1689, S. 949—1005: Veiras d'Alais, Geschichte der Seva-
ramben (dt. Übers.); Dez. 1689, S. 1141—1144: Lohenstein, Arminius (Anhang). [Germ.
Inst. Köln]
Iris. (Hrsg. v. *Johann Georg Jacobi*). Bd. 1—8. Düsseldorf 1774—76. I. Bd. (1774), 3. St.,
S. 78—81: Goethe, Werther. [UB Göttingen]
Magazin der deutschen Critik. Hrsg. v. [Gottlieb Benedikt v.] *Schirach.* Bd. 1—3. Halle
1772—74. I. Bd. (1772), S. 188—197: Wieland, Der goldene Spiegel; I. Bd. (1772), S. 245
—251: Hermes, Sophiens Reise (1.—3. Tl.); II. Bd. (1773), S. 105—110: Hermes, Sophiens
Reise (4. Tl.); II. Bd. (1773), S. 123—138: Nicolai, Sebaldus Nothanker; III. Bd. (1774),
S. 185—193: Wezel, Tobias Knaut. [UB Göttingen]
Der Teutsche Merkur. (Hrsg. v. *Christoph Martin Wieland*). Weimar 1773 ff. Jg. 1773, II.
Tl., 1. St., S. 76—86: Hermes, Sophiens Reise von Memel nach Sachsen; Jg. 1774, V. Tl.,
3. St., S. 344—345: Wezel, Tobias Knaut; Jg. 1774, VII. Tl., 3. St., S. 361—362: Wezel,
Tobias Knaut (2. Bd.); Jg. 1774, VIII. Tl., 3. St., S. 241—243: Goethe Werther; Jg. 1774;
VIII. Tl., 3. St., S. 247—251: Sterne, Tristram Shandy (dt. Übers.); Jg. 1776, XIV. Tl.,
1. St., S. 105—107: Hermes, Sophiens Reise (2. Ausg.). [UB Köln]
Critische Nachrichten durch Johann Carl Dähnert. (5 Bde.). Greifswald 1750—1754. II. Bd.
(1751), S. 81—83: [Anonym], Amusemens d'un Prisonnier. [UB Bonn]
Neue Critische Nachrichten. Greifswald 1765 ff. VI. Bd. (1770), S. 300—301: Sterne, Em-
pfindsame Reise (dt. Übers.). [UB Göttingen]
Freymüthige Nachrichten von Neuen Büchern, Und Andern zur Gelehrtheit gehörigen Sachen. Jg. 1—9. Zürich 1744—1752. I. Jg. (1744), S. 19—20: Richardson, Pamela; III. Jg.

(1746), S. 59—63: Fielding, Joseph Andrews; VI. Jg. (1749), S. 106—109; Richardson, Clarissa; VI. Jg. (1749), S. 255: Gellert, Schwedische Gräfin (2. Tl.). [UB Göttingen]

Supplement littéraire a la Gazette de Breslau. No. 1 — No. 12; April 1775 — Juni 1775. No. 3 (April) — Nov. 7 (Mai) 1775: [J. T. Hermes], Rez.: Sterne, Tristram Shandy. [UB Göttingen]

Der Critische Sylphe, Ein Gelehrtes Wochen-Blat, Worinnen Alle merckwürdige Begebenheiten aus dem Reiche der Wissenschaften mitgetheilet, und die darinnen zum Vorschein gekommene Schriften einer gesunden Beurtheilung unterworfen werden. 2 Bde. Leipzig 1751—1752. I. Bd. (1751), 79. St., 4. Tl.: [Guilleragues], Portugiesische Briefe; I. Bd. (1751), 84. St., 6. Tl.: Richardson, Clarissa; II. Bd. (1752), 82. St., S. 338: [Anonym], Begebenheiten eines Moscowiters; II. Bd. (1752), 92. St., S. 376: Fielding, Amelia. [UB Göttingen]

Berlinische Privilegirte Zeitung. Berlin 1748—55. Jg. 1751, 32. St.: G. E. Lessing, Rez.: Toussaint, Histoire des Passions; Neudruck: G. E. Lessings sämtl. Schriften, Ed. Lachmann-Muncker, Bd. IV. Stuttgart 1889, S. 295—296. (Vgl. auch die Rez. der dt. Übers. dieses Buches: »Historie der Leidenschaften...«; Neudruck: ebd., Bd. IV, S. 310—312).

Hamburgische Neue Zeitung. Hamburg (1767—71). 62. St. (18. April 1768): H. W. v. Gerstenberg, Rez.: Wieland, Agathon; 195. St. (11. Dez. 1769): H. W. v. Gerstenberg, Rez.: Yoriks empfindsame Reise... (3. u. 4. Bd.). (Neudruck: H. W. v. Gerstenbergs Rezensionen in der Hamburgischn [!] Neuen Zeitung 1767—1771. Hrsg. v. O. Fischer. Berlin 1904, S. 46—49; S. 308—309).

Franckfurtische Gelehrte Zeitungen, Darinnen Die merckwürdigsten Neuigkeiten Der Gelehrten Welt, Sowohl In Ansehung der jetzt-lebenden Gelehrten, Als auch Aller zur Gelehrsamkeit gehöriger Wissenschafften, Künsten und Sprachen, umständlich berichtet. Und insonderheit Der gegenwärtige Zustand aller in und ausser Teutschland blühenden hohen Schulen und Gesellschafften, Mit unpartheyischer Feder entworffen... Frankfurt a. M. 1736—71. VII. Bd. (1742), S. 422: [Anonym], Der Americanische Freybeuther; VIII. Bd. (1743), S. 9—11: Richardson, Pamela; X. Bd. (1745), S. 370—372: Fielding, Joseph Andrews; XIII. Bd. (1748), S. 535—536: Richardson, Clarissa; XIV. Bd. (1749), S. 416: Fielding, Tom Jones; XIV. Bd. (1749), S. 67: Gellert, Schwedische Gräfin; XVII. Bd. (1752), S. 535—536: Fielding, Amelia (dt. Übers.); XXXIII. Bd. (1768), S. 295—296: Wieland, Agathon; XXXIV. Bd. (1769), S. 20: Le Sage, Gil Blas. [UB Kiel]

Göttingische Zeitungen von Gelehrten Sachen. Göttingen 1739 ff. Jg. 1741, S. 129—130: Richardson, Pamela; Jg. 1749, S. 201—203 u. S. 570: Richardson, Clarissa; Jg. 1749, S. 279: Gellert, Schwedische Gräfin; Jg. 1750, S. 123—124: Fielding, Tom Jones; Jg. 1752, S. 145; S. 849; S. 1260: Fielding, Amelia; Jg. 1755, S. 161—162: Richardson, Charles Grandison; Jg. 1764, S. 993—995: Wieland, Don Sylvio; Jg. 1766, S. 575—576: Wieland, Agathon; Jg. 1767, S. 1127—1128: Wieland, Agathon (2. Tl.); Jg. 1771, S. 1023—1024: La Roche, Fräulein v. Sternheim; Jg. 1771, S. 1038—1039: Hermes, Sophiens Reise; Jg. 1773, S. 498—500 u. Zugabe, S. LXIX—LXX: Nicolai, Sebaldus Nothanker; Jg. 1773, S. 1151—1152: Nicolai, Sebaldus Nothanker (2. Ausg.); Jg. 1775, S. 515—518 u. S. 596 bis 597; Nicolai, Sebaldus Nothanker (2. u. 3. Tl.); Jg. 1777, S. 622—624: Miller, Siegwart. [UB Göttingen]

Gothaische gelehrte Zeitungen. Gotha 1774—1804. I. Bd. (1774), S. 193—195: Wezel, Tobias Knaut; I. Bd. (1774), S. 681—683: Goethe, Werther; II. Bd. (1775), S. 337—341: Nicolai, Sebaldus Nothanker. [UB Göttingen]

Neue Hallische Gelehrte Zeitungen. Halle 1766 ff. III. Bd. (1768), S. 163—167: Wieland, Agathon; III. Bd. (1768), S. 689—691: Sterne, Sentimental Journey. [UB Göttingen]

Jenaische gelehrte Zeitungen. (6 Bde.). Jena 1749—1754. II. Bd. (1750), S. 611—612: Heliodor, Aithiopika-Übers.; III. Bd. (1751), S. 79—80: Richardson, Clarissa (letzter Tl.); IV. Bd. (1752), S. 603—604: Scarron, Roman comique. [UB Göttingen]

Jenaische Zeitungen von gelehrten Sachen. Jena 1768 ff. Jg. 1770, S. 685: Hermes, Sophiens Reise; Jg. 1771, S. 446—448: Hermes, Sophiens Reise (3. Tl.). [UB Göttingen]

Neuer Zeitungen von Gelehrten Sachen. Leipzig 1715 ff. Jg. 1764, S. 322—323: Agathon, Don Sylvio; Jg. 1767, S. 240—243; S. 377—378: Heliodor, Aithiopika. [UB Göttingen]

II. Darstellungen

Adam, Antoine: Histoire de la littérature Française au XVIIe siècle. 5 vols. Paris 1948 bis 1956.

Adorno, Theodor W.: Ästhetische Theorie. In: Th. W. Adorno, Gesammelte Schriften. Hrsg. v. Gretel Adorno und Rolf Tiedemann, Bd. 7, Frankfurt/M. 1970.

Arendt, Hannah: Vita activa oder Vom täglichen Leben. Stuttgart 1960.

Alewyn, Richard: Johann Beer. Studien zum Roman des 17. Jahrhunderts. Leipzig 1932 (Palaestra 181).

Alewyn, Richard: Der Roman des Barock. In: Formkräfte der deutschen Dichtung vom Barock bis zur Gegenwart. Hrsg. v. Hans Steffen. Göttingen 1963, S. 21—34.

Altenhein, Hans-Richard: Geld und Geldeswert im bürgerlichen Schauspiel des 18. Jahrhunderts. Diss. Köln 1952 (Masch.).

Altenhein, Hans-Richard: Geld und Geldeswert. Über die Selbstdarstellung des Bürgertums in der Literatur des 18. Jahrhunderts. In: das werck der bucher. Von der Wirksamkeit des Buches in Vergangenheit und Gegenwart. Eine Festschrift für Horst Kliemann zu seinem 60. Geburtstag. Hrsg. v. Fritz Hodeige. Freiburg 1956, S. 201—213.

Altheim, Franz: Roman und Dekadenz. Tübingen 1951.

Altmann, Alexander: Moses Mendelssohns Frühschriften zur Metaphysik. Untersucht und erläutert von Alexander Altmann. Tübingen 1969.

Arndt, Hans-Werner: Der Möglichkeitsbegriff bei Christian Wolff und Johann Heinrich Lambert. Diss. Göttingen 1959 (Masch.).

Arndt, Ingeborg: Die seelische Welt im Roman des achtzehnten Jahrhunderts. Gießen 1940. (Diss. Gießen 1938).

Arntzen, Helmut: Satirischer Stil. Zur Satire Robert Musils im »Mann ohne Eigenschaften«. Bonn 1960.

Arundell, Dennis: The Critic at the Opera. London 1957.

Asmuth, Bernhard: Daniel Casper v. Lohenstein. Stuttgart 1971 (Sammlung Metzler Bd. 97).

Auerbach, Erich: Das französische Publikum des 17. Jahrhunderts. München ²1965 (¹1933).

Auerbach, Erich: Mimesis. Dargestellte Wirklichkeit in der abendländischen Literatur. Bern ³1964 (¹1946).

Baader, Horst: Nachwort zu: Spanische Schelmenromane. Hrsg. mit Anmerkungen und einem Nachwort versehen v. Horst Baader (2 Bde.) München 1964/1965. Bd. II (1965), S. 570—626.

Baader, Horst: Noch einmal zur Ich-Form im ›Lazarillo de Tormes‹. Romanische Forschungen 76, 1964, S. 437—446.

Bachem, Rolf: Dichtung als verborgene Theologie. Ein dichtungstheoretischer Topos vom Barock bis zur Goethezeit und seine Vorbilder. Bonn 1956 (Abhandlungen zur Philosophie und Pädagogik, Bd. 5).

Bäumler, Alfred: Kants Kritik der Urteilskraft. Ihre Geschichte und Systematik. I. Bd.: Das Irrationalitätsproblem in der Ästhetik und Logik des 18. Jahrhunderts bis zur Kritik der Urteilskraft. Halle (Saale) 1923 (2., durchgesehene Auflage Tübingen 1967).

Baldner, Ralph W.: Aspects of the ›Nouvelle‹ in France between 1600 and 1660. MLQ 22, 1961, S. 351—356.

Balet, Leo: Die Verbürgerlichung der deutschen Kunst, Literatur und Musik im 18. Jahrhundert. Leipzig 1936.

Barber, Elinor G.: The Bourgeoisie in 18th Century France. Princeton 1955.

Barner, Wilfried: Barockrhetorik. Untersuchungen zu ihren geschichtlichen Grundlagen. Tübingen 1970.

Bauer, Gerhard: Zur Poetik des Dialogs. Leistung und Formen der Gesprächsführung in der neueren deutschen Literatur. Darmstadt 1969 (Impulse der Forschung, Bd. 1).

Beaujean, Marion: Der Trivialroman im ausgehenden 18. Jahrhundert. Bonn 1964 (Abhandlungen zur Kunst-, Musik- und Literaturwiss., Bd. 22).

Beck, Werner: Die Anfänge des deutschen Schelmenromans. Studien zur frühbarocken Erzählung. Diss. Zürich 1957.

Becker, Eva D.: Der deutsche Roman um 1780. Stuttgart 1964.

Becker, Rudolf: Christian Weises Romane und ihre Nachwirkungen. Diss. Berlin 1910.

Behrens, Irene: Die Lehre von der Einteilung der Dichtkunst vornehmlich vom 16. bis 19. Jahrhundert. Studien zur Geschichte der poetischen Gattungen. Halle 1940 (Beihefte zur Zs. für romanische Philologie, Heft 92).

Bender, Wolfgang: Verwirrung und Entwirrung in der »Octavia Roemische Geschichte« Herzog Anton Ulrichs von Braunschweig. Diss. Köln 1964 (Masch.).

Berger, Tjard W.: Don Quixote in Deutschland und sein Einfluß auf den deutschen Roman (1613—1800). Diss. Heidelberg 1908.

Bieber, Hugo: Johann Adolf Schlegels poetische Theorie in ihrem historischen Zusammenhange untersucht. Berlin 1912 (Palaestra 114).

Bing, Susi: Die Naturnachahmungstheorie bei Gottsched und den Schweizern und ihre Beziehung zu der Dichtungstheorie der Zeit. Würzburg 1934 (Diss. Köln 1934).

Birk, Heinz: Bürgerliche und empfindsame Moral im Familiendrama des 18. Jahrhunderts. Diss. Bonn 1967.

Birke, Joachim: Gottsched's Opera Criticism and its Literary Sources. Acta Musicologica 31, 1959, S. 194—200.

Birke, Joachim: Christian Wolffs Metaphysik und die zeitgenössische Literatur- und Musiktheorie: Gottsched, Scheibe, Mizler. Berlin 1966 (Quellen und Forschungen zur Sprach- und Kulturgeschichte der germanischen Völker, NF. Bd. 21).

Blackall, Eric A.: Die Entwicklung des Deutschen zur Literatursprache 1770—1775. Mit einem Bericht über neue Forschungsergebnisse 1955—1964 von Dieter Kimpel. Stuttgart 1966 (Engl. Ausg.: 1959).

Bloch, Ernst: Christian Thomasius, ein deutscher Gelehrter ohne Misere. Frankfurt/M. 1967 (auch in: Naturrecht und menschliche Würde. Frankfurt/M. 1961).

Bloch, Ernst: Arkadien und Utopien. In: Gesellschaft, Recht und Politik. Hrsg. v. Heinz Maus in Zusammenarbeit mit Heinrich Düker, Kurt Lenk und Hans-Gerd Schumann. Neuwied 1968, S. 39—44.

Blumenberg, Hans: »Nachahmung der Natur«. Zur Vorgeschichte der Idee des schöpferischen Menschen. Studium Generale 10, 1957, S. 266—283.

Blumenberg, Hans: Wirklichkeitsbegriff und Möglichkeit des Romans. In: Nachahmung und Illusion. Hrsg. v. H. R. Jauß. München 1964 (²1969), S. 9—27.

Blumenberg, Hans: Die Legitimität der Neuzeit. Frankfurt/M. 1966.

Blumenberg, Hans: Die Vorbereitung der Aufklärung als Rechtfertigung der theoretischen Neugierde. In: Europäische Aufklärung. Herbert Dieckmann zum 60. Geburtstag. Hrsg. v. Hugo Friedrich und Fritz Schalk. München 1967, S. 23—45.

Blumenthal, Hermann: Zeitgenössische Rezensionen und Urteile über Goethes »Götz« und »Werther«. Berlin 1935 (Literarhistorische Bibliothek 14).

Bobertag, Felix: Geschichte des Romans und der ihm anverwandten Dichtungsgattungen in Deutschland bis zum Anfang des 18. Jahrhunderts. 2 Bde., Breslau 1876/84.

Boeckh, Joachim G.; Albrecht, Günter; Böttcher, Kurt; Gysi, Klaus; Krohn, Paul Günter; Strabach, Hermann: Geschichte der deutschen Literatur 1600 bis 1700. Mit einem Abriß der sorbischen Literatur (Geschichte der deutschen Literatur. Bd. V). Berlin 1962.

Böckmann, Paul: Formgeschichte der deutschen Dichtung. 1. Bd. Von der Sinnbildsprache zur Ausdruckssprache. Der Wandel der literarischen Formen vom Mittelalter zur Neuzeit. Hamburg 1949 (³1967).

Böhme, Helmut: Prolegomena zu einer Sozial- und Wirtschaftsgeschichte Deutschlands im 19. und 20. Jahrhundert. Frankfurt/M. 1968.

Bößenecker, Herrmann: Pietismus und Aufklärung. Ihre Begegnung im deutschen Geistesleben des 17. und 18. Jahrhunderts. Eine geistesgeschichtliche Untersuchung. Diss. Würzburg 1958.

Booth, Wayne C.: The self-conscious narrator in comic fiction before ›Tristram Shandy‹. PMLA 67, 1952, S. 163—185.

Booth, Wayne C.: The Rhetoric of Fiction. Chicago/London 1961.

Borcherdt, Hans-Heinrich: Geschichte des Romans und der Novelle in Deutschland. I. Teil: Vom frühen Mittelalter bis zu Wieland. Leipzig 1926.

Borinski, Karl: Die Antike in Poetik und Kunsttheorie vom Ausgang des classischen Altertums bis auf Goethe und Wilhelm von Humboldt. 2 Bde., Leipzig 1914—1924 (Neudruck: Darmstadt 1965).

Borinski, Ludwig: Der englische Roman des 18. Jahrhunderts. Frankfurt/M. 1968.

Borkenau, Franz: Der Übergang vom feudalen zum bürgerlichen Weltbild. Studien zur Geschichte der Philosophie der Manufakturperiode. Paris 1934 (Neudruck: Darmstadt 1971).

Bourdieu, Pierre: Zur Soziologie der symbolischen Formen. Frankfurt/M. 1970.

Boyd, John D. (S. J): The Function of Mimesis and its Decline. Cambirdge (Mass.) 1968.

Braitmaier, Friedrich: Geschichte der Poetischen Theorie und Kritik von den Diskursen der Malern bis auf Lessing. 2 Bde., Frauenfeld 1888/89.

Brauer, Walther: Geschichte des Prosabegriffes von Gottsched bis zum Jungen Deutschland. Frankfurt/M. 1938 (Frankfurter Quellen und Forschungen zur germanischen und romanischen Philologie, H. 18).

Bray, René: La Formation de la Doctrine Classique en France. Paris 1927 (Neudruck: Paris 1957).

Briegel-Florig, Waltraud: Geschichte der Fabelforschung in Deutschland. Diss. Freiburg 1965.

Brinkschulte, Eduard: Scaligers kunsttheoretische Anschauungen und deren Hauptquellen. Bonn 1914 (Renaissance und Philosophie 10).

Brissenden, R. F. (Hrsg.). Samuel Richardson, Clarissa: Preface, Hints of Prefaces, and Postscript. Los Angeles 1964 (The Augustan Reprint Society, Publication No. 103).

Brögelmann, Liselotte: Studien zum Erzählstil im »idealistischen« Roman von 1643—1733 (mit besonderer Berücksichtigung von August Bohse). Diss. Göttingen 1953 (Masch.).

Brüggemann, Fritz: Utopie und Robinsonade. Untersuchungen zu Schnabels »Insel Felsenburg«. Weimar 1914.

Brüggemann, Fritz: Gellerts Schwedische Gräfin. Der Roman der Welt- und Lebensanschauung des vorsubjektivistischen Bürgertums. Aachen 1925.

Brüggemann, Fritz: Der Kampf um die bürgerliche Welt- und Lebensanschauung in der deutschen Literatur des 18. Jahrhunderts. DVjs. 3, 1925, S. 94—127.

Brüggemann, Werner: Cervantes und die Figur des Don Quijote in Kunstanschauung und Dichtung der deutschen Romantik. Münster 1958 (Spanische Forschungen der Görresgesellschaft. 2. Reihe. Bd. 7).

Brunner, Otto: Adeliges Landleben und europäischer Geist. Leben und Werk Wolf Helmhards von Hohberg 1612—1688. Salzburg 1949.

Brunner, Otto: Neue Wege der Sozialgeschichte. Vorträge und Aufsätze. Göttingen 1956.

Buck, August: Italienische Dichtungslehren vom Mittelalter bis zum Ausgang der Renaissance. Tübingen 1952 (Beih. z. Zs. f. roman. Philologie 94).

Buddecke, Wolfram: C. M. Wielands Entwicklungsbegriff und die Geschichte des Agathon. Göttingen 1966 (Palaestra 235).

Burger, Heinz Otto: Deutsche Aufklärung im Widerspiel zu Barock und »Neubarock«. GRM XLIII, NF. XII, 1962, S. 151—170.

Cassirer, Ernst: Die Philosophie der Aufklärung. Tübingen 1932.

Cholevius, Leo: Die bedeutendsten deutschen Romane des 17. Jahrhunderts. Ein Beitrag zur Geschichte der deutschen Literatur. Leipzig 1866 (Neudruck: Darmstadt 1965).

Cohn, Egon: Gesellschaftsideale und Gesellschaftsroman des 17. Jahrhunderts. Studien zur deutschen Bildungsgeschichte. Berlin 1921 (Germanische Studien, Heft 13).

Conrady, Karl Otto: Lateinische Dichtungstradition und deutsche Lyrik des 17. Jahrhunderts. Bonn 1962 (Bonner Arbeiten zur deutschen Literatur, Bd. 4).

Coulet, Henri: Le Roman jusqu'à la Révolution. Tome I: Histoire du roman en France. Paris ²1967. Tome II: Anthologie. Paris 1968.

Currie, Pamela: Moral Weeklies and the Reading Public in Germany, 1711—1750. In: Oxford German Studies, Bd. 3, 1968, S. 69—86.

Daunicht, Richard: Die Entstehung des bürgerlichen Trauerspiels in Deutschland. Berlin 1963; 2., verb. u. verm. Aufl. Berlin 1965 (Quellen u. Forschungen zur Sprach- und Kulturgesch. d. germ. Völker, NF. Bd. 8).

Deppe, Wolfgang G.: History versus Romance. Ein Beitrag zur Entwicklungsgeschichte und zum Verständnis der Literaturtheorie Henry Fieldings. Münster 1965 (Neue Beiträge zur englischen Philologie 4).

Dieckmann, Herbert: Die Wandlung des Nachahmungsbegriffes in der französischen Ästhetik des 18. Jahrhunderts. In: Nachahmung und Illusion. Hrsg. v. H. R. Jauß. München 1964, S. 28—59.

Dockhorn, Klaus: Macht und Wirkung der Rhetorik. Vier Aufsätze zur Ideengeschichte der Vormoderne. Bad Homburg 1968 (Respublica Literaria, Bd. 2).

Dorer, Edmund: Cervantes und seine Werke nach deutschen Urtheilen. Mit einem Anhange: Die Cervantes-Bibliographie. Leipzig 1881.

Dyck, Joachim; Ticht-Kunst. Deutsche Barockpoetik und rhetorische Tradition. Bad Homburg 1966 (Ars Poetica, Bd. 1).

Dyck, Joachim: Philosoph, Historiker, Orator und Poet — Rhetorik als Verständnishorizont der Literaturtheorie des XVII. Jahrhunderts. arcadia 4, 1969, S. 1—15.

Ehrenzeller, Hans: Studien zur Romanvorrede von Grimmelshausen bis Jean Paul. Bern 1955.

Ehrmann, Jacques: Un paradis désespéré. L'amour et l'illusion dans l'Astrée. Preface de Jean Starobinski. New Haven/Paris 1963.

Eizereif, Heinrich: »Kunst: eine andere Natur«. Historische Untersuchungen zu einem dichtungstheoretischen Grundbegriff. Diss. Bonn 1951 (Masch.).

Elias, Norbert: Die höfische Gesellschaft. Untersuchungen zur Soziologie des Königtums und der höfischen Aristokratie mit einer Einleitung: Soziologie und Geschichtswissenschaft. Neuwied 1969.

Elias, Norbert: Über den Prozeß der Zivilisation. Soziogenetische und psychogenetische Untersuchungen. 2 Bde., Basel 1939 (Neudruck: 1969).

Engelsing, Rolf: Der Bürger als Leser. Die Bildung der protestantischen Bevölkerung Deutschlands im 17. und 18. Jahrhundert am Beispiel Bremens. In: Archiv f. Gesch. d. Buchwesens, Bd. 3, Frankfurt/M. 1960/61, S. 205—368.

Feldmann, Egon: Das Bürgertum im deutschen Roman von Schnabel bis Jung-Stilling. Diss. Wien 1931 (Masch.).

Fischer, Ludwig: Gebundene Rede. Dichtung und Rhetorik in der literarischen Theorie des Barock in Deutschland. Tübingen 1968.

Fleischmann, Max (Hrsg.): Christian Thomasius. Leben und Lebenswerk. Abhandlungen und Aufsätze von M. Fleischmann, A. Rausch, G. Baesecke, G. Müller, H. Freydank, A. Nebe, B. Weißenborn, E. Neuß, W. Becker. Hrsg. v. M. Fleischmann. Halle 1931.

Flemming, Willi (Hrsg.): Die Oper. DLE. Reihe Barock. Barockdrama, Bd. V. Leipzig 1933 (2. verbesserte Aufl. Darmstadt 1965).

Flessau, Kurt-Ingo: Der moralische Roman. Studien zur gesellschaftskritischen Trivialliteratur der Goethezeit. Köln 1968 (Literatur und Leben NF. Bd. 10).

Flörsheim, Anne-Lise: Der »Versuch über den Roman« des Freiherrn Chr. Fr. v. Blankenburg. Ein Beitrag zur Geschichte der Romantheorie. München 1927 (Diss. München 1926).

Fränkel, Jonas: Das Epos. Ein Kapitel aus der Geschichte der poetischen Theorie. Zs. f. Ästhetik und Allg. Kunstwissenschaft XIII, 1919, S. 27—55.

Frank, Horst-Joachim: Catharina Regina v. Greiffenberg. Leben und Welt der barocken Dichterin. Göttingen 1967.

Friedrich, Hugo: Abbé Prévost in Deutschland. Ein Beitrag zur Geschichte der Empfindsamkeit. Heidelberg 1929 (Beiträge zur neueren Lit. Gesch. H. XII).

Friedrich, Klaus: Eine Theorie des »Roman nouveau« (1683). Romanist. Jb. 14, 1963, S. 105—132.

Fritz, K[urt] v.: Entstehung und Inhalt des neunten Kapitels von Aristoteles' Poetik. In: K. v. Fritz, Antike und moderne Tragödie. Berlin 1962, S. 430—457.

Fueter, Eduard: Geschichte der neueren Historiographie. München ³1936 (G. v. Below u. a.: Handbuch der mittelalterlichen und neueren Geschichte, Abtlg. I, 2. Allgemeines).

Funke, Gerhard: Der Möglichkeitsbegriff in Leibnizens System. Diss. Bonn 1938.

Funke, Gerhard (Hrsg.): Die Aufklärung. In ausgewählten Texten dargestellt und eingeleitet von G. Funke. Stuttgart 1963.

Gadamer, Hans-Georg: Wahrheit und Methode. Grundzüge einer philosophischen Hermeneutik. Tübingen ²1965.

Gaier, Ulrich: Satire. Studien zu Neidhart, Wittenwiler, Brant und zur satirischen Schreibart. Tübingen 1967.

Gebhardt, Walther: Religionssoziologische Probleme im Roman der deutschen Aufklärung. Diss. Gießen 1931.

Geissler, Paul: Defoes Theorie über Robinson Crusoe. Ein Beitrag zur Geschichte der Theorie des Romans. Halle 1896.

Gerth, Hans: Die sozialgeschichtliche Lage der bürgerlichen Intelligenz um die Wende des 18. Jahrhunderts. Ein Beitrag zur Soziologie des deutschen Frühliberalismus. Diss. Frankfurt/M. 1933 (Foto-Reprint: Berlin 1935).

Gerth, Klaus: Studien zu Gerstenbergs Poetik. Ein Beitrag zur Umschichtung der ästhetischen und poetischen Grundbegriffe im 18. Jahrhundert. Göttingen 1960 (Palaestra 231).

Götz, Max: Der frühe bürgerliche Roman in Deutschland (1720—1750). Diss. München 1958 (Masch.).

Goldmann, Lucien: Dialektische Untersuchungen. Neuwied 1966 (Frz. Ausg.: Paris 1959).

Goldmann, Lucien: Soziologie des modernen Romans. Neuwied 1970 (Frz. Ausg.: Paris 1964).

Gove, Philip B.: The Imaginary Voyage in Prose Fiction. A History of Its Criticism and a Guide for Its Study, with an Annotated Check List of 215 Imaginary Voyages from 1700 to 1800. New York 1941 (Reprint: London 1961).

Grass, Roland: Der Aspekt des Moralischen im pikaresken Roman. In: Pikarische Welt. Schriften zum Europäischen Schelmenroman. Hrsg. v. H. Heidenreich. Darmstadt 1969, S. 334—349.

Greiner, Martin: Die Entstehung der modernen Unterhaltungsliteratur. Studien zum Trivialroman des 18. Jahrhunderts. Hrsg. u. bearb. v. Th. Poser. Hamburg 1964.

Greiner, Walter F.: Studien zur Entstehung der englischen Romantheorie an der Wende zum 18. Jahrhundert. Tübingen 1969.

Grimm, Reinhold (Hrsg.): Deutsche Romantheorien. Beiträge zu einer historischen Poetik des Romans in Deutschland. Hrsg. u. eingeleitet v. R. Grimm. Frankfurt/M. 1968.

Groethuysen, Bernhard: Die Entstehung der bürgerlichen Welt- und Lebensanschauung in Frankreich. 2 Bde. Halle 1927/1930.

Günther, Hans R. G.: Psychologie des deutschen Pietismus. DVjs 4, 1926, S. 144—176.

Guillén, Claudio: Zur Frage der Begriffsbestimmung des Pikaresken. In: Pikarische Welt. Schriften zum europäischen Schelmenroman. Hrsg. v. H. Heidenreich. Darmstadt 1969, S. 375—396.

Habermas, Jürgen: Strukturwandel der Öffentlichkeit. Untersuchungen zu einer Kategorie der bürgerlichen Gesellschaft. Neuwied 1962 (³1968).

Hahl, Werner: Reflexion und Erzählung. Ein Problem der Romantheorie von der Spätaufklärung bis zum programmatischen Realismus. Stuttgart 1971 (Studien zur Poetik und Geschichte der Literatur, Bd. 18).

Hansen, Olaf: Hermeneutik und Literatursoziologie. In: Literaturwissenschaft und Sozialwissenschaften. Grundlagen und Modellanalysen. Stuttgart 1971, S. 357—399.

Harth, Dietrich: Romane und ihre Leser. GRM LI, NF. XX, 1970, S. 159—179.

Haslinger, Adolf: Epische Formen im höfischen Barockroman. Anton Ulrichs Romane als Modell. München 1970.

Hauser, Arnold: Sozialgeschichte der Kunst und Literatur. München 1969 ([1]1953).

Hazard, Paul: Die Krise des europäischen Geistes. La Crise de la Conscience Européenne 1680—1715. Aus dem Französischen übertragen von Harriet Wegener. Hamburg 1939.

Hazard, Paul: Die Herrschaft der Vernunft. Das europäische Denken im 18. Jahrhundert. La Pensée Européenne au XVIIIe siècle de Montesquieu à Lessing. Hamburg 1949.

Heetfeld, Gisela: Vergleichende Studien zum deutschen und französischen Schäferroman. Aneignung und Umformung des preziösen Haltungsideals der »Astrée« in den deutschen Schäferromanen des 17. Jahrhunderts. München Diss. 1954 (Masch.).

Heidenreich, Helmut (Hrsg.): Pikarische Welt. Schriften zum Europäischen Schelmenroman. Darmstadt 1969 (Wege der Forschung, Bd. 163).

Heine, Carl: Der Roman in Deutschland von 1774 bis 1778. Halle 1892.

Helm, Rudolf: Der antike Roman. 2. durchges. Aufl., Göttingen 1956 (Studienhefte zur Altertumswissenschaft, Heft 4).

Herbst, Gisela: Die Entwicklung des Grimmelshausenbildes in der wissenschaftlichen Literatur. Bonn 1957.

Herrmann, Hans Peter: Naturnachahmung und Einbildungskraft. Zur Entwicklung der deutschen Poetik von 1670 bis 1740. Bad Homburg 1970 (Ars poetica, Bd. 8).

Heselhaus, Clemens: Anton Ulrichs »Aramena«. Studien zur dichterischen Struktur des deutschbarocken »Geschichtgedicht«. Würzburg 1939 (Diss. Münster 1937).

Heselhaus, Clemens: H. J. Chr. v. Grimmelshausen. »Der abenteuerliche Simplicissimus«. In: Der deutsche Roman vom Barock bis zur Gegenwart. Hrsg. v. B. v. Wiese. Bd. I, Düsseldorf 1963, S. 15—63.

Hildebrandt-Günther, Renate: Antike Rhetorik und deutsche literarische Theorie. Marburg 1966 (Marburger Beiträge zur Germanistik, Bd. 13).

Hinck, Walter: Das deutsche Lustspiel des 17. und 18. Jahrhunderts und die italienische Komödie. Commedia dell'Arte und Théâtre Italien. Stuttgart 1965.

Hinterhäuser, Hans: Qui est Francion? Préliminaires à une interpretation de l'Histoire comique de Francion par Charles Sorel. In: Studi in onore di Italo Siciliano. Florenz 1966, S. 543—556.

Hintze, Otto: Feudalismus-Kapitalismus. Aufsätze. Hrsg. v. C. Oestreich. Göttingen 1970 (Kleine Vandenhoeck-Reihe, Bd. 313 S).

Hirsch, Arnold: Bürgertum und Barock im deutschen Roman. Ein Beitrag zur Entstehungsgeschichte des bürgerlichen Weltbildes. Frankfurt/M. 1934; 2. Aufl., besorgt v. H. Singer, Köln 1957 (Literatur und Leben NF. Bd. 1).

Hirsch, Arnold: Barockroman und Aufklärungsroman. EG 9, 1954, S. 97—111.

Hirsch, Emanuel: Geschichte der neuern evangelischen Theologie im Zusammenhang mit den allgemeinen Bewegungen des europäischen Denkens. 3 Bde., Gütersloh 1949—1951.

Hitzig, Ursula: Gotthard Heidegger 1666—1711. Winterthur 1954 (Diss. Zürich 1953).

Hohendahl, Peter Uwe: Zum Erzählproblem des utopischen Romans im 18. Jahrhundert. In: Gestaltungsgeschichte und Gesellschaftsgeschichte. Literatur-, Kunst- und Musikwissenschaftliche Studien. In Zusammenarbeit mit K. Hamburger hrsg. v. H. Kreuzer. Stuttgart 1969, S. 79—114.

Horkheimer, Max: Autorität und Familie (1936). Neudruck in: Traditionelle und kritische Theorie. Vier Aufsätze. Frankfurt/M. 1970, S. 162—230.

Horkheimer, Max / Adorno, Theodor W.: Dialektik der Aufklärung. Philosophische Fragmente. Amsterdam 1947.

Horn, Hans Arno: Christian Weise als Erneuerer des deutschen Gymnasiums im Zeitalter
des Barock. Der »Politicus« als Bildungsideal. Weinheim 1966 (Marburger pädagog.
Studien 5).

Hürlimann, Martin: Die Aufklärung in Zürich. Die Entwicklung des Zürcher Protestantismus im 18. Jahrhundert. Leipzig 1924.

Ingen, Ferdinand van: Philipp von Zesen. Stuttgart 1970 (Metzler-Realienbücher, Bd. 96).

Iser, Wolfgang: Die Weltanschauung Henry Fieldings. Tübingen 1952.

Iser, Wolfgang: Bunyans Pilgrim's Progress. Die kalvinistische Heilsgewißheit und die
Form des Romans. In: Medium Aevum Vivum. Festschrift für Walther Bulst. Hrsg. v.
H. R. Jauß u. D. Schaller. Heidelberg 1960, S. 279—304.

Iser, Wolfgang: Möglichkeiten der Illusion im historischen Roman. In: Nachahmung und
Illusion, München 1964, S. 135—156.

Jacobs, Jürgen: Wielands Romane. Bern 1969.

Jacobs, Jürgen: Gellerts Dichtungstheorie. In: Literaturwissenschaftl. Jahrbuch. NF. 10.
Berlin 1969, S. 95—108.

Jäger, Georg: Empfindsamkeit und Roman. Wortgeschichte, Theorie und Kritik im 18. und
frühen 19. Jahrhundert. Stuttgart 1969 (Studien zur Poetik und Geschichte der Literatur,
Bd. 11).

Jauß, Hans Robert: Zeit und Erinnerung in Marcel Prousts »A la recherche du temps
perdu«. Ein Beitrag zur Theorie des Romans. Heidelberg 1955.

Jauß, Hans Robert: Ursprung und Bedeutung der Ich-Form im ›Lazarillo de Tormes‹.
Romanist. Jahrbuch 8, 1957, S. 290—311.

Jauß, Hans Robert: Ästhetische Normen und geschichtliche Reflexion in der »Querelle des
Anciens et des Modernes«. In: Parallèle des Anciens et des Modernes en ce qui regarde
les Arts et les sciences par M. Perrault de l'Académie Francaise. Mit einer einleitenden
Abhandlung v. H. R. Jauß u. kunstgeschichtlichen Exkursen von M. Imdahl. München
1964 (Theorie und Geschichte der Literatur und der schönen Künste. Texte und Abhandlungen, Bd. 2).

Jauß, Hans Robert: Nachahmungsprinzip und Wirklichkeitsbegriff in der Theorie des
Romans von Diderot bis Stendhal. In: Nachahmung und Illusion. München 1964, S. 157
bis 178.

Jauß, Hans Robert: Literaturgeschichte als Provokation (Aufsätze). Frankfurt/M. 1970.

Jens, Walter: Rhetorik. RL Bd. III. Berlin ²1971, S. 432—456.

Jentzsch, Rudolf: Der deutsch-lateinische Büchermarkt nach den Leipziger Ostermeß-Kata-
logen von 1740, 1770 und 1800 in seiner Gliederung und Wandlung. Diss. Leipzig 1912.

Just, Leo: Fénelons Wirkung in Deutschland. Umrisse und Beiträge. In: Fénelon. Per-
sönlichkeit und Werk. Festschrift zur 300. Wiederkehr seines Geburtstages. Hrsg. v. Johannes Kraus und Joseph Calvet. Baden-Baden 1953, S. 35—62.

Kaczerowsky, Klaus: Bürgerliche Romankunst im Zeitalter des Barock. Philipp von Zesens
»Adriatische Rosemund«. München 1969.

Kafitz, Dieter: Lohensteins »Arminius«. Disputatorisches Verfahren und Lehrgehalt in einem Roman zwischen Barock und Aufklärung. Stuttgart 1970.

Kahler, Erich: Die Verinnerung des Erzählens. NR 70, 1959, S. 1—54; S. 177—220.

Kaiser, Gerhard: Pietismus und Patriotismus im literarischen Deutschland. Ein Beitrag zum
Problem der Säkularisation. Wiesbaden 1961 (Veröffentlichungen d. Inst. f. Europ. Geschichte Mainz, Bd. 24).

Kaiser, Gerhard: »Denken« und »Empfinden«: Ein Beitrag zur Sprache und Poetik Klopstocks. DVjs. 35, 1961, S. 321—343.

Kallweit, Hilmar / Lepenies, Wolf: Literarische Hermeneutik und Soziologie. In: Ansichten
einer künftigen Germanistik. Hrsg. v. Jürgen Kolbe. München 1969, S. 131—142 (Reihe
Hanser, Bd. 29).

Kayser, Wolfgang: Die Grundlagen der deutschen Fabeldichtung des 16. und 18. Jahrhunderts. Archiv 160, 1931, S. 11—33.

Kayser, Wolfgang: Entstehung und Krise des modernen Romans. Stuttgart ⁵1968 (Sonderdruck aus: DVjs. 28, 1954, S. 417—446).

Kayser, Wolfgang: Die Wahrheit der Dichter. Wandlung eines Begriffes in der deutschen Literatur. Hamburg 1959.

Keiter, Heinrich und Kellen, Tony: Der Roman: Theorie und Technik des Romans und der erzählenden Dichtung nebst einer geschichtlichen Einleitung. Essen ⁴1912.

Kerényi, Karl: Die Griechisch-Orientalische Romanliteratur in religionsgeschichtlicher Beleuchtung. Tübingen 1927.

Kettler, Hans Kuhnert: Baroque Tradition in the Literature of the German Enlightenment 1700—1750. Studies in the determination of a literary period. Cambridge o. J. (1943).

Kimpel, Dieter: Entstehung und Formen des Briefromans in Deutschland. Interpretationen zur Geschichte einer epischen Gattung des 18. Jahrhunderts und zur Entstehung des modernen deutschen Romans. Diss. Wien 1962 (Masch.).

Kimpel, Dieter: Der Roman der Aufklärung. Stuttgart 1967 (Metzler-Realienbücher, Bd. 68).

Kind, Helmut: Christoph Martin Wieland und die Entstehung des historischen Romans in Deutschland. In: Gedenkschrift für Ferdinand Josef Schneider. Hrsg. v. K. Bischoff. Weimar 1956, S. 158—172.

Klotz, Volker (Hrsg.): Zur Poetik des Romans. Darmstadt 1965 (Wege der Forschung, Bd. 35).

Köhler, Erich: Mme de Lafayettes »La Princesse de Clèves«. Studien zur Form des klassischen Romans. Hamburg 1959 (Hamburger Romanistische Studien. Reihe A, Bd. 43).

Kohlschmidt, Werner: Theologische und dichterische Aussage der Wahrheit. Reformatio. Zs. f. ev. Kultur und Politik, Jg. 1957, S. 11—23.

Koller, Hermann: Die Mimesis in der Antike. Nachahmung, Darstellung, Ausdruck. Bern 1954 (Dissertationes Bernensis. Ser. I, Fasc. 5).

Kortum, Hans: Charles Perrault und Nicolas Boileau. Der Antike-Streit im Zeitalter der klassischen Literatur. Berlin 1966.

Koschlig, Manfred: Das Lob des »Francion« bei Grimmelshausen. In: Jb. d. Dt. Schillergesellschaft 1, 1957, S. 30—73.

Koselleck, Reinhart: Kritik und Krise. Ein Beitrag zur Pathogenese der bürgerlichen Welt. Freiburg 1959.

Koselleck, Reinhart: Historia Magistra Vitae. Über die Auflösung des Topos im Horizont neuzeitlich bewegter Geschichte. In: »Natur und Geschichte«. Karl Löwith zum 70. Geburtstag. Stuttgart 1967, S. 196—219.

Koselleck, Reinhart: Der Zufall als Motivationsrest in der Geschichtsschreibung. In: Die nicht mehr schönen Künste. Grenzphänomene des Ästhetischen. Hrsg. v. H. R. Jauß (Poetik und Hermeneutik, Bd. III). München 1968, S. 129—141.

Koskimies, Rafael: Theorie des Romans. Helsinki 1935 (Annales Academiae Scientiarum Fennicae B XXXV, 1).

Kraus, Andreas: Vernunft und Geschichte. Die Bedeutung der deutschen Akademien für die Entwicklung der Geschichtswissenschaft im späten 18. Jahrhundert. Freiburg 1963.

Krauss, Werner: Gesammelte Aufsätze zur Literatur und Sprachwissenschaft. Frankfurt/M. 1949.

Krauss, Werner: Studien und Aufsätze. Berlin 1959 (Neue Beiträge zur Literaturwissenschaft, Bd. 8).

Krauss, Werner: Zur französischen Romantheorie des 18. Jahrhunderts. In: Nachahmung und Illusion. München 1964, S. 60—71.

Krauss, Werner: Perspektiven und Probleme. Zur französischen und deutschen Aufklärung und andere Aufsätze. Neuwied 1965.

Krueger, Joachim: Zur Frühgeschichte der Theorie des bürgerlichen Trauerspiels. In: Worte und Werte. Bruno Markwardt zum 60. Geburtstag. Hrsg. v. Gustav Erdmann und Alfons Eichstaedt. Berlin 1961, S. 177—192.

Kurth, Lieselotte E.: Formen der Romankritik im achtzehnten Jahrhundert. MLN 83, 1968, S. 655—693.

Kurth, Lieselotte E.: Die zweite Wirklichkeit. Studien zum Roman des achtzehnten Jahrhunderts. Chapel Hill 1969 (University of North Carolina Studies in the Germanic Languages and Literatures, No. 62).

Lämmert, Eberhard: Bauformen des Erzählens. Stuttgart 1955 (^{2}1967).

Lange, Victor: Erzählformen im Roman des 18. Jahrhunderts. Anglia 76, 1958, S. 129 bis 144; auch in: Zur Poetik des Romans. Hrsg. v. V. Klotz. Darmstadt 1965, S. 32—47.

Lazarowicz, Klaus: ›Verkehrte Welt‹. Vorstudien zu einer Geschichte der deutschen Satire. Tübingen 1963 (Hermaea, NF. Bd. 15).

Leibfried, Erwin: Fabel. Stuttgart 1967 (Metzler-Realienbücher, Bd. 66).

Leiner, Wolfgang: Begriff und Wesen des Anti-Romans in Frankreich. Zs. f. frz. Sprache und Literatur 74, 1964, S. 97—129.

Lepenies, Wolf: Melancholie und Gesellschaft. Frankfurt/M. 1969.

Lieberwirth, Rolf: Christian Thomasius. Sein wissenschaftliches Lebenswerk. Eine Bibliographie. Weimar 1955.

Lindhorst, Eberhard: Philipp von Zesen und der Roman der Spatantike. Ein Beitrag zur Theorie und Technik des barocken Romans. Diss. Göttingen 1955 (Masch.).

Lockemann, Wolfgang: Die Entstehung des Erzählproblems. Untersuchungen zur deutschen Dichtungstheorie im 17. und 18. Jahrhundert. Meisenheim 1963 (Deutsche Studien, Bd. 3).

Löwith, Karl: Weltgeschichte und Heilsgeschehen. Die theologischen Voraussetzungen der Geschichtsphilosophie. Stuttgart ^{3}1953.

Lütge, Friedrich: Deutsche Sozial- und Wirtschaftsgeschichte. Ein Überblick. Berlin ^{3}1966.

Lugowski, Clemens: Die Form der Individualität im Roman. Studien zur inneren Struktur der frühen deutschen Prosaerzählung. Berlin 1932.

Lugowski, Clemens: Wirklichkeit und Dichtung. Untersuchungen zur Wirkichkeitsauffassung Heinrich von Kleists. Frankfurt/M. 1936.

Lukács, Georg: Die Theorie des Romans. Ein geschichtsphilosophischer Versuch über die Formen der großen Epik. Berlin 1920; 2., um ein Vorwort vermehrte Aufl., Neuwied 1963 (^{3}1965).

Lukács, Georg: Der historische Roman. Berlin 1955.

Luschka, Werner Hubert: Die Rolle des Fortschrittsgedankens in der Poetik und literarische Kritik der Franzosen im Zeitalter der Aufklärung. Diss. München 1926.

Maché, Ulrich: Die Überwindung des Amadis durch Andreas Heinrich Buchholtz. ZfdPh. 85, 1966, S. 481—500.

Magendie, Maurice: Le Roman français au XVIIe siècle de ›l'Astrée‹ au ›Grand Cyrus‹. Paris 1932.

Marcuse, Herbert: Über den affirmativen Charakter der Kultur. In: Kultur und Gesellschaft I. Frankfurt/M. 1965, S. 56—101.

Markwardt, Bruno: Geschichte der deutschen Poetik. Bd. I: Barock und Frühaufklärung. Dritte, unv. Aufl., Berlin 1964. In: Grundriß der Germanischen Philologie. 13/I. Berlin 1964. Bd. II: Aufklärung, Rokoko, Sturm und Drang. Berlin 1956. In: Grundriß der germanischen Philologie. 13/II. Berlin 1956.

Martens, Wolfgang: Lektüre bei Gellert. In: Festschrift für Richard Alewyn. Hrsg. v. Herbert Singer und Benno v. Wiese. Köln 1967, S. 123—150.

Martens, Wolfgang: Die Botschaft der Tugend. Die Aufklärung im Spiegel der deutschen Moralischen Wochenschriften. Stuttgart 1968.

Martini, Fritz: Geschichte und Poetik des Romans. Ein Literaturbericht. DU 3, 1951, H. 3, S. 86—99.

Matthecka, Gerd: Die Romantheorie Wielands und seiner Vorläufer. Diss. Tübingen 1956 (Masch.).

Matthes, Joachim: Religion und Gesellschaft. Einführung in die Religionssoziologie I, Hamburg 1967.

Matthes, Joachim: Kirche und Gesellschaft. Einführung in die Religionssoziologie II, Hamburg 1968.

May, Georges: L'histoire a-t-elle engendré le roman? Aspects français de la question au seuil du siècle des lumières. Revue d'Histoire Littéraire de la France 55, 1955, S. 155—176.

May, Georges: Le Dilemme du Roman au XVIIIᵉ Siècle. Étude sur les Rapports du Roman et de la Critique (1715—1761) par Georges May. New Haven/Paris 1963.

May, Kurt: Das Weltbild in Gellerts Dichtung. Frankfurt/M. 1928 (Deutsche Forschungen, Heft 21).

Mayer, Hans: Die alte und die neue epische Form: J. G. Schnabels Romane. In: Hans Mayer, Von Lessing bis Thomas Mann. Pfullingen 1959, S. 35—78.

Mayer, Jürgen: Mischformen barocker Erzählkunst zwischen pikareskem und höfisch-historischem Roman im letzten Drittel des 17. Jahrhunderts. München 1970 (Diss. Marburg 1968).

Meid, Werner Volker: Zesens Romankunst. Diss. Frankfurt/M. 1966.

Meinecke, Friedrich: Die Entstehung des Historismus. Hrsg. v. Carl Hinrichs. München 1959 (Fr. Meinecke, Werke. Bd. III).

Meinecke, Friedrich: Aphorismen. In: Zur Theorie und Philosophie der Geschichte. Hrsg. v. Eberhard Kessel. Stuttgart 1959 (Werke, Bd. IV).

Meyer, Heinrich: Der deutsche Schäferroman des 17. Jahrhunderts. Dorpat 1928 (Diss. Freiburg 1927).

Michelsen, Peter: Laurence Sterne und der deutsche Roman des 18. Jahrhunderts. Göttingen 1962 (Palaestra 232).

Mildebrath, Berthold: Die deutschen »Avanturiers« des 18. Jahrhunderts. Diss. Würzburg 1907.

Miller, Norbert: Der empfindsame Erzähler. Untersuchungen an Romananfängen des 18. Jahrhunderts. München 1968 (Literatur als Kunst).

Minners, Kurt: Die Theorie des Romans in der Deutschen Aufklärung (mit besonderer Berücksichtigung von Blankenburgs »Versuch über den Roman«). Diss. Hamburg 1922 (Masch.).

Möller, Helmut: Die kleinbürgerliche Familie im 18. Jahrhundert. Verhalten und Gruppenkultur. Berlin 1969.

Morawe, Bodo: Der Erzähler in den »Romans comiques«. Neophilologus 47, 1963, S. 187—197.

Mortier, Roland: Diderot en Allemagne (1750—1850). Paris 1954 (Deutsche Übersetzung: Stuttgart 1967).

Müller, Günther: Deutsche Dichtung von der Renaissance bis zum Ausgang des Barock, o. O. 1927 (Handbuch der Literaturwissenschaft, hrsg. v. Oskar Walzel). Unveränderter fotomechanischer Nachdruck der 1. Auflage: Darmstadt 1957.

Müller, Günther: Barockromane und Barockroman. In: Literaturwiss. Jb. d. Görres-Gesellschaft 4, 1929, S. 1—29.

Müller, Peter: Zeitkritik und Utopie in Goethes »Werther«. Berlin 1969.

Müller-Seidel, Walter: Die Allegorie des Paradieses in Grimmelshausens »Simplicissimus«. In: Medium Aevum Vivum. Festschrift für Walther Bulst. Hrsg. v. H. R. Jauß und D. Schaller. Heidelberg 1960, S. 253—278.

Mylne, Vivienne: Changing attitudes towards truth in fiction. In: Renaissance and Modern Studies. Vol. VII, 1963, S. 53—77.

»Nachahmung und Illusion«. Kolloquium Gießen Juni 1963. Vorlagen und Verhandlungen. Hrsg. v. H. R. Jauß. München 1964. Zweite, durchgesehene Aufl. 1969 (Poetik und Hermeneutik I).

Nerlich, Michael: Plädoyer für Lazaro: Bemerkungen zu einer »Gattung«. RF 80, 1968, S. 354—394.

Neumann, Hildegard: Der Bücherbesitz der Tübinger Bürger von 1750—1850. Ein Beitrag zur Bildungsgeschichte des Kleinbürgertums. Diss. Tübingen 1955 (Masch.).

Neusüss, Arnhelm (Hrsg.): Utopie. Begriff und Phänomen des Utopischen. Hrsg. und eingeleitet von A. Neusüss. Neuwied 1968.

Newald, Richard: Die deutsche Literatur vom Späthumanismus zur Empfindsamkeit 1570 bis 1750. (Geschichte der deutschen Literatur von den Anfängen bis zur Gegenwart, Bd. V). München ⁵1965 (1. Aufl. 1951).

Nickisch, Reinhard M. G.: Die Stilprinzipien in den deutschen Briefstellern des 17. und 18. Jahrhunderts. Mit einer Bibliographie zur Briefschreiblehre (1474—1800). Göttingen 1969 .(Palaestra 254).

Nivelle, Armand: Kunst- und Dichtungstheorien zwischen Aufklärung und Klassik. (Neubearb. Ausg. aus dem Französischen übersetzt. Berlin 1960).

Oettinger, Klaus: Phantasie und Erfahrung. Studien zur Erzählpoetik Christoph Martin Wielands. München 1970.

Pabst, Walter: Novellentheorie und Novellendichtung. Zur Geschichte ihrer Antinomie in den romanischen Literaturen. Hamburg 1953.

Pabst, Walter: Literatur zur Theorie des Romans. DVjs. 34, 1960, S. 264—289.

Petriconi, Helmut: Das neue Arkadien. In: Antike und Abendland. Bd. II, Hamburg 1946, S. 187—200.

Petsch, Robert: Wesen und Formen der Erzählkunst. Halle 1934.

Pikulik, Lothar: »Bürgerliches Trauerspiel« und Empfindsamkeit. Köln 1966 (Literatur und Leben NF. Bd. 9).

Preisendanz, Wolfgang: Die Auseinandersetzung mit dem Nachahmungsprinzip in Deutschland und die besondere Rolle der Romane Wielands (Don Sylvio, Agathon). In: Nachahmung und Illusion. Hrsg. v. H. R. Jauß. München 1964, S. 72—95.

Price, Lawrence Marsden: English Literature in Germany. Berkeley 1953 (Univ. of California Publ. in Mod. Philology 37).

Price, Lawrence Marsden: Die Aufnahme englischer Literatur in Deutschland 1500—1960. Bern 1961.

Price, Lawrence Marsden: The English domestic novel in Germany, 1740—1799. In: Libris et Litteris, Festschrift für Hermann Tiemann. Hamburg 1959, S. 213—220.

Prys, Joseph: Der Staatsroman des 16. und 17. Jahrhunderts und sein Erziehungsideal. Würzburg 1913 (Diss. Würzburg 1912).

Rausch, Ursula: Philipp von Zesens »Adriatische Rosemund« und Christian Fürchtegott Gellerts »Leben der schwedischen Gräfin von G.«. Eine Untersuchung zur Individualitätsentwicklung im deutschen Roman. Diss. Freiburg 1961 (Masch.).

Reichel, Edward: Gesellschaft und Geschichte im ›Roman bourgeois‹ von Antoine Furetière. Diss. Kiel 1966 (Masch.).

Reichel, Jörn: Dichtungstheorie und Sprache bei Zinzendorf. 12. Anhang zum Herrnhuter Gesangbuch. Bad Homburg o. J. (Diss. F. U. Berlin 1968).

Reichert, Karl: Utopie und Satire in Johann Michael v. Loens Roman ›Der redliche Mann am Hofe‹. GRM XLVI, NF. XV, 1965, S. 176—194.

Reichert, Karl: Utopie und Staatsroman. Ein Forschungsbericht. DVjs. 39, 1965, S. 259 bis 287.

Rieck, Werner: Johann Christoph Gottsched. Eine kritische Würdigung seines Gesamtwerks unter besonderer Berücksichtigung seiner Theorie von der Dichtkunst in ihrer nationalen und sozialen Bedeutung. 2 Bde. Potsdam 1968 (Masch. Habil.-Schrift der PH Potsdam 1968).

Riedel, Manfred: Der Begriff der »Bürgerlichen Gesellschaft« und das Problem seines geschichtlichen Ursprungs. In: Studien zu Hegels Rechtsphilosophie. Frankfurt/M. 1969, S. 135—166 (zuerst in: Archiv f. Rechts- und Sozialphilosophie. Bd. XLVIII, 1962).

Riedel, Manfred: Fortschritt und Dialektik in Hegels Geschichtsphilosophie, NR 80, 1969, S. 476—491.

Riefstahl, Hermann: Dichter und Publikum in der ersten Hälfte des 18. Jahrhunderts, dargestellt an der Geschichte der Vorrede. Diss. Frankfurt/M. 1934.

Ritter, Moriz: Die Entwicklung der Geschichtswissenschaft. An den führenden Werken betrachtet. München 1919. IV. Buch: »Das 18. Jahrhundert«, S. 205—309.

Romberg, Bertil: Studies in the Narrative Technique of the First-Person Novel. Stockholm 1962.

Sang, Jürgen: Christian Friedrich von Blanckenburg und seine Theorie des Romans. Diss. München 1967.

Schaefer, Klaus: Das Gesellschaftsbild in den dichterischen Werken Christian Weises. Diss. Berlin 1960 (Masch.).

Schäfer, Walter Ernst: Laster und Lastersystem bei Grimmelshausen. GRM XLIII, NF. XII. 1962, S. 233—243.

Schäfer, Walter Ernst: Hinweg nun Amadis und deinesgleichen Grillen! Die Polemik gegen den Roman im 17. Jahrhundert. GRM XLVI, NF. XV, 1965, S. 366—384.

Schäfer, Walter Ernst: Tugendlohn und Sündenstrafe in Roman und Simpliciade. ZfdPh 85, 1966, S. 481—500.

Schaer, Wolfgang: Die Gesellschaft im Deutschen Bürgerlichen Drama des 18. Jahrhunderts. Grundlagen und Bedrohung im Spiegel der dramatischen Literatur. Bonn 1963 (Bonner Arbeiten zur deutschen Literatur 7).

Schalk, Fritz: Die europäische Aufklärung. In: Propyläen-Weltgeschichte. Hrsg. v. Golo Mann, Bd. VII. Berlin o. J., S. 469—512.

Schalk, Fritz: Zur Semantik von »Aufklärung« in Frankreich. In: Festschrift Walther von Wartburg zum 80. Geburtstag 18. Mai 1968. Hrsg. v. Kurt Baldinger. 2 Bde. Tübingen 1968, Bd. I, S. 251—266.

Schalk, Fritz: Über Historie und Roman im 19. Jahrhundert in Frankreich. In: Dargestellte Geschichte in der europäischen Literatur des 19. Jahrhunderts. Hrsg. v. W. Iser und F. Schalk. Frankfurt 1970, S. 39—68 (Studien zur Philosophie und Literatur des 19. Jahrhunderts, Bd. 7).

Scherpe, Klaus R.: Gattungspoetik im 18. Jahrhundert. Historische Entwicklung von Gottsched bis Herder. Stuttgart 1968 (Studien zur Allgemeinen und Vergleichenden Literaturwissenschaft, Bd. 2).

Scherpe, Klaus R.: Werther und Wertherwirkung. Zum Syndrom bürgerlicher Gesellschaftsordnung im 18. Jahrhundert. Bad Homburg 1970.

Schlenke, Manfred: England und das Friderizianische Preußen 1740—1763. Ein Beitrag zum Verhältnis von Politik und öffentlicher Meinung im England des 18. Jahrhunderts. Freiburg 1963.

Schlingmann, Carsten: Gellert. Eine literarhistorische Revision. Bad Homburg/Berlin/ Zürich 1967 (Frankfurter Beiträge zur Germanistik 3).

Schmidt, Erich: Richardson, Rousseau und Goethe. Ein Beitrag zur Geschichte des Romans im 18. Jahrhundert. Jena 1875.

Schmidt, Martin: Pietismus. In: RGG V, Tübingen ³1961, Sp. 370—381.

Schmitt, Wolfgang: Die pietistische Kritik der »Künste«. Untersuchungen über die Entstehung einer neuen Kunstauffassung im 18. Jahrhundert. Diss. Köln 1958.

Schneider, Gerhard: Der Libertin. Zur Geistes- und Sozialgeschichte des Bürgertums im 16. und 17. Jahrhundert. Stuttgart 1970.

Schnitzler, Felix Th.: Die Bedeutung der Satire für die Erzählform bei Grimmelshausen. Diss. Heidelberg 1955 (Masch.).

Schöffler, Herbert: Protestantismus und Literatur. Neue Wege zur englischen Literatur des 18. Jahrhunderts. Göttingen, 2. unv. Aufl. 1958 (1. Aufl. Leipzig 1922).

Schöffler, Herbert: Das literarische Zürich 1700—1750. Frauenfeld 1925.

Schöne, Albrecht: Zum Gebrauch des Konjunktivs bei Robert Musil. In: Deutsche Romane von Grimmelshausen bis Musil. Interpretationen. Hrsg. v. J. Schillemeit, Bd. III. Frankfurt/M. 1966, S. 290—318 (zuerst: Euph. 55, 1961, S. 196—220).

Schönert, Jörg: Roman und Satire im 18. Jahrhundert. Ein Beitrag zur Poetik. Mit einem Geleitwort von W. Müller-Seidel. Stuttgart 1969.

Schramm, Percy Ernst: Die Hamburgerin im Zeitalter der Empfindsamkeit. In: Festschrift zum 70. Geburtstag Heinrich Reinckes. Zeitschrift des Vereins für Hamburgische Geschichte. Bd. XLI, Hamburg 1951, S. 233—267.

Schrimpf, Hans Joachim: K. Ph. Moritz. »Anton Reiser«. In: Der deutsche Roman. (Interpretationen). Hrsg. v. Benno v. Wiese. Düsseldorf ²1965, Bd. I, S. 95—131.

Schücking, Levin L.: Die Grundlagen des Richardson'schen Romans I, GRM XII, 1924, S. 21—42 und II, S. 88—110.

Schücking, Levin L.: Die puritanische Familie in literarsoziologischer Sicht. Bern ²1964.

Schultze, Johanna: Die Auseinandersetzung zwischen Adel und Bürgertum in den deutschen Zeitschriften der letzten drei Jahrzehnte des 18. Jahrhunderts (1773—1806). Berlin 1925 (Historische Studien H. 163).

Schulz-Falkenthal, Heinz: Christian Thomasius — Gesellschafts- und Zeitkritik in seinen »Monatsgesprächen« 1688/89. In: Wiss. Zs. d. M.-Luther-Univ.-Halle-Wittenberg; Gesellschafts- und Sprachwiss. Reihe. Jg. 4, H. 4, S. 533—554.

Schwarz, Elisabeth: Der schauspielerische Stil des deutschen Hochbarock. H. A. v. Ziglers »Asiatische Banise«. Diss. Mainz 1956 (Masch.).

Sengle, Friedrich: Wieland Stuttgart 1949.

Sengle, Friedrich: Der Romanbegriff in der ersten Hälfte des 19. Jahrhunderts. Festschrift für Franz Schröder. Heidelberg 1959, S. 214—228 (Wiederabdruck in: Deutsche Romantheorien. Hrsg. v. R. Grimm. Frankfurt/M. 1968, S. 127—141).

Siegrist, Christoph: Batteux-Rezeption und Nachahmungslehre in Deutschland. In: Geistesgeschichtliche Perspektiven. Rückblick-Augenblick-Ausblick. Hrsg. v. Götz Großklaus, Bonn 1969, S. 171—190.

Singer, Herbert: Die Prinzessin von Ahlden. Verhandlungen einer höfischen Sensation in der Literatur des 18. Jahrhunderts. Euph. 49, 1955, S. 305—334.

Singer, Herbert: Der galante Roman. Stuttgart 1961, ²1966 (Metzler-Realienbücher, Bd. 10).

Singer, Herbert: Der deutsche Roman zwischen Barock und Rokoko. Köln 1963 (Literatur und Leben, NF. Bd. 6).

Sommer, Cornelius: Christoph Martin Wieland. Stuttgart 1971 (Metzler-Realienbücher, Bd. 95).

Sommerfeld, Martin: Romantheorie und Romantypus der deutschen Aufklärung. Darmstadt 1967 (Nachdruck aus: DVjs. 4, 1926, S. 459—490).

Spahr, Blake Lee: Anton Ulrich and Aramena. The Genesis and Development of a Baroque Novel. Berkeley and Los Angeles 1966 (University of California Publications in Modern Philology, Vol. 76).

Spahr, Blake Lee: Der Barockroman in Wirklichkeit und Illusion. In: Deutsche Romantheorien. Hrsg. v. R. Grimm. Frankfurt/M. 1968, S. 17—28.

Spellerberg, Gerhard: Verhängnis und Geschichte. Untersuchungen zu den Trauerspielen und dem ›Arminius‹-Roman Daniel Caspers v. Lohenstein. Bad Homburg 1970.

Spiegel, Marianne: Der Roman und sein Publikum im frühen 18. Jahrhundert 1700—1767. Bonn 1967 (Abhandlungen zur Kunst-, Musik- und Literaturwissenschaft, Bd. 41).

Stackelberg, Jürgen v.: Von Rabelais bis Voltaire. Zur Geschichte des französischen Romans. München 1970.

Stadelmann, Rudolf / Fischer, Wolfram: Die Bildungswelt des deutschen Handwerkers um 1800. Studien zur Soziologie des Kleinbürgers im Zeitalter Goethes. Berlin 1955.

Stanzel, Franz Karl: Innenwelt — Ein Darstellungsproblem des englischen Romans. GRM XLIII, NF. XII, 1962, S. 273—286.

Stanzel, Franz Karl: Typische Formen des Romans. Göttingen 1964; ²1967 (Kleine Vandenhoeck-Reihe 187).

Stanzel, Franz K. (Hrsg.): Der englische Roman. Vom Mittelalter zur Moderne. (Interpretationen). 2 Bde., Düsseldorf 1969.

Steffen, Hans: J. G. Schnabels »Insel Felsenburg« und ihre formgeschichtliche Einordnung. GRM XLII, NF. XI, 1961, S. 51—61.

Steiner, Arpad: Les Idées Esthétiques de Mlle de Scudéry. Romanic Review 16, 1925, S. 174—184.

Steinmetz, Horst: Die Komödie der Aufklärung. Stuttgart 1966; 2., durchges. u. bibliograph. erg. Aufl. Stuttgart 1971 (Metzler-Realienbücher, Bd. 47).

Stemme, Fritz: Karl Philipp Moritz und die Entwicklung von der pietistischen Autobiographie zur Romanliteratur der Erfahrungsseelenkunde. Diss. Marburg 1950.

Stemme, Fritz: Die Säkularisation des Pietismus zur Erfahrungsseelenkunde. ZfdPh 72, 1953, S. 144—158.

Stewart, Philip: Imitation and Illusion in the French Memoir-Novel 1700—1750. The Art of Make-Believe. New Haven/London 1969 (Yale Romanic Studies, Second Series, 20).

Stötzer, Ursula: Deutsche Redekunst im 17. und 18. Jahrhundert. Halle 1962.

Szarota, Elida Maria: Lohensteins Arminius als Zeitroman. Sichtweisen des Spätbarock. München 1970.

Szondi, Peter: Friedrich Schlegels Theorie der Dichtarten; Versuch einer Rekonstruktion auf Grund der Fragmente aus dem Nachlaß. Euph. 64, 1970, S. 181—199.

Tieje, Arthur J.: The Expressed Aim of Long Prose Fiction from 1579 to 1740. JEGPh 11, 1912, S. 402—432.

Tumarkin, Anna: Die Überwindung der Mimesislehre in der Kunsttheorie des XVIII. Jahrhunderts. Zur Vorgeschichte der Romantik. In: Festgabe für Samuel Singer überreicht zum 12. Juli 1930. Hrsg. v. H. Maync unter Mitwirkung von G. Keller u. M. Marti. Tübingen 1930, S. 40—55.

Valjavec, Fritz: Geschichte der abendländischen Aufklärung. Wien 1961.

Verhofstadt, Edward: Daniel Casper von Lohenstein: Untergehende Wertwelt und ästhetischer Illusionismus. Fragestellung und dialektische Interpretationen. Brügge 1964 (Rijksuniversiteit te Gent werken uitgegeven door de Faculteit van de Letteren en Wijsbegeerte. 133ᵉ Aflevering).

Voelker, Paul: Die Bedeutungsentwicklung des Wortes Roman. Diss. Halle-Wittenberg 1887.

Vogt, Erika: Die gegenhöfische Strömung in der deutschen Barockliteratur. Diss. Gießen 1931.

Volkmann, Herbert: Der deutsche Romantitel in literarhistorischer Sicht — 1470 bis 1770. Diss. Berlin (FU) 1955 (Masch.).

Voss, Ernst Theodor: Erzählprobleme des Briefromans, dargestellt an vier Beispielen des 18. Jahrhunderts. Bonn 1960.

Voßkamp, Wilhelm: Zeit- und Geschichtsauffassung im 17. Jahrhundert bei Gryphius und Lohenstein. Bonn 1967 (Literatur und Wirklichkeit, Bd. 1).

Voßkamp, Wilhelm: Theorie und Praxis der literarischen Fiktion in Johann Gottfried Schnabels Roman ›Die Insel Felsenburg‹. GRM XLIX, NF. XVIII, 1968, S. 131—152.

Voßkamp, Wilhelm: Dialogische Vergegenwärtigung beim Schreiben und Lesen. Zur Poetik des Briefromans im 18. Jahrhundert. DVjs. 45, 1971, S. 80—116.

Vossler, Karl: Der Roman und das Epos. In: Die Dichtungsformen der Romanen. Hrsg. v. Andreas Bauer. Stuttgart 1951, S. 291—316.

Wagner, Reinhard: Die theoretische Vorarbeit für den Aufstieg des deutschen Romans im 19. Jahrhundert. ZfdPh 74, 1955, S. 353—363.

Waldberg, Max Frhr. v.: Der empfindsame Roman in Frankreich. I. Teil: Die Anfänge bis zum Beginne des XVIII. Jahrhunderts. Straßburg 1906.

Walzel, Oskar: Das Prometheussymbol von Shaftesbury zu Goethe. Zweite Aufl. in neuer Bearbeitung. München 1932.

Watt, Ian: The Rise of the Novel. Studies in Defoe, Richardson, and Fielding. London 1966 (¹1957).

Weber, Peter: Das Menschenbild des bürgerlichen Trauerspiels. Entstehung und Funktion von Lessings »Miß Sara Sampson«. Berlin 1970.

Wedemeyer, Irmgard: Das Menschenbild des Christian Thomasius (Teile einer Diss. Göttingen 1955). In: Wiss. Zs. der M.-Luther-Univ. Halle-Wittenberg, Gesellschafts- und Sprachwissenschaftl. Reihe, Jg. IV, H. 4, 1955, S. 509—532.

Wehrli, Max: Der historische Roman. Versuch einer Übersicht. Helicon III, 1—3, 1941, S. 89—108.

Weinberg, Bernard: A History of Literary Criticism in the Italian Renaissance. Vol. I u. II. Chicago 1961.

Weinreich, Otto: Der griechische Liebesroman. Zürich 1962.

Weinrich, Harald: Das Zeichen des Jonas. Über das sehr Große und das sehr Kleine in der Literatur. Merkur 20, 1966, S. 737—747; jetzt in: Literatur für Leser. Essays und Aufsätze zur Literaturwissenschaft. Stuttgart 1971, S. 35—44.

Weiser, Christian Friedrich: Shaftesbury und das deutsche Geistesleben. Leipzig 1916.

Welzig, Werner: Ordo und verkehrte Welt bei Grimmelshausen. ZfdPh 78, 1959 und 79, 1960. In: Der Simplicissimusdichter und sein Werk. Hrsg. v. G. Weydt. Darmstadt 1969, S. 370—388.

Weydt, Günther: Der deutsche Roman von der Renaissance und Reformation bis zu Goethes Tod. In: Deutsche Philologie im Aufriß. Bd. II, 1954, Sp. 2063—2196; ²1960, Sp. 1217—1356.

Weydt, Günther: Nachahmung und Schöpfung im Barock. Studien um Grimmelshausen. Bern/München 1968.

Weydt, Günther (Hrsg.): Der Simplicissimusdichter und sein Werk. Darmstadt 1969 (Wege der Forschung, Bd. 153).

Weydt, Günther: Hans Jacob Christoffel von Grimmelshausen. Stuttgart 1971 (Metzler-Realienbücher, Bd. 99).

Wieckenberg, Ernst-Peter: Zur Geschichte der Kapitelüberschrift im deutschen Roman vom 15. Jahrhundert bis zum Ausgang des Barock. Göttingen 1969 (Palaestra 253).

Wierlacher, Alois: Das Bürgerliche Drama. Seine theoretische Begründung im 18. Jahrhundert. München 1968.

Wiese, Benno v.: Novelle. Stuttgart 1963 (Metzler-Realienbücher, Bd. 27).

Winter, Hans Gerhard: Probleme des Dialogs und des Dialogromans in der deutschen Literatur des 18. Jahrhunderts. Heinz Nicolai zum 60. Geburtstag. Wirkendes Wort 20, 1970, S. 33—51.

Winterling, Fritz: Das Bild der Geschichte in Drama und Dramentheorie Gottscheds und Bodmers. Diss. Frankfurt/M. 1955 (Masch.).

Wölfel, Kurt: Friedrich von Blanckenburgs ›Versuch über den Roman‹. In: Deutsche Romantheorien. Hrsg. v. R. Grimm. Frankfurt/M. 1968, S. 29—60.

Woitkewitsch, Thomas: Thomasius' »Monatsgespräche«. Eine Charakteristik. Börsenblatt für den Deutschen Buchhandel. Frankfurter Ausg., Jg. 25, Nr. 51, 1969. Historischer Teil LXXII, S. 1483—1494.

Wolff, Erwin: Der englische Roman im 18. Jahrhundert. Wesen und Formen. Göttingen 1964 (Kleine Vandenhoeck-Reihe 195—197).

Wolff, Erwin: Shaftesbury und seine Bedeutung für die englische Literatur des 18. Jahrhunderts. Der Moralist und die literarische Form. Tübingen 1960.

Wolff, Hans M.: Die Weltanschauung der deutschen Aufklärung in geschichtlicher Entwicklung. München 1949. 2. Aufl., eingeleitet von K. S. Guthke. Bern 1963.

Wolff, Max Ludwig: Geschichte der Romantheorie mit besonderer Berücksichtigung der deutschen Verhältnisse. 1. Teil. Von den Anfängen bis gegen die Mitte des achtzehnten Jahrhunderts. Nürnberg 1915 (Diss. München 1911).

Worstbrock, Franz Josef: Translatio artium. Über die Herkunft und Entwicklung einer kulturhistorischen Theorie. AKG 47, 1965, S. 1—22.

Zimmermann, Franz: Zum Stand der Forschung über den Roman in der Antike. Gesichtspunkte und Probleme. Forschungen und Fortschritte 26, 1950, S. 59—62.

Szarota, Elida Maria 213, 215, 236
Szondi, Peter 208
Szyrocki, Marian 223, 225

Tarot, Rolf 218, 219, 220
Tasso, Torquato 45, 82
Tentzel, Wilhelm Ernst 75, 117, 229, 230, 231, 232, 237
Tersteegen, Gerhard 240
Theokrit 45
Thomasius, Christian 4, 5, 59, 66, 91, 94, 95, 96, 103—120, 126, 128, 143, 150, 151, 155, 156, 179, 188, 229, 231, 232, 233, 234, 235, 236, 237, 238
Thurnherr, Eugen 212
Tieje, Arthur J. 208, 214
Tiemann, Hermann 219, 221, 235
Titz, Johann Peter 224, 225
Toussaint, François-Vincent 260
Tröltsch, Carl Friedrich 170, 171, 172, 174, 175, 252, 253, 254, 259
Troeltsch, Ernst 125, 127
Trunz, Erich 6
Tschudi, Johann Heinrich 239
Tumarkin, Anna 249

Uffenbach, Johann Friedrich v. 133, 134, 137—138, 140, 144, 242, 243
Urfé, Honoré de 25, 46, 51, 74, 82, 89, 92, 151, 221, 223, 231, 232, 250

Valjavec, Fritz 233
Veiras d'Alais, Denis 94, 109, 118—119
Vergil 11, 12, 45, 70, 82, 158, 162
Verhofstadt, Edward 213, 236
Vernière, Paul 251, 253, 254, 256
Villedieu, Mme. de (= Desjardins, Marie-Catherine-Hortense) 115
Voelker, Paul 209
Volckmann, Jakob 76, 77, 82, 84, 90, 118, 229, 230, 231, 232
Voltaire 190
Voss, Ernst Theodor 251, 253, 254, 258
Vossler, Karl 209

Wahrenburg, Fritz 207, 238, 262

Walzel, Oskar 245, 248
Warning, Rainer 258
Watt, Ian 255
Weber, Ernst 245
Weber, Max 125, 127, 239
Weimann, Robert 239
Weinreich, Otto 209, 211, 212, 230
Weinrich, Harald 219
Weise, Christian 1, 4, 5, 30, 31, 32, 33, 34, 42, 59, 85, 89, 91, 94, 96—103, 104, 126, 179, 188, 217, 218, 219, 220, 221, 231, 232, 233, 234, 236
Welzig, Werner 218
Wesley, John 241
Weydt, Günther 208, 217, 218, 220, 221
Wieckenberg, Ernst-Peter 212, 213, 216, 239
Wiedemann, Conrad 206, 207, 211, 217, 226, 233, 234, 235, 236, 245, 250, 256, 262, 263
Wieland, Christoph Martin 42, 143, 155, 167, 168, 170, 174, 183, 184, 187, 191 bis 196, 203, 229, 249, 257, 258, 259, 260, 261
Wierlacher, Alois 199, 252, 254, 257, 262
Wiese, Benno v. 218, 235
Winckelmann, Johann Joachim 244
Winter, Hans Gerhard 251, 252
Winterling, Fritz 243, 248
Witkowski, Günter 227
Wölfel, Kurt 5, 195, 196, 206, 208, 250, 256, 261, 262, 263
Woitkewitsch, Thomas 234
Wolff, Christian 131, 133, 136—137, 146, 148, 154, 155, 186, 193, 243, 246
Wolff, Erwin 256
Wolff, Max Ludwig 5, 207, 208, 209, 228, 229, 230, 232
Wolfram v. Eschenbach 149
Worstbrock, Franz Josef 232

Zedler, Heinrich 227
Zesen, Philipp v. 8, 9—10, 11, 25, 49, 57, 110, 128, 149, 210, 214, 222, 223
Zigler und Kliphausen, Heinrich Anshelm v. 8, 75, 148, 149, 209, 214
Zimmermann, Franz 209
Zopf, Johann Heinrich 247